Laurell K. Hamilton est née en 1963 dans une petite ville de l'Arkansas. Après des études d'anglais et de biologie, elle se tourne vers l'écriture. C'est en 1993 qu'elle crée le personnage d'Anita Blake, auquel elle consacrera un roman chaque année, parallèlement à des novélisations pour séries (*Star Trek*). Portées par le bouche-à-oreille, les aventures de sa tueuse de vampire sont devenues aujourd'hui d'énormes best-sellers.

Du même auteur, chez Milady :

www.milady.fr

Laurell K. Hamilton

Le Squelette sanglant

Anita Blake – 5

Traduit de l'anglais (États-Unis) par Isabelle Troin

Milady

Milady est un label des éditions Bragelonne

Illustration de couverture :
Photographie : Marcus J. Ranum – Montage : Anne-Claire Payet

ISBN : 978-2-8112-0119-7

Bragelonne – Milady
35, rue de la Bienfaisance – 75008 Paris

E-mail : info@milady.fr
Site Internet : http://www.milady.fr

À la mémoire de ma mère,
Susie May Gentry Klein.
J'aurais voulu que nous ayons davantage de temps.
Tu me manques.

Chapitre premier

C'était la Saint-Patrick et je portais un seul truc vert – un badge qui annonçait : « Pincez-moi et vous êtes mort ».

La veille au soir, je m'étais pointée au boulot avec un chemisier vert, mais un poulet me l'avait bousillé. Parfaitement : un poulet. Larry Kirkland, apprenti réanimateur de zombies, avait laissé tomber le volatile décapité, qui avait esquissé la danse du poulet sans tête, nous aspergeant tous les deux de son sang. J'avais réussi à rattraper la bestiole, mais mon chemisier était irrécupérable. Comme le reste de ma tenue.

J'avais couru chez moi me changer. Par bonheur, ma veste de tailleur anthracite était dans la voiture. Je l'avais enfilée par-dessus un chemisier noir, une jupe noire, un collant noir et des escarpins noirs. Bert, mon patron, n'aime pas qu'on porte du noir au boulot. Mais si je devais retourner à l'agence à 7 heures du matin sans avoir dormi, il faudrait bien qu'il s'en accommode.

Penchée sur une chope de café aussi noir que possible, j'observais une série d'agrandissements photographiques brillants étalés sur mon bureau. Sur le premier figurait une colline éventrée, probablement par un bulldozer. Une main squelettique jaillissait de la terre nue. Le cliché suivant montrait que quelqu'un avait tenté de nettoyer soigneusement la terre, révélant un cercueil défoncé, avec des os sur le côté. Un nouveau corps. Le bulldozer était revenu. Il avait fouillé la terre rouge et mis au jour un champ d'ossements qui pointaient hors du sol telles des fleurs éparses.

Un crâne où une mèche de cheveux pâle s'accrochait encore ouvrait ses mâchoires sur un cri silencieux. Le tissu sombre et souillé qui enveloppait le cadavre semblait être un vestige de robe. Je repérai au moins trois fémurs à proximité. À moins que cette femme ait eu une jambe de plus que la normale, nous avions affaire à un véritable puzzle.

Les photos étaient de bonne qualité, donc vaguement répugnantes. Grâce à la couleur, on distinguait plus facilement les corps les uns des autres. Mais pourquoi avoir choisi de les développer en brillant plutôt qu'en mat ? On eût dit des clichés de morgue pris par un photographe de mode. Il existait sûrement à New York une galerie d'art contemporain capable d'exposer ces trucs et de servir du vin et du fromage pendant que les visiteurs hocheraient la tête en déclarant : « Puissant, très puissant ».

Oui, ils étaient puissants. Et infiniment tristes.

Il n'y avait que ces photos. Pas la moindre explication. Bert m'avait ordonné de passer dans son bureau après les avoir examinées. Il me raconterait tout, avait-il promis. Ouais, bien sûr. Et le Lapin de Pâques est un de mes meilleurs amis.

Je ramassai les clichés, les fourrai dans leur enveloppe, pris ma chope de café et avançai vers la porte.

Il n'y avait personne à l'accueil. Craig était rentré chez lui, et Mary, notre secrétaire de jour, n'arrive jamais avant 8 heures. Que Bert m'ait convoquée alors que nous étions seuls à l'agence me préoccupait un peu. Pourquoi tant de mystère ?

La porte était grande ouverte. Assis derrière son bureau, mon patron buvait du café en feuilletant des documents.

Il leva les yeux vers moi, sourit et me fit signe d'approcher. Son sourire m'inquiéta encore plus que le reste. Bert ne prend jamais la peine de se montrer aimable, à moins d'avoir quelque chose à demander. Quelque chose qui ne sera pas plaisant, en général.

Les revers de sa veste de costard à mille dollars encadraient une chemise blanche et une cravate ton sur ton. Ses yeux gris pétillaient de bonne humeur. Pas une mince affaire, vu qu'ils ont la couleur d'une vitre sale. Il avait dû passer chez le coiffeur récemment. Ses cheveux d'un blond très clair étaient coupés si court que je voyais son crâne.

— Assieds-toi, Anita.

Je jetai l'enveloppe sur son bureau et obéis.

— Que mijotes-tu encore, Bert ?

Son sourire s'élargit. D'habitude, il le réserve aux clients. Il ne le gaspille pas avec ses employés, et surtout pas avec la plus têtue : moi.

— Tu as regardé les photos ?

— Ouais, et alors ?

— Tu crois pouvoir réanimer ces gens ?

Je fronçai les sourcils et bus une gorgée de café.

— De quand datent-ils ?

— Tu n'arrives pas à le deviner ?

— Je risquerais une estimation si je les avais sous le nez, mais pas d'après des photos. Réponds à ma question.

— Environ deux siècles.

— Les réanimateurs ne pourraient pas relever des zombies aussi vieux sans un sacrifice humain.

— Mais toi, tu en es capable, dit calmement Bert.

— C'est vrai. Je n'ai pas vu de pierres tombales sur les photos. Tu as des noms ?

— Pourquoi ?

Je secouai la tête.

—Voilà cinq ans que tu diriges cette agence. Comment peux-tu être aussi ignare en matière de réanimation ?

Le sourire de Bert se flétrit.

—Pourquoi as-tu besoin de noms ?

—Pour appeler les zombies.

—Sans ça, tu ne peux pas les relever ?

—Théoriquement, non.

—Mais en pratique, oui.

Je n'aimais pas sa belle assurance.

—Je ne suis pas la seule dans ce cas. John...

—Les clients ne veulent pas de John, coupa Bert.

Je finis mon café.

—Qui sont-ils ?

—Beadle, Beadle, Stirling et Lowenstein.

—Un cabinet d'avocats ?

Bert hocha la tête.

—Assez joué ! m'impatientai-je. Dis-moi de quoi il retourne.

—Beadle, Beadle, Stirling et Lowenstein sont spécialisés dans le droit commercial. Ils travaillent pour un promoteur qui veut construire un complexe hôtelier ultra haut de gamme dans les montagnes, près de Branson. Quelque chose de très chic. Un endroit où les gens riches et célèbres qui n'ont pas de maison dans les parages iront pour échapper à la foule. Il y a des millions de dollars en jeu.

—Quel rapport avec ce vieux cimetière ?

—Deux familles se disputaient la propriété du terrain à bâtir. Le tribunal a donné raison aux Kelly, qui ont reçu une grosse somme d'argent. Les Bouvier disaient que le terrain était à eux, et qu'il abritait le cimetière de leurs ancêtres. Mais jusque-là, personne n'avait réussi à le retrouver.

— Jusque-là, répétai-je.

— Les bulldozers ont bien mis au jour un ancien cimetière, mais qui n'était pas nécessairement celui de la famille Bouvier.

— Du coup, ils veulent relever les morts pour leur demander leur nom ?

— Exactement, dit Bert.

Je haussai les épaules.

— Je peux réanimer deux ou trois corps pas trop esquintés pour les interroger. Que se passera-t-il si ce sont bien des Bouvier ?

— Il faudra que le promoteur achète le terrain une seconde fois. On suppose qu'une partie des corps seulement appartiennent à des Bouvier. Voilà pourquoi il faudra tous les relever.

— J'espère que tu plaisantes ! lançai-je.

Bert secoua la tête avec une grimace satisfaite.

— Alors, tu peux le faire ?

— Je ne sais pas trop... Repasse-moi les photos.

Je posai ma chope sur le bureau pour examiner les clichés une nouvelle fois.

— Un vrai bordel..., gémis-je. Une fosse commune. Les bulldozers ont mélangé tous les os. Je connais un seul cas où un réanimateur a relevé un zombie d'une fosse commune. Mais c'était une personne spécifique, avec un nom. Dans le cas présent, ça risque de ne pas être possible.

— Pourrais-tu au moins essayer ? insista Bert.

J'étalai les photos sur le bureau et les étudiai. La moitié supérieure d'un crâne était retournée comme un bol. Deux phalanges attachées par un morceau de peau desséchée gisaient à côté. Des ossements partout, mais pas un seul nom...

Pouvais-je le faire ? Honnêtement, je n'en savais rien. Étais-je prête à essayer ?

— Oui, soupirai-je.

— Merveilleux ! jubila Bert.

— Mais même si je réussis, en comptant quatre ou cinq zombies par nuit, il me faudra des semaines pour venir à bout de ce cimetière. Ça irait plus vite avec l'aide de John.

— Un retard pareil coûterait des millions de plus au promoteur ! lança Bert.

— Il n'y a pas d'autre moyen.

— Le mois dernier, tu as relevé toute la famille Davidson d'un coup, même l'arrière-grand-père qui n'intéressait personne.

— C'était un accident, ils voulaient réanimer trois membres de leur famille. J'ai pensé leur faire économiser de l'argent en procédant en une seule fois. Tu sais combien j'aime frimer.

— Peu importe. Tu as relevé dix personnes alors qu'on t'en demandait trois.

— Où veux-tu en venir ?

— Tu pourrais faire la même chose avec les occupants de ce cimetière…

— En une seule nuit ? Tu es cinglé !

— Tu peux réussir ça, oui ou non ?

J'ouvris la bouche pour répondre « non », mais je la refermai sans rien dire. Il m'était déjà arrivé de réanimer un cimetière entier d'un coup. Tous les cadavres n'étaient pas aussi vieux, mais certains l'étaient encore plus – dans les trois siècles à vue de nez. Et je les avais tous relevés. Évidemment, je disposais du pouvoir conféré par deux sacrifices humains. Comment m'étais-je retrouvée avec deux personnes agonisantes dans un cercle de pouvoir ? Une longue histoire de légitime défense… Mais la magie s'en moque. Pour elle, une mort est une mort.

Pouvais-je le faire ?

— Je n'en sais rien, Bert.

— Ce n'est pas un « non », constata mon patron.

— Ces avocats t'ont offert un paquet de fric ?

— Nous avons répondu à un appel d'offres.

— Je te demande pardon ?

— Ces photos ont été envoyées à notre agence, à la Compagnie de Résurrection Californienne et à l'Élan Vital de La Nouvelle-Orléans.

Élan Vital. J'ai toujours trouvé que ce nom évoquait un salon de beauté, mais on ne me demande jamais mon avis.

— Si je comprends bien, le tarif le plus bas l'emporte ?

— C'était l'idée de départ, approuva Bert avec un sourire étincelant.

— Je sens qu'il y a un « mais… », marmonnai-je.

— Dans le pays, combien y a-t-il de réanimateurs capables de relever des zombies aussi vieux sans recourir à un sacrifice humain ? Non, inutile de me répondre. Il y a toi, John et Phillipa Freestone de la CRC.

— Probablement. Et alors ?

— Phillipa pourrait-elle agir sans un nom ?

— Je n'en sais rien. Peut-être. John en serait capable, lui.

— Mais l'un d'eux pourrait-il relever des zombies à partir d'ossements mélangés ? Je ne te parle pas de ceux qui sont dans des cercueils.

— Comment veux-tu que je le sache ?

— Et l'un ou l'autre aurait-il une chance de réanimer tout le cimetière ? enchaîna Bert.

— Ça t'amuse ?

— Contente-toi de me répondre, Anita.

— Je sais que John n'y arriverait pas. Et comme je pense que Phillipa n'est pas aussi bonne que lui… Non, ils n'auraient pas la moindre chance.

— Donc, je vais faire monter les enchères, conclut triomphalement Bert.

— Monter les enchères ?

— Personne ne peut le faire. À part toi. Ils ont essayé de traiter ça comme un problème ordinaire. Mais aucune autre agence ne pourra proposer ses services, quel que soit le tarif.

— Probablement pas.

— CQFD, fit Bert. Voilà pourquoi je vais vider leur compte bancaire.

Je secouai la tête.

— Tu es vraiment un fils de pute cupide.

— N'oublie pas que tu toucheras un pourcentage.

— Je n'oublie pas. (Nous nous défiâmes du regard pardessus son bureau.) Et si je n'arrive pas à les relever tous en une seule nuit ?

— Du moment que tu finis par tous les relever quand même…

— À ta place, j'éviterais de dépenser l'argent avant que j'aie terminé. Maintenant, je rentre me coucher.

— Ils attendent mon offre ce matin. S'ils acceptent nos conditions, un hélicoptère te conduira sur les lieux.

— Un hélicoptère ? Tu sais que je déteste voler.

— Pour une somme pareille, force-toi !

— Génial…

— Tiens-toi prête à partir.

— N'abuse pas trop, Bert.

Arrivée devant la porte, j'hésitai.

— Laisse-moi emmener Larry.

— Pourquoi ? Si John ne peut pas le faire, comment veux-tu qu'un simple apprenti y arrive ?

Je haussai les épaules.

— Il y a des façons de combiner le pouvoir, pendant une réanimation. Si je ne réussis pas seule, j'aurai peut-être besoin de renforts.

Bert se mordilla pensivement la lèvre inférieure.

— Alors, pourquoi ne pas plutôt emmener John ?

— Il faudrait qu'il accepte de me donner son pouvoir. Tu te vois en train de lui dire que les clients ne veulent pas de lui ? Que tu as proposé ses services, et qu'ils ont insisté pour m'avoir ?

— Non, admit Bert.

— C'est pour ça que tu m'as convoquée à cette heure, compris-je. Pour ne pas avoir de témoins.

— Le temps presse, Anita.

— Bien sûr. Mais la vérité, c'est que tu ne voulais pas affronter M. John Burke et lui avouer qu'un client important m'avait encore préférée à lui.

Bert baissa les yeux vers ses grosses mains, croisées sur le bureau. Quand il releva la tête, son expression était très sérieuse.

— John est presque aussi bon que toi, Anita. Je ne veux pas le perdre.

— Tu crois qu'il démissionnerait pour ça ?

— Sa fierté en a pris un sacré coup depuis qu'il bosse pour cette agence.

— Elle est si grosse qu'elle fait un excellent punching-ball…

— C'est ta faute… Si tu l'asticotais un peu moins…

Je haussai les épaules. Je ne voulais pas avoir l'air mesquin, mais c'était lui qui avait commencé. Nous avions essayé de sortir ensemble, et John ne supportait pas que je sois son alter ego féminin.

Rectification : il ne supportait pas que je sois son alter ego – en plus fort.

— Tâche de tenir ta langue, Anita. Larry n'est pas encore prêt à bosser seul et nous avons besoin de John.

— Je tiens toujours ma langue, Bert. Crois-moi, je suis loin de dire tout ce que je pense.

Il soupira.

— Si tu ne me faisais pas gagner autant de fric, il y a un bail que j'aurais mis un terme à ton contrat.

— Idem pour moi.

Cela résumait à merveille notre relation. Nous ne nous appréciions pas, mais notre professionnalisme nous permettait de traiter des affaires ensemble. Vive la libre entreprise.

Chapitre 2

À midi, Bert m'appela pour me dire que nous avions décroché le marché.

— Sois à l'agence avec tes valises à 14 heures tapantes. M. Lionel Bayard vous accompagnera, Larry et toi.

— Qui est Lionel Bayard ?

— Un associé junior du cabinet Beadle, Beadle, Stirling et Lowenstein. Il adore le son de sa propre voix. Tâche de ne pas l'embêter avec ça.

— Qui, moi ?

— Anita, il vaut mieux éviter de se mettre la valetaille à dos. Ce type porte un costume à trois mille dollars, mais c'est quand même un larbin.

— D'accord, je réserverai ça aux autres associés. J'imagine que Beadle, Beadle, Stirling et Lowenstein vont faire une apparition pendant le week-end.

— Ne te mets pas non plus les patrons à dos.

— Tout ce que tu voudras, Bert chéri.

— Tu n'en feras qu'à ta tête quoi que je puisse dire, pas vrai ?

— Et on prétend qu'on n'apprend pas à un vieux singe à faire la grimace…

— Contente-toi de te pointer à 14 heures. J'ai déjà appelé Larry. Il sera là.

— Moi aussi. J'ai une course à faire avant. Ne t'inquiète pas si j'ai quelques minutes de retard.

— Pas question !
— J'arrive aussi vite que possible, promis-je.
Puis je raccrochai très vite.
Je devais encore me doucher, me changer et passer au collège Seckman, où Richard Zeeman était professeur de sciences. Nous avions prévu de nous voir le lendemain. Quelques mois plus tôt, Richard m'avait demandé de l'épouser. Nos projets étaient suspendus pour le moment, mais je ne pouvais pas laisser un message sur son répondeur pour annuler notre rencard. Ç'aurait été plus facile, mais trop lâche.
Je préparai une valise : des sous-vêtements de rechange et des fringues passe-partout, de quoi tenir une petite semaine. J'ajoutai quelques extras. Mon Firestar 9 mm et son holster de cuisse. Assez de munitions pour couler un navire de guerre. Deux couteaux et leurs fourreaux conçus pour être cachés sous une manche. À l'origine, j'en avais quatre, fabriqués rien que pour moi. Deux avaient disparu sans espoir de retour. J'en avais commandé deux autres pour les remplacer, mais la fabrication artisanale demande du temps, surtout quand la cliente insiste pour que l'acier contienne un maximum d'argent.
Deux couteaux et deux flingues devraient suffire pour un voyage de quelques jours. Comme toujours, je porterais mon Browning Hi-Power sur moi.
Faire mes bagages n'avait pas été difficile. Choisir la tenue à porter s'annonçait plus problématique. Les clients voulaient que je relève les morts ce soir, si possible. L'hélicoptère se poserait sans doute directement sur le site de construction. Ça signifiait que je devrais marcher sur de la terre retournée, au milieu d'ossements épars et de cercueils brisés. Autrement dit, il valait mieux éviter les talons aiguilles.
Mais si un associé junior portait un costard à trois mille dollars, les gens qui venaient de m'engager en voudraient

pour leur argent. J'avais le choix entre un tailleur bien strict ou une panoplie de plumes vaudou. Un jour, un type avait eu l'air déçu que je ne me pointe pas toute nue, couverte de symboles cabalistiques tracés avec du sang. Je ne crois pas avoir rencontré un client qui aurait vu une objection à ce que je revête une tenue cérémonielle. Mais le bon vieux jean-baskets ne semble pas leur inspirer confiance. Ne me demandez pas pourquoi.

Je pourrais toujours emporter ma combinaison bleue et l'enfiler par-dessus mes vêtements. Oui, c'était une bonne idée. Ronnie, ma meilleure amie, m'avait convaincue d'acheter une jupe bleu marine, assez courte pour être à la mode… et pour que je me sente gênée d'être vue avec. L'avantage, c'est qu'elle rentre dans ma combinaison. Je l'ai déjà portée pour aller inspecter les lieux d'un crime ou embrocher un vampire : elle ne remonte pas et ne se froisse pas. Et je n'ai plus qu'à enlever ma combi pour aller au bureau ou au restaurant.

Quand je m'en suis aperçue, j'étais tellement ravie que j'ai foncé au magasin en acheter deux autres : une rouge et une violette. On ne la faisait pas en noir. Les seules jupes noires disponibles étaient si minuscules qu'on aurait dit de grosses ceintures. Certes, elles m'auraient donné l'air d'avoir les jambes plus longues. Ce genre de détail n'est pas négligeable quand on mesure un mètre cinquante-huit. Mais ce n'est pas une raison pour renoncer à sa dignité.

N'ayant pas grand-chose pour aller avec la jupe violette, je pris la rouge. Puis j'enfilai un chemisier à manches courtes qui, pratiquement de la même teinte, faisait ressortir ma peau très claire, mes cheveux noirs et mes yeux marron. Le holster d'épaule de mon Browning se détachait trop contre le tissu écarlate. Pour le cacher, je passai une veste de tailleur noir aux manches relevées, puis esquissai une pirouette devant le miroir de ma chambre. La jupe ne dépassait pas de beaucoup sous la veste, mais on ne voyait plus mon flingue. À moins, bien sûr, de le chercher avec un œil exercé. Les vêtements de femme sont rarement conçus pour cacher une arme à feu.

Je me maquillai juste assez pour que le rouge de ma tenue ne me fasse pas ressembler, par contraste, à un des cadavres que j'étais censée relever. Sans compter que j'allais dire au revoir à Richard – et je ne le reverrai peut-être pas avant une semaine. Me pomponner un peu ne pouvait pas faire de mal. En général, mes efforts en la matière se résument à un peu d'ombre à paupières, du blush et du rouge à lèvres. J'ai porté du fond de teint une seule fois, pour une émission de télé à laquelle Bert m'avait convaincue de participer.

Les collants et les escarpins noirs mis à part – mais j'aurais dû faire avec, quelle que soit la jupe choisie –, ma tenue était plutôt confortable. Tant que je ne me pencherais pas trop en avant, ma dignité serait sauve.

Pour tous bijoux, je portais un crucifix en argent glissé dans mon chemisier. Et une grosse montre de plongée noire, un modèle pour homme qui semble déplacé à mon poignet. Mais elle est phosphorescente, indique la date et le jour et fait aussi chronomètre. Si les montres de femme sont plus jolies, elles ont moins de fonctions. J'en avais une, dans le temps. Hélas, je l'ai cassée, et j'oublie régulièrement de la faire réparer.

Je n'eus pas besoin d'annuler mon jogging bihebdomadaire avec Ronnie. En déplacement professionnel, elle enquêtait sur une affaire Dieu sait où. La vie d'un détective privé n'est pas tellement plus reposante que celle d'une réanimatrice.

Je chargeai la valise dans ma Jeep et pris le chemin du collège de Richard vers 13 heures. J'allais être en retard à l'agence. Bah, ils seraient bien obligés de m'attendre. De toute façon, que l'hélico parte sans moi ne me dérangeait pas. Je hais les avions, mais les hélicoptères me fichent une trouille bleue.

Je n'avais jamais eu peur de voler jusqu'à ce que je me retrouve dans un avion en chute libre. L'hôtesse avait fini collée au plafond, couverte de café. Les gens hurlaient ou priaient. La vieille femme assise à côté de moi récitait le *Notre Père* en allemand. Elle avait si peur que des larmes inondaient son visage. Je savais que j'allais mourir et que je ne pouvais rien faire, à part serrer une main humaine dans la mienne.

L'avion s'était redressé au dernier moment... Depuis, je ne fais plus confiance aux transports aériens.

Normalement, à Saint Louis, il n'y a pas de printemps. Au sortir de l'hiver, nous avons droit à deux jours de temps doux avant d'être assaillis par la canicule. Cette année, le printemps était arrivé tôt, et il était resté. L'air caressait la peau des passants. Le vent charriait une odeur de pousses vertes et l'hiver semblait être un lointain cauchemar. Des bourgeons rouges piquetaient les arbres de chaque côté de la route. Çà et là, de délicates fleurs couleur lavande pointaient dans l'herbe. Il n'y avait pas encore de feuilles, mais on décelait déjà un soupçon de vert sur les branches noires et nues, comme si quelqu'un avait colorié le paysage avec un pinceau géant.

La 270 Sud est aussi agréable qu'une autoroute peut l'être: elle conduit directement là où on veut aller, aussi rapidement que les limitations de vitesse de l'État l'autorisent. Je sortis sur Tesson Ferry Road, une longue avenue bordée par plusieurs centres commerciaux, un hôpital et une flopée de fast-foods. Un peu plus loin, des lotissements flambant neufs se pressent quasiment les uns contre les autres. Il reste encore quelques bosquets et des espaces que les promoteurs n'ont pas colonisés, mais ça ne durera pas.

Le croisement avec l'ancienne 21 est au sommet d'une butte, juste après le fleuve Meramec. Sur cette route se succèdent des pavillons individuels, deux ou trois stations-service, le siège de la compagnie des eaux locale et une usine de traitement du gaz domestique. Après, ce ne sont plus que des collines à perte de vue.

Au premier feu rouge, je tournai à gauche devant une épicerie et m'engageai sur un chemin étroit qui serpentait entre les maisons et les bois. Dans les jardins, j'aperçus quelques jonquilles qui dépliaient timidement leurs clochettes jaunes. Au carrefour suivant, je m'arrêtai pour respecter le stop, puis tournai de nouveau à gauche. J'y étais presque.

Le collège Seckman se dresse au fond d'une vallée entourée de hautes collines. Ayant grandi dans une ferme de l'Indiana, je les aurais jadis qualifiées de montagnes. L'établissement partage sa cour de récréation avec l'école primaire du même nom… Si tant est que les collégiens aient droit à des récréations, de nos jours. Dans mon enfance, c'était le cas. Mais le temps que j'entre en sixième, on les avait supprimées. Nous vivons vraiment dans un monde cruel.

Je me garai le plus près possible du grand bâtiment. C'était ma seconde visite sur le lieu de travail de Richard, et la première aux heures de classe. Un jour, nous étions venus chercher des documents qu'il avait oubliés – à un moment où il ne restait plus un seul élève dans les murs.

À peine franchie la porte d'entrée, je fus happée par une foule déchaînée. J'avais dû arriver à l'intercours, pendant la transhumance des élèves d'une salle à l'autre.

Je m'aperçus aussitôt que je faisais la même taille, voire que j'étais plus petite que les adolescents qui m'entouraient. Être bousculée par des hordes de jeunes ployant sous le poids de leurs livres et de leur sac à dos me donna un sentiment immédiat de claustrophobie. Il doit exister un cercle de l'Enfer dont les occupants sont condamnés à avoir toujours quatorze ans, et à fréquenter le collège jusqu'à la fin des temps. Un cercle inférieur.

Je me laissai entraîner vers la salle de cours de Richard, secrètement ravie d'être mieux habillée que la plupart des filles. Je sais, c'est mesquin. Mais au collège, j'étais plutôt enrobée, et je me faisais toujours charrier par mes « camarades ». Après ma poussée de croissance, le problème avait été réglé. Eh oui ! Jeune, j'étais encore plus minuscule que maintenant. La plus petite de ma classe pendant toute ma scolarité.

Plaquée d'un côté de la porte, je regardai les élèves aller et venir. Richard expliquait quelque chose à une fille blonde vêtue d'une chemise de flanelle et d'une jupe beaucoup trop grande pour elle. Elle portait aussi des rangers noires avec de grosses chaussettes blanches roulées par-dessus le bord. Bref, une tenue très moderne – contrairement à son expression de femelle mérou morte d'amour, toute frétillante parce que M. Zeeman daignait lui adresser la parole.

Richard est le genre de prof qui mérite qu'on ait le béguin pour lui. Ses épais cheveux bruns attachés sur sa nuque donnent l'illusion qu'il a le crâne rasé. Ses pommettes sont hautes et sa mâchoire carrée, mais une fossette adoucit son visage. Ses yeux couleur chocolat sont bordés par une frange de longs cils, comme beaucoup d'hommes en ont… et comme toutes les femmes voudraient en avoir. Ce jour-là, sa chemise jaune vif faisait ressortir sa peau perpétuellement bronzée. Sa cravate vert sombre était assortie à son pantalon et à la veste posée sur le dossier de sa chaise. Alors qu'il montrait quelque chose dans un manuel à la fille blonde, ses biceps tendirent le tissu de sa chemise.

Tous les élèves s'étaient assis, et un silence presque total régnait dans le couloir. Richard referma le livre et le tendit à la fille. Elle lui sourit et gagna la porte au pas de course, en retard pour son cours suivant. Son regard se posa sur moi, et je sus qu'elle se demandait ce que je fichais là.

Elle n'était pas la seule. Plusieurs élèves de Richard me dévisageaient. J'entrai dans la salle.

Richard me sourit et une agréable chaleur se diffusa jusqu'au bout de mes orteils. Ce sourire l'empêchait d'être trop parfait. Ne nous méprenons pas : c'était un beau sourire, et il aurait pu faire de la pub pour une marque de dentifrice. Mais c'était un sourire de petit garçon, ouvert et confiant. Sans la moindre duplicité, il prouvait que Richard était le plus grand boy-scout du monde.

Je voulais me jeter dans ses bras, prise d'une énorme envie de le saisir par sa cravate et de l'entraîner hors de la pièce pour toucher sa poitrine sous la chemise jaune. Mes mains me démangeaient tellement que je les fourrai dans les poches de ma veste. Je ne voulais pas choquer ses élèves.

Voilà le genre d'effet que me fait Richard. Enfin, quand il n'est pas trop poilu, ou en train de lécher du sang sur ses doigts. Car c'est un loup-garou. Ai-je pensé à le mentionner ? Au collège, personne n'est au courant. Sinon, il n'y serait déjà plus. Les braves gens n'aiment pas que des lycanthropes enseignent à leur précieuse progéniture. Il est illégal de pénaliser quelqu'un parce qu'il est malade, mais tout le monde se le permet quand même. Pourquoi le système éducatif serait-il différent ?

Richard me caressa la joue. Je tournai la tête et effleurai ses doigts du bout de mes lèvres. J'aurais voulu me montrer cool devant les gamins, mais je n'avais pas pu m'en empêcher. Il y eut quelques exclamations et deux ou trois éclats de rire nerveux.

— Je reviens tout de suite.

Nouvelles exclamations, éclats de rire encore plus forts, et même un : « Prenez tout votre temps, monsieur Zeeman »…

Richard me désigna la porte et je le suivis, les mains toujours dans les poches. En temps normal, je ne suis pas du genre à me ridiculiser devant une classe de quatrième. Mais depuis quelques mois, je n'ai plus toute ma tête…

Richard m'entraîna un peu à l'écart de sa salle de cours, dans le couloir désert. Il s'adossa au mur tapissé de casiers métalliques et baissa les yeux sur moi. Son sourire de petit garçon avait disparu, et son regard sombre me fit frissonner. Je caressai sa cravate comme pour la lisser.

— J'ai le droit de t'embrasser, ou ça risque de scandaliser les gamins ?

Je m'étais adressée à sa chemise, ne voulant pas qu'il lise le désir dans mes yeux. Il était déjà assez embarrassant qu'il le sente. On ne peut pas cacher ce genre d'émotion à un loup-garou.

— Je prends le risque, dit-il d'une voix douce.

Il se pencha vers moi. Je levai la tête, et nos lèvres se rencontrèrent. Les siennes étaient si douces… Je m'appuyai contre lui, les paumes pressées sur sa poitrine. À travers le tissu jaune soyeux, je sentis ses mamelons se durcir. Mes mains glissèrent vers sa taille. Je mourais d'envie de tirer sa chemise hors de son pantalon pour caresser sa peau nue. Mais je reculai d'un pas, légèrement essoufflée.

C'était moi qui avais décidé que nous ne coucherions pas ensemble avant le mariage. Moi seule. Mais qu'il était difficile de résister ! Plus le temps passait, et moins ça s'arrangeait.

Je secouai la tête.

— Doux Jésus ! C'est de plus en plus dur, hein ?

Cette fois, le sourire de Richard n'eut rien d'innocent.

— Tu as remarqué ?

Je sentis mes joues s'embraser.

— Ce n'est pas ce que je voulais dire.

— Je sais très bien ce que tu voulais dire, me rassura-t-il, toute velléité de taquinerie envolée.

J'étais encore morte de honte, mais je parvins à contrôler ma voix. Un point pour moi.

— Je dois partir en déplacement professionnel.

— Une histoire de vampires, de zombies ou de flics ?

— De zombies.

— Tant mieux.

— Pourquoi ?

— Parce que je m'inquiète toujours quand tu participes à une enquête criminelle ou que tu pars exécuter un vampire. Tu le sais bien.

Je hochai la tête. Face à face dans le couloir, nous nous regardions sans ciller. Si les choses avaient été différentes, nous aurions été fiancés, en train d'organiser notre mariage. Cette tension sexuelle aurait approché de sa conclusion. Mais dans la situation actuelle…

— Je suis déjà en retard. Il faut que j'y aille.

— Iras-tu dire au revoir à Jean-Claude avant de partir ?

Richard avait posé cette question sur un ton neutre, mais son regard s'était durci.

— Nous sommes en début d'après-midi. Il dort encore dans son cercueil.

— Ah.

— Et je n'avais pas de rendez-vous avec lui ce week-end. Donc, je ne lui dois aucune explication. C'est ce que tu voulais entendre ?

— Ça s'en rapproche…

Il s'écarta de la rangée de casiers, nos corps se retrouvant à quelques centimètres l'un de l'autre. Alors qu'il se penchait pour m'embrasser, des gloussements retentirent plus loin dans le couloir.

Nous tournâmes la tête d'un même mouvement. Les trois quarts de ses élèves se pressaient dans l'encadrement de la porte. Génial.

Richard sourit et haussa la voix pour se faire entendre.

— Retournez à vos places, espèces de monstres !

Il y eut quelques sifflets, et une petite brune me foudroya du regard. Apparemment, la blonde de tout à l'heure n'était pas la seule à avoir le béguin pour son prof de sciences.

— Les indigènes s'agitent. Je dois y retourner.

Je hochai la tête.

— J'espère être de retour lundi.

— Dans ce cas, nous irons nous promener le week-end prochain.

— J'ai déjà refusé de voir Jean-Claude ce week-end. Je ne peux pas lui faire ça deux semaines de suite.

— Viens te promener avec moi la journée et vois-le le soir. Ce sera plus équitable.

— Cette situation ne me plaît pas plus qu'à toi, tu sais.

— J'aimerais pouvoir te croire.

— Richard…

Il soupira, et sa colère sembla s'évaporer. Je ne comprendrai jamais comment il fait pour passer si vite de la fureur au calme. Moi, une fois remontée contre quelqu'un, je le reste.

— Je suis désolé, Anita… Ce serait différent si tu le voyais derrière mon dos, mais là…

— Je ne ferais jamais une chose pareille, tu le sais.

Il hocha la tête et regarda sa salle de classe.

— Il faut que j'y aille avant qu'ils mettent le feu.

Puis il s'éloigna sans un dernier regard pour moi.

Je faillis le rappeler, mais je me retins. L'atmosphère était foutue. Savoir que votre petite amie sort avec quelqu'un d'autre est parfait pour vous couper toute envie de la peloter. Si nos positions avaient été inversées, je ne l'aurais jamais toléré. C'était de la pure hypocrisie de ma part, mais nous pouvions vivre avec tous les trois. Si « vivre » était un terme approprié pour Jean-Claude.

Et merde ! Ma vie privée devenait un vrai bordel.

Je marchai vers la sortie, mes talons hauts cliquetant dans le couloir désert qui amplifiait l'écho de mes pas.

Je dus passer devant la porte ouverte de la classe de Richard, mais fis un effort pour ne pas tourner la tête. Je me serais sentie encore plus mal.

Sortir avec le maître de la ville n'était pas mon idée. Jean-Claude m'avait laissé le choix : ou il tuait Richard, ou j'acceptais de les voir tous les deux. Sur le coup, j'avais eu l'impression de m'en tirer à bon compte. Cinq semaines plus tard, je n'en étais plus si sûre.

Au début, seuls mes principes moraux m'avaient empêchée de consommer ma relation avec Richard. Consommer : bel euphémisme. Mais Jean-Claude s'était montré très clair sur ce point : si je faisais quelque chose avec Richard, je devais le faire avec lui aussi. Le vampire essayait de me séduire. Si Richard avait le droit de me toucher et pas lui, ce n'était pas juste. D'une certaine façon, je comprenais son point de vue. Mais la perspective de coucher avec un buveur de sang garantissait ma chasteté plus sûrement que mes idéaux.

Je ne pourrais pas continuer indéfiniment à sortir avec les deux. La tension sexuelle m'épuisait. J'aurais pu déménager. M'installer dans une autre ville. Ça ne plairait pas à Richard, mais si c'était ce que je voulais, il respecterait ma volonté. Jean-Claude, en revanche... Il ne me laisserait jamais partir.

Toute la question était : voulais-je qu'il me laisse partir ? Réponse : bien sûr que oui ! Mais je ne voyais pas comment l'y inciter sans que quelqu'un y laisse sa peau. Tôt ou tard, il faudrait pourtant que je trouve un moyen. Et même le « tard » se rapprochait de plus en plus.

CHAPITRE 3

Je me pelotonnai contre la paroi de l'hélicoptère, une main agrippant frénétiquement la poignée. Comme si ça risquait de me sauver quand ce maudit engin dégringolerait vers le sol ! J'aurais bien utilisé les deux mains, mais je ne voulais pas montrer à quel point j'avais la trouille.

Je portais un casque qui ressemblait vaguement à ceux qu'on enfile sur un stand de tir pour se protéger les oreilles, mais muni d'un micro, histoire que les passagers puissent converser malgré le vacarme assourdissant. Jusque-là, je n'avais pas compris que le cockpit d'un hélicoptère se composait surtout de panneaux transparents qui donnaient l'impression d'être suspendu dans une grosse bulle bourdonnante. Je m'efforçais de garder les yeux fermés.

— Vous allez bien, mademoiselle Blake ? demanda Lionel Bayard.

— Oui, ça va.

— On ne dirait pas.

— Je déteste voler, admis-je.

Il m'adressa un sourire dépourvu de compassion. Je n'inspirais pas une grande confiance à Lionel Bayard, avocat chargé des basses besognes pour le cabinet Beadle, Beadle, Stirling et Lowenstein. C'était un petit homme très soigné, avec une fine moustache blonde qui constituait la totalité de sa pilosité faciale. Son menton triangulaire semblait aussi lisse que le mien. Sa moustache était peut-être un postiche qu'il faisait tenir avec de la colle.

Son costume de tweed brun, probablement du sur-mesure, lui allait comme un gant. Il portait une fine cravate marron rayée de jaune, avec une épingle en or ornée d'un monogramme identique à celui de son attaché-case en cuir. Même ses mocassins à glands dorés étaient assortis au reste de sa tenue.

Larry, assis à côté du pilote, se retourna sur son siège.

— Tu as vraiment peur de voler ?

Je vis remuer ses lèvres, mais entendis seulement le son qui sortait de mes écouteurs. Sans nos casques, le vrombissement de l'appareil nous aurait empêchés de communiquer.

Larry semblait franchement amusé.

— Oui, j'ai vraiment peur de voler, répondis-je en espérant que son casque lui transmettrait mon ironie.

Larry éclata d'un rire juvénile. Comme le gosse qu'il était toujours, et pas seulement au sens figuré.

Il portait son « autre » costume bleu, une de ses trois chemises blanches et sa deuxième plus belle cravate (la première, éclaboussée par le sang du poulet, était partie au pressing le matin même). Toujours étudiant à la fac, il travaillait pour nous le week-end en attendant de recevoir son diplôme. Les cheveux courts, couleur carotte, le visage couvert de taches de son, ses yeux bleu pâle arrivaient à peine au niveau des miens.

Bayard faisait de gros efforts pour ne pas m'écraser de son mépris. Des efforts si visibles qu'il aurait pu s'en dispenser…

— Êtes-vous certaine d'être de taille à accomplir cette mission ?

Je soutins son regard.

— Vous feriez mieux de l'espérer, monsieur Bayard, parce que je suis votre seul espoir.

— Je connais vos capacités très spéciales, mademoiselle Blake. J'ai passé les douze dernières heures à contacter toutes les firmes de réanimation des États-Unis. Phillipa Freestone de la CRC m'a dit qu'elle ne pouvait pas faire ce que nous lui demandions, la seule personne qui y arriverait peut-être étant Anita Blake. Le patron d'Élan Vital m'a raconté la même chose. Il a mentionné John Burke, mais en précisant qu'il n'était pas certain que Burke puisse réanimer tout un cimetière. Or, nous devons relever tous les morts. Sinon, ça ne nous servira à rien.

— Bert Vaughn vous a-t-il expliqué que je n'étais pas sûre à cent pour cent d'y arriver ?

— Il semblait très confiant en vos talents…

— Il peut se le permettre. Ce n'est pas lui qui se retrouvera sur le terrain au milieu de squelettes démantibulés.

— Je sais que les engins d'excavation vous ont compliqué la tâche, mademoiselle Blake, mais ce n'était pas un geste délibéré.

Je laissai filer. J'avais vu les photos. Ils avaient tenté de recouvrir le cimetière. Si les ouvriers n'avaient pas été des gens du coin – et des sympathisants à la cause des Bouvier – ils auraient ratissé la fosse commune, versé du béton dessus et fait disparaître toutes les preuves.

— Peu importe. Je ferai ce que je pourrai avec ce que vous m'avez laissé.

— Ç'aurait été plus facile si nous avions fait appel à vos services avant de déranger les tombes ?

— Oui.

Il lâcha un soupir qui vibra dans mes écouteurs.

— Dans ce cas, je vous présente toutes mes excuses.

Je haussai les épaules.

— À moins que vous ayez été aux commandes du bulldozer, ce n'est pas vous qui me devez des excuses.

Il s'agita dans son siège.

— Ce n'est pas moi qui ai déclenché l'excavation. M. Stirling est sur le site.

— *Le* M. Stirling ? demandai-je.

Bayard ne sembla pas comprendre mon humour.

— Oui, ce M. Stirling.

Ou peut-être s'attendait-il vraiment à ce que je le connaisse de réputation…

— Vous avez toujours un associé senior sur le dos ?

Du bout de son index manucuré, il rajusta ses lunettes à monture dorée. Un geste suranné, qui semblait dater de l'époque où les gens portaient encore des lorgnons.

— Vu les sommes en jeu, M. Stirling a tenu à être sur place au cas où il y aurait d'autres problèmes.

— D'autres problèmes ? répétai-je.

Bayard cligna rapidement des yeux, tel un lapin pris dans un faisceau lumineux.

— Comme avec les Bouvier.

Il mentait.

— Qu'est-ce qui cloche encore dans votre petit projet ?

— Que voulez-vous dire, mademoiselle Blake ? demanda Bayard en lissant sa cravate.

— Vous avez eu d'autres problèmes que les Bouvier, affirmai-je.

— Que ce soit le cas ou non, mademoiselle Blake, cela ne vous concerne en rien. Nous vous avons engagée pour relever des morts et établir leur identité. Point.

— Avez-vous déjà réanimé un zombie, monsieur Bayard ?

De nouveau, il cligna des yeux.

— Non. Bien sûr que non, dit-il, l'air offensé.

— Dans ce cas, comment pouvez-vous savoir que vos autres problèmes n'affecteront pas mon travail ?

De petites lignes verticales se formèrent au-dessus de son nez tandis qu'il fronçait les sourcils. Il était avocat et il gagnait bien sa vie, mais il semblait avoir du mal à réfléchir. De quoi se demander dans quelle université il avait décroché son diplôme.

—Je ne vois pas en quoi nos… petites difficultés pourraient affecter votre travail.

—Vous venez juste d'admettre que vous ne connaissez rien à mon job, fis-je. Comment sauriez-vous ce qui pourrait l'affecter ou non ?

D'accord, je me la jouais un peu…

Bayard avait sans doute raison. Les autres problèmes ne me toucheraient probablement pas, mais on ne sait jamais. Je déteste qu'on me cache des choses. Ou qu'on me mente, même par omission.

—Je pense que c'est à M. Stirling de déterminer si vous devez être mise au courant ou non.

—Vous n'êtes pas assez gradé pour prendre la décision tout seul ?

—En effet, dit Bayard. Je ne le suis pas.

Certaines personnes sont vraiment difficiles à asticoter. Je regardai Larry, qui haussa les épaules.

—On dirait que nous allons nous poser.

Je baissai les yeux vers le sol, qui se rapprochait rapidement. Nous étions au milieu des monts Ozark, au-dessus d'une bande de terre rouge et nue. *Le site de construction*, pensai-je.

Le sol fonça à notre rencontre. Je fermai les yeux et déglutis péniblement. Le vol était presque terminé. Je n'allais pas vomir si près du but. Presque terminé. Presque terminé.

Soudain, une secousse me fit hoqueter de panique.

—Nous avons atterri, dit Larry. Tu peux rouvrir les yeux.

Je levai les paupières.

—Tu t'amuses comme un petit fou, pas vrai ? grognai-je.

— Je n'ai pas souvent l'occasion de te voir hors de ton élément.

L'hélicoptère était entouré d'un nuage de poussière rougeâtre. Alors que ses pales ralentissaient – *whump, whump* –, puis s'arrêtaient, la poussière retomba, et nous pûmes enfin voir autour de nous.

Nous étions dans un petit espace dégagé au centre d'une couronne de montagnes. Jadis, ça avait dû être une vallée étroite, mais les bulldozers l'avaient agrandie et aplatie pour en faire une piste d'atterrissage. La terre était tellement rouge qu'on aurait cru voir un fleuve de rouille. Des engins et des véhicules de chantier étaient regroupés de l'autre côté de la vallée. Des hommes s'y pressaient, une main en visière pour se protéger de la poussière.

Bayard détacha sa ceinture et j'en fis autant.

Nous enlevâmes nos casques, puis Bayard ouvrit sa portière. Une fois encore, je l'imitai, et m'aperçus que le sol était beaucoup plus bas que je ne l'aurais cru. Je dus exposer ma jambe jusqu'à la hanche pour descendre.

Les ouvriers apprécièrent le spectacle. J'eus droit à des sifflets, à des exclamations libidineuses et même à une proposition visant à vérifier la couleur de ma culotte.

Non, ce ne sont pas les mots exacts qui furent employés !

Un homme de haute taille, coiffé d'un casque de chantier blanc, avança vers nous. Il portait une combinaison marron clair, mais ses chaussures poussiéreuses étaient des Gucci et il arborait le genre de bronzage immaculé qu'on obtient en passant des heures sous une lampe à UV.

Un autre homme et une femme le suivaient. L'homme ressemblait à un authentique contremaître, avec son jean et sa chemise à carreaux dont les manches relevées exposaient des biceps musclés. Pas comme ceux des cadres qui jouent au tennis ou au golf une fois par semaine, mais comme ceux d'un honnête travailleur manuel.

La femme portait un tailleur classique avec un chemisier à lavallière. Un truc qui avait dû coûter les yeux de la tête, mais dont la couleur orange brûlée assortie à son fard à joues jurait atrocement avec ses cheveux auburn. Je baissai les yeux vers son cou. Comme je m'y attendais, il y avait une ligne de démarcation à l'endroit où s'arrêtait son fond de teint. On eût dit qu'elle avait appris à se maquiller à l'école du cirque, dans la section des clowns.

Elle n'avait pourtant pas l'air si jeune. Depuis le temps, quelqu'un aurait dû lui faire remarquer qu'elle avait une tête affreuse. Évidemment, je n'allais rien lui dire. Qui étais-je pour me permettre de la critiquer ?

Stirling avait les yeux gris les plus pâles que j'aie jamais vus, avec des iris à peine plus foncés que le blanc. Il se campa devant nous, l'homme et la femme qui l'accompagnaient restant un peu à l'écart. Il me détailla de la tête aux pieds, et ce qu'il vit ne sembla pas lui plaire. Son regard étrange se porta ensuite sur Larry, debout près de moi dans son costume bon marché un peu froissé. Il fronça les sourcils.

Bayard avança vers lui en lissant les plis de sa veste.

— Monsieur Stirling, voilà Anita Blake. Mademoiselle Blake, je vous présente Raymond Stirling.

Son patron continua à m'étudier, l'air déçu. La femme tenait un bloc-notes dans le creux de son coude gauche, et un stylo prêt à écrire dans sa main droite. Ce devait être sa secrétaire. Elle paraissait inquiète, comme s'il était très important que M. Raymond Stirling nous trouve à son goût.

Personnellement, je me fichais qu'il m'apprécie ou non. J'eus envie de crier : « Vous avez un problème ? » Mais je me contentai de demander aimablement :

— Il y a un problème ?

Bert aurait été fier de moi.

— Je ne m'attendais pas à une personne comme vous, mademoiselle Blake.

— Et en quoi suis-je différente de l'image que vous vous faisiez d'une réanimatrice ?

— Pour commencer, vous êtes jolie.

Je le sentais bien : dans sa bouche, ça n'était pas un compliment.

— Et… ?

— Vous n'êtes pas vêtue convenablement pour ce travail.

— Votre secrétaire porte des escarpins, dis-je.

— La tenue de Mlle Harrison ne vous regarde pas.

— Et la mienne ne vous concerne en rien non plus.

— Certes, mais vous allez avoir du mal à gravir cette montagne avec vos chaussures.

— J'ai une combinaison et des Nike dans ma valise.

— Je crois que je n'aime pas beaucoup votre attitude, mademoiselle Blake.

— Et je suis certaine de détester la vôtre.

Derrière Stirling, le contremaître avait de plus en plus de mal à réprimer un sourire. L'effort faisait briller ses yeux. Mlle Harrison semblait de plus en plus effrayée. Bayard s'était déplacé sur le côté pour se rapprocher de son patron, histoire de montrer dans quel camp il se rangeait. Espèce de lâche, va ! Avec un nom pareil, c'est une honte.

— Mademoiselle Blake, voulez-vous ce travail ?

— Pas assez pour me laisser marcher dessus.

Mlle Harrison grimaça comme si elle venait d'avaler un insecte. Un gros insecte juteux et remuant. Selon elle, j'avais sans doute raté une occasion de me prosterner aux pieds de son patron.

Le contremaître toussa derrière sa main. Stirling lui jeta un regard désapprobateur, puis se retourna vers moi.

— Êtes-vous toujours aussi arrogante, mademoiselle Blake ?

— Je préfère me considérer comme pleine d'assurance et consciente de ma propre valeur, répondis-je. Mais je vais vous faire une proposition. Mettez-la en veilleuse, et j'en ferai autant.

— Je suis désolé, monsieur Stirling, fit Bayard. Je n'avais aucune idée…

— La ferme, Lionel ! coupa son patron.

Bayard la ferma.

Stirling me dévisagea de ses yeux aux iris pâles. Au bout d'un moment, il hocha la tête.

— Entendu, mademoiselle Blake… Je vais la mettre en veilleuse.

— Fantastique !

— Maintenant, montons là-haut, et voyons si vous êtes aussi bonne que vous semblez le croire.

— Je veux bien voir le cimetière, mais je ne pourrai rien faire d'autre jusqu'à la tombée de la nuit.

Stirling se rembrunit.

— Lionel ?

Dans sa voix, je sentis toute la colère qu'il ne pouvait plus diriger contre moi, et qu'il était donc obligé de reporter sur un de ses sous-fifres.

— Je vous ai faxé un mémo, monsieur, dès que j'ai compris que Mlle Blake devait opérer à la faveur des ténèbres.

Brave type ! Dans le doute, il faut toujours se protéger avec du papier. Le plus efficace des boucliers administratifs.

Stirling le foudroya du regard. Bayard prit une expression navrée, mais pas franchement terrorisée. Il était à l'abri derrière son mémo.

— J'ai appelé Beau et je lui ai fait rameuter tout le monde en partant du principe que nous aurions une chance de travailler aujourd'hui.

Bayard frémit en sentant son bouclier administratif céder sous les assauts de l'ire patronale.

—Monsieur Stirling, à supposer que je puisse relever tous les occupants du cimetière en une nuit – et je ne vous garantis rien –, que se passera-t-il si ce sont des Bouvier ? J'ai cru comprendre que les travaux devraient s'interrompre jusqu'à ce que vous ayez racheté le terrain à leurs descendants.

—Ils ne veulent pas vendre, déclara Beau.

Stirling le fusilla du regard, histoire de ne pas faire de jaloux. Mais le contremaître se contenta de sourire.

—Faut-il comprendre que tout le projet tombera à l'eau s'il s'agit bien du cimetière familial des Bouvier ? demandai-je à Bayard. Lionel, petit coquin, vous ne m'aviez pas parlé de ça.

Le « petit coquin » se rembrunit.

—Vous n'aviez pas besoin de le savoir.

—Pourquoi ne voudraient-ils pas vendre le terrain pour un million de dollars ? demanda Larry.

Une bonne question.

Stirling regarda mon apprenti comme s'il venait de jaillir de nulle part. Dans son monde, les sous-fifres n'étaient pas censés avoir le don de la parole.

—Magnus et Dorcas Bouvier n'ont qu'un restaurant, le *Squelette sanglant*. Autant dire, rien du tout. Je ne vois pas pourquoi ils refuseraient de devenir millionnaires.

—Le *Squelette sanglant* ? Drôle de nom pour un resto, fit Larry.

—Une étrange façon de dire « bon appétit » aux clients ! lançai-je.

Je levai les yeux vers Stirling. Il semblait en colère, mais sans plus. J'aurais parié le million de dollars que personne ne me proposait qu'il savait pourquoi les Bouvier ne souhaitaient pas vendre. Même si ça ne se voyait pas sur son visage. En bon joueur de poker, il gardait ses cartes collées contre sa poitrine.

Je me tournai vers Bayard. Ses joues étaient toutes rouges, et il évita mon regard. Lui, il n'aurait pas fait long feu à une table de jeu.

— Très bien. Je vais enfiler quelque chose de plus confortable, et nous irons jeter un coup d'œil.

Le pilote me fit passer ma valise. La combinaison et les baskets étaient sur le dessus.

Larry approcha.

— J'aurais dû penser à en prendre une aussi, dit-il. Mon costume ne survivra pas à ce voyage.

Sous ma première combinaison, j'en avais fourré une deuxième. Je la lui tendis.

— Il faut toujours être prêt à tout.

— Trop aimable !

Je haussai les épaules.

— Un des avantages de faire presque la même taille que moi…

J'enlevai ma veste noire, exposant mon Browning à la vue de tous.

— Mademoiselle Blake ! lança Stirling. Pourquoi êtes-vous armée ?

Je soupirai. Raymond me fatiguait. Je n'avais pas encore vu son fichu cimetière et je ne trépignais pas précisément d'impatience. Mais l'idée de me farcir un débat sur l'utilité d'avoir un flingue m'épuisait d'avance…

Mon chemisier avait des manches courtes et je dis toujours qu'une petite démonstration vaut mieux qu'un long discours. Je m'approchai de Stirling, les bras tendus, face interne vers le haut.

J'ai une cicatrice de couteau sur le bras droit, rien de dramatique. Mon bras gauche, en revanche, n'est pas beau à voir. Un mois plus tôt, un léopard-garou me l'avait lacéré.

Un gentil docteur l'avait recousu. Malgré ses compétences, il n'avait pas pu faire grand-chose pour effacer les marques de griffes, qui avaient déformé la brûlure en forme de croix que les serviteurs inventifs d'un vampire m'avaient infligée. Quant au tissu cicatriciel, au creux de mon coude, à l'endroit où un autre vampire m'avait mordue jusqu'à l'os, il était zébré de traces blanches.

— Doux Jésus, souffla Beau.

Stirling frémit mais ne se laissa pas décontenancer, comme s'il avait déjà vu pire. Bayard était verdâtre. Mlle Harrison avait tellement pâli que son maquillage criard semblait flotter sur sa peau comme les nénuphars d'un peintre impressionniste.

— Je ne vais nulle part sans arme, monsieur Stirling. Vous devrez vous en accommoder, parce que ce n'est pas négociable.

Il hocha la tête, l'air très sérieux.

— Très bien, mademoiselle Blake. Votre assistant est-il armé lui aussi ?

— Non.

— Parfait. Changez-vous, et nous partirons dès que vous serez prête.

Larry remontait la fermeture Éclair de sa combinaison lorsque je revins vers lui.

— J'aurais pu être armé, tu sais.

— Tu as amené ton flingue ? lui demandai-je.

— Mouais…

— Déchargé, dans ta valise ?

— Comme tu me l'as demandé.

Je ne relevai pas. Larry voulait être réanimateur *et* exécuteur de vampires, comme moi. Ça signifiait qu'il devait savoir se servir d'une arme à feu.

Pour commencer, un pistolet avec des balles en argent capables de ralentir un buveur de sang ferait l'affaire.

Plus tard, je lui apprendrais à manier un fusil à pompe, pour qu'il puisse faire sauter une tête ou exploser un cœur à une distance convenable. Je sais, ça n'est pas très traditionnel, mais aussi efficace qu'un bon vieux pieu en bois, et bien moins dangereux.

J'avais dégoté un permis de port d'arme à Larry, en lui faisant promettre qu'il ne cacherait pas de flingue sur lui jusqu'à ce que je le juge assez doué pour ne pas perforer par erreur sa carcasse ou la mienne. En attendant, ça lui permettait de balader son pistolet dans la boîte à gants de sa voiture en toute légalité, quand nous allions ensemble au stand de tir.

La combinaison engloutit ma jupe comme par magie. Je ne remontai pas la fermeture Éclair trop haut, histoire d'accéder rapidement à mon Browning en cas de besoin. Puis j'enlevai mes escarpins, enfilai mes Nike et me déclarai prête à partir.

— Vous venez avec nous, monsieur Stirling ?

— Oui.

— Dans ce cas, je vous suis.

Il me dépassa en regardant ma combinaison. Ou peut-être en visualisant le flingue que je portais dessous. Beau fit mine de lui emboîter le pas, mais il l'arrêta.

— Non. J'y vais seul avec elle.

Silence parmi les trois sous-fifres… Je pensais que Mlle Harrison ne nous accompagnerait pas pour cause de talons inadaptés, mais j'étais certaine que les deux hommes le feraient. Et à en juger par leur expression, eux aussi.

— Attendez une minute ! lançai-je. Vous avez dit « elle ». Dois-je comprendre que Larry va nous attendre ici ?

— Oui.

Je secouai la tête.

— Il est en apprentissage. Et il n'apprendra rien si vous le tenez à l'écart.

— Dans l'immédiat, allez-vous faire quelque chose d'instructif pour lui ? demanda Stirling.

— Probablement pas.

— Mais je pourrai monter après la tombée de la nuit ? proposa Larry.

— Je te promets que tu seras là pour le lever du rideau, le rassurai-je. Ne t'inquiète pas.

— Bien entendu, fit Stirling. Je ne désire pas empêcher votre assistant de faire son travail.

— Dans ce cas, pourquoi ne peut-il pas nous accompagner maintenant ?

— Vu le prix que je vous paie, mademoiselle Blake, vous pourriez respecter ma volonté.

Il était étrangement poli. Du coup, je n'insistai pas.

— D'accord.

— Monsieur Stirling, dit Bayard, êtes-vous certain que ce soit prudent ?

— Pourquoi cela ne le serait-il pas, Lionel ?

Bayard ouvrit la bouche, la referma, puis lâcha enfin :

— Pour rien, monsieur Stirling.

Beau haussa les épaules.

— Je vais dire aux gars de rentrer chez eux. Voulez-vous qu'ils reviennent demain ?

Stirling me consulta du regard.

— Mademoiselle Blake ?

Je secouai la tête.

— Je ne sais pas encore.

— Mais à votre avis ? insista-t-il.

Je regardai les ouvriers.

— S'ils viennent, seront-ils payés, qu'ils travaillent ou non ?

— Ils seront payés seulement s'il y a du travail, répondit Stirling.

— Dans ce cas, ne les faites pas venir. Je ne peux pas garantir qu'ils se déplaceront pour quelque chose.

—Vous l'avez entendue, Beau.

Le regard du contremaître passa de Stirling à moi. Il affichait une expression étrange, mélange d'amusement et d'autre chose que je ne parvenais pas à identifier.

—Comme vous voudrez.

Il se détourna et s'éloigna en faisant de grands signes à ses hommes, qui commencèrent à quitter le chantier longtemps avant qu'il les ait rejoints.

—Que devons-nous faire, monsieur Stirling? demanda Bayard.

—Vous nous attendez.

—Avec l'hélicoptère? Il doit repartir avant la tombée de la nuit.

—Serons-nous revenus d'ici là, mademoiselle Blake?

—Je pense. Je vais jeter un rapide coup d'œil. Mais il faudra que j'y retourne dans la soirée.

—Je ferai mettre une voiture et un chauffeur à votre disposition pour la durée de votre séjour.

—Merci.

Stirling me fit signe de le précéder. Quelque chose avait changé dans sa façon de me traiter. Je n'arrivais pas à mettre le doigt dessus, mais je n'étais pas certaine que ça me plaise.

—Après vous, monsieur Stirling.

Il hocha la tête et piétina la terre rouge avec ses pompes à mille dollars.

Larry et moi échangeâmes un regard.

—Je n'en ai pas pour longtemps, promis-je.

—De toute façon, tu n'as pas à t'en faire: les sous-fifres n'iront nulle part en votre absence.

Je souris. Lui aussi.

Pourquoi Stirling voulait-il que nous y allions seuls? Je le regardai s'éloigner pendant quelques instants, puis haussai les épaules et lui emboîtai le pas. Quand nous serions au sommet, je découvrirais pourquoi il faisait tant de mystères. Et mon petit doigt me disait que ça avait peu de chances de me faire bondir de joie.

Chapitre 4

Le spectacle qui s'offrit à nous au sommet de la montagne valait bien l'escalade. Des arbres s'étendaient à perte de vue, d'un bout à l'autre de l'horizon. Nous étions encerclés par une forêt encore sauvage. Ici, les premiers frémissements du printemps étaient davantage perceptibles. Mais on remarquait surtout les bourgeons blancs et violets des cornouillers qui se détachaient sur l'écorce noire des branches. En cette saison, les monts Ozark étaient vraiment d'une beauté à couper le souffle.

— La vue est magnifique, dis-je.

— N'est-ce pas ? fit Stirling.

Mes Nike noires étaient couvertes de poussière couleur de rouille. Le sommet où nous étions avait dû être aussi joli que ceux qui l'entouraient jadis. À présent, ce n'était plus qu'une immense plaie à vif.

Un os pointait hors de la terre, à mes pieds. Un cubitus, à en juger par sa longueur. Un lambeau de muscle desséché s'y accrochait encore.

Après avoir repéré le premier, je ne mis pas longtemps à trouver les autres. Comme un de ces tableaux magiques qu'on regarde pendant des heures sans rien voir d'autre que des points multicolores, jusqu'à ce que l'image qu'ils dissimulent s'impose soudain à l'œil. Je les voyais tous, jaillissant du sol telles des mains qui émergent d'un nuage de poussière.

Il y avait aussi quelques cercueils fendus. Mais la plupart des morts semblaient avoir été enterrés tels quels.

Je m'agenouillai et posai mes paumes sur le sol éventré, m'efforçant d'établir un contact avec les occupants du cimetière. Je percevais quelque chose d'impalpable et de distant, comme une bouffée de parfum. Rien de plus. Pas moyen de faire usage de mes dons en plein jour, surtout avec une lumière aussi éblouissante. Relever les morts n'a rien de maléfique, mais il faut impérativement agir sous le couvert des ténèbres. Qu'on ne me demande pas pourquoi...

Je me redressai et essuyai mes mains sur ma combinaison pour les débarrasser de la poussière rouge incrustée jusque dans les plis de ma peau. Stirling se tenait à la lisière du site d'excavation, le regard dans le vague. Quelque chose me disait qu'il n'admirait pas le paysage.

—Je ne vous impressionne guère, pas vrai, mademoiselle Blake ? lança-t-il.

—En effet, répondis-je aimablement.

Il tourna la tête vers moi en souriant, mais ses yeux restèrent tout aussi inamicaux.

—J'ai investi tout ce que j'avais dans ce projet. Pas seulement mon argent, mais aussi celui de mes clients. Comprenez-vous ce que je vous dis, mademoiselle Blake ?

—Si ces corps appartenaient à des Bouvier, vous êtes baisé.

—Quelle charmante manière de résumer la situation...

—Pourquoi sommes-nous seuls ici, monsieur Stirling ? Et pourquoi faire tant de mystère ?

Il aspira une grande goulée d'air pur et déclara :

—Je veux que vous disiez que ces gens n'étaient pas les ancêtres des Bouvier, même s'ils le sont.

Il ne m'avait pas quittée des yeux, guettant ma réaction. Je souris et secouai la tête.

—Je ne mentirai pas pour vous.

— Ne pourriez-vous pas faire mentir les zombies ?

— Les morts sont plus honnêtes que les vivants, monsieur Stirling. Ils ne mentent jamais.

Il fit un pas vers moi.

— Mon avenir dépend de vous, mademoiselle Blake.

— Non, monsieur Stirling : il dépend des cadavres qui gisent à vos pieds, et de ce qui sortira de leur bouche.

— Je suppose que c'est juste…

— Juste ou pas, c'est la vérité.

Il hocha la tête. Toute lumière avait abandonné son visage, comme si quelqu'un avait appuyé sur un interrupteur. Soudain, ses rides m'apparaissaient clairement. Il semblait avoir vieilli de dix ans en quelques secondes. Quand son regard croisa de nouveau le mien, il se fit presque suppliant.

— Je vous donnerai un pourcentage des bénéfices. Vous pourriez devenir milliardaire.

— Vous savez que la corruption ne marchera pas avec moi.

— Je l'ai compris dès que nous avons été présentés, mais essayer ne coûte rien.

— Vous croyez donc qu'il s'agit bel et bien du cimetière familial des Bouvier ? demandai-je.

Stirling prit une profonde inspiration et s'éloigna de moi pour observer les arbres. Il ne répondrait pas à ma question, mais il n'en avait pas besoin. Il n'aurait pas agi de manière aussi désespérée, à moins de se croire déjà fichu.

— Pourquoi les Bouvier refuseraient-ils de vendre ?

— Je ne sais pas.

— Stirling, nous sommes seuls… Il n'y a pas de témoin, ni personne à impressionner. Vous pouvez bien me le dire !

— Je vous assure que je l'ignore, mademoiselle Blake.

— Vous êtes un obsédé du contrôle, monsieur Stirling. Vous avez supervisé tous les détails de cette affaire, veillant à ce qu'il y ait un point sur chaque « i » et une barre sur chaque « t ». C'est votre projet. Vous savez tout sur les

Bouvier et leurs motivations. Pourquoi ne voulez-vous pas m'en parler ?

Il me regarda en silence. Ses yeux gris étaient aussi opaques et vides que la fenêtre d'une maison inoccupée. Il savait, mais il ne me dirait rien…

— Très bien. Si vous ignorez pourquoi ils refuseront de vendre, dites-moi ce que vous savez d'autre sur eux.

— Les gens du coin pensent que ce sont des sorciers. Ils prédisent l'avenir et lancent parfois des sorts inoffensifs.

Stirling avait lâché ça sur un ton un peu trop désinvolte qui me donna envie de rencontrer les fameux Bouvier.

— Ils font de la magie ? Et ils sont doués ?

— En quoi cela vous intéresse-t-il ?

Je haussai les épaules.

— Simple curiosité. Pourquoi avoir choisi cette montagne entre toutes ?

— Regardez-la. (Stirling écarta les bras.) C'est un site magnifique. Absolument parfait.

— On a une très belle vue d'ici. Mais elle ne serait pas moins belle du sommet de la montagne voisine. Pourquoi tenez-vous tant à celle-là ? Au nom de quoi vous faut-il le terrain des Bouvier, et pas un autre ?

Ses épaules s'affaissèrent. Puis il se redressa et me foudroya du regard.

— Je voulais celui-là, et je l'ai eu.

— Vous avez raison, Raymond. La question, c'est savoir si vous parviendrez à le garder.

— Si vous n'avez pas l'intention de m'aider, essayez au moins de ne pas me provoquer. Et ne m'appelez pas par mon prénom.

À l'instant où j'ouvrais la bouche pour répondre, mon bipeur sonna. Je plongeai une main dans ma combinaison et trifouillai quelques secondes avant de réussir à le prendre.

— Et merde, grognai-je en voyant le numéro affiché sur l'écran.

— Un problème ?

— La police a besoin de moi. Je dois trouver un téléphone.

Stirling fronça les sourcils.

— Pourquoi la police vous appellerait-elle ?

Et moi qui croyais jouir d'une sacrée réputation…

— Je suis l'exécutrice de vampires officielle de trois États de ce pays. Rattachée à la Brigade d'Investigations surnaturelles.

— Vous me surprenez, mademoiselle Blake. Les experts dans votre genre sont peu nombreux.

— Je dois trouver un téléphone, répétai-je.

— J'ai un mobile et une batterie portable au pied de cette fichue montagne.

— Je suis prête à redescendre, si vous avez fini.

Stirling tourna une dernière fois sur lui-même pour embrasser du regard sa vue à plusieurs millions de dollars.

— Oui, je suis fini.

Erreur de grammaire ou lapsus freudien ? Je sentais qu'il voulait ce terrain pour une raison perverse. Peut-être parce qu'on lui avait dit qu'il ne pouvait pas l'avoir. Certaines personnes sont comme ça. Plus vous leur dites non, plus vous attisez leur désir. Ça me rappelait un maître vampire de ma connaissance.

Plus tard dans la soirée, je remonterais au cimetière pour rendre visite aux morts. Mais je ne tenterais probablement pas de les relever avant la nuit suivante. Voire bien après, si j'étais impliquée dans une affaire criminelle urgente.

J'espérais qu'elle ne le serait pas. Qui dit « affaire criminelle urgente » dit généralement « cadavres en bouillie ». « Cadavres » au pluriel. Quand un monstre commence à faire des ravages, les victimes se multiplient en un temps record.

Chapitre 5

Nous redescendîmes dans la vallée. Les ouvriers étaient partis, à part Beau, le contremaître. Mlle Harrison et Bayard se tenaient près de l'hélicoptère, comme s'il pouvait les protéger des vastes étendues sauvages qui les entouraient. À l'écart, Larry et le pilote fumaient une cigarette, partageant l'amitié instantanée des gens décidés à noircir leurs poumons.

Stirling avança vers eux d'un pas ferme, de nouveau confiant. Il avait laissé ses doutes au sommet de la montagne. Au moins, il en donnait l'impression. Il était redevenu le patron impérieux.

Souvent, les illusions ont plus de poids que la réalité…

— Bayard, amenez-moi le téléphone. Mlle Blake en a besoin.

Bayard sursauta, comme s'il avait été pris en train de faire une bêtise. Mlle Harrison s'empourpra. Y avait-il de la romance dans l'air ? Et pourquoi n'aurait-il pas dû y en avoir ? Stirling interdisait-il à ses sous-fifres de fraterniser ? Enfin, quand je dis « fraterniser », je me comprends…

Bayard courut vers les véhicules garés de l'autre côté, et revint avec ce qui ressemblait à un petit sac à dos en cuir noir. Il en sortit une espèce de gros talkie-walkie surmonté d'une antenne, et me le tendit.

Larry approcha. Il puait la fumée.

— Que se passe-t-il ?

— J'ai été bipée.

— Par Bert ?

— Non, par la police.

Je m'éloignai un peu. Larry eut la politesse de rester avec les autres, même si rien ne l'y obligeait.

Je composai le numéro de Dolph. L'inspecteur divisionnaire Rudolph Storr, plus exactement, chef de la Brigade d'Investigations surnaturelles.

Il décrocha dès la deuxième sonnerie.

— Anita ?

— Ouais, c'est moi. Quoi de neuf?

— Trois cadavres.

— Trois ? Merde alors !

— Tu l'as dit.

— Je ne peux pas venir tout de suite, Dolph.

— Si, tu peux.

Quelque chose dans sa voix me mit la puce à l'oreille.

— Ce qui veut dire ?

— Que tu n'es pas très loin des victimes.

— Elles sont à Branson ?

— À vingt-cinq minutes de route à l'est de Branson, précisa-t-il.

— Je suis à soixante kilomètres de Branson, au milieu de nulle part.

— Ça tombe bien : les cadavres aussi sont au milieu de nulle part.

— Vous allez venir en hélico ?

— Non. Nous avons une victime de vampire en ville.

— Doux Jésus. Les trois autres aussi sont des victimes de vampire ?

— Je ne pense pas.

— Comment ça, tu ne penses pas ?

— La patrouille autoroutière de l'État du Missouri est chargée de cette affaire. J'ai parlé au sergent Freemont, la responsable des investigations. Elle doute que ce soit l'œuvre d'un vampire, parce que les corps sont découpés. D'ailleurs, il manque plusieurs morceaux. Tu ne peux pas savoir à quel point j'ai dû me décarcasser pour lui soutirer ces informations.

Était-il seulement conscient du mauvais jeu de mots qu'il venait de faire ? À mon avis, non. Dolph est le type le plus dépourvu d'humour que je connaisse. Encore que Stirling et Bayard auraient une chance de lui ravir son titre.

— Le sergent Freemont semble convaincue que la BIS va débarquer pour voler toute la gloire à son équipe. Elle était particulièrement inquiète au sujet d'une certaine reine des zombies qui travaille parfois pour nous et a l'habitude de faire la une des journaux.

— Elle a l'air vraiment charmante, grognai-je.

— Et je te parie qu'elle en a aussi la chanson.

— J'imagine qu'il va falloir que je la rencontre ?

— Quand je lui ai donné le choix entre voir rappliquer toute la brigade demain dans la journée, ou toi seule ce soir, elle n'a pas hésité un seul instant. À mon avis, elle te considère comme un moindre mal.

— Ça, ça va me changer un peu.

— Ne te réjouis pas trop vite. Elle ne te connaît pas encore. Tu risques de recevoir très vite une promotion.

— Merci pour ton soutien ! Voyons si j'ai bien compris. Aucun de vous ne va venir ici ?

— Pas pour le moment. Tu sais que nous manquons un peu de personnel depuis que Zerbrowski est sur la touche.

— Que pense la patrouille autoroutière de l'intervention d'une civile dans une affaire criminelle ?

— J'ai clairement fait comprendre au sergent Freemont que je te considérais comme un membre très précieux de notre équipe.

—Merci pour le compliment, mais je n'ai pas de badge à lui agiter sous le nez.

—Ça ne tardera peut-être plus, avec la nouvelle loi fédérale…

—Ne m'en parle pas.

—N'as-tu pas envie de devenir un marshal et de recevoir un bel insigne ? demanda Dolph, amusé.

—Je suis la première à reconnaître qu'un titre officiel nous serait utile, mais un statut de marshal, avec tout ce que ça implique… C'est ridicule.

—Je suis certain que tu n'en abuserais pas.

—Moi, non… Mais tu imagines John Burke investi d'un pouvoir fédéral ? Il pourrait faire un massacre.

—Ne t'inquiète pas. Cette loi n'est pas encore votée et il m'étonnerait beaucoup qu'elle le soit un jour. Le lobby provampire est beaucoup trop puissant.

—Que Dieu t'entende, soupirai-je. Sauf s'il n'y a plus besoin d'un mandat pour procéder à une exécution, ça ne me facilitera pas le travail. Et je sais que les législateurs n'en arriveront jamais là. J'ai déjà traqué des vampires hors de l'État. Un putain de badge ne me servirait à rien.

Dolph éclata de rire.

—Si tu as des ennuis, crie un bon coup.

—Je n'aime vraiment pas ça, lançai-je. Enquêter sur un meurtre sans aucun statut officiel…

—Tu vois bien que tu as besoin d'un badge, en fin de compte.

J'entendis Dolph soupirer à l'autre bout de la ligne.

—Anita, je ne te laisserais pas seule si nous n'étions pas débordés de notre côté. Dès que je pourrai, je t'enverrai quelqu'un. Plus vite tu en auras terminé, mieux ça vaudra. J'aimerais que tu viennes voir notre victime. Après tout, c'est toi notre experte en monstres.

— Donne-moi quelques détails et je tenterai de jouer les Sherlock Holmes à distance.

— Le mort est un homme de vingt à vingt-cinq ans. La rigidité cadavérique n'est pas encore intervenue.

— Où est-il ?

— Dans son appartement.

— Comment l'avez-vous découvert aussi vite ?

— Les voisins ont entendu des bruits de bagarre et appelé le 911. Qui a ensuite contacté la BIS.

— Donne-moi son nom.

— Fredrick Michael Summers. Surnommé Freddy.

— Il a des traces de morsures cicatrisées ? Des morsures déjà anciennes ?

— Oui. Des tas. Il ressemble à une pelote à épingles. Comment as-tu deviné ?

— Quelle est la règle numéro un dans une enquête pour homicide ? S'intéresser d'abord aux proches de la victime. Si ce type avait un amant ou une maîtresse vampire, il porte forcément des morsures cicatrisées. Et plus elles sont nombreuses, plus leur relation était ancienne. Aucun vampire ne peut mordre un humain trois fois au cours du même mois sans prendre le risque de le tuer et de le transformer. Il arrive parfois que plusieurs vampires mordent la même personne, mais ça ferait de Freddy un accro aux buveurs de sang. Demande aux voisins s'il y avait beaucoup d'allées et venues chez lui après la tombée de la nuit. Bref, s'il recevait des visiteurs nocturnes ou non.

— Je n'aurais jamais pensé qu'un vampire puisse être proche d'un humain, grogna Dolph.

— Légalement, ce sont des gens comme toi et moi. Ça signifie qu'ils ont le droit d'avoir un chéri humain.

— Je vais faire mesurer les traces de morsure. Si elles font toutes la même taille, ça signifiera que Freddy avait un seul partenaire. Sinon, ça voudra dire qu'il menait une vie de patachon.

— Croise les doigts pour que ce soit la première solution. Dans ce cas, il pourrait même se relever d'entre les morts.

— La plupart des vampires sont assez futés pour trancher la gorge de leurs victimes ou les décapiter.

— Oui, mais ton affaire ne ressemble pas à un meurtre prémédité. Plutôt à un crime passionnel.

— Peut-être. Anita, le sergent Freemont doit t'attendre impatiemment.

— Tu parles...

— Tâche de ne pas trop l'asticoter, d'accord ?

— Pourquoi tout le monde me dit-il ça ?

— Sois gentille, c'est tout ce que je te demande.

— Comme d'habitude...

Dolph soupira.

— Souviens-toi que les petits gars de la PA n'ont peut-être encore jamais vu de corps découpé en morceaux.

Ce fut mon tour de soupirer.

— J'ai compris. Je serai sage, parole de scout. Tu m'expliques le chemin ?

D'une poche de ma combinaison, je sortis un calepin avec un stylo coincé dans le ressort. J'en ai toujours un sur moi, pour ce genre d'occasions.

Dolph me transmit les indications du sergent Freemont.

— Si tu vois quoi que ce soit de louche sur les lieux du crime, fais-les boucler, et j'essaierai de t'envoyer quelqu'un le plus vite possible. Sinon, examine les victimes, donne ton avis aux gars de la PA et laisse-les faire leur boulot.

— Tu crois vraiment que Freemont me laissera fermer sa boutique et la forcer à attendre la BIS ?

Il y eut un court silence à l'autre bout de la ligne. Puis Dolph répondit :

—Fais de ton mieux, Anita. Appelle si je peux t'être utile tout en étant à Saint Louis.

—Entendu.

—Je préfère te savoir sur cette affaire plutôt que beaucoup d'inspecteurs de ma connaissance.

Sortant de la bouche de Dolph, c'était un énorme compliment. Il n'y a pas de flic plus consciencieux ou plus intègre que lui.

—Merci, Dolph.

Je parlais dans le vide : il avait déjà raccroché. Il fait tout le temps ça.

J'éteignis le téléphone et restai immobile une minute. Je n'aimais pas l'idée de me retrouver dans un endroit que je ne connaissais pas, avec des flics inconnus et des victimes partiellement dévorées. Entourée par les gars de la BIS, je pouvais me donner l'illusion d'avoir le droit d'être sur les lieux d'un crime. Dolph m'avait même fourni un petit badge d'identification qui se clipait sur mes vêtements. Ce n'était pas un insigne de policier, mais ça me donnait une allure plus officielle.

Néanmoins, faire semblant à Saint Louis, sur mon territoire, là où je pouvais appeler Dolph au secours en cas de problème, n'était pas du tout la même chose que me lancer seule dans la nature, sans personne pour me tirer du pétrin le cas échéant.

Les flics n'ont aucun sens de l'humour face aux civils qui s'immiscent dans leurs affaires. Surtout leurs affaires d'homicide. Et je ne peux pas les en blâmer. Si je ne suis pas vraiment une civile, je n'ai pas de statut officiel. Tout bien pesé, cette nouvelle loi ne serait peut-être pas une si mauvaise chose.

Je secouai la tête. En théorie, je devrais pouvoir me pointer dans n'importe quel commissariat du pays pour demander de l'aide, ou m'impliquer dans une enquête sans y avoir été invitée. En théorie. En pratique, les flics détesteraient ça. Ils m'accueilleraient aussi chaleureusement que si j'étais un chien trempé prêt à se jeter sur eux.

Je n'appartenais pas aux forces de l'ordre fédérales, ni à la police locale, et il n'y avait pas assez d'exécuteurs de vampires officiels pour occuper la douzaine de postes existants. Pour le moment, nous n'étions que huit, dont deux avaient pris leur retraite.

La plupart se spécialisent dans les vampires. Je suis une des rares qui accepte de s'intéresser aux autres types de prédateurs monstrueux. On prétend que la nouvelle loi devrait étendre notre champ d'activité à tous les crimes surnaturels. Mais si c'était le cas, beaucoup de mes collègues seraient complètement paumés.

Il n'existe pas de formation standard d'exécuteur. Pour l'instant, nous devons apprendre sur le tas. J'ai une licence de biologie, option créatures surnaturelles et légendaires, mais je dois être une des seules.

La plupart des lycanthropes renégats et des trolls qui pètent les plombs se font descendre par des chasseurs de primes. Mais la nouvelle législation ne leur donnerait aucun pouvoir spécial. Elle favoriserait uniquement les exécuteurs, qui respectent généralement la loi. À moins qu'ils jouissent tout simplement d'une meilleure réputation…

Voilà des années que je raconte à qui veut m'entendre que les vampires sont des monstres. Mais jusqu'à ce que la fille d'un sénateur soit attaquée, il y a quelques semaines, personne ne faisait rien. Soudain, c'est devenu une cause nationale.

La communauté vampirique légitime a livré l'agresseur dans un sac. Sa tête et son torse étant encore intacts, même en l'absence de ses bras et de ses jambes, il ne risquait pas de mourir. Le type s'est confessé. Il avait été transformé récemment, et s'était laissé emporter pendant un rencard, comme n'importe quel autre jeune mâle au sang rouge de vingt et un ans.

Ouais, c'est ça!

L'exécuteur local, Gerald Mallory, l'avait éliminé. Mallory est basé à Washington DC. Il doit avoir une soixantaine d'années. Et il utilise toujours un marteau et un pieu. De quoi se pincer pour y croire!

Certains juristes avaient une théorie: en leur coupant les membres, on pouvait garder les vampires en prison. La proposition avait été rejetée à cause de sa cruauté-limite barbarie. De toute façon, ça n'aurait pas fonctionné pour les vampires vraiment anciens. Chez eux, ce n'est pas seulement le corps qui est dangereux.

Sans compter que je ne suis pas partisane de la torture. Et si trancher les bras et les jambes de quelqu'un avant de l'enfermer dans une petite boîte jusqu'à la fin des temps n'est pas une torture, on peut se demander si quelque chose mérite ce nom.

Je revins vers les autres et rendis le téléphone à Bayard.

— J'espère que ça n'était pas une mauvaise nouvelle.

— Pas pour moi, non.

Il eut l'air perplexe. Mais ça n'était pas si rare que ça chez lui.

Je me tournai vers Stirling.

— Je dois aller sur les lieux d'un crime, pas très loin d'ici. Dans le coin, où peut-on louer un véhicule?

— Je vous ai promis une voiture avec chauffeur pour la durée de votre séjour. J'étais sincère.

— Merci. Mais je préfère me passer du chauffeur. Les flics n'aiment pas beaucoup que des civils leur traînent dans les pattes pendant une investigation.

— Alors, une voiture sans chauffeur. Lionel, veuillez fournir à Mlle Blake tout ce dont elle aura besoin.

— Oui, monsieur.

—Mademoiselle Blake, on se retrouve ici au crépuscule.

—Je viendrai aussi vite que possible, mais l'enquête policière passe avant le reste.

Stirling se rembrunit.

—Vous travaillez pour moi, mademoiselle Blake.

—Oui, mais je suis aussi une exécutrice de vampires *officielle*. Je ne peux pas refuser de coopérer avec les autorités locales.

—Donc, il s'agit d'un meurtre commis par un vampire ?

—Je ne suis pas libre d'en parler avec des civils.

Je me maudis intérieurement. En prononçant le mot « vampire », j'avais déclenché une rumeur qui augmenterait sûrement les prochains jours. Et merde !

—Je ne pourrai pas planter les flics sous prétexte de venir regarder votre montagne. Je serai là dès que possible. Dans le pire des cas, j'arriverai toujours à examiner les morts avant le lever du jour. Donc, vous ne perdrez pas vraiment de temps.

Je voyais bien que ça ne lui plaisait pas, mais il laissa tomber.

—Très bien… Je vous attendrai ici, même si je dois faire le pied de grue toute la nuit. Je suis curieux de voir comment vous allez procéder. Pour tout vous dire, je n'ai jamais assisté à une réanimation.

—Je ne relèverai personne ce soir, monsieur Stirling. Nous en avons déjà parlé.

—Bien sûr…

Il me dévisagea sans rien ajouter. Pour une raison que je ne m'expliquais pas, j'avais du mal à soutenir son regard. Je me forçai à ne pas détourner les yeux, mais c'était dur. On eût dit qu'il essayait de me forcer à faire quelque chose, qu'il voulait m'hypnotiser à la manière d'un vampire. Sauf qu'il n'en était pas un. Même pas un tout petit.

À la fin, Stirling battit des paupières et s'éloigna en silence. Mlle Harrison lui emboîta le pas en titubant sur le sol accidenté. Beau m'adressa un signe de tête avant de les suivre. J'imagine qu'ils étaient tous venus dans la même voiture. À moins que Beau soit aussi le chauffeur de Stirling. Petit veinard…

— L'hélicoptère va nous conduire à l'hôtel où nous vous avons réservé des chambres, m'informa Bayard. Dès que vous aurez fini de vous installer, j'appellerai une voiture.

— Je n'ai pas le temps de m'installer. Je veux un véhicule le plus vite possible. Sur le lieu d'un crime, les preuves ont tendance à se détériorer assez vite.

— Compris… Si vous voulez bien remonter dans l'hélicoptère, nous allons décoller tout de suite.

Je remballais ma combinaison quand je m'aperçus que j'aurais pu partir avec Stirling par la route, au lieu de devoir de nouveau emprunter la voie des airs.

Et merde !

Chapitre 6

Bayard dégota une Jeep noire avec des vitres teintées et tout un tas de gadgets dont j'étais incapable de deviner la fonction. J'avais craint qu'il me colle une Cadillac ou un truc ridicule, donc je fus assez soulagée. En me remettant les clés, il déclara :

— Dans la région, les routes ne sont pas goudronnées. J'ai pensé qu'il vous faudrait un véhicule solide.

Je résistai à l'envie de lui tapoter la tête en disant : « Brave sous-fifre. » Après tout, il avait fait un excellent choix. Il parviendrait peut-être à se hisser un jour au rang d'associé senior.

Les arbres projetaient de longues ombres en travers de la route. Dans les vallées, au pied des montagnes, la lumière du soleil s'était adoucie alors que l'après-midi avançait. Avec un peu de chance, nous pourrions regagner le cimetière avant la tombée de la nuit.

Oui, « nous », car Larry était assis à côté de moi dans son costume bleu froissé. Les flics se moqueraient de sa tenue. La mienne, en revanche, risquait de leur faire froncer les sourcils. Il y a peu de femmes flics, surtout dans des endroits reculés comme celui-ci. Et elles sont peu enclines à porter des minijupes rouges. Je regrettais vraiment mon choix.

Larry rayonnait d'excitation. Ses yeux brillaient comme ceux d'un gamin le matin de Noël, et ses doigts pianotaient impatiemment sur l'accoudoir du siège du passager.

—Ça va? lui demandai-je.

—Je n'ai jamais été sur les lieux d'un crime, avoua-t-il.

—Il faut bien une première fois...

—Merci de me laisser t'accompagner.

—Pas de problème. Essaie seulement de te souvenir des règles.

Il éclata de rire.

—Ne touche à rien. Ne marche pas dans les flaques de sang. Ne parle pas, sauf si on te le demande. Pour les deux premières, je comprends. Mais pourquoi dois-je me taire?

—Je suis membre de la Brigade d'Investigations surnaturelles. Pas toi. Si tu bavardes à tort et à travers, les flics s'en apercevront.

—Je ne te ferai pas honte, souffla Larry, vexé. (Une idée sembla lui traverser l'esprit.) On va se faire passer pour des flics?

—Pas du tout. Répète après moi: «J'appartiens à la BIS, j'appartiens à la BIS, j'appartiens à la BIS.»

—Mais c'est faux!

—C'est pour ça que je veux que tu la fermes.

—Oh. (Il se radossa à son siège, son enthousiasme légèrement douché.) Tu sais, je n'ai jamais vu de cadavre frais non plus.

—Tu gagnes ta vie en réanimant des zombies, lui rappelai-je. Tu vois des cadavres tout le temps.

—Ce n'est pas la même chose, Anita, répliqua-t-il, l'air bougon.

Je le regardai en biais. Avachi sur son siège, les bras croisés par-dessus sa ceinture de sécurité, Larry boudait. Alors que nous arrivions au sommet d'une colline, un rayon de soleil tomba comme une explosion sur ses cheveux orange. Un instant, ses yeux bleus semblèrent translucides. Puis nous repassâmes dans l'ombre.

— As-tu déjà vu un mort inanimé ailleurs que dans un établissement de pompes funèbres ? demandai-je.

Larry ne répondit pas tout de suite. Je me concentrai sur la route et laissai le silence régner dans la Jeep.

Un silence confortable, au moins pour moi.

— Non, lâcha enfin Larry, sur le ton d'un gamin à qui sa mère a interdit d'aller jouer dehors.

— Personnellement, j'ai toujours un peu de mal avec les cadavres frais.

— Que veux-tu dire ?

Ce fut mon tour de me recroqueviller sur mon siège. Prenant conscience que ce n'était pas une attitude digne d'une grande exécutrice de vampires, je me redressai presque aussitôt.

— Une fois, j'ai gerbé sur la victime d'un meurtre, révélai-je.

Larry écarquilla les yeux en faisant la grimace.

— Tu dis ça pour me faire plaisir.

— Tu crois je te raconterais un truc aussi humiliant si ça n'était pas vrai ?

— Tu as vraiment vomi sur un cadavre ?

— Il n'y a pas de quoi frétiller.

Larry gloussa. Je jure qu'il gloussa !

— Ça m'étonnerait que j'en arrive là.

Je haussai les épaules.

— Trois corps avec des morceaux manquants. Ne fais pas de promesses que tu ne pourras pas tenir.

Il déglutit assez fort pour que je l'entende.

— Comment ça, des morceaux manquants ?

— Nous n'allons pas tarder à le découvrir. Larry, ça ne fait pas partie de ton boulot. Je suis payée pour aider les flics. Toi, non…

— Ça va être affreux ? demanda-t-il.

Des cadavres taillés en pièces. Il plaisantait, ou quoi ?

— Je ne le saurai pas avant de les avoir vus.

— Mais à ton avis ? insista Larry.

Je détournai brièvement mon attention de la route pour le regarder. Il affichait une expression solennelle, comme celle d'un parent qui vient de réclamer la vérité au docteur. S'il pouvait se montrer courageux, je devais être sincère.

— Ouais, ça va être épouvantable.

Chapitre 7

C'était épouvantable. Larry avait réussi à s'éloigner en titubant avant de dégueuler. L'unique réconfort que je pouvais lui offrir, c'est qu'il n'était pas le seul. Certains flics semblaient un peu verts sur les bords. Moi, je n'avais pas encore vomi : je gardais cette option en réserve pour plus tard.

Les corps gisaient au pied d'une colline, dans une petite cuvette dont le sol était jonché de feuilles qui me montaient presque jusqu'aux genoux. Personne ne ratisse dans les bois.

Comme il n'avait pas plu depuis un moment et que la température était remontée en flèche, les feuilles desséchées craquaient et se réduisaient en poudre sous nos pas. La cuvette était entourée d'arbres nus et de buissons aux branches qui ressemblaient à des fouets bruns. Quand leurs bourgeons s'ouvriraient, ils la dissimuleraient entièrement aux yeux d'un observateur extérieur.

Le cadavre le plus proche de moi était celui d'un jeune homme blond aux cheveux coupés très court. Ses globes oculaires baignaient dans le sang qui dégoulinait le long de sa figure. Outre ses yeux, son visage avait quelque chose de bizarre, mais je n'arrivais pas à déterminer quoi.

Je m'agenouillai près de lui, ravie que ma combinaison protège mes collants – dans mon métier, j'en fais une consommation insensée. Du sang séché, qui avait viré au marron, imbibait les feuilles mortes autour de sa tête. On aurait dit qu'il pleurait des larmes sombres.

J'effleurai son menton du bout de mes doigts gantés. Il remua mollement, d'une manière fort peu naturelle. Je déglutis et me concentrai sur ma respiration. Encore heureux qu'on soit au printemps. Si les cadavres étaient restés aussi longtemps dehors sous la canicule, ils se seraient déjà décomposés comme des fruits pourris.

Je posai mes mains sur le sol et inclinai la moitié supérieure de mon corps, comme pour faire des pompes. En réalité, j'essayais de voir sous le menton du type sans le déplacer. Là, presque cachée par son sang, je distinguai une entaille plus large que ma main.

Un couteau ou des griffes auraient pu provoquer ce genre de blessure, mais elle était trop grande pour avoir été faite par un couteau, et trop propre pour des griffes. De toute façon, quelle créature avait des pattes aussi monstrueuses ?

On eût dit que quelqu'un avait enfoncé une énorme lame sous le menton de la victime, assez violemment pour trancher de l'intérieur ses muscles oculaires. C'était pour ça que ses yeux saignaient, même s'ils semblaient intacts. L'épée lui avait pratiquement coupé le visage en deux.

Je passai une main sur ses cheveux et découvris ce que je cherchais. La pointe de l'épée – si c'en était bien une – était ressortie au sommet de son crâne. Puis le meurtrier avait retiré son arme, et le blondinet s'était écroulé dans les feuilles. Mort – je l'espérais pour lui –, ou au moins agonisant.

Ses jambes avaient été tranchées sous l'articulation de la hanche. Il n'y avait presque pas de sang sur les moignons. Donc, il était déjà mort quand c'était arrivé. Toujours ça de gagné. Il avait succombé rapidement, et son assassin ne l'avait pas torturé. Il y a de pires façons de mourir.

Je me déplaçai latéralement pour examiner ses moignons. L'os de gauche avait été sectionné net. Celui de droite s'était brisé en deux, comme s'il avait encaissé un premier coup, moins fort, et qu'il en avait fallu un second pour en venir à bout. Autrement dit, le meurtrier avait frappé de la main gauche.

Mais pourquoi avait-il emporté les jambes de ce type ? Pour lui servir de trophée ? Les tueurs en série gardent parfois un objet ayant appartenu à leurs victimes, ou un morceau de leur corps. Même répugnant, le fétichisme n'est pas le pire de leurs défauts.

Les deux autres morts étaient aussi des garçons, sans doute plus jeunes que le premier, car ni l'un ni l'autre ne dépassaient le mètre cinquante. Ils étaient bruns et menus : le genre d'adolescents qu'on qualifie de « mignons » plutôt que de « séduisants ». Mais vu leur état, je ne pouvais pas me montrer catégorique.

L'un d'eux reposait sur le dos, pratiquement à l'opposé du type blond. Un de ses yeux bruns fixait le ciel, vitreux et immobile comme celui d'un animal empaillé. Le reste de son visage était traversé par deux sillons béants, comme si le porteur de l'épée avait fait un aller-retour avec sa lame. Le troisième coup lui avait tranché la gorge. Comme les précédentes, la plaie était très nette. La lame de l'assassin devait être bien affûtée.

Et ce ne devait pas être le seul de ses atouts. Aucun humain n'aurait été assez rapide pour abattre trois personnes sans qu'elles aient le temps de réagir. Cela dit, la plupart des monstres qui s'attaquent aux humains n'ont pas besoin d'arme pour ça.

Beaucoup de créatures sont capables de nous déchiqueter avec leurs griffes ou de nous dévorer vivants, mais la liste de celles qui aiment nous découper avec une lame métallique est assez restreinte. Un troll pourrait arracher un arbre et s'en servir pour frapper un humain jusqu'à ce que mort s'ensuive, mais il n'utiliserait pas une lame. Le meurtrier avait employé une épée – et pas un vulgaire couteau –, et il était de toute évidence un expert de son maniement.

Les plaies au visage n'avaient pas tué le garçon brun. Pourquoi les deux autres n'avaient-ils pas tenté de fuir ? Et si le blond était mort le premier, pourquoi celui-là n'avait-il pas pris ses jambes à son cou ?

Je ne connais aucune créature assez rapide pour tuer trois adolescents à coups d'épée avant qu'ils puissent esquisser un geste. D'autant que les coups en question n'étaient pas du genre vite-fait mal-fait. Le meurtrier avait pris son temps avec toutes ses victimes. Alors, pourquoi n'avaient-elles rien tenté ?

Le garçon brun était tombé sur le dos, les mains agrippant sa gorge. Il avait dû agoniser un long moment en battant des jambes, car il n'y avait presque plus de feuilles autour de ses pieds. Je pris une courte inspiration. Je n'avais pas envie de toucher ses blessures, mais une idée très déplaisante se formait dans mon esprit.

Je m'agenouillai près de lui et effleurai sa gorge. Les bords de la plaie étaient tellement lisses... Mais ça restait de la chair humaine, couverte de sang coagulé. Déglutissant, je fermai les yeux et laissai mes doigts chercher pour moi. Là ! À partir du milieu, il semblait y avoir deux entailles distinctes.

Je rouvris les yeux, ce qui ne m'aida pas autant que j'aurais pu l'espérer. Trop de sang. Une fois qu'on aurait nettoyé le corps, on pourrait voir, mais pas maintenant. Son cou avait été tailladé à deux reprises. Une seule aurait suffi pour le tuer. Alors, pourquoi deux ?

Parce que l'assassin voulait cacher quelque chose.

Des marques de crocs, peut-être ? Avoir été agressé par un vampire expliquerait pourquoi le garçon n'avait pas tenté de s'éloigner en rampant. Et pourquoi il était resté allongé à lancer des ruades jusqu'à ce que son cœur cesse de battre.

Je me concentrai sur le dernier mort. Il était couché sur le côté, recroquevillé sur lui-même dans une mare de sang.

En si piteux état que je n'analysai pas vraiment l'image qui s'offrait à moi. J'aurais voulu détourner le regard avant que mon cerveau rattrape mes yeux, mais je me forçai à ne pas le faire.

À l'endroit où aurait dû être son visage, il restait un trou déchiqueté et béant. L'assassin lui avait fait subir le même sort qu'au garçon blond. Mais cette fois, il avait été jusqu'au bout de son geste, lui arrachant tout le devant de la tête.

Je regardai autour de moi, cherchant le masque de chair parmi les feuilles mortes. Il n'y était pas. Alors, je dus de nouveau poser mes yeux sur le corps. Je savais ce que je voyais, à présent. Et j'aimais mieux avant, quand je ne comprenais pas.

L'arrière du crâne était plein de sang, telle une coupe répugnante, mais le cerveau avait disparu. La lame de l'épée avait ouvert en deux sa poitrine et son ventre, ses intestins s'en déversant. Une sorte de ballon à moitié dégonflé, que je supposai être son estomac, s'était échappé de la cavité.

La jambe gauche avait été tranchée à hauteur de la hanche. Le tissu déchiqueté du jean s'était rabattu sur la plaie comme les pétales d'une fleur pas encore ouverte. L'avant-bras gauche avait été arraché au niveau du coude. La tête de l'humérus était noire de sang séché, l'os formant un angle bizarre avec le reste du corps, comme si le bras tout entier avait été brisé à l'épaule. Ce garçon-là avait connu une mort plus violente que les autres. Il s'était peut-être débattu ?

Je me forçai à relever les yeux vers son visage – ou plutôt, vers l'endroit où il aurait dû être. Non que j'en meure d'envie, mais je ne l'avais pas vraiment examiné.

Défigurer quelqu'un est un acte horriblement intime. Si un humain avait pu commettre un tel crime, mes soupçons se seraient portés sur les proches de ce garçon. En général, seuls les gens qui vous aiment sont capables de vous découper le visage. Ce geste implique une passion qui ne saurait venir d'un étranger.

La seule exception à cette règle ? Les tueurs en série ! À cause de leur pathologie, leurs victimes peuvent représenter n'importe qui d'autre à leurs yeux. Par exemple, quelqu'un qui éveille en eux des sentiments extrêmes. En lacérant la figure de quelqu'un, ils écorchent symboliquement le père qu'ils ont toujours haï.

Les os fins qui séparaient les sinus du garçon avaient éclaté. Son maxillaire avait disparu, donnant un aspect incomplet à son crâne. Une partie de sa mâchoire était toujours là, mais elle avait été fendue jusqu'aux molaires du fond. Curieusement, en coulant, le sang avait épargné deux dents, restées blanches et propres. L'une d'elles avait un plombage.

J'observai ce visage massacré. Jusqu'ici, j'avais réussi à le considérer comme un simple amas de viande morte. Mais la viande morte n'avait pas de caries et n'allait pas chez le dentiste. Soudain, ce visage redevenait celui d'un adolescent, voire d'un enfant. Pour en juger, je devais me fier à sa taille et à l'âge apparent des deux autres. En réalité, il n'avait peut-être même pas dix ans...

Je pris une profonde inspiration pour me calmer. Une erreur, car je réussis seulement à avaler une grosse bouffée d'air vicié par les boyaux du jeune garçon. Je me précipitai hors de la cuvette. Il ne faut jamais vomir sur les victimes d'un meurtre. Ça agace les flics.

Je tombai à genoux au sommet de la petite crête où les enquêteurs s'étaient rassemblés. Ou plus exactement, je me jetai à terre en aspirant goulûment l'air frais pour me purifier les poumons. Une petite brise soufflait entre les collines, emportant avec elle l'odeur de la mort. Ce qui m'aida un peu.

Des flics de toutes les tailles et de toutes les formes se tenaient autour de moi. Aucun n'avait souhaité passer plus de temps que nécessaire près des cadavres. Plus loin, des ambulances attendaient sur la route. Les infirmiers mis à part, toutes les personnes présentes avaient déjà eu l'occasion de contempler les corps. Ils avaient été filmés et examinés sous toutes les coutures par les différents spécialistes de la patrouille autoroutière. Tout le monde avait fini son boulot, sauf moi.

— Vous allez être malade, mademoiselle Blake ?

La voix appartenait au sergent Freemont, du Département de Contrôle des Stupéfiants et du Crime. Elle était douce, mais indubitablement désapprobatrice. Ce que je pouvais comprendre.

Nous étions les deux seules femmes, entourées d'une flopée de gros durs. Si nous ne nous montrions pas plus coriaces qu'eux, ils ne nous respecteraient jamais et nous traiteraient comme des femmelettes. J'étais prête à parier que le sergent Freemont n'avait pas vomi. Elle ne s'y était pas *autorisée*.

Je pris une dernière inspiration purificatrice et expirai lentement. Puis je levai les yeux vers elle. Elle mesurait un bon mètre soixante-dix, mais me paraissait encore plus grande, vue d'en bas. Ses cheveux brun foncé, très raides, étaient coupés au carré au niveau de son menton ; leurs extrémités s'enroulaient doucement vers l'intérieur, encadrant son visage sérieux. Elle était vêtue d'un pantalon jaune vif, d'un chemisier jaune plus clair, d'une veste noire et de mocassins cirés sur lesquels je jouissais d'une vue imprenable. Elle portait une alliance en or à la main gauche. À voir ses rides marquées, je devinai qu'elle avait dépassé la quarantaine.

Je déglutis encore une fois, m'efforçant de refouler le goût âcre que j'avais sur la langue. Enfin, je me relevai.

— Non, sergent Freemont, je ne vais pas vomir.

C'était la vérité, et je m'en réjouissais. Et j'espérais aussi de tout mon cœur qu'elle ne me forcerait pas à redescendre dans la cuvette. Mon petit déjeuner risquait de ressortir si j'étais obligée de voir ces cadavres une nouvelle fois.

— Qui a fait ça ? demanda-t-elle en désignant quelque chose derrière moi.

Je ne pris pas la peine de me retourner, sachant très bien ce qu'elle montrait.

— Je l'ignore.

Ses yeux bruns étaient indéchiffrables. Des yeux de bon flic. Elle fronça les sourcils.

— Comment ça, vous l'ignorez ? Vous êtes censée être l'experte en monstres.

Je laissai filer le « censée ». Elle ne m'avait pas traitée de reine des zombies. De fait, elle s'était montrée polie, même si c'était une courtoisie dépourvue de chaleur. Je ne l'impressionnais pas, et elle me le faisait savoir très subtilement, par un simple regard ou par les inflexions de sa voix. Je sentais que j'allais devoir sortir un très gros cadavre de mon chapeau pour réussir à épater le sergent Freemont du DCSC. Jusque-là, j'étais loin du compte.

Larry s'approcha de nous. Son visage avait la couleur du papier de chiottes vert-jaune et ça jurait affreusement avec ses cheveux roux. Ses yeux étaient encore rouges : il avait dû pleurer en vomissant. Ça arrive parfois, quand les spasmes sont très violents.

Je ne lui demandai pas si ça allait : la réponse était plus qu'évidente. Au moins, il était debout et capable de marcher. S'il ne s'évanouissait pas, il s'en remettrait rapidement.

— Qu'attendez-vous de moi, sergent ? demandai-je.

Je m'étais montrée plus que patiente. À la limite du conciliant. Dolph aurait été fier de moi. Et Bert aurait été époustouflé.

Le sergent Freemont croisa les bras.

— Je me suis laissé convaincre par le divisionnaire Storr de vous permettre d'inspecter les lieux du crime.

Il m'a dit que vous étiez la meilleure. Selon les journaux, il vous suffit d'un petit tour de magie pour résoudre toutes les énigmes. Ou peut-être pourriez-vous relever les morts et leur demander qui les a assassinés…

Je pris une profonde inspiration et expirai lentement. En général, je n'utilise pas la magie dans le cadre d'une enquête. Mais si je lui disais ça, j'aurais l'air de me défendre. Or, je n'avais rien à prouver au sergent Freemont.

— Ne croyez pas tout ce que vous lisez dans les journaux, sergent. Pour ce qui est de relever les morts, ça ne marcherait pas avec ces trois-là.

— Vous me dites que vous êtes incapable de les réanimer ? Si vous ne pouvez pas nous aider, rentrez chez vous, mademoiselle Blake.

Je regardai Larry. Il haussa imperceptiblement les épaules. Il semblait encore un peu vaseux et je doutais qu'il lui reste assez d'énergie pour me conseiller de bien me tenir. Ou le sergent Freemont l'agaçait-elle autant que moi ?

— Je pourrais les réanimer, sergent. Mais pour parler, il faut une bouche et des cordes vocales en état de fonctionnement.

— Ils pourraient écrire le nom de leur meurtrier.

Une excellente idée, qui la fit remonter d'un cran dans mon estime. Si elle était bonne dans sa partie, je pourrais accepter un peu d'hostilité. Je pourrais même en supporter beaucoup, pourvu que je ne sois plus obligée de contempler d'autres corps massacrés comme ceux d'en bas.

— Généralement, les fonctions cérébrales supérieures se détériorent très vite après une mort violente. À supposer que ces malheureux soient encore capables d'écrire, ils ne savent pas forcément quel genre de créature les a tués.

— Mais ils l'ont vue, croassa Larry.

Il toussa derrière sa main pour s'éclaircir la voix.

— Aucun d'eux n'a tenté de fuir, Larry. Pourquoi ?

— Pourquoi lui demandez-vous ça ? demanda le sergent Freemont.

— Parce qu'il est en formation, répondis-je.

— En formation ? Vous avez amené un débutant sur le lieu d'un crime ?

Je la foudroyai du regard. Évidemment, l'effet aurait été plus frappant si je n'avais pas dû me tordre le cou pour ça...

— Je ne vous dis pas comment faire votre travail. N'essayez pas de me dire comment faire le mien.

— Pour l'instant, vous n'avez rien *fait* du tout. Même votre assistant a été plus actif, bien qu'il se soit borné à vomir dans les buissons.

Larry s'empourpra. Il tenait à peine debout, et elle le piétinait – au sens figuré du mot.

— Larry n'est pas le seul qui ait dégueulé. C'est simplement le seul qui ne portait pas de badge. Rien ne m'oblige à vous laisser nous insulter. Tu viens, Larry ?

Je passai devant Freemont sans lui jeter un regard. Larry m'emboîta le pas docilement.

— Je ne veux pas qu'il y ait des fuites, mademoiselle Blake. Si la presse a vent de cette histoire, je saurai d'où ça vient.

Elle n'avait pas crié, mais sa voix portait loin.

Je me tournai vers elle. Je ne criais pas non plus, pourtant tout le monde put m'entendre quand je déclarai :

— Nous sommes en présence d'une créature surnaturelle non identifiée qui utilise une épée et qui est plus rapide qu'un vampire.

Une lueur passa dans son regard, comme si je venais enfin de dire quelque chose d'intéressant.

— Comment savez-vous qu'elle est plus rapide qu'un vampire ?

— Aucun des garçons n'a tenté de s'enfuir. Ils sont tous morts à l'endroit où ils se tenaient. Donc, ou cette créature est plus rapide, ou elle a un incroyable pouvoir de domination mentale.

— Si je comprends bien, il ne peut pas s'agir d'un lycanthrope ?

— Les lycanthropes ne sont pas aussi rapides, et ils sont incapables de manipuler l'esprit humain. Si l'un d'eux avait déboulé ici en brandissant une épée, les garçons auraient hurlé et pris leurs jambes à leur cou. Au minimum, il y aurait des signes de lutte.

Freemont n'avait pas bougé. Elle me regardait d'un air très sérieux, comme si elle était occupée à me jauger. Je ne lui plaisais toujours pas, mais elle m'écoutait.

— Je peux vous aider, sergent Freemont, continuais-je. Peut-être même vous permettre de retrouver la créature qui a fait ça avant qu'elle recommence.

Un instant, son masque impassible et confiant s'effaça. Si je n'avais pas été en train de la regarder dans les yeux, je ne m'en serais pas aperçue.

— Et merde ! m'exclamai-je tout fort. (Je revins vers elle et baissai la voix.) Ce ne sont pas les premières victimes, c'est ça ?

Freemont baissa les yeux, puis les releva pour soutenir mon regard, le menton légèrement en avant. À présent, elle semblait un peu effrayée. Pas pour elle, mais pour ce qu'elle avait fait… Ou pas fait.

— La patrouille autoroutière peut gérer une enquête pour homicide, dit-elle tout bas.

— Combien d'autres victimes ? demandai-je.

— Deux. Un couple d'adolescents, un garçon et une fille. J'imagine qu'ils étaient venus se peloter dans les bois…

— Quelles sont les conclusions du légiste ?

— Vous avez raison. C'était une arme blanche de grande taille, probablement une épée. Je sais que les monstres n'utilisent pas d'armes. J'ai d'abord pensé que c'était l'ex-petit ami de la fille. Il a toute une collection de reliques de la guerre civile, dont plusieurs sabres. Il faisait un coupable tout désigné.

—Logique.

—Aucune de ses épées ne correspondait aux plaies, mais je me suis dit qu'il avait dû se débarrasser de l'arme du crime. La jeter quelque part dans les bois. Je n'aurais jamais imaginé…

Elle détourna la tête, les mains tellement enfoncées dans les poches de son pantalon que le tissu manqua se déchirer sous la pression.

—La première fois, les lieux du crime ne ressemblaient pas du tout à ça. Les victimes avaient été tuées d'un seul coup, transpercées au niveau de la poitrine et clouées sur le sol. Un être humain aurait pu le faire.

Elle se retourna vers moi comme si elle espérait mon approbation. Et elle l'avait.

—La blessure fatale mise à part, les corps étaient-ils mutilés ? demandais-je.

Freemont fit signe que oui.

—Défigurés tous les deux. Et la main gauche de la fille manquait à l'appel. Celle où elle portait la bague que lui avait offerte son ex.

—Avaient-ils la gorge tranchée ?

Elle réfléchit quelques instants.

—La fille seulement. Et il n'y avait pas beaucoup de sang, comme si ça avait été fait après sa mort.

Ce fut mon tour de hocher la tête.

—Génial.

—Génial ? répéta Larry sans comprendre.

—Sergent Freemont, je crois que vous avez un vampire sur les bras.

—Qu'est-ce qui vous fait dire ça ?

— Les morceaux de cadavres qui ont disparu. Les jambes d'un des garçons ont été amputées après sa mort. Or, l'artère fémorale passe dans la cuisse, pas loin de l'entrejambe. J'ai déjà vu des vampires prélever du sang à cet endroit, plutôt que dans le cou de leurs victimes. Notre coupable a sans doute voulu faire disparaître les traces de morsure.

— Et les deux autres ? demanda Freemont.

— Le plus petit a sans doute été mordu aussi. Son cou a été tranché à deux reprises, sans raison visible. C'était peut-être un acte de violence aveugle, comme lui arracher le visage. Je ne peux pas en être sûre. Mais un vampire peut aussi boire du sang au poignet ou dans le creux du coude. Ça correspond à tous les morceaux qui manquent.

— Il manque aussi le cerveau d'un garçon, dit Freemont.

Près de moi, Larry vacilla légèrement et passa une main sur son visage en sueur.

— Ça va aller ? m'inquiétai-je.

Il hocha la tête en silence, de peur que sa voix ne le trahisse. Brave garçon.

— Quel meilleur moyen de nous lancer sur une fausse piste que d'emporter des choses qui n'intéressent pas un vampire en temps normal ? repris-je.

— Admettons. Mais pourquoi avoir procédé… ainsi ?

Freemont écarta les mains en baissant les yeux vers la scène du carnage. De nous trois, elle était la seule encore capable de la contempler.

— C'est l'œuvre d'un déséquilibré. S'il s'agissait d'un humain, je dirais que nous avons affaire à un tueur en série.

— C'est peut-être le cas, murmurai-je.

— Qu'est-ce que ça signifie ? demanda Freemont.

— Tous les vampires étaient d'abord des êtres humains, répondis-je. Mourir ne les guérit pas des perversions qu'ils pouvaient avoir de leur vivant.

Elle me regardait comme si c'était moi la cinglée. J'imagine que c'était le terme « mourir » qui la tracassait. Selon sa conception des choses, un suspect mort ne pouvait plus être un suspect.

— Prenons un tueur en série qui se fait mordre et transformer. Pourquoi deviendrait-il soudain doux comme un agneau ? insistai-je. Au contraire, il y a des chances que ses tendances violentes soient amplifiées.

— Oh, mon Dieu, souffla Larry.

Freemont prit une profonde inspiration par le nez et expira lentement par la bouche.

— Vous avez peut-être raison. Je ne dis pas que ce soit forcément le cas. J'ai déjà vu des victimes de vampires en photo, et elles ne ressemblaient pas du tout à ça. Mais supposons que vous ayez vu juste. De quoi aurez-vous besoin ?

— Des clichés pris sur les lieux du premier double meurtre.

— J'enverrai le dossier à votre hôtel.

— Où le garçon et la fille ont-ils été tués ?

— À quelques centaines de mètres d'ici.

— Allons voir.

— Je vais demander à un de mes hommes de vous y emmener.

— Je suppose que vous avez fait fouiller les environs ?

— Nous les avons passés au peigne fin. Mais honnêtement, mademoiselle Blake, je n'avais pas la moindre idée de ce que nous cherchions. Entre les feuilles mortes et la sécheresse, il était quasiment impossible de déceler des traces.

— Pourtant, ça nous aurait bien aidés. S'il s'agit réellement d'un vampire…

— Comment ça, « si » ? coupa Freemont sur un ton soudain accusateur.

Je soutins son regard.

—Sergent, si c'est un vampire, il a des pouvoirs de domination mentale plus développés que tous ceux que je connais. Je n'ai jamais rencontré de buveur de sang, même très ancien, capable de maintenir trois humains en transe pendant qu'il les tue. Hier encore, je vous aurais dit que c'était impossible.

—Qu'est-ce que ça pourrait être d'autre? demanda Larry.

Je haussai les épaules.

—Selon moi, c'est un vampire, mais si je prétendais en être certaine à cent pour cent, je mentirais. En général, je m'efforce de ne pas mentir à la police. Même si le sol était détrempé, vous n'auriez pas forcément trouvé de traces, parce que l'assassin a pu venir en volant.

—Comme… une chauve-souris? souffla Freemont.

—Non, ils ne se métamorphosent pas en animaux comme dans les légendes, mais ils peuvent… (Je cherchai un terme approprié et n'en trouvai pas.) Ils peuvent léviter. Je ne saurais pas vraiment l'expliquer, mais je l'ai vu.

—Un vampire tueur en série. (Freemont secoua la tête, et les rides qui encadraient sa bouche se creusèrent.) Les Fédéraux vont forcément s'en mêler.

—Il y a des chances. Avez-vous retrouvé les bouts de cadavres manquants?

—Non. J'ai pensé que la créature les avait peut-être mangés.

—Pourquoi se serait-elle contentée de morceaux découpés au préalable? Pourquoi ne pas s'être nourrie à même les corps? Pourquoi ne pas les avoir dévorés entièrement?

Freemont serra les poings.

—Ça va, ça va! Vous avez gagné. C'était un vampire. Même un flic stupide sait qu'ils ne consomment pas de chair humaine.

De la colère brillait dans ses yeux bruns. Elle n'était pas dirigée contre moi, mais je pouvais quand même faire une très bonne cible.

Je soutins son regard sans ciller. Elle fut la première à détourner la tête.

—Laisser une civile participer à une enquête ne me plaît pas, mais vous avez repéré des choses qui m'ont échappé. Ou vous êtes très douée, ou vous me cachez quelque chose.

J'aurais pu répondre que je connaissais mon boulot, mais je m'en abstins. Pas question que la police croie que je cachais des informations alors que ça n'était pas le cas.

—J'avais un avantage sur vous et vos inspecteurs: je m'attendais à ce que le coupable soit un monstre. Personne ne m'appelle pour intervenir dans une affaire d'homicide ordinaire. Je ne passe pas beaucoup de temps à chercher des explications rationnelles. Ce qui me permet d'écarter d'entrée un paquet de théories.

—Très bien, dit Freemont. Si vous pouvez m'aider à capturer cette créature, peu m'importe votre statut.

—Je suis ravie de l'entendre.

—Mais je ne veux pas de journalistes. C'est moi qui commande, ici. C'est mon enquête. À moi de décider quand le public devra être informé. Me suis-je bien fait comprendre?

—Parfaitement, sergent.

Elle me dévisagea comme si elle ne me croyait pas.

—Je suis sérieuse, mademoiselle Blake.

—L'absence des médias ne me pose pas de problème, sergent. Comme vous, je préfère bosser au calme.

—Pour quelqu'un qui fuit la publicité, je trouve que vous attirez beaucoup la lumière des projecteurs.

—Je travaille sur des cas sensationnels, du genre qui font vendre des tonnes de papier ou qui fascinent les téléspectateurs. Je tue des vampires. On ne peut pas faire mieux, en matière de gros titres.

— Du moment que nous nous comprenons…

— Pas de journalistes. Ce n'est pas bien sorcier.

— Je vais demander à quelqu'un de vous conduire sur les lieux du premier crime. Et je veillerai à envoyer le dossier à votre hôtel.

Freemont se détourna et fit mine de s'éloigner.

— Une minute, sergent !

— Quoi encore ?

— Vous ne pouvez pas traiter cette affaire comme s'il s'agissait d'un tueur en série humain.

— C'est moi qui suis chargée de cette enquête, mademoiselle Blake, dois-je vous le rappeler ? Je peux faire exactement ce qui me chante.

Une fois encore, elle me jeta un regard hostile.

Moi-même, je ne me sentais pas dans de très bonnes dispositions à son égard.

— Sergent, je n'essaie pas de vous voler la gloire que vous apportera la résolution de cette affaire. Mais les vampires ne sont pas seulement des citoyens lambda avec des crocs. Si celui-là a pu dominer mentalement ces trois garçons et les immobiliser pendant qu'il les tuait, il pourrait prendre le contrôle de votre esprit… Ou de l'esprit de n'importe qui. Il doit être assez doué pour vous faire croire que le noir est blanc, et vice versa. Vous me comprenez ?

— Il fait encore jour, mademoiselle Blake. Si c'est un vampire, nous pourrons facilement le trouver et l'embrocher.

— Pour ça, il vous faudra un mandat du tribunal.

— J'en obtiendrai un.

— Quand vous l'aurez, appelez-moi. Je reviendrai finir le travail.

— Je pense que nous nous en sortirons sans vous.

— Vous avez déjà exécuté un vampire ?

— Non, mais j'ai déjà tiré sur un humain. Ça ne doit pas être plus difficile.

— Pas dans le sens où vous l'entendez. En revanche, c'est beaucoup plus dangereux.

Freemont secoua la tête.

— Jusqu'à l'arrivée des Fédéraux, c'est moi qui commande, et personne ne me dira ce que je dois faire. Est-ce clair, mademoiselle Blake ?

— Limpide comme de l'eau de roche, sergent.

Mon regard se posa sur la broche en forme de croix fixée au revers de sa veste. La plupart des flics en civil portent un crucifix en guise d'épingle de cravate. Dans la police américaine, ça fait partie de l'équipement obligatoire.

— Vous avez des balles en argent, je suppose ?

— Je prends soin de mes hommes, mademoiselle Blake.

Je levai les mains en signe de reddition. Au temps pour mes tentatives de copinage féminin !

— D'accord, je m'en vais. Vous avez mon numéro de bipeur. N'hésitez pas à vous en servir en cas de besoin.

— Je n'en aurai pas besoin, affirma Freemont.

Je pris une profonde inspiration et ravalai les paroles peu amènes qui me brûlaient les lèvres. Me mettre à dos la responsable des investigations n'était pas le meilleur moyen d'être réinvitée à jouer sur son terrain.

Je passai devant elle sans lui dire au revoir. Je ne pouvais pas garantir ce qui serait sorti de ma bouche si je l'avais ouverte. Rien de plaisant, en tout cas, et rien d'utile non plus.

Chapitre 8

Les gens qui ne font jamais de camping pensent que l'obscurité descend du ciel. Mais c'est faux. Elle monte du pied des arbres et commence par remplir leurs branches, avant de s'étendre aux endroits découverts. Il faisait si sombre parmi la végétation que je regrettais de n'avoir pas emporté une lampe de poche. Pourtant, quand nous regagnâmes la route et notre Jeep, le crépuscule tombait à peine.

— Nous pourrions retourner sur le site de construction et examiner le cimetière pour Stirling, dit Larry.

— Commençons plutôt par manger un morceau, proposai-je.

Il me dévisagea en haussant les sourcils.

— Ça, c'est une première. D'habitude, il faut que je te supplie pour que tu consentes à t'arrêter dans un fast-food.

— J'ai oublié de déjeuner, avouai-je.

— Je veux bien le croire, fit Larry. (Son sourire s'effaça.) Pour une fois que tu m'offres de la nourriture spontanément, je ne suis pas capable d'avaler une bouchée…

Il restait juste assez de lumière pour que je le voie me dévisager.

— Tu pourrais vraiment bouffer après ce qu'on vient de se taper ?

Je lui rendis son regard, ne sachant que dire. Il n'y a pas si longtemps, la réponse aurait été non.

— Je ne voudrais pas me colleter avec un steak tartare ou un plat de spaghetti à la bolognaise, mais sinon...

Larry secoua la tête.

— C'est quoi, un steak tartare ?

— De la viande de bœuf crue.

Il déglutit et pâlit encore.

— Comment peux-tu penser à ce genre de choses alors que...

Il n'acheva pas sa phrase. C'était inutile. Nous l'avions vu tous les deux.

Je haussai les épaules.

— Voilà presque trois ans que je collabore avec la police, Larry. Au bout d'un moment, tu apprends à survivre. Donc, à manger même après avoir vu des cadavres coupés en morceaux.

Je me gardai bien d'ajouter que j'avais déjà vu pire. Des corps humains réduits à de petits paquets de chair impossibles à identifier. Même pas de quoi remplir un sac en plastique. Après ce coup-là, je ne m'étais pas précipitée au McDo.

— Te sens-tu au moins capable d'essayer d'avaler quelque chose ?

Larry me jeta un regard soupçonneux.

— À quoi tu penses, au juste ?

Je délaçai mes Nike et posai doucement mes pieds sur les graviers. Mon collant ayant survécu, il aurait été dommage de le flinguer maintenant. Puis je défis la fermeture Éclair de ma combinaison et l'enlevai.

Larry m'imita. Comme il n'avait pas daigné ôter ses chaussures, il dut se débattre un bon moment en sautillant sur une seule jambe. Enfin, il parvint à dégager ses pieds.

Je repliai soigneusement ma combinaison pour ne pas tacher l'intérieur de la Jeep. Je la posai sur la banquette arrière, laissai tomber mes Nike sur le plancher de la voiture et sortis mes escarpins.

Larry s'efforçait de lisser les plis de son costume, mais il y a certains dégâts auxquels seul un pressing peut remédier.

— Ça te dirait d'aller faire un tour au *Squelette sanglant*? lançai-je.

Il leva les yeux vers moi sans cesser de tirer sur les bords de sa veste.

— Où ça ? demanda-t-il, les sourcils froncés.

— C'est le restaurant de Magnus Bouvier. Stirling nous en a parlé tout à l'heure.

— Je ne m'en souvenais plus. Il a dit où c'était ?

— Non, mais j'ai demandé à un des flics. Ce n'est pas très loin d'ici.

— Pourquoi veux-tu y aller ?

— Parce que j'aimerais parler à Magnus Bouvier.

— Au risque de me répéter : pourquoi ?

C'était une excellente question, et je n'étais pas certaine d'avoir une bonne réponse.

Haussant les épaules, je montai dans la Jeep. Larry n'eut pas d'autre solution que d'en faire autant, à moins de vouloir rentrer à pied. Lorsque nous fûmes installés, je n'avais toujours pas trouvé de bonne réponse.

— Je n'aime pas Stirling. Il ne m'inspire pas confiance.

— C'est bien ce qu'il m'avait semblé, fit Larry un peu sèchement. Mais pourquoi ?

— Toi, tu lui ferais confiance ?

Il réfléchit quelques instants.

— Je ne lui confierais pas mes plantes vertes à arroser pendant les vacances, reconnut-il.

— Tu vois…

— D'accord, mais parler à Bouvier t'avancera à quoi ?

— J'espère qu'il pourra m'en apprendre plus sur cette histoire de cimetière. Je déteste relever des morts pour des gens qui ne m'inspirent pas confiance. Surtout en si grand nombre.

— Donc, on va dîner au *Squelette sanglant* et on essaie d'interroger le proprio. Et ensuite ?

— S'il n'a rien d'intéressant à nous dire, on retourne voir Stirling et on examine le sommet de sa putain de montagne.

Larry me regarda, l'air méfiant.

— Anita, que mijotes-tu encore ?

— N'as-tu pas envie de savoir pourquoi Stirling tient tellement à ce terrain ? Pourquoi celui des Bouvier et pas un autre ?

— Ça fait trop longtemps que tu traînes avec les flics. Tu deviens parano.

— Ce n'est pas la police qui m'a appris ça. C'est un don inné.

Je mis le contact et nous démarrâmes.

Les arbres projetaient de longues ombres très fines. Dans les vallées, entre les montagnes, ces ombres formaient des flaques de nuit prématurée. Nous aurions dû retourner au site de construction. Mais si je ne pouvais pas partir à la chasse au vampire, rien ne m'empêchait d'interroger Magnus Bouvier. Une partie de mon boulot que personne ne pouvait m'interdire de faire.

Non que j'aie eu vraiment envie de me lancer à la poursuite de notre psychopathe. Il faisait presque noir. Chasser le vampire après la tombée de la nuit est un très bon moyen de se faire tuer. Surtout si le vampire en question a de grandes capacités de domination mentale. J'ai connu beaucoup de buveurs de sang qui pouvaient manipuler l'esprit d'une personne, et même la blesser sans qu'elle réagisse. Mais dès qu'ils relâchaient leur concentration pour s'intéresser à quelqu'un d'autre, qui commençait généralement à hurler, la première victime sortait de sa torpeur et tentait de s'enfuir.

Dans le cas présent, les trois garçons n'avaient pas réagi. Ils ne s'étaient pas enfuis. Ils étaient juste morts.

Si personne n'arrêtait leur assassin, d'autres innocents mourraient. Je pouvais le garantir. Freemont aurait dû me laisser rester. Elle avait besoin d'une experte en monstres.

Je sais : ce qu'il lui fallait vraiment, c'était un *flic* expert en monstres. Mais elle ne pouvait pas l'avoir.

Trois ans ont passé depuis que le cas Addison contre Clark a conféré une existence légale aux vampires, Washington faisant de tous les buveurs de sang de ce pays des citoyens à part entière. Personne n'avait réfléchi aux conséquences que ça entraînerait pour la police.

Avant que la loi change, les chasseurs de primes se chargeaient d'éliminer les criminels non humains. C'étaient des civils ayant assez de connaissances et d'expérience pour rester en vie. La plupart disposaient en outre de certains pouvoirs surnaturels qui leur donnaient un avantage sur leurs proies. Les flics ne pouvaient pas en dire autant.

En général, les humains ordinaires ne font pas long feu contre les monstres. Il a toujours existé des individus qui, comme moi, ont un certain don pour en venir à bout. Et nous faisions du bon boulot. Mais soudain, les flics ont été parachutés en première ligne. Sans entraînement, sans renforts, sans rien… La plupart des États refusent même de leur payer des balles en argent.

Il a fallu trois ans aux autorités de ce pays pour comprendre qu'elles avaient agi précipitamment. Les monstres sont peut-être seulement des monstres, et la police avait besoin de moyens supplémentaires ! Former les flics déjà en place prendrait des années. Alors, Washington a décidé de court-circuiter le processus en élevant tous les chasseurs de primes et les exécuteurs de vampires au rang de flics.

En ce qui me concerne, ça pourrait fonctionner. J'aurais adoré avoir un badge à faire bouffer au sergent Freemont. Elle n'aurait pas pu m'envoyer promener, si j'avais été envoyée par les Fédéraux. Mais dans le cas des autres chasseurs de vampires, ça risque d'être une très mauvaise idée. Il ne suffit pas d'être expert en créatures surnaturelles pour mener une enquête policière.

Une fois encore, il n'y avait pas de solution évidente. Tout ce que je savais ? Quelque part dans les ténèbres, un groupe de flics cherchait un vampire qui pouvait faire des choses que je n'aurais pas cru à la portée d'un buveur de sang. Si j'avais eu un badge, j'aurais pu les accompagner. Pas forcément les protéger… Mais je leur aurais été bien plus utile qu'une nana qui avait seulement vu des victimes de vampires en photo.

Freemont n'avait jamais rencontré de buveur de sang.

J'espérais qu'elle survivrait à sa première fois.

Chapitre 9

Le bar-gril appelé *Squelette sanglant* se dressait au sommet d'une colline. Quelqu'un ayant abattu les arbres de chaque côté de la route en gravier rouge, seul le velours sombre du ciel piqueté d'étoiles emplissait le pare-brise de notre Jeep quand nous gravîmes la pente.

— Il fait vraiment très noir, fit Larry.

— On trouve rarement des lampadaires dans les campagnes, dis-je.

— On ne devrait pas voir les lumières du restaurant ?

— Comment veux-tu que je le sache ? C'est la première fois que je viens ici.

J'observai les arbres qui gisaient sur le bas-côté, leurs troncs débités formant des taches plus claires dans l'obscurité. On aurait dit que quelqu'un avait pété les plombs et les avait attaqués à la hache ou à l'épée. À moins qu'ils aient été arrachés par un troll fou furieux.

Je ralentis en sondant les ténèbres. Me serais-je trompée ? Se pouvait-il que l'assassin soit un grand troll des monts Ozark ? Je n'en avais jamais rencontré qui utilise d'épée, mais il y a un début à tout.

— Qu'est-ce qui ne va pas ? demanda Larry.

J'allumai mes warnings. La route était étroite, à peine assez large pour laisser passer deux voitures, mais elle montait. Quelqu'un qui arriverait en sens inverse ne verrait pas forcément notre Jeep tout de suite. Les phares lui signaleraient sans doute notre présence, mais si le type roulait vraiment très vite… Bah, de toute façon, j'avais pris ma décision. Pourquoi tergiverser ?

J'arrêtai la Jeep et sautai à terre.

— Où vas-tu ? lança Larry.

— Je me demande si ça n'est pas un troll qui a abattu ces arbres, expliquai-je.

Il fit mine de descendre à son tour.

— Si tu veux vraiment m'accompagner, passe du côté conducteur, lui ordonnai-je.

— Pourquoi ?

— Tu n'es pas armé.

Je sortis mon Browning. La froideur du métal et son poids me réconfortèrent, mais contre un grand troll des montagnes, il ne m'aurait pas servi à grand-chose. Si j'avais eu des balles explosives, à la limite… Un 9 mm n'était pas une arme appropriée pour chasser une créature de la taille d'un petit éléphant.

Larry referma sa portière et se glissa sur le siège du conducteur.

— Tu crois vraiment qu'il y a un troll dans les parages ?

Je sondai les ténèbres. Rien ne bougeait.

— Je n'en sais rien.

Je m'approchai du ravin peu profond qui longeait la route. Alors que je le traversais, mes talons s'enfoncèrent dans le sol sec et sablonneux. De la main gauche, je saisis une poignée de mauvaises herbes pour me hisser de l'autre côté.

Je dus m'accrocher à un des troncs massacrés pour ne pas glisser en arrière. De la sève poisseuse coula entre mes doigts, et il me fallut un gros effort pour ne pas retirer ma main.

Larry me rejoignit maladroitement, pédalant parmi les feuilles mortes et les aiguilles de pin dans ses chaussures de ville à semelle lisse. Je n'avais plus de main libre à lui tendre. Il manqua de s'étaler à côté de moi et se rattrapa de justesse.

— Putain de godasses ! marmonna-t-il.

— Au moins, tu ne portes pas de talons hauts…

— Heureusement, parce que je me serais déjà brisé le cou !

Rien ne bougeait dans la nuit plus noire que noire à part nous. Quelques insectes bourdonnaient non loin de là, mais je n'entendis aucune créature plus grosse. Avec un soupir de soulagement, je m'approchai des arbres.

— Que cherchons-nous ? demanda Larry.

— Les haches des bûcherons laissent une coupe lisse, bien nette. Si un troll a brisé les troncs, ils seront hérissés d'échardes.

Larry se pencha pour examiner une section d'arbre.

— Ça m'a l'air lisse. Mais ça ne ressemble pas à des marques de hache.

Il avait raison. C'était presque trop lisse, complètement plat comme si chaque arbre avait été abattu d'un seul coup, alors que certains faisaient trente centimètres de diamètre. Aucun être humain, même très balèze, n'aurait pu faire ça.

— Qui a pu faire ça ? demanda Larry, formulant la question silencieuse que je me posais.

Je sondai les ténèbres du regard, luttant contre l'envie de brandir mon flingue. Mais je parvins à le maintenir canon levé vers le ciel. La sécurité d'abord.

— Un vampire avec une épée, peut-être.

— Tu veux dire, celui qui a tué ces garçons ? Pourquoi aurait-il fait ça ?

Une bonne question. Une de plus à laquelle je n'avais pas de bonne réponse.

— Je ne sais pas. Retournons à la voiture.

Nous rebroussâmes chemin. Cette fois, nous réussîmes à ne pas tomber. Vive nous !

Dès que nous fûmes remontés dans la Jeep, je rangeai mon flingue. Sans doute n'en avais-je même pas eu besoin, mais d'un autre côté… Ces arbres n'étaient pas tombés tout seuls.

J'utilisai une des lingettes de bébé qui me servent à essuyer le sang des poulets que je décapite, des vampires que j'exécute ou de mes propres blessures, les soirs où je n'ai pas eu beaucoup de chance. Cette fois, elles nettoieraient seulement de la sève.

Nous nous remîmes en route, en quête des lumières du restaurant. À moins que j'aie mal compris les indications du flic, nous ne devions plus être loin.

— J'hallucine, ou je vois des torches ? lança tout à coup Larry.

Je plissai les yeux. Au loin, je distinguai une lueur vacillante, trop éloignée du sol pour être celle d'un feu de camp. Deux torches fixées au bout de longues perches encadraient et éclairaient une allée de gravier qui partait sur le côté gauche de la route.

Ici aussi, les arbres les plus proches avaient été abattus, mais des années auparavant. Un bâtiment de plain-pied se découpait au milieu de ceux qui se dressaient encore un peu plus loin. Une enseigne pendait à l'avant-toit. Difficile à dire avec la chiche lumière des torches, mais les mots « Squelette sanglant » pouvaient tout à fait être écrits dessus.

Des lambris de bois sombre couvrant le toit et descendant le long des murs, le bâtiment ressemblait à une excroissance naturelle jaillie du sol d'argile rouge. Une vingtaine de voitures et des camionnettes étaient garées devant.

L'enseigne se balança au vent et la lumière des torches se refléta sur les deux mots tracés dans une belle cursive ronde que n'aurait pas reniée une maîtresse d'école du siècle dernier.

« Squelette sanglant ».

Nous y étions !

Je marchai prudemment vers la porte d'entrée, les talons de mes escarpins s'enfonçant dans le gravier. Cette fois, Larry s'en tira beaucoup mieux que moi avec ses semelles lisses.

— Le *Squelette sanglant*, c'est un drôle de nom pour un bar-gril.

— Ils servent peut-être de la chair humaine ! lançai-je. Au barbecue, il paraît que c'est délicieux.

Larry fit la grimace.

La porte battante s'ouvrait vers l'intérieur et donnait directement sur le bar. Quand elle se referma, nous fûmes plongés dans une pénombre chaleureuse.

Les débits de boisson sont des endroits vaguement lugubres où les gens viennent pour se saouler et se cacher du monde extérieur. Une sorte de refuge contre le bruit et l'agitation du dehors. Celui-là méritait bien le qualificatif de « refuge », mais sûrement pas de « lugubre ».

Un long comptoir occupait un côté de la pièce, et une douzaine de petites tables étaient éparpillées sur le plancher ciré. Il y avait une estrade sur la gauche et un juke-box contre le mur du fond, tout près d'un étroit couloir qui menait aux toilettes ou à la cuisine.

Les surfaces étaient en bois sombre, si bien poli qu'il brillait dans la lumière. L'éclairage provenait des bougies posées sous des verres de lampe le long des murs, et du grand lustre pendu au plafond. Les poutres qui le soutenaient étaient décorées de fruits et de feuilles de chêne.

Comme dans un mauvais western, tous les clients se tournèrent vers nous à notre entrée. La plupart étaient des hommes. Ils me détaillèrent de la tête aux pieds, puis aperçurent Larry et se désintéressèrent de moi. Quelques-uns continuèrent à me dévisager avec insistance et une vague lueur d'espoir. Je me contentai de les ignorer. Il était encore trop tôt pour qu'ils soient saouls au point de devenir entreprenants. De toute façon, nous étions armés.

Les femmes étaient regroupées devant le comptoir sur trois rangs de profondeur. Elles s'étaient sapées comme pour un vendredi soir, quand on a l'intention de le passer debout au coin d'une rue histoire de faire des propositions malhonnêtes aux badauds. Beaucoup étudiaient Larry avec l'air de se demander s'il serait bon à manger.

Quant à moi, elles semblaient déjà me détester. Si je les avais connues, j'aurais juré qu'elles étaient jalouses. Mais je ne suis pas le genre de femme qui s'attire les foudres de ses congénères au premier regard. Ni assez grande, ni assez blonde, ni assez exotique… Jolie, mais pas franchement canon.

Toutes ces femmes me regardaient comme si elles détectaient en moi quelque chose que j'ignorais. Je regardai par-dessus mon épaule pour voir si quelqu'un était entré derrière nous, même si je savais que ça n'était pas le cas.

— Que se passe-t-il ? chuchota Larry.

Encore une chose bizarre : le calme qui régnait dans cet endroit. Je ne connais aucun bar où on peut se faire entendre en chuchotant, surtout un vendredi soir.

— Je ne sais pas, soufflai-je.

Les femmes s'écartèrent comme si quelqu'un venait de leur en donner l'ordre, révélant la personne debout derrière le comptoir. Je pensai tout d'abord qu'*elle* avait des cheveux magnifiques, avant de m'apercevoir que c'était un homme. Ses mèches ondulées cascadaient dans son dos comme un épais torrent noisette, et la flamme des bougies les faisait scintiller encore plus fort que les lambris de bois sombre.

Il tourna vers nous des yeux bleu-vert couleur d'océan. Il était bronzé et très séduisant à sa façon, un peu androgyne, comme un félin. Soudain, je compris pourquoi toutes ces femmes se pressaient autour du comptoir.

Le barman posa un verre rempli de liquide ambré sur un petit napperon et déclara :

— C'est pour toi, Earl.

Sa voix était étonnamment grave, comme celle d'un chanteur d'opéra – une basse, évidemment…

Un homme se leva d'une des tables – le nommé Earl, pensai-je. C'était un colosse aux larges épaules, carré de partout. Une version plus humaine du monstre incarné par Boris Karloff… Autrement dit, il n'avait rien d'un mannequin.

Alors qu'il saisissait son verre, son bras effleura le dos d'une des femmes, qui se tourna vers lui, furieuse. Je m'attendis à ce qu'elle l'injurie. Mais le barman posa une main sur la sienne et elle s'immobilisa, comme si elle écoutait des voix que je ne pouvais pas entendre.

L'air ondula. Soudain, je pris conscience qu'Earl sentait bon le savon. Ses cheveux étaient encore humides. Il venait peut-être de sortir de la douche. Je m'imaginai en train de lécher les gouttelettes sur sa peau. Il me sembla sentir ses grandes mains partout sur mon corps.

Secouant la tête, je reculai et bousculai Larry.

— Un problème ? demanda-t-il, inquiet.

Je le foudroyai du regard en lui agrippant le bras, mes ongles plantés dans le tissu de sa veste jusqu'à ce que je sente sa chair sous mes doigts. Alors, je me retournai vers la salle.

Earl avait entraîné la femme jusqu'à une table. Elle embrassait sa paume calleuse.

— Doux Jésus…

— Que se passe-t-il, Anita ? insista Larry en se frottant le bras.

— Ça va… Je ne m'attendais pas à ça, c'est tout.

— Et c'est quoi, « ça » ?

— De la magie.

Je marchai vers le comptoir.

Les yeux couleur d'océan me regardèrent approcher, aussi inoffensifs que ceux d'un enfant. Ce type n'était pas un vampire. J'aurais pu plonger mon regard dans le sien jusqu'à la fin des temps et ça ne m'aurait fait aucun effet. Enfin, façon de parler.

Je posai mes mains sur le bord du comptoir, également décoré de feuilles et de fruits. L'œuvre d'un remarquable artisan.

Le barman caressait le bois brillant comme si c'était de la peau. Avec un geste de propriétaire, comme en ont certains hommes quand ils touchent leur petite amie. J'étais prête à parier qu'il avait sculpté les motifs.

Une brune portant une robe deux tailles trop petite pour elle lui posa une main sur le bras.

— Magnus, tu n'as pas besoin d'une étrangère.

Magnus Bouvier se retourna et laissa lentement courir ses doigts le long du bras de la fille. Puis il lui prit gentiment la main et la porta à ses lèvres pour l'embrasser.

— Choisis qui tu voudras, chérie. Tu es trop belle pour qu'on te refuse quoi que ce soit.

Cette femme n'était pas belle du tout : des yeux minuscules couleur de boue, un menton trop pointu et un nez trop gros pour son visage étroit.

Moins de cinquante centimètres nous séparaient. Alors que je la regardais, son visage se lissa, ses yeux devenant immenses et ses lèvres s'épanouissant comme une rose. Encore plus spectaculaire que si je l'avais regardée à travers un de ces filtres adoucissants dont se servaient les photographes dans les années soixante !

Je me tournai vers Larry. On aurait dit qu'il venait de se faire renverser par un camion. Un camion aux courbes archi-appétissantes. Et il n'était pas le seul. Dans la salle, tous les hommes – à part Earl – reluquaient la brune, comme si elle venait d'apparaître devant eux, telle Cendrillon transformée par sa marraine.

Ce qui n'était pas une si mauvaise comparaison…

Je jetai un coup d'œil à Magnus Bouvier. Contrairement à ses clients, il ne fixait pas la femme, mais… moi. Je m'accoudai au comptoir et soutins son regard.

Il eut un léger sourire.

— Les charmes d'amour sont illégaux, déclarai-je.

Son sourire s'élargit.

— Vous êtes beaucoup trop jolie pour appartenir à la police.

Il tendit la main vers mon bras.

— Touchez-moi, et je vous ferai arrêter pour usage frauduleux d'influence surnaturelle, menaçai-je.

— C'est un geste amical, dit-il.

— Sauf si vous n'êtes pas un humain.

Il cligna des yeux. Je ne le connaissais pas assez bien pour en être certaine, mais il me sembla que je l'avais pris au dépourvu. Comme si j'avais *dû* croire qu'il était humain.

— Allons nous asseoir pour parler, proposa-t-il.

— Ça me convient.

— Dorrie, tu peux me remplacer quelques minutes ?

Une femme le rejoignit derrière le comptoir. Elle avait les mêmes cheveux auburn épais, mais les siens étaient attachés très haut sur son crâne. À chaque mouvement, ils se balançaient comme s'ils étaient vivants. Elle n'était pas maquillée et, sur son visage triangulaire, ses yeux brillaient de la même couleur turquoise que ceux de Magnus.

Les hommes les plus proches du comptoir la surveillaient du coin de l'œil, comme s'ils redoutaient de la regarder en face. Larry la dévisageait, bouche bée.

— Je veux bien faire le service, mais ça s'arrête là, dit-elle. (Elle se tourna vers Larry.) Vous voulez ma photo ?

Sa voix était dure et méprisante.

Le pauvre Larry cligna des yeux, referma la bouche et balbutia :

— No-non, merci.

Elle le foudroya du regard comme si elle avait lu ses pensées, et je compris pourquoi les autres hommes évitaient de la mater trop ouvertement.

— Dorcas, sois aimable avec les clients, la sermonna Magnus.

Elle le foudroya lui aussi du regard. Il sourit, mais battit prudemment en retraite.

Quand il contourna le comptoir, je vis qu'il portait une chemise bleue. Les pans tombaient jusqu'à mi-cuisses de son jean délavé, et il avait roulé les manches sur ses avant-bras. Des santiags noir et argent complétaient sa tenue. Il aurait dû avoir l'air débraillé à côté de ses clients, tous sur leur trente et un. Mais son éclatante confiance en lui faisait oublier tout le reste.

Alors qu'il passait près d'elle, une femme saisit l'ourlet de sa chemise. Il se dégagea avec un sourire taquin.

Magnus me guida jusqu'à une table, près de l'estrade. Il resta debout en attendant que je choisisse ma chaise. Un vrai gentleman. Je m'assis dos au mur, histoire de surveiller les deux portes et le reste de la salle. Une attitude de cow-boy… Mais à ma décharge, il y avait de la magie dans l'air. De la magie illégale.

Larry prit place à ma droite, en reculant un peu sa chaise pour jouir d'une vue d'ensemble sur le bar. Il se donnait tant de mal pour m'imiter en tout, prenant au sérieux chacun de mes gestes, que c'en était presque effrayant. Ça l'aiderait sûrement à rester en vie, mais j'avais l'impression d'être suivie par un gamin de trois ans muni d'un permis de port d'arme. Ce qui n'avait rien de rassurant.

Magnus nous adressa à tous les deux un sourire plein d'indulgence, comme s'il nous trouvait mignons ou amusants. Mais je n'étais pas d'humeur à me montrer amusante.

— Les charmes d'amour sont illégaux, attaquai-je.

— Vous l'avez déjà dit, fit Magnus.

De nouveau, il découvrit ses dents sur un sourire probablement censé me faire croire qu'il était inoffensif. Mais je ne marchai pas. Il était beaucoup trop séduisant pour être honnête.

Je le regardai d'un air sévère jusqu'à ce que son sourire se flétrisse sur les bords. Il posa ses mains sur la table, les doigts écartés, et les contempla un instant. Quand il releva la tête, son sourire avait disparu.

Il affichait une expression solennelle, voire légèrement nerveuse. Tant mieux.

— Ce n'est pas un charme, dit-il.

— Vous me prenez pour une andouille ?

— Je vous jure que non. C'est un sort, mais rien d'aussi banal qu'un charme.

— Vous jouez sur les mots !

— Cette femme…, dit Larry. Elle est passée de trois sur vingt à vingt-trois sur vingt. C'était forcément de la magie !

Pour la première fois, Magnus se tourna vers lui, et je me sentis exclue. Rejetée. Comme si le rayon de soleil qui brillait sur moi venait de se déplacer, me laissant dans le froid et le noir.

Je secouai la tête.

— Arrêtez avec vos glamours !

Magnus se tourna de nouveau vers moi et je sentis une douce chaleur m'envahir.

Je serrai les dents.

— Je vous ai dit d'arrêter.

— D'arrêter quoi ? demanda-t-il innocemment.

— Très bien. Voyons si vous ferez toujours le malin une fois dans une cellule.

La main de Magnus se referma sur mon poignet. Le travail manuel aurait dû la rendre rugueuse, mais elle ne l'était pas. Sa peau semblait inhumainement douce, comme du velours vivant. Évidemment, ce n'était peut-être qu'une illusion.

Je tentai de me dégager, mais il resserra sa prise. Je continuai à tirer et il continua à serrer avec l'assurance d'un chasseur qui sait que sa proie ne pourra pas lui échapper.

Il se trompait. Ce n'était pas une question de force, mais de levier. Vivement, je fis tourner mon poignet d'un quart de tour et tirai d'un coup sec. Les doigts de Magnus se crispèrent, mais c'était trop tard.

La chair de mon poignet me semblait être à vif à l'endroit où ses doigts avaient touché ma peau. Elle ne saignait pas, mais elle me faisait mal. Même si la frotter m'aurait soulagée, je n'allais pas donner cette satisfaction à Magnus. Après tout, j'étais une exécutrice de vampires. Et ça aurait gâché mon petit effet.

Je me délectai de son expression de surprise.

— La plupart des femmes ne se dégagent pas une fois que je les ai touchées, déclara-t-il.

— Utilisez encore votre magie sur moi, et je vous livrerai aux flics, promis-je.

Il me regarda pensivement, puis hocha la tête.

— D'accord, vous avez gagné. Je n'utiliserai plus ma magie sur vous, ni sur votre ami.

— Ni sur personne d'autre, ajoutai-je.

Je me rassis prudemment, mettant un peu plus de distance entre nous et déplaçant ma chaise sur le côté pour pouvoir dégainer plus facilement en cas de besoin. Je ne pensais pas être obligée de lui tirer dessus, mais mon poignet me faisait toujours mal.

Pour avoir fait des bras de fer avec des vampires et des lycanthropes, je suis capable de reconnaître une force surnaturelle quand on en use sur moi. Magnus aurait pu serrer jusqu'à me broyer les os, mais il n'avait pas été assez rapide. Ou il ne voulait peut-être pas vraiment me blesser.

Tant pis pour lui.

—Mes clients n'aimeraient pas que la magie se tarisse, dit-il.

—Vous ne pouvez pas les manipuler ainsi. C'est illégal, et je vous dénoncerai.

—Mais tout le monde sait que le vendredi soir est la nuit des amoureux au *Squelette sanglant*.

—Quelle nuit des amoureux ? demanda Larry.

Magnus sourit. Son masque se remettait déjà en place, mais la lueur chaleureuse avait disparu de ses yeux. Il tenait sa parole… pour autant que je le sache. Même les vampires ne peuvent pas utiliser leurs pouvoirs de domination mentale sur moi sans que je m'en aperçoive. Que Magnus Bouvier en soit capable me rendait extrêmement nerveuse.

—Le vendredi soir, je rends tous mes clients beaux, séduisants et sexy. En quelques heures, ils deviennent l'amant ou la maîtresse de leurs rêves, et de ceux de quelqu'un d'autre. Même si, à leur place, j'éviterais de passer toute la nuit avec mon partenaire. Le glamour ne dure pas si longtemps.

—Vous êtes quoi, au juste ? demanda Larry.

—Qu'est-ce qui ressemble à un *homo sapiens*, qui peut se reproduire avec un *homo sapiens*, mais qui n'est pas un *homo sapiens* ? lançai-je.

Larry écarquilla les yeux.

—Un *homo arcanus*. C'est un fairie !

—Ne parlez pas si fort !

Magnus balaya la salle du regard. Les occupants des tables voisines ne nous prêtaient aucune attention.

Ils étaient beaucoup trop occupés à se papouiller ou à se regarder d'un air énamouré.

— Vous ne pouvez pas vous faire passer pour un humain, lâchai-je.

— Les Bouvier prédisent l'avenir et fabriquent des charmes dans cette région depuis des siècles, annonça Magnus.

— Vous avez dit que ça n'était pas un charme d'amour.

— Les gens pensent que c'en est un. Mais vous, vous connaissez la vérité.

— Un glamour, dis-je.

— C'est quoi, un glamour ? demanda Larry.

— De la magie de fairies. C'est ce qui leur permet d'embrumer l'esprit des humains, de faire paraître les choses meilleures ou pires qu'elles ne le sont réellement.

Magnus hocha la tête en souriant, comme s'il était ravi que j'en sache autant.

— Exactement. Une magie vraiment mineure, comparée à d'autres...

Je secouai la tête.

— J'ai lu beaucoup d'ouvrages sur les glamours, et ils ne fonctionnent pas si bien, à moins que vous soyez de la haute noblesse, celle des *Daoine Sidhe*. Les membres de la cour des Seelie se commettent très rarement avec des mortels. Mais ce n'est pas le cas des membres de la cour des Unseelie.

Magnus me dévorait des yeux. Même sans glamour, il était tellement séduisant que je brûlais de le toucher pour découvrir si ses cheveux étaient aussi soyeux qu'ils en avaient l'air. Comme une exquise sculpture, il me donnait envie de le caresser, de sentir ses contours sous mes doigts.

— Les Unseelie sont maléfiques et cruels, affirma-t-il en souriant. Ce que je fais ici n'a rien de maléfique. Je permets à ces gens de vivre leurs fantasmes pour une nuit. Ils pensent que c'est dû à un charme d'amour et je ne les détrompe pas.

Nous gardons tous le secret de cette petite infraction à la loi. Les flics du coin sont au courant. Il leur arrive même de participer aux réjouissances.

—Mais ce n'est pas un charme d'amour.

—Non, simplement l'expression de mon talent naturel. Et ça n'a rien d'illégal, du moment que tout le monde sait que je m'en sers.

—Si je comprends bien, vous prétendez que c'est un charme d'amour, et les gens regardent de l'autre côté parce qu'ils s'amusent bien. En réalité, c'est un glamour de fairie, qui n'est pas illégal avec la permission des participants.

—Exactement.

—Donc, vous n'êtes pas en infraction, résumai-je.

Magnus hocha la tête.

—Si je descendais des fairies noirs, me donnerais-je tout ce mal pour apporter du plaisir à tant de gens ?

—Si cela servait vos intérêts, oui.

—N'est-il pas interdit aux Unseelie de s'établir dans ce pays ? demanda Larry.

—Oui, répondis-je.

—Depuis quelques années seulement, fit Magnus. Et les Bouvier habitent dans les monts Ozark depuis plus de trois siècles.

—Impossible ! lançai-je. À part les Indiens, personne n'est là depuis aussi longtemps.

—Llyn Bouvier était un trappeur français. Le premier Européen qui posa le pied sur cette terre. Il épousa une Indienne de la région et convertit toute sa tribu au christianisme.

—Tant mieux pour lui… Alors, pourquoi ne voulez-vous pas vendre à Raymond Stirling ?

Magnus cligna des yeux.

—Je serais très déçu d'apprendre que vous travaillez pour Stirling.

— Navrée de vous décevoir.

— Qu'êtes-vous ?

J'avais bien entendu. Pas « qui êtes-vous ? », mais « qu'êtes-vous ? ». Étonnée, je mis quelques secondes à répondre.

— Je m'appelle Anita Blake, et lui Larry Kirkland. Nous sommes des réanimateurs.

— J'imagine que vous ne bossez pas dans un hôpital…

— En effet. Nous relevons les morts.

— Et c'est tout ?

Magnus me regardait comme s'il y avait un truc écrit au fond de mon crâne et qu'il essayait de le lire. C'était assez gênant, mais, au cours de ma carrière, j'ai été dévisagée par des champions…

Je soutins son regard et répondis :

— Je suis une exécutrice de vampires.

Il secoua doucement la tête.

— Je ne vous ai pas demandé ce que vous faisiez dans la vie, mais ce que vous étiez.

Je fronçai les sourcils.

— Je crains de ne pas comprendre la question.

— Tout à l'heure, votre ami m'a demandé ce que j'étais, et vous avez répondu « un fairie ». Je vous demande ce que vous êtes, et vous me décrivez votre boulot. C'est comme si je disais que je suis barman.

— Dans ce cas, je ne sais pas trop quoi vous répondre.

Magnus continua à me dévisager.

— Bien sûr que si. Je lis un mot dans vos yeux.

Maintenant qu'il en parlait, un mot s'imposait bel et bien à mon esprit.

— Nécromancienne. Je suis une nécromancienne.

— M. Stirling est-il au courant ?

— Je doute qu'il comprendrait, même si je le lui disais.

— Vous avez vraiment la capacité de contrôler tous les types de morts-vivants ?

— Pouvez-vous fabriquer une centaine de chaussures dans la même nuit ? répliquai-je.

Magnus sourit.

— Vous pensez à un autre genre de fairie.

— C'est vrai…

— Si vous travaillez pour Stirling, que faites-vous ici ? J'espère que vous n'êtes pas venue me convaincre de vendre. Je détesterais devoir dire non à une aussi jolie femme.

— Remballez vos compliments, Magnus ! Vous n'obtiendrez rien de moi avec cette méthode.

— Quelle autre méthode me permettrait d'obtenir quelque chose ?

— Pour l'instant, j'ai beaucoup trop d'hommes sur les bras, dis-je en soupirant.

— Ça, c'est la vérité de Dieu, marmonna Larry.

Je me rembrunis.

— Je ne vous demande pas de sortir avec moi, précisa Magnus. Juste de coucher avec moi.

Je le foudroyai du regard.

— Pas dans cette vie !

— Le sexe entre créatures surnaturelles est toujours quelque chose d'exceptionnel, Anita.

— Je ne suis pas une créature surnaturelle.

— Qui joue sur les mots, à présent ?

Ne sachant que répondre à ça, je gardai le silence. En général, c'est le meilleur moyen de ne pas s'attirer d'ennuis.

Magnus sourit.

— Je vous ai mise mal à l'aise. J'en suis désolé, mais je ne me serais jamais pardonné de ne pas avoir essayé. Voilà très longtemps que je n'ai pas parlé à quelqu'un comme vous. Laissez-moi vous offrir un verre à tous les deux, pour me faire pardonner ma grossièreté.

Je secouai la tête.

— Apportez-nous plutôt le menu. Nous n'avons pas encore mangé.

— Très bien. Vos repas seront offerts par la maison.

— Non.

— Pourquoi ?

— Parce que je ne vous aime pas particulièrement, et que j'évite d'accepter les faveurs des gens qui me déplaisent.

Magnus se radossa à sa chaise avec une expression presque abasourdie.

— Vous êtes directe, constata-t-il.

— C'est l'euphémisme du siècle, dit Larry.

Je résistai à l'envie de lui flanquer un coup de pied sous la table.

— Alors, on peut avoir le menu ?

Magnus leva la main.

— Deux menus, Dorrie.

La jeune femme nous les apporta aussitôt.

— Je suis ta sœur et ton associée, Magnus, pas ta serveuse. Dépêche-toi un peu !

— N'oublie pas que j'ai un rendez-vous ce soir, Dorrie, lui rappela Magnus sur un ton détaché.

Mais elle ne s'y laissa pas prendre.

— Il n'est pas question que tu me laisses seule avec des gens. Je refuse de… (Elle nous regarda.) Je désapprouve la nuit des amoureux. Tu le sais.

— Je m'occuperai de tout avant de partir. Tu n'auras pas besoin de te compromettre, la rassura Magnus.

Dorrie nous foudroya du regard l'un après l'autre.

— Tu pars avec eux ?

— Non.

Elle tourna les talons et revint vers le comptoir. Les hommes qui n'avaient pas encore trouvé de partenaire observèrent sa démarche féline en douce, évitant de regarder ouvertement jusqu'à ce qu'elle ne puisse plus les voir.

— Votre sœur désapprouve votre utilisation des glamours ? demandais-je.

— Dorrie désapprouve beaucoup de choses.

— Parce qu'elle n'est pas totalement dépourvue de moralité, elle.

— Contrairement à moi, c'est ça ?

— C'est vous qui l'avez dit.

— Elle est toujours aussi collet monté ? demanda Magnus à Larry.

— En règle générale, oui.

— Tu veux bien qu'on commande ? criai-je. Je meurs de faim.

Il sourit, mais baissa les yeux sur son menu : une feuille de carton plastifiée imprimée des deux côtés. J'optai pour un cheeseburger bien cuit, des frites maison et un grand Coca. Je n'avais pas pris de caféine depuis des heures, et mon réservoir était presque à sec.

Larry observait le menu en fronçant les sourcils.

— Je ne crois pas pouvoir avaler de la viande…

— Il y a des salades, dis-je.

Magnus posa le bout de ses doigts sur le dos de la main de Larry.

— Quelque chose nage derrière vos yeux. Quelque chose d'horrible.

Larry leva le nez vers lui.

— Je ne vois pas de quoi vous parlez.

Je saisis le poignet de Magnus et écartai sa main de Larry. Il tourna son regard vers moi. Cette fois, ce ne fut pas seulement la couleur de ses yeux qui me mit mal à l'aise. Ses pupilles avaient rétréci comme celles d'un oiseau. Normalement, les pupilles humaines ne peuvent pas faire ça.

Soudain, je pris conscience que je tenais toujours son poignet. Je retirai vivement ma main.

— Cessez de nous *déchiffrer*, Magnus.

— Vous portiez des gants. Sinon, je pourrais dire ce que vous avez touché.

— Il s'agit d'une enquête de police. Tout ce que vous découvrirez par des moyens psychiques devra rester confidentiel, ou vous pourrez être inculpé, comme si vous aviez volé des informations dans nos fichiers.

— Vous faites toujours ça ?

— Quoi, ça ?

— Citer la loi quand vous êtes nerveuse.

— Parfois, reconnus-je.

— J'ai vu du sang, c'est tout. Mes dons de vision à distance sont plutôt limités. Contrairement à ceux de Dorrie. Vous devriez aller lui serrer la main, pour voir.

— Merci, mais je préfère passer mon tour, déclina Larry.

Magnus sourit.

— Vous n'êtes pas des flics, sinon, vous n'auriez pas menacé de les appeler tout à l'heure. Mais vous étiez avec eux. Pourquoi ?

— Je croyais que vous aviez seulement vu du sang, fis-je remarquer.

Il eut le bon goût de prendre un air embarrassé.

— Peut-être un tout petit peu plus que ça, admit-il.

— La clairvoyance par contact n'est pas un pouvoir fey traditionnel.

— D'après la légende familiale, une de nos ancêtres était la fille d'un chaman.

— Bref, vous recevez de la magie des deux côtés de votre arbre généalogique. Sacré héritage génétique !

— La clairvoyance n'est pas de la magie ! lança Larry.

— Un clairvoyant vraiment doué pourrait te faire croire le contraire, répliquai-je.

Je regardai Magnus. Le dernier clairvoyant qui m'avait touchée et qui avait vu du sang avait été horrifié. Il n'avait plus voulu s'approcher de moi à moins de un mètre. Magnus ne semblait pas horrifié, et il avait même proposé de coucher avec moi.

Je suppose qu'il faut de tout pour faire un monde…

— Je porterai moi-même votre commande à la cuisine, si vous voulez bien vous décider.

Larry étudia le menu.

— Pour moi, ce sera une salade. Sans sauce. (Il réfléchit quelques instants.) Et sans tomates.

Magnus fit mine de se lever.

— Pourquoi refusez-vous de vendre à Stirling ? demandai-je.

— Ce terrain appartient à notre famille depuis des siècles. Il a une grande valeur sentimentale.

Je le dévisageai, mais son expression était indéchiffrable. Impossible de deviner s'il disait la vérité ou s'il se foutait royalement de ma gueule.

— Et c'est la seule chose qui vous empêche de devenir millionnaire ?

Son sourire s'élargit. Il se pencha vers moi, ses longs cheveux caressant mes joues, et chuchota :

— L'argent n'est pas tout, Anita. Même si Stirling semble persuadé du contraire.

Son visage était tout près du mien, mais la distance restait suffisante pour que je ne puisse pas m'en offusquer. Une légère odeur d'after-shave me chatouilla les narines, comme une invitation à fourrer mon nez dans son cou pour le renifler.

— Si l'argent ne vous intéresse pas, que voulez-vous donc, Magnus ? demandai-je.

Le bout de ses cheveux effleurait ma main.

— Je vous l'ai déjà dit.

Même sans son glamour, il essayait de me charmer.

— Qu'est-il arrivé aux arbres, le long de la route ? lançai-je soudain.

Je ne suis pas si facile que ça à distraire.

Magnus battit des cils et je vis quelque chose glisser derrière ses yeux.

— Moi, répondit-il simplement.

— C'est vous qui les avez abattus ? demanda Larry.

Magnus se tourna vers lui et je réprimai un soupir de soulagement.

— Malheureusement, oui.

— Pourquoi « malheureusement » ?

Magnus se redressa.

— Je me suis laissé emporter un soir où j'étais saoul, répondit-il. (Il haussa les épaules.) Plutôt gênant, n'est-ce pas ?

— C'est une façon de présenter les choses.

— Je vais porter votre commande à la cuisine. Et une salade sans sauce, une.

— Vous vous souvenez de ce que je veux ?

— De la chair morte calcinée.

— Quand vous parlez comme ça, on dirait un végétarien.

— Oh, sûrement pas ! Je mange de tout, et même du reste.

Il s'éloigna avant que je puisse décider s'il venait de m'insulter ou non. Ce n'était pas plus mal : même si ma vie en avait dépendu, je n'aurais rien trouvé à répliquer.

Chapitre 10

Dorcas nous apporta notre repas sans un mot. Elle semblait en colère – peut-être pas contre nous, mais elle n'allait pas nous épargner pour autant. D'une certaine manière, je compatissais.

Magnus était retourné derrière le comptoir pour asperger les clients de sa magie très particulière. De temps en temps, il tournait la tête vers nous et nous adressait un sourire, mais il ne revint pas terminer notre conversation. J'imagine qu'il en avait fini avec nous. De toute façon, je n'avais plus de questions à lui poser.

J'avalai une bouchée de mon cheeseburger. Il était presque croustillant sur les bords, sans la plus petite trace de rose, même au centre. Parfait.

— Qu'est-ce qui cloche ? demanda Larry en grignotant une feuille de laitue.

Je bus une gorgée de Coca avant de répliquer :

— Pourquoi y aurait-il quelque chose qui cloche ?

— Tu es morose…

— Magnus n'est pas revenu.

— Et alors ? Il avait répondu à toutes nos questions.

— Nous ne lui avons peut-être pas posé les bonnes.

— Voilà que tu le soupçonnes, lui aussi ? Je t'ai déjà dit que tu traînais avec les flics depuis trop longtemps ? À t'écouter, tous les gens ont quelque chose à se reprocher.

— C'est souvent le cas.

Je mordis une nouvelle fois dans mon cheeseburger. Larry ferma les yeux.

— Qu'est-ce qui te prend ?

— Du jus coule de ton steak… Comment peux-tu manger de la viande après ce que nous venons de voir ?

— J'imagine que tu vas m'empêcher de mettre du ketchup sur mes frites ?

Il me dévisagea avec un air presque douloureux.

— Comment peux-tu plaisanter avec ça ?

Mon bipeur sonna. Freemont avait-elle trouvé le vampire et décidé de faire appel à moi ?

Mais lorsque j'appuyai sur le bouton, le numéro de Dolph s'afficha sur l'écran. Quoi encore ?

— C'est Dolph. Attends-moi ici. Je le rappelle de la Jeep, et je reviens tout de suite.

Larry se leva en même temps que moi, posa des pièces sur la table et abandonna sa salade – à laquelle il avait à peine touché.

— J'ai fini.

— Moi pas. Demande à Magnus d'emballer le reste de mon repas.

Il baissa un regard consterné vers la moitié de cheeseburger qui restait dans mon assiette.

— Tu ne vas pas manger ça dans la voiture ?

— Contente-toi de le faire emballer.

Je sortis du *Squelette sanglant* et marchai vers la Jeep. Bayard avait bien fait les choses : elle était équipée d'un téléphone dernier cri.

Dolph décrocha à la troisième sonnerie.

— Anita ?

— Ouais, c'est moi. Quoi de neuf ?

— Une victime de vampire tout près de toi.

— Et merde ! Encore ?

— Comment ça, « encore » ?

— Freemont ne t'a pas appelé après m'avoir vue ?

— Si. Elle m'a dit des tas de choses très gentilles sur toi.

— Là, tu m'étonnes. Elle ne s'est pas montrée trop aimable.

— Que veux-tu dire ?

— Elle a refusé de me laisser chasser le vampire avec elle.

— Raconte-moi ça.

Je m'exécutai.

Dolph garda le silence un long moment après que j'eus fini.

— Tu es toujours là ? m'inquiétai-je.

— Oui. Et crois-moi, je le regrette.

— Que se passe-t-il, Dolph ? Comment expliquer que Freemont t'ait appelé pour te faire des compliments sur moi, mais qu'elle n'ait pas réclamé l'aide de la Brigade sur une affaire aussi grave ?

— J'imagine qu'elle n'a pas contacté les Fédéraux non plus.

— Pourquoi ?

— À mon avis, elle nous fait le coup du cow-boy solitaire.

— C'est le premier vampire tueur en série de l'histoire de ce pays. Elle ne peut pas le garder pour elle !

— Je sais.

— Que va-t-on faire ?

— La dernière victime ressemble à un meurtre de vampire classique : traces de morsures et pas d'autres dommages corporels. Tu crois que ça pourrait être un buveur de sang différent ?

— C'est possible…

— Tu n'as pas l'air convaincue.

— Deux vampires renégats dans une zone géographique aussi limitée, si loin d'une grande ville… Ça paraît assez peu probable.

— Ce cadavre-là n'a pas été découpé.

— C'est un argument.

— Tu es vraiment certaine que le tueur en série est un vampire ? Ça ne pourrait pas être autre chose ?

J'ouvris la bouche pour répondre « non », et la refermai aussitôt. Une personne capable d'abattre tous ces arbres un soir de beuverie pouvait sûrement découper quelques humains. Magnus avait ses glamours. Je n'étais pas certaine que ça suffise pour contrôler mentalement trois personnes et leur faire ce que j'avais vu dans la clairière, mais...

— Anita ?

— J'ai peut-être une alternative.

— Quoi ?

— Dis plutôt : « qui ? ».

Je n'avais pas envie de balancer Magnus aux flics. Il préservait son secret depuis si longtemps ! Mais avait-il tué cinq personnes ? J'avais senti la force de ses mains, et je me souvenais des arbres abattus. Dans mon esprit, je revis les lieux du crime. Le sang, les os nus. Il ne fallait pas écarter l'hypothèse que Magnus soit l'assassin, et je ne pouvais pas me permettre de me tromper.

Je donnai son nom à Dolph.

— Peux-tu éviter de mentionner tout de suite que c'est un fairie ?

— Pourquoi ?

— Parce que s'il n'est pas coupable, sa vie sera fichue.

— Beaucoup de gens ont du sang de feys, Anita.

— Va dire ça à l'étudiante dont le fiancé l'a battue à mort, l'an dernier, en découvrant qu'il était sur le point d'épouser une fairie. Au tribunal, il a affirmé qu'il n'avait pas eu l'intention de la tuer, parce que les feys sont censés être beaucoup plus résistants que les humains.

— Tout le monde n'est pas comme ça.

— Pas tout le monde, mais assez de gens pour que ça puisse poser des problèmes à Magnus.

—J'essaierai, Anita, mais je ne peux rien te promettre.

—J'imagine que je ne peux pas t'en demander davantage. Où est la nouvelle victime ?

—Monkey's Eyebrow.

—Pardon ?

—C'est le nom de la ville.

—Doux Jésus. « Le Sourcil du Singe ». Laisse-moi deviner : c'est une toute petite ville.

—Assez grande pour avoir un shérif et avoir été le cadre d'un meurtre.

—Désolée... Tu m'expliques comment y aller ?

Je pêchai mon petit calepin dans la poche de ma veste noire et griffonnai toutes les indications que me donna Dolph.

—Le shérif St. John garde le corps pour toi. Il nous a contactés les premiers. Puisque Freemont veut faire cavalier seul, nous allons lui rendre la politesse.

—Tu ne comptes pas la prévenir ?

—Non.

—Je suppose que Monkey's Eyebrow n'a pas d'unité criminelle. Si tu exclus Freemont, il nous faudrait quelqu'un d'autre. Vous pourriez venir ?

—Nous n'en avons pas encore fini avec notre affaire. Mais puisque le shérif St. John a fait appel à nous, nous rappliquerons le plus vite possible. Sans doute pas ce soir, mais demain dans la journée.

—Freemont est censée me faire parvenir les photos du couple qui a été tué par notre psychopathe. Je parie que si je lui demande, elle m'enverra aussi les clichés des trois dernières victimes. Comme ça, tu pourras les regarder en arrivant.

—Freemont risque de se méfier si tu lui réclames les photos de cadavres que tu as déjà examinés sous toutes les coutures, fit Dolph.

— Je lui dirai que j'en ai besoin pour faire des comparaisons. Elle refuse de refiler cette affaire à quiconque, mais elle veut qu'elle soit résolue. Résolue par elle, voilà tout.

— Elle a soif de gloire, je présume.

— C'est bien ce qu'on dirait.

— J'ignore si je réussirai à la tenir à l'écart du second cas, mais je tâcherai au moins de gagner du temps, histoire que tu puisses examiner le corps sans l'avoir sur le dos.

— J'apprécie.

— Elle a dit que ton assistant t'avait accompagnée. Elle parlait de Larry Kirkland, n'est-ce pas ?

— Exact.

— Pourquoi l'as-tu amené ?

— Il aura, dans quelques mois, une licence en biologie des créatures surnaturelles. C'est un réanimateur et un tueur de vampires. Je ne peux pas être partout à la fois, Dolph. J'ai pensé qu'il serait mieux d'avoir deux experts en monstres sur le coup.

— Possible. Mais Freemont m'a dit qu'il avait vomi son déjeuner sur les lieux du crime.

— À côté, rectifiai-je.

Dolph garda le silence quelques instants.

— C'est toujours mieux que sur les corps, admit-il.

— Tu ne me laisseras jamais oublier ce malheureux incident, pas vrai ?

— Je crains que non.

— Génial. Larry et moi partons tout de suite. Mais il doit y avoir une demi-heure de route jusqu'à Monkey's Eyebrow.

— Je vais dire au shérif St. John que vous arrivez.

Dolph raccrocha. Cette fois, je n'eus qu'une demi-seconde de retard sur lui. À force, j'apprenais à ne jamais lui dire au revoir au téléphone.

Chapitre 11

Aussi affalé dans son siège que la ceinture de sécurité l'y autorisait, les mains croisées sur les genoux, Larry sondait l'obscurité comme s'il voyait autre chose que le paysage qui défilait de chaque côté de la Jeep. Des images d'adolescents massacrés devaient danser dans sa tête, supposai-je. Elles ne dansaient pas dans la mienne. Pas encore. Je les verrai peut-être dans mes rêves, mais pas tant que je serai éveillée.

— Celui-là aussi va être affreux ? demanda Larry.

— Je ne pense pas. C'est une victime de vampire : un cas classique, selon Dolph. Il n'y aura que des traces de morsure.

— Ça ne sera pas un carnage comme tout à l'heure ?

— Nous le saurons quand nous l'aurons sous les yeux. Mais sincèrement, ça m'étonnerait.

— Tu ne dis pas ça pour me réconforter ?

Il semblait tellement hésitant que je faillis faire demi-tour. Il n'était pas obligé de voir ça. Je bossais pour la police, mais pas lui. Ça ne faisait pas encore partie de son travail.

— Tu n'es pas obligé de venir, tu sais.

Il tourna la tête vers moi.

— Qu'est-ce que ça veut dire ?

— Tu as eu ton quota de sang et de viscères pour la journée. Si tu veux, je peux te déposer à l'hôtel.

— Si je ne viens pas ce soir, que se passera-t-il la prochaine fois ?

— Si tu n'es pas taillé pour ce genre de boulot, tu n'es pas taillé pour ce genre de boulot. Il n'y a pas de honte à avoir.

— Tu ne te débarrasseras pas de moi aussi facilement.

J'espérai que l'obscurité dissimulerait mon sourire.

— Parle-moi des vampires, Anita, dit Larry. Je croyais qu'aucun ne pouvait boire assez de sang en une nuit pour tuer quelqu'un.

— Il serait rassurant de le penser.

— À la fac, on nous a raconté que les vampires ne pouvaient pas vider un être humain avec une seule morsure. Es-tu en train de dire qu'on nous a menti ?

— Boire tout le sang d'un humain en une nuit… ne leur est pas possible. Le vider d'une seule morsure, en revanche, ça arrive…

Larry fronça les sourcils.

— Je ne comprends pas.

— Ils peuvent lui trouer la chair et drainer son sang sans le boire, expliquai-je.

— Comment ça ?

— Il leur suffit de mordre un bon coup, histoire de déclencher une hémorragie, puis de laisser le sang couler sur le sol.

— Dans ce cas, ils ne se contentent plus de se nourrir : ils commettent un meurtre ! lança Larry.

— Oui, et alors ?

— Hé, ça n'était pas notre sortie ?

J'aperçus le panneau que je venais de dépasser.

— Et merde !

Je ralentis, mais je ne voyais rien par-dessus le sommet de la colline, et je n'osai pas faire demi-tour sans être certaine qu'aucune voiture n'arrivait en sens inverse.

Je parcourus encore un kilomètre avant d'atteindre un chemin de gravier. Une rangée de boîtes à lettres se dressait sur le bord. Les arbres poussaient si près de la chaussée qu'ils plongeaient la route étroite dans une obscurité profonde. Ici, il n'y avait pas la place de faire demi-tour. Si un autre véhicule arrivait en face, l'un de nous devrait reculer pour laisser passer l'autre.

Le chemin ne cessait de monter, comme s'il conduisait tout droit au ciel. En débouchant au sommet de la colline, je ne vis rien devant nous. J'espérai que la route continuait au-delà, et que nous n'allions pas tomber dans un précipice.

— C'est plutôt raide, commenta Larry.

J'avançai doucement et sentis une surface solide sous les roues de la Jeep. Mes épaules se détendirent légèrement.

Plus loin, j'aperçus une maison. La lumière du porche était allumée, comme si ses occupants attendaient des visiteurs. L'ampoule nue éclairait les murs de bois décrépits et le toit métallique rouillé. Le porche s'affaissait sous le poids du siège avant d'une voiture posé près de la porte d'entrée. Je fis demi-tour sur l'étendue de terre battue qui devait passer pour un jardin. Apparemment, je n'étais pas la première : des sillons assez profonds zébraient la poussière, devant la maison.

Le temps que nous regagnions la route, l'obscurité était aussi pure que du velours. J'allumai les phares de la Jeep, mais c'était comme conduire dans un tunnel. Le monde existait seulement dans la lumière. Tout le reste n'était que ténèbres.

— Je donnerais cher pour qu'il y ait quelques lampadaires, avoua Larry.

— Moi aussi. Aide-moi à repérer la sortie. Je ne veux pas la louper une deuxième fois.

Tirant sur sa ceinture de sécurité, il se pencha en avant.

— Là, dit-il en tendant un doigt.

Je ralentis et tournai prudemment. Ce chemin-là était en terre rouge. Sur son passage, la Jeep soulevait un nuage de poussière. Pour une fois, je me réjouis de la sécheresse : s'il avait plu, cette route aurait été un véritable bourbier. En l'état actuel des choses, elle était juste assez large pour que deux personnes dotées de nerfs d'acier, ou conduisant une voiture empruntée, puissent s'y croiser.

Un pont de planches soutenues par deux poutres traversait une fosse d'au moins cinq mètres de profondeur où coulait une rivière. Il n'y avait pas de rambarde, aucune sécurité. Alors que la Jeep s'y engageait, je sentis les planches remuer sous nos roues. Elles n'étaient même pas clouées. Doux Jésus.

Le visage collé à la vitre, Larry observait le vide.

— Ce pont n'est pas beaucoup plus large que la voiture.

— Merci de m'en informer. Je ne m'en serais jamais aperçue toute seule !

— Désolé…

De l'autre côté du pont, le chemin redevenait assez large pour deux véhicules. Si plusieurs voitures arrivaient en même temps au niveau du pont, elles le franchissaient chacune à leur tour. Le cas doit même être prévu dans le code de la route. Il y a sûrement un article qui stipule, par exemple, que la voiture de gauche passe la première.

Au sommet de la colline, j'aperçus des lumières dans le lointain. Des gyrophares déchiraient les ténèbres comme des éclairs multicolores. La distance qui nous en séparait était plus grande qu'elle n'en avait l'air. Nous dûmes encore monter et descendre deux collines avant de les voir se refléter sur les arbres nus qui les entouraient, leur donnant un air fantomatique.

Le chemin débouchait sur une grande clairière. Dans le fond, une pelouse s'étendait au pied d'une bâtisse blanche : pas une bicoque comme celle de tout à l'heure, mais une véritable maison à deux étages, avec des volets et un porche qui en faisait le tour. L'allée de gravier blanc était bordée de massifs de narcisses touffus.

Un policier en uniforme nous fit signe d'arrêter. Grand et large d'épaules, il avait des cheveux noirs. Il braqua le rayon de sa lampe torche dans la Jeep.

— Désolé, mademoiselle, mais vous ne pouvez pas aller plus loin.

Je lui montrai mes papiers.

— Je suis Anita Blake. Je travaille avec la Brigade d'Investigations surnaturelles, expliquai-je. Le shérif St. John m'attend.

Le flic se pencha par la vitre ouverte et pointa sa lampe sur Larry.

— Et lui, qui est-ce ?

— Larry Kirkland, mon assistant.

Le flic dévisagea quelques instants Larry qui prit son air le plus inoffensif. À ce jeu-là, il est presque aussi bon que moi.

Je regardai le flingue de notre interlocuteur. C'était un Colt .45. Un truc énorme, mais il avait les mains pour le manier. L'odeur de son after-shave me chatouilla les narines. Du Brut.

Il s'était beaucoup trop penché pour regarder Larry. Si j'avais eu un flingue sur les genoux, j'aurais pu lui tirer dans le bide à bout portant. C'est le problème avec les mecs costauds : ils se croient invulnérables, et ça les rend imprudents. Car les balles se moquent de la carrure de leur cible.

Le flic hocha la tête et se redressa.

— Vous pouvez continuer jusqu'à la maison et vous garer devant, grogna-t-il.

— Vous avez un problème ? demandai-je.

Il eut un sourire amer.

— C'est notre affaire. Je doute que nous ayons besoin de l'aide de quiconque.

— Vous avez un nom ?

— Coltrain. Adjoint Zack Coltrain.

— Eh bien, adjoint Coltrain, j'imagine que nous nous reverrons plus tard.

— Je suppose que oui, mademoiselle Blake.

Il me prenait pour un flic, et il avait délibérément omis de me donner le titre d'« agent » ou d'« inspectrice ». Si je l'avais vraiment mérité, j'aurais exigé qu'il le fasse. Mais me disputer avec lui parce qu'il refusait de m'appeler « inspectrice » alors que je n'en étais pas une semblait un peu futile.

J'allai me garer entre les voitures de police et clipai mon badge au revers de ma veste. Puis Larry et moi descendîmes de la Jeep.

Personne ne tenta plus de nous arrêter. Nous nous approchâmes de la porte d'entrée dans un silence presque surnaturel. Je suis déjà allée sur les lieux de beaucoup de crimes. Ils méritent des tas de qualificatifs, mais « calme » ne fait pas partie de la liste.

Cette fois, il n'y avait pas d'experts qui s'agitaient, pas de flics qui communiquaient par radio. En temps normal, on trouve toujours des foules de gens : des inspecteurs en civil, d'autres en uniforme, des photographes, des ambulanciers qui attendent pour emmener le cadavre… Et tout ce petit monde fait un boucan d'enfer.

Mais Larry et moi nous tenions sous le porche par une nuit de printemps dont seuls les coassements des grenouilles troublaient le silence.

— On attend quelque chose ? demanda Larry.

— Non.

J'appuyai sur le bouton phosphorescent de la sonnette. Un « bong » sourd résonna dans la maison. Quelque part, un petit chien aboya furieusement.

La porte s'ouvrit sur une femme. À contre-jour dans la lumière du hall, sa silhouette était enveloppée d'ombres zébrées par les éclairs multicolores des gyrophares. Elle faisait environ la même taille que moi. Ses cheveux noirs étaient naturellement frisés, ou elle avait un excellent coiffeur. Mais contrairement aux miens, les siens n'étaient pas ébouriffés comme pour inviter tous les oiseaux des environs à venir y faire leur nid : ils encadraient joliment son visage.

La femme portait une chemise à manches longues qu'elle n'avait pas rentrée dans son jean. Elle semblait n'avoir pas plus de dix-sept ans, mais moi aussi, je fais plus jeune que mon âge. Et ne parlons même pas de Larry...

— Vous ne faites pas partie de la police de l'État, déclara-t-elle avec assurance.

Je secouai la tête.

— Je suis avec la Brigade d'Investigations surnaturelles. Anita Blake. Et voilà mon collègue Larry Kirkland.

Larry lui sourit.

La femme s'écarta de la porte, et la lumière du hall éclaira enfin son visage, ajoutant cinq bonnes années à ma première estimation. Il me fallut une minute pour m'apercevoir qu'elle était maquillée, tant elle l'avait fait discrètement.

— Entrez donc, mademoiselle Blake. Mon mari David vous attend près du corps.

Elle sonda les ténèbres étrangement colorées avant de refermer la porte.

— David lui a pourtant dit d'éteindre ces gyrophares... Nous ne voulons pas que tout le monde à des kilomètres à la ronde sache ce qui s'est passé.

— Quel est votre nom ? demandai-je abruptement.

Elle rougit un peu.

— Désolée... Je ne suis pas si tête en l'air, d'habitude. Je m'appelle Beth St. John. Je suis la femme du shérif. Je tenais compagnie aux parents.

Elle désigna une double porte située sur la gauche. Derrière, le chien aboyait toujours, telle une mitraillette miniature.

— Du calme, Raven ! ordonna une voix masculine.

Les aboiements cessèrent.

Nous étions dans un hall dont le plafond montait jusqu'au toit, comme si l'architecte avait découpé un morceau de la pièce du dessus pour créer cet espace dégagé. À la lumière du lustre de cristal scintillant, j'aperçus le rectangle sombre d'une pièce ouverte, sur notre droite. Et à l'intérieur, l'éclat d'une table et de chaises en bois de cerisier, tellement bien cirées qu'elles reflétaient la lumière.

Au fond du couloir se dressait une porte qui devait être celle de la cuisine. Un escalier courait le long du mur de gauche. La balustrade et les chambranles étaient peints en blanc ; la moquette était bleu clair et le papier peint, blanc avec de minuscules fleurs bleues. L'ensemble était spacieux, aéré, lumineux, accueillant et totalement silencieux. Sans la moquette, j'aurais pu laisser tomber une épingle et l'entendre rebondir.

Beth St. John nous conduisit à l'étage. Le long du mur droit s'alignait une série de portraits de famille. Le premier représentait un couple souriant ; le second, un couple souriant et un bébé souriant ; le troisième, un couple souriant, un bébé souriant et un bébé en pleurs.

À mesure que j'avançais dans le couloir, je voyais les années défiler sous mes yeux. Les bébés devinrent des enfants : un garçon et une fille. Puis un petit caniche noir fit son apparition sur les photos. La fille était l'aînée, mais elle devait avoir à peine un an de plus que son frère. Les parents vieillissaient et ne semblaient pas s'en alarmer.

Leur fille et eux souriaient toujours. Leur fils faisait parfois la tête. À d'autres occasions, il souriait aussi : quand il était tout bronzé et qu'il tenait un poisson fraîchement pêché, ou quand il émergeait de la piscine avec les cheveux dégoulinants. La fille, elle, souriait tout le temps. Je me demandai lequel des deux était mort.

Il y avait une fenêtre au bout du couloir. Personne ne s'était donné la peine de tirer les rideaux blancs qui l'encadraient. Ses vitres ressemblaient à des miroirs sombres. Les ténèbres se pressaient derrière comme si elles avaient eu un poids.

Beth St. John frappa à la dernière porte sur la droite.

— David, les inspecteurs sont ici.

Je ne corrigeai pas. L'omission est un péché aux multiples splendeurs.

J'entendis un mouvement dans la pièce. Mais avant que la porte puisse s'ouvrir, Beth St. John recula jusqu'au milieu du couloir, à un endroit où elle ne risquait pas de voir l'intérieur de la pièce. Je vis son regard glisser d'une photo à l'autre. Elle porta une main fine à sa poitrine, comme si elle avait du mal à respirer.

— Je vais faire du café. Vous en voulez ? demanda-t-elle d'une voix tendue.

— Volontiers.

— Excellente idée, fit Larry.

Beth eut un sourire tremblant et rebroussa chemin vers l'escalier. Elle ne courut pas, ce qui lui valut beaucoup de points, selon mon barème. J'aurais parié que c'était la première fois qu'elle se trouvait sur les lieux d'un crime.

La porte s'ouvrit. David St. John portait le même type d'uniforme bleu pâle que son adjoint. Mais la ressemblance s'arrêtait là. Dans les un mètre soixante-quinze, il était mince mais musclé, comme un coureur de marathon. Ses cheveux étaient moins orange que ceux de Larry. On remarquait ses lunettes avant ses yeux, et pourtant, ces derniers valaient bien le détour: ils étaient d'un vert pâle translucide, comme ceux d'un chat. Sans eux, le visage de David St. John aurait été assez banal, bien que du genre dont on ne se lasse pas trop facilement.

Il me tendit la main. Je la pris. Il serra à peine la mienne, comme s'il craignait de me faire mal. Beaucoup d'hommes font ça. Au moins, il avait pensé à me saluer, contrairement à la plupart de ses congénères.

—Je suis le shérif St. John, et vous devez être Anita Blake. Le divisionnaire Storr m'a prévenu de votre arrivée. (Il regarda Larry.) Qui est-ce?

—Mon assistant, Larry Kirkland.

St. John plissa les yeux. Il sortit dans le couloir et referma la porte derrière lui.

—Le divisionnaire Storr n'a mentionné personne d'autre. Puis-je voir votre identification?

Je déclipai mon badge et le lui tendis. Il secoua la tête.

—Vous n'êtes pas inspecteur.

—Non, en effet.

Je maudis mentalement Dolph. Bon sang, je m'étais doutée que ça ne marcherait pas!

—Et lui? demanda St. John en désignant Larry du menton.

—Tout ce que j'ai sur moi, c'est mon permis de conduire, avoua Larry.

—Qui êtes-vous?

—Je suis Anita Blake. Je fais partie de la BIS, même si je n'appartiens pas officiellement à la police. Larry est en formation.

Je sortis de ma poche ma nouvelle licence d'exécutrice de vampires. Ça ressemblait à un permis de conduire amélioré, mais c'était ce que j'avais de mieux.

St. John l'examina pensivement.

— Vous êtes exécutrice de vampires ? Il est un peu tôt pour que vous interveniez. J'ignore qui a fait appel à vous.

— Je suis rattachée à la brigade du divisionnaire Storr. Je préfère venir dès le début d'une enquête : en général, ça limite le nombre de victimes.

St. John me rendit ma licence.

— J'ignorais que le décret Brewster était déjà en vigueur.

Brewster était le sénateur dont la fille avait été victime des vampires.

— Ce n'est pas le cas, admis-je. Mais je travaille avec la police depuis un bail.

— Combien de temps ?

— Presque trois ans.

St. John sourit.

— Je suis en poste depuis moins longtemps que ça… Selon le divisionnaire Storr, si quelqu'un peut m'aider à résoudre cette affaire, c'est vous. Si le chef de la BIS a tellement confiance en vous, je ne refuserai pas votre aide. Nous n'avions jamais eu de meurtre vampirique dans le coin…

— Les vampires aiment rester près des grandes villes. Ça leur facilite la tâche quand ils doivent cacher leurs victimes.

— Je peux vous dire que personne n'a tenté de dissimuler celle-là, fit St. John.

Il poussa la porte et, d'un geste, nous invita à entrer.

Le papier peint était couvert de roses trémières un peu désuètes. À part la coiffeuse, qui ressemblait à une antiquité, tout le mobilier était en osier blanc et en dentelle rose. On aurait dit la chambre d'une gamine de six ans.

La fille gisait sur son lit, dont le couvre-lit était assorti à la tapisserie. Les draps chiffonnés sous son corps étaient rose bubble-gum. Sa tête reposait au bord des oreillers, comme si elle avait glissé sur le côté après qu'on l'eut allongée.

Des rideaux roses ondulaient devant la fenêtre ouverte. Une brise fraîche entrait dans la pièce, ébouriffant ses cheveux bruns enduits de gel. Il y avait une petite tache rouge sous son visage, à l'endroit où les draps avaient absorbé son sang. J'étais prête à parier qu'elle portait des traces de morsure de ce côté du cou.

Son maquillage n'était pas aussi bien appliqué que celui de Beth St. John, mais elle s'était donné beaucoup de mal pour se faire belle. Son rouge à lèvres avait bavé. Un de ses bras pendait dans le vide, les doigts pliés comme s'ils cherchaient à saisir quelque chose. Du vernis rouge brillait sur ses ongles. Ses longues jambes étaient écartées, révélant deux traces de crocs à l'intérieur de sa cuisse. Mais pas des marques récentes. Ses ongles de pied étaient vernis de la même couleur que ses mains.

Elle portait une nuisette noire dont les bretelles avaient glissé sur ses épaules, exposant des seins petits mais parfaitement formés. L'ourlet était relevé jusqu'à sa taille, le vêtement ne formant plus qu'une ceinture. Cela m'irrita davantage que tout le reste. Son assassin aurait au moins pu la couvrir, au lieu de la laisser ainsi, offerte comme une catin. Je trouvais ça arrogant et cruel.

De l'autre côté de la chambre, Larry était debout près de la seconde fenêtre, également ouverte pour laisser entrer la fraîcheur nocturne.

— Avez-vous touché quelque chose ? demandai-je à St. John.

Il secoua la tête.

— Vous avez pris des photos ?

— Non.

J'inspirai profondément, en me rappelant que j'étais une simple invitée et que je n'avais aucun statut officiel. Je ne pouvais pas me permettre de l'énerver.

— Alors, qu'avez-vous fait ?

— J'ai appelé la BIS et la police de l'État.

Je hochai la tête.

— Quand avez-vous découvert le corps ?

Il consulta sa montre.

— Il y a une heure. Comment êtes-vous arrivée si vite ?

— J'étais à moins de quinze kilomètres.

— Un coup de chance pour moi.

J'étudiai le corps de la fille.

— On peut dire ça !

Larry agrippait si fort le bord de la fenêtre que ses jointures avaient blanchi.

— Larry, tu veux bien aller me chercher des gants dans la Jeep ?

— Lesquels ?

— J'ai une boîte de gants chirurgicaux avec mes affaires de réanimation. Apporte-la.

Il déglutit. Chacune de ses taches de rousseur se découpait sur son visage comme une lentille nageant à la surface d'une assiette de soupe. Très vite, il gagna la porte et la referma. J'avais deux paires de gants dans ma poche, mais Larry devait prendre l'air.

— C'est son premier meurtre ? demanda St. John.

— Son second. Quel âge a la fille ?

— Dix-sept ans.

— Dans ce cas, c'est un meurtre, même si elle était consentante.

— Consentante ? De quoi parlez-vous ?

Pour la première fois, j'entendis de la colère dans sa voix.

—Que croyez-vous qu'il se soit passé ici, shérif?

—Un vampire est entré par la fenêtre alors qu'elle s'apprêtait à se coucher, et il l'a tuée.

—Où est tout le sang?

—Il y en a sous son cou. Vous ne pouvez pas voir la marque, mais c'est par là qu'il l'a drainé.

—Ça ne fait pas une quantité suffisante pour provoquer un arrêt cardiaque.

—Son assassin a dû boire le reste, insista St. John, l'air vaguement outré.

—Aucun vampire ne peut boire tout le sang d'un humain adulte en une seule fois.

—Dans ce cas, ils devaient être plusieurs.

—Vous faites allusion aux marques, sur sa cuisse?

—C'est ça.

St. John arpentait la moquette rose à grandes enjambées nerveuses.

—Ces marques sont vieilles de deux ou trois jours, objectai-je.

—Eh bien, il a dû l'hypnotiser deux fois auparavant, mais ce soir, il l'a tuée.

—Il est encore très tôt pour qu'une adolescente aille se coucher.

—Sa mère a dit qu'elle se sentait fatiguée.

Ça, je voulais bien le croire. Même si on l'a désiré, perdre une telle quantité de sang met forcément à plat.

—Elle s'est fait un brushing et elle s'est maquillée avant de se mettre au lit, dis-je.

—Et alors?

—Vous connaissiez cette fille?

—Bien sûr. Monkey's Eyebrow est une petite ville, mademoiselle Blake. Ici, tout le monde se connaît. C'était une brave petite. Personne ne l'avait jamais vue saoule ou en train de se faire peloter par un garçon.

— Je ne dis pas le contraire, shérif. Être assassiné ne fait pas de vous un dépravé.

St. John hocha la tête, blanc comme un linge. Je faillis lui demander combien de cadavres il avait vu, mais je me retins. Que ce soit sa première ou sa vingtième affaire de meurtre, il était shérif.

— À votre avis, que s'est-il passé ici ?

J'avais déjà posé la question une fois, mais je voulais lui laisser une seconde chance.

— Un vampire a violé et tué Ellie Quinlan. Voilà ce qui s'est passé.

St. John avait dit ça sur un ton de défi, comme s'il n'y croyait pas non plus.

— Ce n'était pas un viol, shérif. Ellie Quinlan a invité son assassin dans sa chambre.

Il s'approcha de la fenêtre du fond où il prit la place qu'occupait Larry quelques minutes plus tôt, le regard perdu dans le vide.

— Comment vais-je annoncer à ses parents et à son petit frère qu'elle a invité un monstre dans son lit ? Qu'elle l'a laissé se nourrir d'elle ? Comment leur dire ça ?

— Dans trois nuits – deux, en comptant celle-là –, Ellie se relèvera d'entre les morts et pourra le leur expliquer elle-même.

St. John se tourna vers moi, livide. Il secoua lentement la tête.

— Ils veulent qu'on l'embroche.

— Quoi ?

— Ils veulent qu'on l'embroche. Ils refusent qu'elle se transforme en vampire.

Je baissai les yeux vers le corps encore tiède et fis un signe de dénégation.

— Elle se relèvera après-demain soir.

— Sa famille ne le souhaite pas.

— Si elle était déjà une vampire, ce serait un meurtre de l'embrocher parce que ses parents n'approuvent pas sa nouvelle existence.

— Mais elle n'est pas encore une vampire. Pour l'instant, ce n'est qu'un cadavre.

— Il faudra que le médecin légiste la déclare officiellement morte avant qu'on puisse l'embrocher. Ça risque de prendre un certain temps.

— Je connais le docteur Campbell. Il fera une exception pour les Quinlan.

Je restai immobile, les yeux baissés sur la fille.

— Elle n'avait pas l'intention de mourir, shérif. Ce n'est pas un suicide. Elle comptait bien revenir.

— Vous ne pouvez pas le savoir ! lança St. John.

— Je le sais, et vous le savez aussi ! Si nous l'embrochons avant qu'elle puisse se relever, ce sera un meurtre.

— Pas selon la loi.

— Je ne vais pas couper la tête et prélever le cœur d'une adolescente de dix-sept ans pour la seule raison que le style de vie qu'elle a choisi ne convient pas à ses parents.

— Elle est morte, mademoiselle Blake.

— Je sais. Et je sais aussi ce qu'elle deviendra. Probablement mieux que vous.

— Dans ce cas, vous comprenez pourquoi ses parents ne désirent pas que cela arrive.

Je continuai à dévisager St. John. Oui, je comprenais. Il fut un temps où j'aurais pu liquider cette fille en toute conscience. Avec l'impression que j'aidais sa famille et que je libérais son âme. À présent, je n'étais plus certaine de rien.

— Laissez les Quinlan y réfléchir vingt-quatre heures. Faites-moi confiance. Pour le moment, ils sont horrifiés et submergés par le chagrin. Sont-ils vraiment en état de prendre des décisions à sa place ?

— Ce sont ses parents, s'obstina St. John.

— Oui, et dans deux jours, préféreront-ils qu'elle leur explique les raisons de son geste, ou qu'elle se décompose dans un cercueil ?

— Elle deviendra un monstre.

— Peut-être. Mais nous devrions temporiser jusqu'à ce qu'ils aient eu le temps d'y penser. Le problème immédiat, c'est le buveur de sang qui a fait ça.

— Absolument. Nous allons le retrouver et le tuer.

— Nous ne pouvons pas le tuer sans un mandat d'exécution.

— Je connais le juge du coin. Je peux vous dégoter un mandat.

— Je n'en doute pas.

— C'est quoi, votre problème ? cria St. John. N'avez-vous pas envie de le buter ?

Je me tournai vers la fille. Si son assassin avait vraiment voulu qu'elle se transforme, il aurait emporté le corps. Il l'aurait cachée jusqu'à ce qu'elle se relève, pour la protéger des gens comme moi. S'il s'était soucié d'elle…

— Si, j'ai très envie de le buter.

— Tant mieux. Par où commençons-nous ?

— Eh bien… Le meurtre a eu lieu peu de temps après la tombée de la nuit. Donc, notre vampire doit se reposer près d'ici dans la journée. Y a-t-il dans le coin une maison abandonnée, une grotte ou un endroit où on puisse cacher un cercueil ?

— Une vieille ferme à un kilomètre et demi d'ici, et une grotte au bord de la rivière… J'y allais souvent quand j'étais petit. Comme tous les gamins de la région.

— Voilà la situation : si nous nous mettons à sa recherche maintenant, il réussira probablement à éliminer quelques-uns d'entre nous. Mais si nous ne faisons rien, ce soir, il déplacera son cercueil, et nous ne le retrouverons jamais.

— Nous allons le chercher dès ce soir. Maintenant.

— Depuis quand êtes-vous marié, shérif?

— Cinq ans. Pourquoi?

— Vous êtes amoureux de votre femme?

— Bien entendu. Nous sortions déjà ensemble au lycée. Mais je ne vois pas le rapport.

— Lancez-vous à la poursuite de l'assassin et vous ne la reverrez peut-être jamais. Si vous n'avez jamais chassé de vampire après la tombée de la nuit, vous n'avez aucune idée de ce qui vous attend, et rien de ce que je pourrais dire ne vous y préparera. Mais imaginez de ne plus revoir Beth. Ne plus lui tenir la main. Ne plus entendre sa voix. Nous pouvons y aller demain matin. Le vampire ne déplacera pas forcément son cercueil ce soir, et s'il le fait, ce sera peut-être de la ferme à la grotte, ou vice versa. Nous pourrions l'attraper en plein jour sans risquer la vie de personne.

— Pensez-vous vraiment qu'il ne bougera pas cette nuit?

Je pris une profonde inspiration. J'aurais voulu mentir. Dieu sait que j'aurais voulu mentir!

— Non. Je crois qu'il détalera le plus loin possible d'ici. C'est pour ça qu'il est venu après le coucher du soleil: ça lui laisse tout le reste de la nuit pour s'enfuir.

— Dans ce cas, on y va! lança St. John.

— Très bien. Mais il y aura des règles à respecter. Numéro un: c'est moi qui commande. J'ai déjà chassé des vampires, et je suis toujours en vie, ce qui fait de moi une experte. Si vous m'obéissez en tout point, peut-être – et je dis bien: peut-être – que nous survivrons tous jusqu'à demain matin.

— Le vampire excepté!

— Oui, c'est l'idée...

Voilà très longtemps que je n'avais pas chassé de vampire pendant la nuit et en pleine cambrousse. Mon matos était chez moi, enfermé dans mon placard. Je n'avais pas le droit de le trimballer partout sans un mandat d'exécution en bonne et due forme. Tout ce que j'avais, c'était mon crucifix, deux flingues et deux couteaux. Pas d'eau bénite, pas de croix supplémentaires, pas de fusil à pompe. Même pas de pieu et de maillet.

— Vous avez des balles en argent ?

— Je peux en trouver.

— Faites-le. Et aussi un fusil à pompe avec des munitions en argent. Y a-t-il une église catholique ou épiscopalienne dans le coin ?

— Bien sûr.

— Il nous faudra de l'eau bénite et des hosties.

— Je savais qu'on pouvait asperger les vampires d'eau bénite, mais pas qu'on pouvait les bombarder à coups d'hosties…

— Elles ne produisent pas exactement le même effet que des grenades. Je veux les donner aux Quinlan pour qu'ils en posent une devant chaque porte et chaque fenêtre de cette maison.

— Vous pensez que le vampire reviendra ?

— Non. Mais la fille l'a invité. Elle est la seule à pouvoir révoquer cette invitation, et dans son état… Jusqu'à ce que nous ayons mis la main sur ce fils de pute, autant ne pas prendre de risques.

St. John hésita, puis hocha la tête.

— Je vais aller à l'église, voir ce que je peux faire.

Il marcha vers la porte.

— Shérif ?

Il s'arrêta et se retourna vers moi.

— Je veux le mandat avant que nous partions. Pas question que je sois accusée de meurtre.

Il hocha la tête nerveusement, comme les chiens qu'on voit sur la plage arrière des bagnoles de beaufs.

— Vous l'aurez, mademoiselle Blake.

Puis il sortit et referma la porte derrière lui.

Je restai seule avec la fille morte. Elle gisait là, pâle et immobile, de plus en plus froide et de plus en plus morte. Si ses parents avaient leur mot à dire, elle le resterait. Et c'est à moi qu'il reviendrait de faire le nécessaire.

Il y avait des livres de classe éparpillés au pied du lit, comme si elle étudiait en attendant son assassin. J'en refermai un du bout du pied pour voir son titre. De l'algèbre. Elle révisait ses cours d'algèbre avant de se maquiller et d'enfiler sa nuisette noire. Et merde !

Chapitre 12

En attendant le mandat d'exécution, je m'entretins avec la famille. Ce n'est pas mon passe-temps préféré, mais dans le cas présent, ça s'imposait. Ellie n'avait pas été victime d'une attaque aléatoire. Autrement dit, ses parents connaissaient sans doute le vampire, ou ils l'avaient connu avant sa mort.

Le salon reprenait le thème pastel du reste de la maison, avec une prédominance de bleu. Beth St. John avait fait du café, et elle avait réquisitionné Larry pour porter un plateau. Elle n'avait aucune envie de revoir le corps, et je ne pouvais pas l'en blâmer. J'ai déjà vu des cadavres beaucoup plus amochés, mais chaque mort est poignant à sa façon. Offerte à moitié nue sur ses draps rose bonbon, Ellie Quinlan avait quelque chose de pitoyable, même pour moi, qui ne l'avais pas connue de son vivant. Contrairement à Beth St. John. Et ça ne devait pas lui faciliter les choses.

Les parents et le frère d'Ellie se pelotonnaient sur le canapé blanc. Le père était un homme costaud, pas gros, mais avec des épaules carrées comme celles d'un joueur de football américain. Ses courts cheveux noirs qui grisonnaient sur les tempes lui donnaient une allure très distinguée. Le teint vaguement rougeaud plutôt que bronzé, il portait une élégante chemise blanche dont il avait défait le col, mais pas les boutons de manchette. Son visage était figé, immobile comme un masque, comme s'il se passait quelque chose de très différent sous la surface. Il semblait calme et parfaitement maître de lui-même, mais l'effort qu'il faisait pour s'en donner l'air se voyait et de la colère brillait dans ses yeux sombres.

Il avait passé un bras autour des épaules de sa femme, qui s'appuyait contre lui en pleurant, les yeux fermés. Son maquillage avait coulé sur ses joues en longues traînées multicolores. Elle avait d'épais cheveux bruns amidonnés par tous les produits qu'elle mettait dessus pour obtenir une coiffure aussi sophistiquée. Elle portait un chemisier rose à manches longues, imprimé d'un délicat motif floral et un pantalon de couleur assortie. Pour tout bijou, elle arborait son alliance et une croix en or.

Le garçon devait faire la même taille que moi et il était aussi mince qu'une branche de saule. Il n'avait pas encore eu sa poussée de croissance, et ça lui donnait l'air plus jeune qu'en réalité. La douceur de sa peau indiquait qu'il n'avait jamais eu un bouton d'acné. À l'évidence, un bon moment passerait avant qu'il doive utiliser un rasoir. Si Ellie avait dix-sept ans, il devait en avoir au moins quinze, voire seize, mais il n'en paraissait guère plus de douze. Il aurait pu passer pour une parfaite victime, sans ses yeux et la façon dont il se tenait. Malgré son chagrin évident et les larmes qui séchaient sur ses joues, il semblait très sûr de lui, plein d'une intelligence et d'une rage qui devaient empêcher ses camarades de classe de le malmener. Il avait les cheveux aussi noirs que ceux de son père, et sans doute aussi fins que ceux de sa mère avant qu'elle les bousille à coups de laque.

Un petit caniche noir était assis sur ses genoux. Il avait aboyé comme une mitraillette jusqu'à ce que le garçon le prenne dans ses bras. Un grognement sourd montait encore de sa gorge couverte de poils bouclés.

— Tais-toi, Raven, lui ordonna son jeune maître.

Le caniche continua à grogner. Je décidai de l'ignorer. S'il se jetait sur moi, j'arriverais sans doute à lui tenir tête. Après tout, j'étais armée.

— Monsieur et madame Quinlan, je m'appelle Anita Blake. J'ai quelques questions à vous poser.

— L'avez-vous déjà embrochée ? demanda l'homme.

— Non, monsieur Quinlan. Le shérif et moi sommes d'accord pour attendre vingt-quatre heures.

— Son âme immortelle est en danger. Nous voulons que ce soit fait maintenant.

— Si vous êtes toujours dans les mêmes dispositions demain soir, je le ferai.

— Nous voulons que ce soit fait maintenant ! répéta Quinlan père.

Il serrait sa femme si fort contre lui que ses doigts s'enfonçaient dans son épaule. Elle ouvrit les yeux et cligna des paupières en levant le nez vers lui.

— Jeffrey, s'il te plaît… Tu me fais mal.

M. Quinlan déglutit et relâcha son étreinte.

— Je suis désolé, Sally. Je suis désolé.

Ces excuses semblèrent évacuer une partie de sa colère. Son visage s'adoucit et il secoua la tête.

— Nous devons sauver son âme. Sa vie n'est plus, mais son âme reste. Nous devons au moins épargner ça.

Il fut un temps où je l'aurais cru aussi. Un temps où je proclamais que tous les vampires étaient des créatures maléfiques. À présent, je n'en étais plus si certaine. J'en ai trop rencontré qui n'avaient pas l'air si méchants que ça. Je reconnais le mal quand j'y suis confrontée, et je ne l'ai pas vu en eux. J'ignore ce qu'ils sont au juste, mais je sais que selon l'Église, ils sont damnés. Cela dit, pour cette même Église catholique, je le suis aussi. Du coup, quand elle a excommunié tous les exécuteurs de vampires, je suis devenue épiscopalienne.

—Êtes-vous catholique, monsieur Quinlan ?

—Oui. Qu'est-ce que ça peut vous faire ?

—J'ai été élevée dans la foi catholique. Je suis donc bien placée pour comprendre vos croyances.

—Ce ne sont pas des croyances, mademoiselle... Rappelez-moi votre nom.

—Blake. Anita Blake.

—Ce ne sont pas des croyances, mademoiselle Blake, mais des faits. L'âme immortelle d'Ellie court le risque de la damnation éternelle. Nous devons l'aider.

—Comprenez-vous ce que vous me demandez de faire ?

—De la sauver !

Je secouai la tête. Mme Quinlan me regardait bizarrement. J'étais prête à parier que j'aurais pu déclencher une sacrée querelle familiale.

—Il faudra que je lui plonge un pieu dans le cœur et que je lui coupe la tête.

J'omis de mentionner que j'exécute en réalité les vampires avec une cartouche de fusil à pompe tirée à bout portant. C'est assez dégueu et il n'est pas question d'exposer le cadavre dans un cercueil ouvert. Mais ça nous facilite les choses, à ma victime et à moi.

Frissonnante, Mme Quinlan se blottit contre son mari et enfouit son visage dans le creux de son épaule, souillant sa chemise de maquillage.

—Essayez-vous de faire pleurer ma femme ?

—Non, monsieur, mais je veux que vous compreniez qu'après-demain soir, Ellie se relèvera. Elle marchera et elle parlera. Après un moment, elle pourra même recommencer à vous fréquenter normalement. Mais si je l'exécute, elle sera définitivement morte.

—Elle l'est déjà. Nous voulons que vous fassiez votre travail, affirma M. Quinlan.

Mme Quinlan refusait de me regarder en face. Ou elle partageait l'avis de son époux, ou elle ne se sentait pas la force de le contredire. Même pour sauver sa fille.

Je pouvais toujours temporiser pendant vingt-quatre heures. Il était douteux que M. Quinlan change d'avis, mais je plaçais de grands espoirs en sa femme.

— Votre caniche aboie toujours face à des inconnus ?

Les Quinlan me regardèrent en clignant des yeux, comme une famille de lapins prise dans les phares d'une voiture. Le changement de sujet était un peu trop abrupt pour leur esprit embrumé par le chagrin.

— Quel rapport avec le problème ? demanda M. Quinlan.

— Il y a un meurtrier quelque part. Je vais l'attraper, mais j'ai besoin de votre aide. Je vous prie de répondre de votre mieux à mes questions.

— Je ne vois pas ce que mon chien vient faire là-dedans…

Je soupirai et sirotai mon café. Ce type venait de découvrir sa fille violée et assassinée – selon lui. L'horreur de la situation imposait que je me montre indulgente avec lui, mais il ne faudrait pas non plus qu'il abuse de ma patience.

— Votre caniche a aboyé à s'en péter les cordes vocales quand je suis arrivée. Le fait-il chaque fois qu'un inconnu entre dans cette maison ?

Le garçon vit où je voulais en venir.

— Oui, dit-il. Raven aboie toujours en présence d'un inconnu.

J'ignorai ses parents pour m'adresser à la personne la plus raisonnable présente dans cette pièce.

— Quel est ton nom ?

— Jeff.

Doux Jésus. Jeffrey Junior. J'aurais dû m'en douter.

— Combien de fois faudrait-il qu'il me voie avant de cesser d'aboyer quand j'arrive ?

Le garçon réfléchit en se mordillant la lèvre inférieure. Mme Quinlan s'écarta de son mari et se redressa.

— Raven aboie toujours quand quelqu'un se présente à la porte, même s'il le connaît.

— A-t-il aboyé ce soir ?

Les deux parents froncèrent les sourcils.

— Oui, dit Jeff. Il a aboyé comme un fou jusqu'à ce qu'Ellie le laisse entrer dans sa chambre, juste après la tombée de la nuit. Quelques minutes plus tard, il est redescendu.

— Comment avez-vous découvert le corps ?

— Raven s'est remis à aboyer, et nous n'avons pas pu le faire taire. Ellie le laisse toujours entrer, d'habitude. Même quand elle a besoin d'intimité. (Il avait prononcé ce mot comme s'il lui faisait lever les yeux au ciel, d'ordinaire.) Mais cette fois, elle ne lui a pas ouvert. Je suis monté frapper à sa porte, et elle n'a pas répondu. Raven grattait au battant. Comme c'était fermé de l'intérieur, je suis allé chercher papa.

Une larme s'échappa de ses yeux écarquillés.

— Vous avez déverrouillé la porte, monsieur Quinlan ?

— Oui. Et je l'ai trouvée étendue sur son lit. Je n'ai pas pu la toucher. Elle était souillée. Je...

Il suffoqua, ses efforts pour ne pas pleurer faisant tourner son visage au pourpre.

Par-dessus la tête de sa mère, Jeff lui passa un bras autour des épaules. Raven gémit doucement et lécha la figure barbouillée de Mme Quinlan. Avec un petit rire étranglé, elle caressa ses poils bouclés.

J'avais envie de partir, pour les laisser faire le deuil d'Ellie. Sa mort datait de si peu qu'ils n'en étaient pas encore à ce stade. Ils restaient sous le choc. Mais je ne pouvais pas me défiler. Le shérif St. John reviendrait bientôt avec le mandat d'exécution, et j'avais besoin du plus d'informations possible avant d'aller affronter les ténèbres.

Larry était assis dans un coin de la pièce, sur un fauteuil bleu clair. Tellement silencieux qu'on aurait pu l'oublier. Mais ses yeux vifs remarquaient tout, enregistrant chaque détail dans un coin de son esprit. Au départ, quand j'avais compris qu'il mémorisait tout ce que je faisais et disais, ça m'avait intimidée. Maintenant, je comptais dessus.

Beth St. John entra avec un plateau de sandwichs, de café et de jus de fruits. Je ne me souvenais pas que quiconque ait réclamé à boire ou à manger, mais je crois qu'elle cherchait à s'occuper pour ne pas regarder pleurer les Quinlan. Et je la comprenais…

Elle posa le plateau sur la table basse. Les Quinlan l'ignorèrent. Je saisis une nouvelle chope de café. Interroger une famille éplorée passe toujours mieux avec un peu de caféine.

Enfin, les Quinlan rompirent leur étreinte de groupe. Le caniche fut transféré sur les genoux de la mère, qu'encadraient son mari et son fils. Tous deux me dévisageaient avec le même regard. Les miracles de la génétique…

— Le vampire devait déjà être dans la chambre d'Ellie quand elle a fait entrer Raven à la tombée de la nuit, lançai-je.

— Ma fille n'aurait jamais invité ici son assassin.

— Si elle avait dix-huit ans, monsieur Quinlan, ça ne serait même pas un meurtre.

— Être involontairement transformé en vampire est toujours un meurtre, quel que soit l'âge de la victime

— Je pense que votre fille connaissait ce vampire-là. Et qu'elle l'a laissé entrer de son plein gré.

— Vous êtes folle ! Beth, allez chercher le shérif. Qu'il fasse sortir cette femme de ma maison.

Beth se leva d'un air hésitant.

—David est parti, Jeffrey. Je… L'adjoint Coltrain est là-haut avec le corps, mais…

—Dans ce cas, faites-le descendre ! cria M. Quinlan.

Beth me regarda puis se retourna vers lui et tordit nerveusement ses petites mains.

—Jeffrey, c'est une exécutrice de vampires. Elle a l'habitude. Vous devriez l'écouter.

Quinlan se leva.

—Ma fille a été violée et assassinée par un animal enragé. Je veux que cette femme sorte de ma maison. Tout de suite.

S'il n'avait pas été en larmes, je me serais énervée.

Beth me regarda. Elle était prête à l'affronter si j'avais besoin qu'elle le fasse. Beaucoup de points supplémentaires à son crédit.

—Quelqu'un que vous connaissez a-t-il disparu ou est-il décédé récemment ? demandai-je.

Quinlan me dévisagea en plissant les yeux. Il semblait désarçonné. Une fois de plus, j'étais passée trop vite du coq à l'âne. J'espérais réussir à le distraire pour l'empêcher de me jeter dehors avant que j'aie pu tirer de lui quelque chose d'intéressant.

—Quoi ?

—Quelqu'un que vous connaissez a-t-il disparu ou est-il décédé récemment ? répétai-je.

Il secoua la tête.

—Non.

—Andy a disparu, dit Jeff.

De nouveau, son père secoua la tête.

—Le sort de ce garçon ne nous concerne pas.

—Qui est Andy ? demandai-je.

—Le petit ami d'Ellie, fit Jeff.

—Elle ne sortait plus avec lui, grogna Quinlan.

Je captai le regard de son fils. Il m'apprit qu'Ellie sortait bel et bien avec Andy, et que ça ne plaisait pas du tout à son cher papa.

—Pourquoi n'aimiez-vous pas Andy, monsieur Quinlan ?

—C'était un criminel.

—C'est-à-dire ?

—Il avait été arrêté pour consommation de drogue.

—Il fumait de l'herbe, précisa Jeff.

Je commençais à regretter de ne pas être seule avec lui. Il semblait savoir ce qui se passait, et il ne tentait pas de me le cacher. Comment me débarrasser de ses parents pour que nous ayons une petite conversation privée ?

—Il exerçait une influence néfaste sur ma fille, et j'y ai mis un terme, affirma Quinlan.

—Et depuis, il a disparu ? insistai-je.

—Oui, fit Jeff.

—Laisse-moi répondre aux questions de Mlle Blake, mon garçon. C'est moi le chef de famille.

Le chef de famille. Ça faisait un bail que je ne l'avais pas entendue, celle-là.

—J'aimerais bien fouiller le reste de la maison, au cas où le vampire serait entré par un autre endroit que la chambre d'Ellie. Jeff, tu pourrais me faire visiter ?

—Je peux le faire moi-même, mademoiselle Blake, dit M. Quinlan.

—Pour le moment, votre femme a besoin de vous. Vous êtes le seul à pouvoir la réconforter.

Mme Quinlan leva les yeux vers lui, puis vers moi, comme si elle n'était pas certaine de vouloir être rassurée, mais je savais que cette idée flatterait la virilité masculine de son époux.

Il hocha la tête.

—Vous avez peut-être raison. Pour le moment, Sally a besoin de moi.

Sally coopéra en nous gratifiant d'un nouveau torrent de larmes, et en enfouissant son visage dans le pelage du caniche. Raven se débattit frénétiquement. Alors que Quinlan se rasseyait et prenait sa femme dans ses bras, le chien en profita pour se dégager et trottiner vers Jeff.

Je me levai. Larry m'imita. J'avançai vers la porte en faisant signe au garçon de me suivre.

Raven nous emboîta le pas.

Jetant un coup d'œil par-dessus mon épaule, je vis Beth St. John nous regarder sortir d'un air envieux, comme si elle mourait d'envie de nous accompagner. Mais elle resta assise devant son plateau de sandwichs dont personne ne voulait et son café qui refroidissait à la vitesse grand V. Comme un bon petit soldat. Elle n'abandonnerait pas son poste.

Je refermai la porte derrière moi avec un soulagement très lâche, ravie que tenir la main des Quinlan ne soit pas mon boulot. Par comparaison, affronter un vampire, fût-ce en pleine nuit, ne me semblait plus aussi terrible.

Évidemment, j'étais toujours en sécurité dans la maison. Une fois dehors, je changerais peut-être d'avis.

Chapitre 13

Dans le hall, l'air semblait plus frais et plus facile à respirer. Mais c'était sans doute mon imagination.

Le caniche me reniflait les pieds en grognant. Jeffrey le ramassa et le fourra sous son bras, un geste qu'il avait déjà dû faire des centaines de fois.

— Vous ne voulez pas vraiment fouiller la maison, n'est-ce pas ?

— Non, reconnus-je.

— Papa n'est pas méchant, vous savez. C'est juste que… (Il haussa les épaules.) Il a toujours raison, et ceux qui ne sont pas d'accord avec lui ont forcément tort.

— Je sais. Et je sais aussi qu'il a la trouille. En général, ça rend les gens agressifs.

Jeff fit la grimace. Ça devait être la première fois que quelqu'un accusait son père d'avoir peur de quelque chose.

— Andy et ta sœur, c'était sérieux ?

Junior regarda la double porte fermée du salon et baissa la voix.

— Papa vous dirait que non, mais en réalité… c'était très sérieux.

— Nous ne sommes pas obligés d'en parler ici, dis-je. Si tu veux aller dans une autre pièce…

— Vous êtes vraiment une chasseuse de vampires ?

En d'autres circonstances, je crois qu'il aurait été très excité de me rencontrer. Pour un ado, il est difficile de ne pas trouver supercool une nana qui gagne sa vie en plantant des pieux dans la poitrine de créatures surnaturelles.

— Oui, et nous relevons aussi des zombies.

Jeff eut l'air surpris.

— Tous les deux ?

— Je suis un réanimateur quasiment diplômé, affirma Larry.

Jeff secoua la tête.

— Venez. Nous serons mieux dans ma chambre...

Il marcha vers l'escalier, et nous le suivîmes.

Si j'avais été flic, interroger un mineur sans la présence d'un parent ou d'un avocat aurait été illégal. Mais je n'étais pas flic (pour une fois que ça me servait à quelque chose !), et Jeff n'était pas un suspect. J'allais simplement lui soutirer des informations sur la vie sexuelle de sa grande sœur. Les enquêtes sur les meurtres ne sont jamais plaisantes, et ce n'est pas toujours à cause du cadavre.

Arrivé au sommet des marches, Jeff hésita et regarda vers l'autre bout du couloir. L'adjoint Coltrain était devant la chambre d'Ellie, le menton levé et les mains croisées dans le dos, à l'affût d'un éventuel intrus. La porte était ouverte. J'imagine qu'il était au-dessus de ses forces de rester dans la pièce.

Quand il vit Jeff, il ferma la porte derrière lui. C'était sympa de sa part, mais ça aurait pu lui être fatal. Un vampire assez ancien aurait pu entrer dans la chambre sans qu'il s'en aperçoive, et ouvrir la porte à la volée avant qu'il ait le temps de dégainer son flingue. Les morts-vivants ne font pas de bruit.

Je me demandai si je devais lui en faire la remarque, mais décidai de fermer les yeux. Si l'assassin avait voulu tuer d'autres personnes dans cette maison, il l'aurait déjà fait. Il aurait pu buter toute la famille ! Au lieu de ça, quand le chien avait aboyé, il s'était enfui. Donc, il était nouveau dans la partie, encore mal habitué à ses pouvoirs.

Personnellement, je misais sur le petit ami, Andy. Il se pouvait qu'il soit parti en Californie chercher la fortune et la gloire, mais j'en doutais. Cela dit, je gardais l'esprit ouvert à toute autre hypothèse.

Jeff ouvrit la porte la plus près de l'escalier et entra. Sa chambre était plus petite que celle d'Ellie – être l'aînée a des avantages –, mais elle semblait aussi appartenir à quelqu'un de beaucoup plus jeune avec son papier peint beige, couvert de cow-boys et d'Indiens, et son couvre-lit assorti. Il n'y avait pas un seul poster de pin-up ou de sportifs sur les murs.

Dans un coin, j'aperçus un bureau sur lequel s'empilaient des bouquins. Une petite pile de vêtements gisait devant la penderie. Raven s'en approcha pour les renifler ; Jeff le chassa et, d'un coup de pied, expédia ses fringues dedans avant de refermer la porte.

—Asseyez-vous où vous pourrez, nous invita-t-il.

Il tira la chaise de son bureau et se campa près de la fenêtre sans trop savoir quoi faire. Je doutais qu'il ait souvent invité des adultes dans sa chambre. Les parents ne comptaient pas. Et j'imaginais mal les Quinlan venir parler avec lui des choses de la vie.

Je pris la chaise. Il me semblait que Jeff serait moins mal à l'aise si c'était Larry plutôt que moi qui s'asseyait avec lui sur son lit. Sans compter que je n'étais pas encore habituée à porter des jupes si courtes, et qu'il m'arrivait parfois d'oublier que je devais garder les jambes serrées.

Larry se laissa tomber sur le lit et s'adossa au mur. Jeff cala des oreillers dans le coin et s'installa confortablement près de lui. Raven les rejoignit d'un bond, tourna deux ou trois fois en rond et finit par s'allonger sur les jambes de son maître.

— Andy et ta sœur… Ils étaient chauds ? demandai-je tout de go.

Et tant pis pour les préliminaires d'usage.

Jeff nous regarda tous les deux. Larry lui adressa un sourire encourageant.

Il se dandina un peu contre ses oreillers avant de répondre :

— Plutôt, ouais. Ils n'arrêtaient pas de se baver dessus au lycée.

— Ça devait être embarrassant…

— Vous l'avez dit. C'était ma sœur, elle n'avait qu'un an de plus que moi, et ce type la tripotait devant tout le monde…

Il secoua la tête en triturant les oreilles du caniche et en caressant son petit corps poilu comme s'il puisait du réconfort dans ce geste familier.

— Tu aimais bien Andy ?

Il haussa les épaules.

— Il était plus vieux que nous et assez cool, mais… Non. Je pensais qu'Ellie aurait pu trouver mieux.

— Pourquoi ?

— Andy fumait de l'herbe et il ne voulait pas aller à la fac. En réalité, il n'avait l'intention d'aller nulle part. Sortir avec ma sœur lui suffisait. Comme s'ils pouvaient vivre d'amour et d'eau fraîche, ou une ânerie dans le genre.

Moi aussi, je trouvais ça excessivement stupide.

— Et quand ton père est intervenu, ont-ils arrêté de se voir ?

— Au contraire. Je crois qu'en interdisant à Ellie de sortir avec Andy, il lui a donné encore plus envie d'être avec lui. Elle s'est simplement montrée un peu plus discrète qu'avant.

Ah, le bel esprit de contradiction de la jeunesse…

— Quand Andy a-t-il disparu ?

— Il y a deux semaines environ. Et sa voiture aussi. Du coup, tout le monde a pensé qu'il s'était enfui. Mais il n'aurait jamais laissé Ellie. Même s'il était un peu dérangé, il ne l'aurait pas abandonnée.

— Ellie a-t-elle paru affectée par sa disparition ?

Jeff fronça les sourcils et serra le caniche contre sa poitrine. Raven lui lécha le menton avec sa petite langue rose.

— C'était ça le plus bizarre. Je sais bien qu'elle devait faire semblant de s'en foutre devant papa et maman, mais même au lycée ou quand on traînait avec nos copains, elle n'avait pas l'air de s'en soucier. Ça m'a soulagé. Je veux dire, Andy était un minable, mais elle se conduisait comme si elle n'arrivait pas à croire qu'il soit parti, ou comme si elle savait quelque chose que les autres ignoraient. Je me suis dit qu'il avait dû aller chercher du boulot hors de la ville, et qu'il reviendrait la chercher plus tard.

— C'est peut-être ce qu'il a fait, déclarai-je.

— Que voulez-vous dire ?

— Je pense qu'Andy est le vampire qui a tué ta sœur.

— Vous vous trompez. Andy aimait Ellie. Il n'aurait pas fait une chose pareille.

— S'il est devenu un vampire, il a cru, en la transformant, qu'il ne la tuerait pas, mais lui accorderait la vie éternelle.

Jeff secoua la tête. Raven se dégagea de son étreinte comme s'il le serrait trop fort. Il sauta de ses genoux et s'allongea sur le couvre-lit.

— Andy n'aurait jamais fait de mal à Ellie, s'obstina Jeff. Mourir, ça doit forcément faire mal.

— J'imagine que oui, dis-je.

— Les buissons, sous la fenêtre du fond de sa chambre, sont tout écrasés, intervint Larry.

Je me tournai vers lui.

— Répète-moi ça ?

Il eut un sourire ravi.

— Tout à l'heure, j'ai fait le tour de la maison. C'est pour ça que je suis resté dehors si longtemps, quand tu m'as envoyé chercher des gants dont tu n'avais pas besoin. Les buissons, sous la fenêtre de la chambre d'Ellie, sont écrasés, comme si quelque chose de lourd leur était tombé dessus.

Il me fallut un moment pour visualiser Larry seul dans les ténèbres, sans aucune arme à part son crucifix. Cette idée me fit frissonner. J'ouvris la bouche pour l'engueuler et la refermai aussitôt. Il ne faut jamais rabaisser quelqu'un en public, à moins d'avoir une très bonne raison de le faire.

— Il y avait des empreintes ? demandai-je calmement.

Je m'accordai une douzaine de points de bonus pour avoir réussi à maîtriser ma voix.

— Tu me prends pour Sherlock Holmes ? De toute façon, le sol est couvert d'herbe à cet endroit, et il n'a pas plu depuis longtemps. Je ne crois pas qu'il y aura de traces. (Larry fronça les sourcils.) Tu es capable de pister les vampires ?

— Pas en règle générale, mais s'il est aussi nouveau que je le pense, j'ai peut-être une chance. (Je me levai.) Il faut que j'aille demander quelque chose à l'adjoint du shérif. Merci de ton aide, Jeff.

Je lui tendis la main. Il hésita avant de la serrer maladroitement, comme s'il n'avait pas l'habitude.

Je marchai vers la porte, et Larry me suivit.

— Vous allez le retrouver et le tuer, même si c'est Andy ? lança Jeff dans notre dos.

Je me tournai vers lui. Ses yeux sombres étaient toujours pleins d'intelligence et de détermination, mais j'y lus aussi la peur d'un petit garçon qui avait besoin qu'on le rassure.

— Oui, nous le retrouverons.

— Et vous le tuerez ? insista-t-il.

— Et nous le tuerons.

— Tant mieux.

Pas l'expression que j'aurais choisie… Mais ce n'était pas ma sœur qui gisait dans la pièce voisine.

— Tu as une croix ? demandai-je.

Il se rembrunit, mais hocha la tête.

— Sur toi ?

— Non.

— Va la chercher et porte-la jusqu'à ce que nous l'ayons attrapé, d'accord ?

— Vous croyez qu'il reviendra ?

De nouveau, la peur brillait dans son regard.

— Non, mais on ne sait jamais.

Il se leva et s'approcha de son bureau. Ouvrant un tiroir, il en sortit une chaîne au bout de laquelle se balançait une minuscule croix en or. Je le regardai la passer autour de son cou pendant que le caniche nous observait d'un air anxieux.

Je souris.

— On se revoit plus tard.

Jeff hocha la tête en tripotant sa croix. Chez lui, la frayeur était en train de prendre le dessus sur le choc. Nous le laissâmes aux tendres soins de Raven.

— Tu crois vraiment que le vampire reviendra ? demanda Larry lorsque nous fûmes dans le couloir.

— Non, mais au cas où tes investigations nocturnes lui donneraient des idées, je préfère que Jeff ait au moins une croix sur lui.

— Hé hé. J'ai trouvé un indice, se réjouit Larry.

L'adjoint Coltrain nous regardait fixement. Je baissai la voix avant de répliquer :

— Oui, et tu es sorti tout seul, sans arme, alors qu'un vampire, qui a déjà tué une fois, se balade en liberté dans les parages.

— Tu as dit que c'était un vampire tout nouveau.

— Pas *avant* que tu sortes me chercher des gants.

— Je l'avais peut-être déduit tout seul, s'entêta Larry.

Visiblement, au lieu de prendre mon avertissement à cœur, il était prêt à recommencer à la première occasion.

— Les nouveaux vampires peuvent quand même te tuer, Larry.

— Pas si j'ai une croix.

Là, il marquait un point. Très peu de morts-vivants récemment transformés surmontent la douleur que leur vaut un crucifix, ou savent utiliser leurs pouvoirs mentaux pour forcer leur proie à l'enlever.

— C'est vrai, mais où est donc le vampire qui l'a engendré ? Il pourrait avoir deux siècles, pour ce que nous en savons. Et il ne doit pas être bien loin.

Larry pâlit.

— Je n'avais pas pensé à ça…

— Moi, si.

Il haussa les épaules et eut le bon goût de prendre un air embarrassé.

— C'est pour ça que tu es la patronne.

— Exactement. Tâche de ne pas l'oublier.

— D'accord, d'accord. Je promets d'être sage.

— Génial. Maintenant, allons demander à l'adjoint Coltrain s'il connaît quelqu'un qui pourrait pister notre assassin.

— Il est vraiment possible de pister un vampire ?

— Un vampire vieux de moins de deux semaines, qui tombe d'une fenêtre et s'étale de tout son long dans des buissons… peut-être. Dans le pire des cas, ça devrait réduire le champ de nos investigations.

Larry me fit un grand sourire.

— J'admets que savoir qu'il est tombé de la fenêtre nous sera utile. Je n'aurais pas pensé à chercher des empreintes dehors.

Si son sourire s'élargissait encore, il allait finir par se déchirer quelque chose.

— Et si un vampire assez vieux pour ignorer ta croix t'avait bouffé la figure, je n'aurais jamais su que l'assassin était tombé de la fenêtre, ajoutai-je.

— Ah, Anita. J'ai été bon, sur ce coup.

Je secouai la tête. Larry avait déjà rencontré pas mal de vampires, mais ça ne suffisait pas. Il ne mesurait pas leur sauvagerie. Ni l'étendue de leurs pouvoirs. Il n'avait pas encore de cicatrices. S'il restait dans la partie assez longtemps pour décrocher sa licence, cela changerait forcément.

Que Dieu lui vienne en aide !

Chapitre 14

Le vent était frais et charriait une odeur de pluie. Je tournai mon visage vers sa douce caresse. L'air sentait la verdure.

Plantée sur la pelouse des Quinlan, je levai le nez. La fenêtre d'Ellie brillait comme un feu de signalisation jaune. C'était elle qui l'avait ouverte, mais c'était son père qui avait allumé la lumière. La jeune fille avait rencontré son amant vampire dans le noir. Sans doute pour ne pas voir le cadavre ambulant qu'il était devenu.

J'avais de nouveau enfilé ma combinaison, ne remontant qu'à moitié la fermeture Éclair pour pouvoir dégainer mon Browning en cas de besoin. Comme je n'avais apporté qu'un holster de cuisse pour le Firestar, je l'avais fourré dans une de mes poches : pas trop pratique, mais toujours mieux que de ne pas l'avoir sur moi. Un holster de cuisse n'est pas l'idéal avec une minijupe.

Larry portait son flingue dans un holster d'épaule. Il se tenait derrière moi, se tortillant pour mettre en place les lanières. En principe, elles ne sont pas trop gênantes, mais pas vraiment confortables non plus. Un peu comme les bretelles d'un soutien-gorge. À la longue, on finit par s'y habituer.

Il avait mis ma combinaison de rechange sans la fermer, les pans lui battant le torse. Le pinceau d'une lampe torche nous frappa, éclairant sa croix et m'aveuglant à moitié.

— Maintenant que vous avez bousillé ma vision de nuit, écartez ce foutu machin de mes yeux ! criai-je.

Des éclats de rire masculins retentirent de l'autre côté de la lampe. Deux flics de l'État venaient d'arriver à temps pour se joindre à notre chasse. Oh, joie.

— Wallace, lança l'un d'eux, obéis à la dame.

Il avait une voix basse et vaguement menaçante. Le genre qu'on imagine très bien lancer : « Les mains sur le capot et les jambes écartées ! » Et où on capte le sous-entendu : « Sinon… »

L'agent Granger s'approcha de nous, sa propre lampe braquée vers le sol. Il n'était pas aussi grand que son collègue, et un bourrelet commençait à se faire la malle par-dessus sa ceinture, mais il se déplaçait dans l'obscurité en sachant ce qu'il faisait. Comme s'il avait déjà traqué un prédateur dans les ténèbres. Pas forcément un vampire, mais peut-être un assassin humain.

Wallace nous rejoignit à son tour, le faisceau de sa lampe voletant autour de nous telle une luciole géante. Il n'était plus dans mes yeux, mais il m'empêchait toujours de voir dans le noir.

— Vous voulez bien éteindre ça… s'il vous plaît ?

Wallace fit un pas de plus vers moi et me toisa de toute sa hauteur considérable. Il était bâti comme un joueur de football américain, avec de très longues jambes. L'adjoint Coltrain et lui pourraient faire un bras de fer plus tard. Pour l'instant, je voulais simplement qu'il ne me serre pas d'aussi près.

— Laisse tomber, Wallace, fit Granger, qui avait déjà éteint sa propre lampe.

— Si je fais ça, je n'y verrai plus rien, dit son collègue.

— Vous avez peur du noir ? demandai-je.

Larry éclata de rire. Mauvaise idée. Wallace se tourna vers lui.

— Vous trouvez ça drôle ?

Il marcha sur Larry jusqu'à ce qu'ils se touchent presque, utilisant sa taille et sa carrure pour l'intimider. Mais Larry est comme moi. Ayant toujours été petit, il s'est fait malmener souvent et il en faut beaucoup plus pour l'impressionner.

— C'est vrai ? demanda-t-il.

— Vrai que quoi ?

— Que vous avez peur du noir.

La réanimation n'est pas la seule technique que je lui ai enseignée. Malheureusement pour lui, c'est un mec. Je peux emmerder les gens sans qu'ils pensent à me balancer leur poing dans la figure. Larry n'a pas cette chance.

Wallace le saisit par les revers de sa combinaison et le souleva jusqu'à ce que seuls ses orteils touchent encore le sol. Sa lampe torche tomba et roula dans l'herbe, éclaboussant nos chevilles de lumière.

L'agent Granger s'approcha, mais ne toucha pas Wallace. Malgré l'obscurité, je distinguais la tension dans ses épaules et dans ses bras. Pas parce qu'il soulevait Larry, mais parce qu'il mourait d'envie de le frapper et qu'il se retenait.

— Repose-le, ordonna Granger. Il ne voulait pas se moquer de toi.

Wallace se contenta de rapprocher Larry de lui, comme s'il entendait lui arracher la tête d'un coup de dents. Un carré de lumière jaune tomba sur son visage. Le muscle de sa mâchoire saillait et pulsait comme s'il allait se rompre d'un instant à l'autre. Il avait une cicatrice sous le maxillaire et elle disparaissait dans le col de sa veste.

Wallace était nez à nez avec Larry.

— Je n'ai peur de rien, dit-il avec difficulté.

Je fis un pas vers lui. Comme il était penché sur Larry, il me suffit de me dresser sur la pointe des pieds pour lui chuchoter à l'oreille :

— Jolie cicatrice, Wallace.

Il sursauta comme si je l'avais mordu, et lâcha Larry si brusquement qu'il tituba en arrière. Puis il se tourna en levant un poing pour me l'abattre sur la figure.

Au moins, Larry n'avait plus rien à craindre.

Wallace fit mine de me frapper. Je déviai son bras sur le côté, et, alors qu'il trébuchait, lui flanquai un bon coup de genou dans l'estomac. Je me retins à grand-peine d'y mettre toute la force nécessaire pour lui faire vraiment mal. C'était un flic. Un gentil. En principe, j'évite de brutaliser les gens de mon camp.

Puis je reculai pour me mettre hors de sa portée, en souhaitant que sa tentative ratée ait un peu refroidi ses ardeurs. J'aurais pu l'amocher salement la première fois. Maintenant, il serait sur ses gardes. Donc plus difficile à toucher.

Il faisait trente centimètres et environ cinquante kilos de plus que moi. Si la bagarre tournait au vilain, j'étais dans la merde. J'espérais vraiment ne pas avoir à regretter mon geste chevaleresque.

Wallace finit à quatre pattes près des buissons qui entouraient la maison. Il se redressa plus vite que je ne l'aurais voulu mais resta plié en deux, les mains posées sur ses genoux. Puis il leva les yeux vers moi. Je n'aurais pas su interpréter son expression, mais elle ne semblait pas complètement hostile. Plutôt inquisitrice, comme si je l'avais surpris. J'ai souvent droit à ce genre de regard.

— Ça va, Wallace ? demanda Granger.

Son collège hocha la tête en silence. Il est toujours un peu difficile de parler après s'être pris un grand coup dans le bide.

Granger se retourna vers moi.

— Et vous, mademoiselle Blake ?

— Je suis au poil.

— J'ai vu ça.

Larry se rapprocha de moi. Il était trop près. Si Wallace revenait à la charge, j'aurais besoin de plus de place pour manœuvrer. Je savais que Larry cherchait seulement à me manifester son soutien. Dès que nous aurions fait de lui un tireur potable, il faudrait que je lui enseigne les bases du combat à mains nues.

Pourquoi le former à se servir d'un flingue avant de lui apprendre à se battre ? Parce qu'on ne fait pas de bras de fer avec un vampire : on le canarde. Larry survivrait à une rossée de Wallace, pas à une attaque de mort-vivant, s'il était infoutu de lui loger une balle dans le cœur ou de lui faire exploser la cervelle.

— Vous étiez avec lui quand il a récolté cette cicatrice ? demandai-je.

— Non... Et son premier partenaire ne s'en est pas sorti...

— Un vampire l'a eu ?

— Ouais.

Wallace se releva lentement et tendit le dos comme pour faire craquer ses vertèbres.

— Bien envoyé, commenta-t-il.

Je haussai les épaules.

— C'était mon genou, pas mon poing.

— C'était bien envoyé quand même. Je n'ai pas d'excuse pour ce que je viens de faire.

— En effet.

Il baissa les yeux sur ses chaussures, puis les releva.

— Je ne sais pas ce qui m'a pris.

— Venez avec moi.

Je m'éloignai dans les ténèbres sans regarder en arrière, comme si je ne doutais pas qu'il me suivrait. Cette technique fonctionne plus souvent qu'on ne pourrait le croire.

Wallace m'emboîta le pas. Il s'était arrêté pour ramasser sa lampe torche, mais il l'avait courageusement éteinte.

Je m'immobilisai à la lisière des bois et sondai l'espace entre les arbres, laissant mes yeux s'habituer à l'obscurité. Je ne cherchais rien de particulier, essayant simplement de voir tout ce qu'il y avait à voir, et de capter un mouvement éventuel. Le vent agitait les branches, mais c'était un mouvement général comme celui des vagues de l'océan.

Et ce n'étaient pas les arbres qui m'inquiétaient.

Wallace se tapotait la cuisse avec sa lampe éteinte. J'avais envie de lui dire d'arrêter, mais je m'abstins. Si ça pouvait le réconforter, je m'en accommoderais.

Je laissai le silence durer. Le vent redoubla de vigueur, emplissant la nuit de l'odeur d'une averse imminente.

Wallace empoigna sa lampe à deux mains. Je l'entendis prendre une inspiration haletante.

— Qu'est-ce que c'était ? demanda-t-il.

— Le vent…

— Vous en êtes sûre ?

— Quasiment.

— Que voulez-vous dire ?

— C'est le premier vampire que vous poursuivez depuis la mort de votre partenaire ?

— Granger vous a raconté ?

— Oui, mais j'avais déjà vu votre cou. Je me doutais bien de ce qui vous était arrivé.

J'aurais voulu lui dire qu'il n'y avait rien de honteux à avoir peur. Moi aussi, j'avais la trouille. Mais Wallace était un flic et je ne le connaissais pas assez pour savoir comment il réagirait à mes paroles réconfortantes. En revanche, je devais savoir s'il me suivrait dans ces bois. Et si je pouvais compter sur lui. S'il restait aussi effrayé, ce ne serait pas possible.

— Que s'est-il passé ?

Le faire parler de ça n'était peut-être pas une bonne idée, mais comme l'ignorer ne marchait pas non plus…

Il secoua la tête.

— D'après le QG, c'est vous qui commandez. Ça ne me dérange pas. Je ferai ce que vous me direz de faire. Mais je ne suis pas obligé de répondre à des questions personnelles.

Je ne voulais pas me donner la peine d'enlever ma combinaison, et encore moins me retrouver avec les bras coincés. Aussi, je me contentai de défaire le premier bouton de mon chemisier et d'écarter le col.

— Qu'est-ce que vous faites ? demanda Wallace.

— Vous avez une bonne vision nocturne ?

— Pourquoi ?

— Vous voyez ma cicatrice ?

— De quoi parlez-vous ?

Il semblait méfiant. Comme s'il me soupçonnait d'être cinglée.

J'aurais vu la cicatrice. Mais les gens n'ont pas une aussi bonne vision nocturne que moi.

— Donnez-moi votre main, ordonnai-je.

— Pourquoi ?

— C'est une offre unique et limitée dans le temps. Ne discutez pas, contentez-vous de me donner votre putain de main !

Il obéit en hésitant, après avoir jeté un regard à Larry et à Granger qui nous attendaient près de la maison. Sa main était glacée. Il crevait de peur, même s'il refusait de l'avouer.

Je fis courir ses gros doigts rugueux le long de ma clavicule. Quand il effleura le tissu cicatriciel, Wallace sursauta comme s'il venait de recevoir une décharge électrique. Je lâchai sa main, et il suivit les contours de ma cicatrice de son plein gré.

Puis il retira lentement sa main, en se frottant le bout des doigts comme pour en effacer le souvenir de ma peau.

— Qui vous a fait ça ?

— Un vampire qui bouffait comme un porc.
— Doux Jésus…
— Ouais. (Je reboutonnai mon chemisier.) Dites-moi ce qui s'est passé, Wallace. Je vous en prie.
Il me dévisagea un moment, puis hocha la tête.
— Harry et moi avons reçu un appel : quelqu'un avait découvert un cadavre à la gorge arrachée.
Il s'exprimait sur un ton neutre, mais je savais qu'il revoyait tout dans sa tête. La scène se déroulait de nouveau derrière ses yeux.
— On est allés à l'endroit indiqué. C'était un chantier. On était seuls avec nos lampes torches. Il y a eu un sifflement, comme celui du vent, et quelque chose a frappé Harry. Je l'ai vu tomber sous le poids d'un homme. Il a hurlé, et j'ai sorti mon flingue. J'ai tiré dans le dos de son agresseur et j'ai dû le toucher trois ou quatre fois. Il a tourné la tête vers moi. Son visage était couvert de sang. Je n'ai pas eu le temps de me demander pourquoi, parce qu'il m'a attaqué. J'ai juste pu lui vider mon chargeur dessus avant de toucher le sol.
Il prit une profonde inspiration, ses grosses mains serrées sur sa lampe. Lui aussi avait le regard perdu entre les arbres, mais contrairement à moi, il ne cherchait pas de vampire. En tout cas, pas celui qui avait assassiné Ellie Quinlan.
— Il a déchiré mon blouson et ma chemise comme si c'était du papier. J'ai essayé de le repousser, mais… il m'a immobilisé avec son regard. Et quand il m'a mordu dans le cou, je voulais qu'il le fasse. Je le voulais plus que je n'avais jamais voulu quoi que ce soit.
Il se détourna comme pour me dissimuler son embarras.
— Quand j'ai repris connaissance, il était parti. Harry était mort. Mais moi, j'avais survécu.
Il me fit face et me regarda dans les yeux.
— Pourquoi ne m'a-t-il pas tué, mademoiselle Blake ?

Je le dévisageai, émue par sa détresse, sans savoir ce que je pouvais lui répondre.

—Je l'ignore, Wallace, avouai-je enfin. Il voulait peut-être vous transformer. Je ne peux pas vous dire pourquoi vous et pas Harry. Vous avez fini par l'attraper ?

—La maîtresse locale a envoyé sa tête dans un carton au commissariat. Avec un message nous priant d'excuser sa grossièreté. C'est le mot exact qu'elle a employé : « grossièreté ».

—Il est difficile de considérer ça comme un meurtre quand on se nourrit soi-même d'êtres humains.

—Ils le font tous ?

—Je n'en ai jamais rencontré aucun qui s'abstienne.

—Ne pourraient-ils pas se contenter de manger des animaux ?

—En théorie, oui. En pratique, il semble que leur sang soit dépourvu de certains nutriments.

La vérité, c'est que se nourrir a quelque chose de sexuel pour les vampires. Ils ne sont pas zoophiles, donc, ils n'envisagent pas de le faire avec des animaux. Mais je ne pensais pas que cette analogie plaise à l'agent Wallace.

—Vous pouvez faire ça, Wallace ?

—Faire quoi ?

—Partir à la chasse aux vampires en pleine nuit.

—C'est mon boulot.

—Je ne vous ai pas demandé si c'était votre boulot, mais si vous pouviez aller à la chasse aux vampires en pleine nuit.

—Vous croyez qu'ils sont plusieurs ?

—Mieux vaut partir de ce principe.

—Je suppose que oui.

—Vous avez peur ?

—Et vous ?

Je me tournai vers la forêt obscure. Les arbres s'agitaient et gémissaient sous l'assaut du vent. Il y avait du mouvement partout. Bientôt, la pluie tomberait et le peu de lumière que dispensaient les étoiles disparaîtrait.

— Oui, j'ai peur.

— Mais vous êtes une chasseuse de vampires, dit Wallace. Comment pouvez-vous faire ça nuit après nuit, si ça vous fait peur ?

— Chaque conducteur arrêté pour infraction au code de la route pourrait être armé et vous tirer dessus... Ça vous fout la trouille ?

Wallace haussa les épaules.

— C'est mon boulot.

— Et ça, c'est le mien.

— Mais vous avez peur ?

Je hochai la tête.

— De la racine des cheveux jusqu'au bout des orteils.

La voix de Larry retentit derrière nous.

— Le shérif est revenu, appela-t-il. Il a le mandat.

Wallace et moi nous regardâmes.

— Vous avez des balles en argent ?

— Oui.

Je souris.

— Dans ce cas, allons-y. Tout va bien se passer.

J'en étais convaincue. Wallace ferait son boulot. Je ferais le mien. Nous ferions tous notre boulot. Et demain matin, certains seraient vivants et d'autres non.

Bien entendu, nous avions peut-être affaire à un seul vampire nouvellement transformé. Dans ce cas, nous aurions tous une chance de voir le soleil se lever. Mais je n'avais pas vécu aussi longtemps grâce à un optimisme forcené. Supposer le pire est toujours plus sûr. Et généralement plus proche de la vérité.

Chapitre 15

Je me suis habituée au fusil à pompe à canon scié que je garde à la maison. Je sais que c'est illégal, mais l'arme est facile à porter et elle me permet de transformer les morts-vivants en steaks hachés. Que pourrait désirer de plus une chasseuse de vampires moderne ?

— Pourquoi je n'ai pas droit à un fusil, moi aussi ? gémit Larry.

Il avait l'air sérieux, mais je secouai la tête.

— Quand tu sauras te servir de ton 9 mm, on en reparlera.

— Génial !

Oh, l'enthousiasme de la jeunesse ! Larry n'a que quatre ans de moins que moi. Parfois, j'ai l'impression qu'un millénaire nous sépare.

— Il ne va pas nous tirer accidentellement dans le dos, pas vrai ? demanda l'adjoint Coltrain.

— Il a promis de s'abstenir.

Coltrain me dévisagea comme s'il n'était pas certain que je plaisantais.

Le shérif St. John nous rejoignit à la lisière des bois. Lui aussi avait un fusil à pompe. Restait à espérer qu'il sache s'en servir. Wallace utilisait le fusil à pompe de son unité, et Granger portait un fusil sophistiqué qui ressemblait à une arme de sniper. Pas l'outil approprié pour la mission de ce soir, ce que je m'étais empressée de lui faire remarquer.

Il n'avait pas répondu, et j'avais laissé tomber. Après tout, c'était sa peau et son fusil.

Je les observai tour à tour. Ils me rendirent mon regard, attendant que je donne l'ordre du départ.

— Tout le monde a son eau bénite ? demandai-je.

Larry tapota la poche de sa combinaison. Les autres hochèrent la tête ou marmonnèrent un « oui ».

— N'oubliez pas les trois règles d'or de la chasse au vampire. Numéro un : ne les regardez jamais dans les yeux. Numéro deux : ne vous défaites jamais de votre croix. Et numéro trois : visez la tête et le cœur. Même avec des balles en argent, vous ne réussirez pas à les tuer en les touchant ailleurs.

Je me sentais comme une maîtresse de maternelle prête à lâcher ses gamins dans une cour de récréation hostile.

— Si vous vous faites mordre, ne paniquez pas. Les morsures peuvent être nettoyées. Tant qu'ils ne vous hypnotisent pas, il est possible de les combattre.

J'étudiai ces hommes silencieux : tous plus grands que moi – même Larry devait me rendre cinq bons centimètres –, et tous capables de me battre au bras de fer. Alors pourquoi voulais-je leur ordonner de rentrer dans la maison, là où ils seraient en sécurité ?

J'aurais même pu les accompagner. Boire une tasse de chocolat chaud avec eux et assurer aux Quinlan que leur fille s'en tirerait sans dommages. Après tout, le régime liquide est à la mode chez les adolescentes, pas vrai ?

Je pris une profonde inspiration et expirai lentement.

— Allez les gars ! Nous perdons du temps !

Je dus laisser St. John prendre la tête du groupe et s'engager sous le couvert des arbres avant moi. Contrairement à lui, je ne connaissais pas la région. Mais je n'aimais pas le voir en première ligne. Je n'aimais pas ça du tout. J'aurais voulu le ramener à sa femme, la douce Beth qu'il avait rencontrée au lycée. Cinq ans de mariage, et toujours aussi amoureux. Mon Dieu, je ne voulais pas qu'il se fasse tuer.

Les bois se refermèrent sur nous.

St. John se frayait un chemin entre les arbres, comme s'il savait ce qu'il faisait. Vu la saison, il n'y avait pas beaucoup de végétation, ce qui nous facilitait la tâche. Mais il est toujours assez délicat de se déplacer en forêt, surtout dans l'obscurité. On n'y voit pas grand-chose, même avec une lampe torche. Il faut s'abandonner aux arbres comme on s'abandonne à l'eau quand on nage. On ne se focalise pas sur l'eau, ni sur son propre corps, mais sur le rythme de son corps fendant l'eau.

Dans la forêt aussi, il faut trouver un rythme. Se concentrer sur le glissement du corps à travers les ouvertures naturelles. Trouver les endroits où la forêt vous laisse passer. Si vous la combattez, elle riposte. Et comme l'eau, elle peut vous tuer. Quiconque ne croit pas que la forêt est un endroit meurtrier ne s'y est jamais perdu.

St. John savait se débrouiller, et moi aussi – un exploit dont je n'étais pas peu fière, soit dit en passant. Ça faisait un bail que j'habitais en ville, mais je n'avais pas oublié mes racines.

Larry trébucha et me bouscula. Je dus le retenir pour que nous ne tombions pas tous les deux.

—Désolé, dit-il en reprenant son équilibre.

—Alors, grand chasseur de vampires, on ne tient pas debout ? railla Coltrain derrière nous.

J'avais insisté pour passer en deuxième, derrière St. John, et je n'avais pas voulu que Larry soit en queue de file. Du coup, Coltrain s'était porté volontaire pour fermer la marche. Personnellement, je n'avais rien contre.

—Criez un peu plus fort, grogna Wallace. Je ne crois pas que le vampire vous ait entendu.

—Je n'ai pas besoin qu'un flic d'État me dise comment faire mon boulot, répliqua Coltrain.

— Il sait que nous sommes là, intervins-je.

Cela les arrêta net. Ils me dévisagèrent tous les deux. Granger, qui marchait juste devant Wallace, fit de même. J'avais réussi à mobiliser l'attention générale.

— Même s'il n'a que quelques semaines, son ouïe est déjà incroyablement développée. Il sait que nous sommes là. Et que nous venons pour lui. Peu importe que nous marchions sur la pointe des pieds ou que nous nous fassions accompagner par une fanfare : ça revient au même. Nous n'arriverons pas à le surprendre dans le noir.

— Nous perdons notre temps, adjoint ! cria St. John.

Coltrain ne daigna pas s'excuser, ni même prendre une mine contrite. Contrairement à Wallace.

— Je suis désolé, shérif. Ça ne se reproduira pas, promit ce dernier.

St. John hocha la tête. Sans un mot, il se détourna et s'enfonça plus profondément dans les bois.

Coltrain grogna mais n'insista pas. Quoi qu'il puisse dire, je doutais que Wallace morde à l'hameçon une seconde fois. Au moins, je l'espérais. Peu m'importait qu'il ait peur : nous avions assez de problèmes sans commencer à nous battre entre nous.

Les arbres bruissaient et se balançaient autour de nous. Les feuilles mortes de l'automne précédent craquaient sous nos pieds. Dans mon dos, quelqu'un jura à voix basse. Une rafale de vent repoussa mes cheveux. Devant nous, la qualité des ténèbres s'était modifiée. Nous approchions de la clairière.

St. John s'arrêta avant la lisière des arbres et me regarda par-dessus son épaule.

— Comment voulez-vous procéder ?

Je sentais la pluie se rapprocher. Si c'était possible, je voulais sortir de la forêt avant qu'elle tombe. La visibilité était déjà assez réduite.

—Nous le tuons et nous retournons chez les Quinlan. Ce n'est pas très compliqué.

Il hocha la tête comme si je venais de dire quelque chose de profond.

J'aurais bien aimé.

Une silhouette apparut brusquement devant nous, comme jaillie de nulle part. Les ténèbres et les ombres ? La magie, peut-être ? Elle empoigna St. John tandis qu'il dégainait son flingue et le projeta dans les airs vers la clairière.

Je tirai dans la poitrine du vampire quasiment à bout portant. Alors qu'il tombait à genoux, j'aperçus ses yeux écarquillés et son expression incrédule. Je dus pomper un coup pour chambrer une autre cartouche.

Derrière moi, le fusil de Granger émit une détonation pareille à celle d'un canon. Quelqu'un cria. Je logeai ma cartouche entre les deux yeux du vampire, lui faisant exploser la tête, et me retournai, fusil à l'épaule, avant que son corps ait touché le sol.

Larry était à terre. Une vampire le chevauchait. J'eus le temps d'apercevoir ses longs cheveux bruns avant que la croix de Larry émette un éclair de feu blanc bleuté. La vampire rugit de douleur, se jeta en arrière et s'enfuit rapidement. Une seconde plus tard, elle avait disparu dans l'obscurité.

Bon débarras.

Une seconde vampire – avec des cheveux blonds, celle-là – avait plaqué Granger contre elle et fourré la tête dans son cou. Je ne pouvais pas utiliser mon fusil à pompe : elle était beaucoup trop près de lui. À cette distance, je risquais de les tuer tous les deux.

Je laissai tomber le fusil dans les bras de Larry qui gisait toujours sur le sol, clignant des yeux d'un air étonné. Puis je dégainai mon Browning et tirai dans la poitrine généreuse de la vampire.

Elle tressauta sous l'impact, mais ne lâcha pas Granger. Je la vis lever les yeux vers moi et pousser un sifflement de colère. J'en profitai pour viser l'intérieur de sa bouche et lui faire sauter l'arrière du crâne.

Un grand frisson la parcourut. Je lui tirai une deuxième balle dans la tête. Ses bras retombèrent mollement, et elle s'écroula dans les feuilles mortes. Granger tomba près d'elle. Dans l'obscurité, je ne vis ni son visage ni son cou. Mort ou vivant, j'avais fait tout ce que je pouvais pour lui.

Larry s'était relevé, tenant maladroitement mon fusil à pompe.

Un cri étranglé, rempli de douleur, résonna près de moi. Wallace s'était fait plaquer à terre par un vampire qui lui plongea ses crocs dans le bras. L'os se brisa avec un craquement sec.

Wallace hurla.

Du coin de l'œil, j'aperçus Coltrain, immobile, comme pétrifié. Quelque chose remuait derrière lui. Je tournai la tête, attendant que le vampire sorte de l'ombre.

Soudain, je vis briller une lame argentée. Surprise, je perdis une précieuse seconde, et la pointe de l'arme glissa sur la gorge exposée de Coltrain.

Je perdis encore une seconde à cligner des yeux. L'agresseur de Coltrain en profita pour s'enfuir, filant entre les arbres à une vitesse surhumaine.

Larry leva le fusil à pompe et le braqua vers Wallace. Alors que je le lui arrachai des mains, quelqu'un se jeta sur moi par-derrière et me jeta à plat ventre sur le sol. Une main enfonça mon visage dans les feuilles sèches et craquantes. Une seconde main déchira le dos de ma combinaison avec tant de force qu'elle me déboîta l'épaule.

Puis il y eut une explosion derrière mon oreille, et mon agresseur détala.

Je roulai sur moi-même, les oreilles bourdonnantes. Larry se tenait au-dessus de moi, le bras tendu et le flingue encore fumant. J'ignorais sur quoi il avait tiré, mais il avait réussi à mettre le monstre en fuite.

Mon épaule gauche me faisait mal, et ça risquait d'empirer si je restais bêtement allongée par terre. Je luttai pour me relever. Les vampires avaient disparu.

Wallace se redressa en serrant contre lui son bras blessé. Coltrain gisait sur le sol, immobile. Un bruit retentit derrière nous. Je me retournai, Browning à la main. Larry fit de même, mais trop lentement. Je visai.

C'était St. John.

— Ne tirez pas. C'est moi !

Larry baissa son flingue.

— Doux Jésus, souffla-t-il.

Amen.

— Que vous est-il arrivé ? demandai-je à St. John.

— La chute m'a assommé. Quand j'ai repris mes esprits, je me suis repéré grâce aux détonations.

Une rafale de vent nous atteignit, chargée d'une si forte odeur de pluie que je crus presque sentir l'humidité sur ma peau.

— Larry, va prendre le pouls de Granger.

— Quoi ?

— Va voir s'il est vivant, reformulai-je patiemment.

C'était un sale boulot, et je m'en serais bien chargée moi-même, mais j'avais plus confiance en moi qu'en Larry pour tenir les vampires à distance. Il m'avait sauvé la vie une fois ce soir, mais bon…

St. John nous dépassa et s'approcha de Wallace, qui hocha la tête.

— Mon bras est cassé, mais je survivrai.

Alors, St. John marcha vers la silhouette immobile de Coltrain.

Larry s'agenouilla près de Granger. Il fit passer son flingue dans sa main gauche – pas la meilleure initiative possible, mais je le comprenais. Quitte à chercher un pouls sur une gorge poisseuse de sang, autant utiliser sa main directrice.

—J'ai un pouls, cria-t-il, son sourire victorieux formant une tache blanche dans l'obscurité.

—Coltrain est mort, annonça St. John. Que Dieu nous vienne en aide : il est mort. (Il leva une main, et le sang qui la couvrait brilla d'une lueur sombre.) Quasiment décapité. Qu'est-ce qui a bien pu faire ça ?

—Une épée, répondis-je.

Je l'avais vu. Je l'avais regardé faire. Mais je me souvenais seulement d'une ombre plus massive qu'un être humain. Ou que la plupart des êtres humains. Une ombre avec une épée, c'était tout ce que j'avais vu, et pourtant, je l'avais regardée en face.

Un frisson courut le long de ma peau. Cette fois, ça n'avait aucun rapport avec le vent. Un pouvoir d'origine inconnue se déversait dans la nuit printanière comme l'eau d'une cascade.

—Il y a quelque chose de très ancien dans cette forêt, déclarai-je.

—De quoi parlez-vous ? demanda St. John.

—D'un vampire. Il est là. Je le sens.

Je sondai l'obscurité, mais rien ne bougeait à part les arbres. Il n'y avait rien à voir ou à combattre. Pourtant, la créature était là, et tout près. L'épée à la main, peut-être.

Granger se redressa si brusquement que Larry tomba à la renverse en couinant. Son regard se tourna vers moi. Je le vis porter sa main à son flingue, et je compris ce qui se passait.

Je pointai le Browning sur sa tête et attendis. Je devais être sûre.

Granger ne chercha pas à ramasser son fusil. Il dégaina son arme de poing et, très lentement – comme s'il luttait pour s'en empêcher –, il la braqua sur Larry.

— Granger, putain, qu'est-ce que tu fais ? cria Wallace.

Je tirai.

Granger sursauta. Son flingue oscilla au bout de son bras. Puis il le stabilisa et je vis frémir son index. Je tirai encore, et encore. Sa main retomba mollement, et il s'écroula dans les feuilles mortes.

— Granger ! cria Wallace en rampant vers son partenaire.

Et merde !

Je l'atteignis la première et, d'un coup de pied, fis sauter le flingue de sa main. S'il avait remué un cil, je l'aurais encore plombé. Mais il ne bougea pas. Il était mort.

De son bras valide, Wallace tenta de le soulever et de le serrer contre lui.

— Pourquoi avez-vous fait ça ? gémit-il.

— Il allait tuer Larry. Vous l'avez vu.

— Pourquoi ?

— À cause du vampire qui l'a mordu. Son maître est quelque part dehors. Et c'est un fils de pute puissant. Il s'est servi de lui.

Wallace avait posé la tête ensanglantée de son partenaire sur ses genoux, et il pleurait.

Merde, merde, merde !

Le vent de plus en plus violent charriait un nouveau bruit : un torrent d'aboiements furieux. Puis un cri de femme aigu…

— Mon Dieu, soufflai-je.

— Beth.

St. John se releva d'un bond et se mit à courir avant que je puisse dire un mot.

Je saisis Wallace par l'épaule et tirai sur la manche de son blouson. Il leva les yeux vers moi.

— Qu'est-ce qui se passe ?

— Ils sont chez les Quinlan. Vous pouvez marcher ?

Il hocha la tête, et je l'aidai à se redresser.

Un autre hurlement retentit. Cette fois, c'était un homme ou un adolescent qui avait crié.

— Larry, tu restes avec lui, ordonnai-je. Rejoignez-nous à la maison dès que possible.

— Et s'ils essaient de nous séparer ?

— Dans ce cas, ils réussiront. Tire sur tout ce qui bouge.

Je lui touchai le bras, comme si le seul contact de ma main pouvait l'envelopper d'une aura protectrice. Ce n'était pas le cas, mais je n'avais rien de mieux à lui offrir. Je devais retourner chez les Quinlan le plus vite possible. Contrairement à Larry, ces gens n'avaient jamais signé pour devenir des chasseurs de monstres.

Je rengainai mon Browning pour saisir le fusil à pompe à deux mains et me ruai entre les arbres sans chercher à voir où j'allais, me précipitant vers des trouées dans la végétation… dont je n'étais même pas certaine qu'elles existent. Mais j'eus de la chance.

Je sautai par-dessus un tronc d'arbre abattu et faillis m'étaler de tout mon long. Mais je parvins à garder mon équilibre et continuai à courir.

Une branche me frappa au visage, faisant jaillir des larmes. La forêt qui m'avait paru si facile à traverser était maintenant un labyrinthe de racines maléfiques, déterminées à m'agripper les chevilles et à me faire tomber. Je courais à l'aveuglette et ça n'était pas un bon moyen de rester vivante avec des vampires à proximité.

Enfin, je déboulai sur la pelouse des Quinlan, mes mains serrées sur le fusil à pompe. La porte de devant était grande ouverte. De la lumière s'en échappait. Mais cette vision accueillante était démentie par les détonations qui retentissaient à l'intérieur.

Je courus dans le hall. Le caniche gisait sur le sol, recroquevillé comme une feuille de papier froissée par une main gigantesque. Les portes du salon étaient ouvertes, elles aussi. Les détonations venaient de là. Je me plaquai contre le mur de gauche, prête à tirer, et regardai dans la pièce.

M. et Mme Quinlan étaient pelotonnés dans un coin, leurs croix brandies devant eux. Le métal émettait une lumière blanche comme celle du magnésium qui brûle.

La créature qui se tenait face à eux ne ressemblait pas à un vampire. On eût dit un squelette avec des muscles et de la chair tendus sur sa carcasse osseuse. Elle était incroyablement grande et mince. Une épée à la lame brillante, aussi large qu'un cimeterre, pendait dans son dos. Était-ce l'assassin de Coltrain ?

St. John tirait sur la vampire brune aperçue dans les bois. Ses longs cheveux raides et soyeux encadraient un visage maculé de sang, à la bouche distendue par ses crocs. Derrière elle, je vis Beth St. John étendue sur la moquette. Elle ne bougeait pas.

Le shérif continuait à tirer sur la vampire, et elle s'approchait toujours de lui malgré les taches de sang qui fleurissaient sur sa veste en jean.

La détente du flingue de St. John cliqueta dans le vide. La vampire tituba, tomba à genoux puis bascula en avant. Comme elle se retint avec les mains, je vis que son dos était complètement déchiqueté.

St. John engagea un nouveau chargeur dans son arme. J'entrai dans le salon, tentant de garder un œil sur la porte au cas où. Je marchai vers les Quinlan et la créature qui les menaçait. J'avais besoin d'un meilleur angle de tir pour utiliser mon fusil à pompe. Je n'aurais pas voulu qu'ils se prennent une balle perdue.

La créature se tourna vers moi. J'eus le temps d'apercevoir un visage qui n'était ni humain ni animal, mais qui ressemblait plutôt à celui d'un extraterrestre avec des crocs et des yeux aveugles. Il se mit à rétrécir ; de la peau courut à la surface de sa chair à vif, masquant ses os presque nus. Je n'avais jamais rien vu de semblable.

Quand je pointai le canon de mon arme sur le monstre, son visage était devenu presque humain entre ses longues mèches de cheveux blancs.

Soudain, il se mit à courir – si « courir » était le mot juste pour un mouvement si rapide que mon œil pourtant exercé ne pouvait le suivre. Il sprintait comme d'autres volent, ou comme s'il avait inventé un nouveau mode de déplacement. Il disparut avant que je puisse appuyer sur la détente.

Je restai bouche bée face à la porte. Aurais-je pu tirer ? Avais-je hésité ? Je ne le pensais pas, mais je n'en étais pas sûre. Comme au moment où Coltrain était mort, j'avais eu une sorte d'absence. Ce vampire devait être notre tueur en série. Mais la seule chose que j'avais vue dans les bois, c'était son épée.

St. John vida un nouveau chargeur dans la carcasse de la vampire. Je m'approchai de lui. La tête de sa cible n'était plus qu'un amas de viande sanglante et de matière cérébrale grisâtre.

— Elle est morte, St. John. Vous l'avez tuée.

Il continua à braquer son arme vide en tremblant de tous ses membres.

Soudain, il tomba à genoux comme si ses forces le trahissaient. Abandonnant son revolver sur la moquette, il rampa jusqu'à sa femme, la souleva dans ses bras et la serra contre lui. Un côté de sa gorge était lacéré.

Les croix des Quinlan avaient cessé de briller. Ils continuaient à s'accrocher l'un à l'autre, en clignant des yeux comme si la lumière les aveuglait.

— Jeff… Il a emmené Jeff, balbutia Mme Quinlan.

Je l'étudiai attentivement. Ses yeux étaient un peu trop écarquillés.

— Il a emmené Jeff, répéta-t-elle.

— Qui a emmené Jeff ?

— La grande créature, répondit son mari. Cette saloperie lui a ordonné d'enlever sa croix, et Jeff a obéi. Pourquoi a-t-il fait ça ? Pourquoi l'a-t-il enlevée ?

— Le vampire l'a hypnotisé. Il n'a pas pu s'en empêcher.

— Si sa foi avait été plus forte, il n'aurait pas cédé, affirma M. Quinlan.

— Ce n'est pas la faute de votre fils ! lançai-je.

Quinlan secoua la tête.

— Il n'a pas été assez fort.

Je me détournai. Et me retrouvai face à St. John.

Les bras autour du cadavre de sa femme, il se balançait d'avant en arrière, le regard perdu dans le vide. Il ne voyait plus la pièce. Il s'était replié dans un endroit qui n'appartenait qu'à lui.

Je marchai vers la porte. Je n'étais pas forcée d'assister à cette scène. Ça ne faisait pas partie de mes obligations professionnelles. Sincèrement.

Je m'assis dans l'escalier, le dos au mur, histoire de surveiller la porte d'entrée, celle du salon, le couloir et le haut des marches. Soudain, St. John chanta d'une voix brisée. Il me fallut quelques instants pour reconnaître *You Are So Beautiful*.

Je me levai et sortis de la maison. Larry et Wallace venaient juste d'atteindre le porche. Je secouai la tête et continuai à marcher.

Je dus aller jusqu'au bout de l'allée pour ne plus entendre St. John. Je m'immobilisai, pris une profonde inspiration et me concentrai sur mon souffle régulier, le coassement des grenouilles et les gémissements du vent. N'importe quoi qui ne soit pas le son qui menaçait de s'échapper de ma gorge !

Je restai plantée dans l'obscurité, seule, consciente que c'était dangereux et ne sachant pas si je m'en souciais encore. Je restai là jusqu'à ce que je sois certaine que je n'allais pas hurler. Alors, je fis demi-tour et revins vers la maison.

La chose la plus courageuse que j'aie faite de la nuit.

Chapitre 16

Freemont était assise à une extrémité du canapé des Quinlan. Je m'étais perchée sur l'accoudoir, de l'autre côté. Bref, nous étions aussi loin l'une de l'autre que possible en partageant le même siège. Seule ma fierté m'avait empêchée de m'installer dans un fauteuil. Décidée à ne pas frémir sous ce regard froid de flic, je restai clouée à mon bout de canapé, malgré l'effort que ça me coûtait.

Elle parlait d'une voix basse et mesurée, en articulant bien comme si elle craignait de hurler au cas où son débit s'accélérerait.

— Pourquoi n'avez-vous pas appelé pour me dire que vous aviez découvert une nouvelle victime de vampire ?

— Le shérif St. John a contacté la police de l'État. J'ai pensé qu'on vous préviendrait.

— Eh bien, ça n'a pas été le cas.

Je soutins son regard glacial.

— Vous étiez à vingt minutes d'ici, avec une équipe au grand complet, en train d'enquêter sur un autre meurtre vampirique. Pourquoi n'aurait-on pas fait appel à vous ?

Ses yeux se baissèrent avant de revenir sur moi. Je ne suis pas spécialiste en langage corporel, mais il me sembla qu'elle était mal à l'aise. Voire effrayée.

— Vous ne leur avez pas dit que les trois garçons ont été tués par un vampire, n'est-ce pas ? devinai-je.

Elle frémit.

— Putain, Freemont ! Je sais que vous ne voulez pas que les Fédéraux vous piquent cette affaire, mais cacher des informations à vos collègues… Ça m'étonnerait que vos supérieurs vous félicitent.

— C'est mon problème.

— Très bien. Débrouillez-vous avec votre plan, quel qu'il soit, mais ne passez pas vos nerfs sur moi.

Elle prit une inspiration tremblante et la relâcha comme un coureur essayant de repousser les limites de son endurance.

— Vous êtes certaine que le vampire a utilisé une épée ?

— Vous avez vu le corps de l'adjoint Coltrain.

Elle hocha la tête.

— Un vampire aurait pu lui arracher la tête.

— J'ai vu une lame, insistai-je.

— Il faudra attendre la confirmation du médecin légiste.

— Pourquoi ne voulez-vous pas que ce soit un vampire ?

Freemont fit la grimace.

— Je croyais que j'avais résolu cette affaire. Et que je procéderais à une arrestation ce soir même. Je ne pensais pas que le coupable serait un vampire.

— Si ce n'était pas un vampire, selon vous, c'était quoi ?

— Un fairie.

Je fronçai les sourcils.

— Que voulez-vous dire ?

— Votre chef, le divisionnaire Storr, m'a appelée tout à l'heure. Il m'a rapporté vos découvertes sur Magnus Bouvier. Il n'a pas d'alibi pour l'heure des meurtres, et vous pensez qu'il aurait pu le faire.

— Ça ne signifie pas qu'il l'ait fait.

Freemont haussa les épaules.

— Quand nous sommes allés l'interroger, il s'est enfui. Les innocents ne filent pas devant la police.

— Comment ça, il s'est enfui ? lançai-je. Si vous l'interrogiez, comment a-t-il pu s'enfuir ?

Freemont se renfonça dans le canapé, les mains croisées si fort sur ses genoux que ses doigts étaient tout marbrés.

— Il s'est servi de sa magie pour embrumer notre esprit.

— Quel genre de magie ?

— Comment voulez-vous que je le sache, mademoiselle l'experte en surnaturel ? Nous étions quatre, et nous sommes restés assis dans son restaurant comme des idiots pendant qu'il se tirait. Nous ne l'avons même pas vu se lever de table.

Elle me dévisagea sans sourire. Ses yeux avaient retrouvé leur froide neutralité. Avec un regard pareil, elle aurait pu fixer quelqu'un toute la journée sans trahir de secrets.

— Il avait l'air humain, reprit-elle. Un type aimable et ordinaire. Je ne l'aurais pas repéré au sein d'une foule. Comment avez-vous su ce qu'il était ?

J'ouvris la bouche pour répondre et la refermai aussitôt, indécise.

— Il a tenté d'utiliser un glamour sur moi, mais je m'en suis aperçue, lâchai-je enfin.

— Qu'est-ce qu'un glamour, et comment vous êtes-vous aperçue qu'il essayait de vous lancer un sort ?

— Un glamour n'est pas tout à fait un sort, rectifiai-je.

Je déteste expliquer des choses surnaturelles à des non-initiés. Comme si un savant essayait de m'initier à la physique quantique. Je pourrais comprendre les concepts, mais pour ce qui est de leur validité, je serais obligée de le croire sur parole. Même si je déteste l'avouer, je ne suis pas douée pour les trucs scientifiques. Cela dit, ne rien connaître à la physique quantique ne me tuera pas. Son ignorance du surnaturel risquait de tuer Freemont. Ou de la faire tuer.

— Je ne suis pas idiote, mademoiselle Blake. Expliquez-moi.

— Je ne vous prends pas pour une idiote, sergent. Mais c'est difficile à expliquer. Un jour, j'étais avec deux de vos collègues en uniforme, à Saint Louis. Ils me ramenaient chez moi après un passage sur les lieux d'un crime. Le conducteur a repéré un type qui marchait dans la rue. Il s'est arrêté pour l'interpeller.

» En le fouillant, il a découvert que le type portait un flingue, et qu'il était recherché dans un autre État pour vol à main armée. Si j'avais été dans la même pièce que lui, j'aurais remarqué son flingue, mais en passant à côté en voiture… Jamais. Même le partenaire du conducteur lui a demandé comment il avait fait. Il n'a pas été fichu de nous l'expliquer. Il le savait, un point c'est tout.

— Donc, c'est une question de pratique ? avança Freemont.

— En partie. Mais… Sergent, je gagne ma vie en relevant des morts. J'ai certaines capacités surnaturelles. Ça me donne un avantage.

— Comment sommes-nous censés faire respecter la loi à de telles créatures, mademoiselle Blake ? Si Bouvier avait dégainé un flingue, nous serions restés assis et nous l'aurions laissé nous tirer dessus. Après un moment, nous nous sommes… réveillés, et il n'était plus là. Je n'avais jamais rien vu de pareil.

— Il est possible de se protéger des glamours des fairies.

— Comment ?

— Eh bien… Un trèfle à quatre feuilles rompra le charme, mais il n'empêchera pas celui qui l'a lancé de vous tuer. D'autres plantes permettent de dissiper un glamour : le millepertuis, la verveine rouge, les marguerites, le sorbier et le frêne. Personnellement, je choisirais un onguent de trèfles à quatre feuilles ou de millepertuis. Si vous vous en enduisez les paupières, la bouche, les oreilles et les mains, il vous immunise contre les glamours.

— Où puis-je me procurer cet onguent ?

Je réfléchis quelques secondes.

— Si nous étions à Saint Louis, je vous donnerais une adresse, mais ici… Essayez les magasins de diététique ou les boutiques d'occultisme. Les onguents anti-fairies sont difficiles à trouver dans ce pays, parce qu'en principe, il n'y a pas de fairies. L'onguent de trèfles à quatre feuilles est rare et très cher. Cherchez plutôt du millepertuis.

— Ça marche aussi sur les pouvoirs de domination mentale comme ceux des vampires ?

— Non. Vous pourriez balancer un buveur de sang dans une baignoire pleine de millepertuis, il s'en ficherait comme de sa première canine !

— Dans ce cas, que peut-on faire contre eux ?

— Ne vous séparez pas de votre croix, ne les regardez pas dans les yeux et priez. À côté d'eux et de leurs pouvoirs, Magnus Bouvier est un amateur.

Freemont se frotta les yeux et un peu d'ombre à paupières resta sur le gras de son pouce. Elle semblait épuisée.

— Comment pouvons-nous protéger les civils ?

— Vous ne pouvez pas.

— Il le faut bien. C'est notre boulot.

Je ne savais pas quoi répondre à ça…

— Donc, vous avez pensé que c'était Magnus Bouvier parce qu'il s'est enfui et qu'il n'a pas d'alibi ?

— Sans ça, pourquoi se serait-il enfui ?

— Je l'ignore. Mais ce n'est pas lui le coupable. J'ai vu la créature, dans les bois. Elle ne lui ressemblait pas. En réalité, elle ne ressemblait à rien de ce que je connais. J'avais entendu parler de vampires capables de se matérialiser hors de l'ombre, mais c'était la première fois que j'en voyais un.

— Ça ne me rassure pas beaucoup.

— Ça n'était pas fait pour. Dans la mesure où Magnus est innocent, vous pouvez cesser de le rechercher.

Elle eut un signe de dénégation.

— Il a usé de magie sur des policiers pour commettre un crime. C'est un délit de classe C.

— Et quel crime a-t-il donc commis ?

— Il s'est enfui.

— Mais il n'était pas en état d'arrestation !

— J'avais un mandat.

— Vous n'aviez pas assez de preuves pour en obtenir un.

— Connaître les juges aide toujours.

— Il n'a pas tué ces gamins. Ni l'adjoint Coltrain.

— C'est vous qui l'avez désigné.

— Par acquit de conscience. Je ne pensais pas qu'il l'ait fait, mais avec cinq victimes en quelques jours, je ne pouvais pas me permettre de me tromper.

Freemont se leva.

— Eh bien, votre vœu a été exaucé. C'était l'œuvre d'un vampire, ou d'une bande de vampires, et que je sois damnée si je sais pourquoi Magnus Bouvier nous a échappé. Mais avoir usé de magie contre des policiers est un délit.

— Même s'il était innocent du crime pour lequel vous tentiez de l'arrêter ?

— L'usage illégal de magie est un délit sérieux, mademoiselle Blake. Nous avons un mandat d'arrestation. Tâchez de vous en souvenir si vous le revoyez.

— Sergent Freemont, j'ignore pourquoi Magnus s'est enfui, mais si vous répandez la nouvelle qu'il a usé de magie contre des flics, quelqu'un le descendra.

— Il est dangereux, mademoiselle Blake.

— Comme beaucoup de gens. Vous ne pouvez pas tous les arrêter.

— Nous avons tous nos préjugés, et de temps en temps, nous les laissons obscurcir notre jugement. Au moins, nous savons désormais qui a tué ces malheureux gamins.

— Pour ce que ça nous avance…, marmonnai-je.

— Où le corps de la fille a-t-il été emmené ? demanda Freemont en sortant un calepin de sa poche.

— Je l'ignore. Il n'était déjà plus là quand je suis remontée dans sa chambre.

— Qu'est-ce qui vous a poussée à y aller ?

Je vis qu'elle avait repris une expression aimable et indéchiffrable.

— Ces vampires s'étaient donné beaucoup de mal pour la transformer. J'ai pensé qu'ils reviendraient la chercher. Et je ne me suis pas trompée.

— Le père raconte qu'il vous a demandé d'embrocher le corps avant de vous lancer à la poursuite de son assassin. C'est vrai ?

Freemont s'était exprimée d'une voix douce, sur un ton détaché. Mais elle faisait très attention à mes réponses. Elle ne prenait pas autant de notes que Dolph. Son calepin semblait surtout destiné à lui occuper les mains. Enfin, je la voyais faire son boulot. Et le faire proprement. C'était plutôt rassurant.

— Oui, c'est vrai.

— Pourquoi n'avez-vous pas accédé à sa requête ?

— Un jour, je suis allée chez un veuf dont la fille unique venait de se faire mordre. Il voulait que je l'élimine. Je n'ai pas discuté. Le lendemain matin, il s'est pointé en larmes à mon bureau et m'a supplié de la lui ramener, vampire ou non. Mais c'était trop tard. Elle était morte pour de bon.

— Je croyais qu'il fallait couper la tête d'un vampire, en plus de lui arracher le cœur, pour être vraiment certain qu'il ne revienne pas.

— En effet. Si j'avais éliminé la fille Quinlan, je lui aurais retiré le cœur et coupé la tête. Il ne serait pas resté grand-chose.

Freemont griffonna quelque chose sur son calepin, mais je ne pus pas voir quoi. J'aurais parié que c'était un gribouillis, pas un mot…

— Je comprends pourquoi vous préfériez attendre, mais M. Quinlan parle de vous poursuivre en justice.

— Je sais.

Elle fronça les sourcils.

— J'ai pensé qu'il valait mieux vous prévenir.

— Merci.

— Nous n'avons pas encore retrouvé le corps du garçon.

— Il m'étonnerait que vous le retrouviez.

Freemont plissa les yeux d'un air soupçonneux.

— Pourquoi ?

— S'ils avaient voulu le tuer, ils l'auraient fait ici, ce soir. Je crois plutôt qu'ils veulent le transformer.

— Pourquoi ?

— Je n'en sais rien. Mais en général, quand des vampires s'acharnent sur une famille, ils ont une bonne raison.

— Vous voulez dire, un mobile ?

— Vous avez vu les Quinlan. Ce sont des gens très croyants. Or, l'Église catholique considère le vampirisme comme un suicide. Leurs enfants seront damnés pour l'éternité s'ils se transforment.

— Bref, c'est pire que de les avoir simplement assassinés, résuma Freemont.

— Pour leurs parents, oui.

— Vous croyez qu'ils reviendront les chercher ?

Je réfléchis quelques instants.

— Ça, je l'ignore. Jadis, il arrivait qu'un maître vampire élimine une famille entière pour se venger d'une offense réelle ou imaginaire. Mais depuis qu'on leur a accordé une existence légale, ils n'ont plus aucune raison de le faire. Si quelqu'un leur cause du tort, ils peuvent le traîner en justice pour obtenir réparation. Je ne vois pas ce que les Quinlan auraient pu faire d'assez terrible pour justifier ce qui leur arrive.

La porte s'ouvrit. Freemont se retourna, les sourcils déjà froncés. Deux hommes apparurent sur le seuil de la pièce. Ils étaient vêtus à l'identique d'un costume noir, d'une cravate noire et d'une chemise blanche. La tenue standard des agents fédéraux. Le premier était petit et blanc, le second grand et noir. Ça aurait dû les distinguer, mais il émanait d'eux une impression d'uniformité – comme s'ils avaient été découpés dans la même boule de pâte, l'un d'eux étant resté au four un peu plus longtemps.

— Je suis l'agent spécial Bradford, se présenta le Blanc en nous montrant son badge, et voici l'agent Elwood. Laquelle de vous est le sergent Freemont ?

Freemont approcha, la main tendue. Histoire de montrer qu'elle n'était ni armée, ni animée d'intentions hostiles.

Mon œil !

— Je suis le sergent Freemont. Voilà Anita Blake.

J'appréciais d'avoir été incluse dans les présentations. Je me levai et les rejoignis. L'agent Bradford me dévisagea si longuement que ça finit par me mettre mal à l'aise.

— Quelque chose ne va pas, agent Bradford ? lançai-je calmement.

Il secoua la tête.

— J'ai assisté aux conférences du divisionnaire Storr à Quantico. À la façon dont il parlait de vous, je m'attendais à une sorte de géante.

Il ponctua sa phrase d'un sourire mi-amical, mi-condescendant.

Des répliques acerbes me vinrent à l'esprit, mais faire un concours de vannes avec les Fédéraux n'est jamais une bonne idée. D'une façon ou d'une autre, on finit toujours par perdre.

— Navrée de vous décevoir.

—Nous avons déjà parlé avec l'agent Wallace. Lui aussi nous a donné l'impression que vous étiez plus grande.

—Difficile de donner l'impression que je suis plus petite.

Bradford sourit.

—Nous aimerions nous entretenir avec le sergent Freemont en privé, mademoiselle Blake. Mais ne vous éloignez pas trop : nous voulons prendre votre déposition et celle de votre assistant, M. Kirkland.

—Pas de problème.

—J'ai déjà recueilli la déposition de Mlle Blake, dit Freemont. Je doute que nous aurons encore besoin d'elle ce soir.

Bradford se retourna vers elle.

—Ça, c'est à nous d'en juger...

—Si Mlle Blake m'avait appelée après avoir examiné le cadavre d'Ellie Quinlan, nous n'aurions pas trois victimes de plus sur les bras, dont deux représentants de la loi.

Je me tournai vers Freemont. Quelqu'un allait se faire botter le cul, et elle ne voulait pas que ce soit elle. Très bien. Nous pouvions être deux à jouer à ce petit jeu.

—N'oubliez pas le garçon qui a disparu, susurrai-je.

Tout le monde se tourna vers moi.

—Vous voulez désigner des coupables ? Ça ne me dérange pas. Il y a assez de blâmes à distribuer pour que chacune de nous reçoive sa part. Si vous ne m'aviez pas virée, un peu plus tôt, je vous aurais peut-être appelée. Mais j'ai contacté la police de l'État. Si vous aviez raconté à vos supérieurs tout ce que je vous ai dit, ils auraient fait le rapprochement entre les deux affaires, et ils vous auraient envoyée ici de toute façon. Vous ne pouvez vous en prendre qu'à vous-même.

—J'avais assez d'hommes avec moi pour couvrir le périmètre de la maison et protéger tous les civils, répliqua

Freemont. M'avoir court-circuitée a coûté la vie à plusieurs personnes.

— Peut-être. Mais si vous étiez venue, vous m'auriez encore chassée. Vous auriez entraîné St. John et les autres dans une battue nocturne, et vous vous seriez fait tomber dessus par cinq buveurs de sang, dont un ancien, alors que tout ce que vous avez déjà vu, ce sont des photos de victimes de vampires. Ils vous auraient massacrés. Mais peut-être – et je dis bien « peut-être » – que Beth St. John serait toujours vivante, et que Jeff Quinlan n'aurait pas disparu.

Je soutins son regard et vis sa colère s'éteindre.

— Nous avons merdé toutes les deux, sergent.

Puis je me tournai vers les Fédéraux.

— J'attendrai dehors.

— Une minute ! Selon Storr, dans un cas comme celui-là, il arrive que la communauté vampirique prête main-forte aux enquêteurs, déclara Bradford. À qui puis-je m'adresser dans le coin ?

Elwood fronça les sourcils.

— Pourquoi les vampires traqueraient-ils un des leurs ?

— Parce que ce genre de boucherie est mauvais pour leurs affaires. Surtout depuis que la fille du sénateur Brewster est morte. Les vampires n'ont pas besoin de publicité négative. La plupart adorent avoir une existence légale. Ils aiment bien que les buter soit considéré comme un meurtre…

— Alors, à qui puis-je m'adresser ? insista Bradford.

Je soupirai.

— Je l'ignore. Je ne suis pas du coin.

— Dans ce cas, comment savoir qui contacter ?

— Là, je peux peut-être vous aider.

— Comment ?

— Je connais quelqu'un qui pourra probablement me donner un nom. Et sans vouloir faire la maligne, je vous rappelle que beaucoup de monstres détestent les flics. Il n'y a pas si longtemps, vous leur tiriez encore dessus à vue.

— Vous dites qu'ils accepteront de parler avec vous, mais pas avec nous ? demanda Elwood.

— Quelque chose comme ça.

— Ça n'a pas de sens ! Vous êtes une exécutrice de vampires. Votre boulot, c'est de les tuer. Pourquoi préféreraient-ils avoir affaire à vous plutôt qu'à nous ?

Je ne savais pas comment lui expliquer, et je n'étais pas certaine de vouloir essayer.

— Je relève aussi des zombies, agent Elwood. Du coup, je crois qu'ils me considèrent comme une des leurs.

— Même si vous êtes leur version de la chaise électrique ?

— Même si…

— Ce n'est pas logique.

J'éclatai de rire.

— Parmi tous les événements de ce soir, y en a-t-il un qu'on puisse accuser d'être logique ?

Elwood eut l'ombre de l'ombre d'un sourire. Ce gars devait débuter dans le métier et croire dur comme fer qu'un Fédéral digne de ce nom ne se fendait jamais la pipe…

— Vous ne cacheriez pas d'informations aux autorités fédérales, n'est-ce pas, mademoiselle Blake ? demanda Bradford.

— Si j'arrive à trouver dans les parages un vampire qui accepte de vous parler, je vous donnerai son nom, promis-je.

— Et pourquoi pas : si vous arrivez à trouver un vampire dans les parages, vous nous donnerez son nom ? demanda-t-il. Nous nous chargerons du reste.

Je soutins son regard une seconde et mentis :

— D'accord.

Si je voulais que les monstres continuent à m'aider, je ne pouvais pas tous les balancer aux flics. Il fallait me contenter de quelques spécimens triés sur le volet.

Bradford me dévisagea comme s'il ne me croyait pas, mais il ne pouvait pas décemment me traiter de menteuse en face.

— Quand nous aurons capturé les responsables, nous vous appellerons pour que vous les exécutiez.

Déjà plus que Freemont n'était prête à faire. Mes perspectives s'élargissaient.

— Bipez-moi dès que vous serez prêts.

— À présent, nous allons nous entretenir avec le sergent Freemont.

Je venais d'être congédiée. Ce qui ne me dérangeait pas plus que ça. Bradford me tendit la main, et je la lui serrai. Je fis de même avec Elwood, tout le monde se sourit, et je quittai la pièce.

Larry m'attendait dans le hall. Il se leva de la dernière marche de l'escalier où il était assis.

— Et maintenant ?

— Je dois passer un coup de fil.

— À qui ?

Deux autres types avec l'inscription « FBI » tatouée sur le front sortirent de la cuisine. Je secouai la tête et sortis par la porte de devant dans la nuit fraîche et venteuse. Les environs grouillaient de flics. Je n'avais jamais vu autant d'agents fédéraux de ma vie. Cela dit, un vampire tueur en série était une sacrée nouveauté. Ceci expliquait peut-être cela.

À regarder tous ces gens qui s'agitaient sur la pelouse impeccablement entretenue, j'eus soudain très envie de rentrer chez moi. De plier bagages et de rentrer chez moi, tout simplement. Il était tôt. Des heures et des heures d'obscurité nous attendaient encore. Et s'il me semblait qu'une éternité était passée depuis que nous avions quitté le cimetière, ça n'était qu'une impression. J'aurais même le temps de retourner étudier le champ d'ossements de Stirling avant le lever du soleil.

Je montai dans la Jeep prêtée par Bayard pour utiliser le téléphone.

Larry entra par le côté passager.

— C'est un appel privé, le rabrouai-je.

— Allez, Anita…

— Dehors.

— Dans le noir avec les méchants vampires ? demanda-t-il en clignant de ses grands yeux bleus.

Mais je ne me laissai pas attendrir.

— Cet endroit grouille de flics. Tu devrais être en sécurité. Dehors.

Larry sortit de la voiture en grognant entre ses dents. Il pouvait grommeler autant qu'il voulait. Il aspirait à devenir chasseur de vampires ? D'accord. Mais ça ne l'obligeait pas à être aussi intime avec les monstres que moi. Je m'efforçais de le tenir à l'écart autant que possible. Ce n'était pas facile, mais ça en valait la peine.

J'avais menti aux gentils agents. Relever les zombies ne me met pas dans les petits papiers des vampires. Ils me respectent parce que le maître de la ville de Saint Louis en pince pour moi.

Il veut coucher avec moi et il est amoureux de moi – ou plutôt, il le pense.

Je connaissais le numéro par cœur, ce qui était déjà un très mauvais signe en soi…

— *Plaisirs coupables*, le club où vos fantasmes les plus obscurs deviennent réalité. Robert à l'appareil. Que puis-je pour vous ?

Génial. Robert, un des vampires que je déteste le plus. Et la concurrence est rude.

— Salut, Robert. C'est Anita. Je dois parler à Jean-Claude.

— Je vais te transférer sur le poste de son bureau. Le système est encore tout neuf. Si je te coupe par erreur, rappelle.

La ligne cliqueta avant que je puisse répondre. Il y eut quelques secondes de silence, puis une voix familière résonna à mon oreille. On dira ce qu'on veut de Jean-Claude, mais il est irrésistible au téléphone.

— Bonsoir, ma petite.

Malgré les grésillements de la ligne, sa voix me caressa comme une étole de fourrure.

— Je suis près de Branson. Il faut que je contacte le maître de cette ville.

— Même pas de « Bonsoir Jean-Claude, comment allez-vous ? ». Droit au but. C'est terriblement grossier de ta part, ma petite.

— Je n'ai pas le temps de jouer ! Une bande de vampires rôde dans le coin. Ces fumiers ont enlevé un jeune garçon. Je veux le retrouver avant qu'ils le transforment.

— Quel âge a-t-il ?

— Seize ans.

— Autrefois, un garçon de seize ans était considéré comme un homme, ma petite.

— Aujourd'hui, c'est un mineur.

— Les a-t-il accompagnés de son plein gré ?

— Non.

— En es-tu certaine, ou répètes-tu ce qu'on t'a dit ?

— J'ai parlé avec lui. Il ne les a pas accompagnés de son plein gré.

Jean-Claude soupira, et le bruit de son souffle glissa sur ma peau comme la caresse de doigts glacés.

— Qu'attends-tu de moi, ma petite ?

— Je veux parler au maître de la ville de Branson. Ou plutôt à la maîtresse, si je crois ce que m'en a dit un flic. Il me faut son nom. Je pense que vous savez qui c'est ?

— Bien entendu, mais ce n'est pas si simple.

— Nous avons trois nuits pour sauver ce garçon – beaucoup moins si ses ravisseurs veulent juste grignoter un bout.

— La maîtresse de Branson, c'est bien une femme, ne te parlera pas sans un guide pour t'introduire auprès d'elle.

— Dans ce cas, envoyez-moi quelqu'un.

— Qui ? Robert ? Willie ? Aucun d'eux n'est assez puissant pour t'escorter.

— Si vous entendez par là qu'ils seraient incapables de me protéger, je n'en ai pas besoin. Je peux me défendre toute seule.

— Je le sais bien, ma petite. Tu me l'as souvent prouvé. Mais tu n'as pas l'air aussi dangereuse que tu l'es. Tu serais peut-être obligée de tuer un ou deux de ses gardes du corps à titre de démonstration. Et si tu en sors vivante, ça ne la mettrait pas dans de bonnes dispositions à ton égard.

— Je veux ramener ce garçon sain et sauf, Jean-Claude. Aidez-moi, bon sang !

— Ma petite…

Je revis les grands yeux sombres de Jeff Quinlan et le papier peint décoré de cow-boys dans sa chambre.

— Aidez-moi, Jean-Claude, répétai-je.

Il se tut quelques instants.

— Je suis le seul assez puissant pour te servir d'escorte. Veux-tu que je lâche tout pour me précipiter à tes côtés ?

Ce fut mon tour de garder le silence. Présenté ainsi, ça ne me plaisait pas du tout. On aurait dit qu'il me faisait une grande faveur. Or, je ne voulais pas avoir de dette envers lui. Mais si j'acceptais, je survivrais probablement. Si je refusais, ce ne serait sans doute pas le cas de Jeff Quinlan…

— D'accord, marmonnai-je.

— Tu veux que je vienne t'aider ?

— Oui.

— Je viendrai demain soir.

— Non. Ce soir.

— Ma petite, ma petite… Que vais-je faire de toi ?

— Vous avez dit que vous m'aideriez.

— Et je le ferai, mais ces choses-là prennent du temps.

— Quelles choses ?

— Considère Branson comme un pays étranger. Un pays étranger et potentiellement hostile, où je devrai me démener pour avoir une autorisation d'entrée. Il y a des coutumes. Si je débarque sans prévenir, ce sera considéré comme une déclaration de guerre.

— N'y a-t-il pas moyen de voir la maîtresse ce soir sans déclencher les hostilités ?

— Peut-être, mais si tu attendais une nuit de plus, je serais en mesure de garantir notre sécurité.

— Nous pouvons prendre soin de nous-mêmes. Contrairement à Jeff Quinlan.

— C'est le nom du garçon ?

— Oui.

Jean-Claude prit une profonde inspiration et la relâcha – un soupir qui me fit frissonner. Je lui aurais bien demandé d'arrêter, mais ça l'aurait beaucoup trop amusé…

— Je viendrai ce soir. Comment puis-je te contacter une fois sur place ?

Je lui donnai le numéro de mon hôtel puis, presque à contrecœur, celui de mon bipeur.

— Je t'appellerai dès l'atterrissage.

— Combien de temps vous faudra-t-il pour voler jusqu'ici ?

— Anita, crois-tu vraiment que je vais venir en volant comme le ferait un oiseau ?

L'amusement que je percevais dans sa voix ne me plaisait guère, mais je ne pris pas la peine de lui mentir.

— Cette possibilité m'a effleuré l'esprit.

Il éclata de rire, et tous les poils se hérissèrent sur mes bras.

— Oh, ma petite, tu es vraiment impayable.

Juste ce que je voulais entendre.

— Alors, comment allez-vous venir ici ?

— Avec mon jet privé, bien sûr.

Bien sûr. J'aurais dû me douter qu'il en avait un.

— Quand arriverez-vous ?

— Dès que je le pourrai, mon impatiente petite fleur.

— *Ma petite* est déjà bien suffisant…

— Comme tu voudras.

— Je veux voir la maîtresse de Branson avant l'aube.

— Tu t'es montrée très claire sur ce point, ma petite, et j'essaierai de te satisfaire.

— Essayer ne suffira pas.

— Tu te sens coupable pour ce garçon, n'est-ce pas ?

— Je ne me sens pas coupable.

— Responsable, alors.

Mes épaules s'affaissèrent. Il avait raison.

— J'imagine que vous ne venez pas de lire dans mon esprit ?

— Non, ma petite. C'est ta voix et ton impatience qui t'ont trahie.

Je détestais savoir qu'il me connaissait si bien.

— D'accord : je me sens responsable.

— Pourquoi ?

— Parce que j'étais chargée de sa sécurité et de celle de ses parents.

— As-tu fait tout ton possible pour le protéger ?

— Je leur ai dit de placer des hosties devant toutes les portes et les fenêtres de leur maison.

— J'en déduis que quelqu'un a laissé entrer les ravisseurs ?

— Non. Ils avaient découpé une petite porte pour leur chien dans le mur qui donnait sur le garage, histoire de ne pas abîmer leurs portes à eux.

— Y avait-il un enfant vampire parmi les ravisseurs ?

— Non.

— Dans ce cas, comment expliques-tu qu'ils aient pu s'introduire chez les Quinlan ?

Je lui décrivis le grand vampire squelettique.

— On aurait presque dit une métamorphose, conclus-je. Ça lui a pris quelques secondes. Après, il aurait pu passer pour un humain sous un éclairage pas trop soutenu. Je n'avais jamais rien vu de pareil.

— Et moi, je ne l'ai vu qu'une seule fois…

— Vous savez de qui il s'agit, n'est-ce pas ?

— Je te rejoins aussi vite que possible, ma petite.

— Vous semblez bien sérieux tout à coup, fis-je. Pourquoi ?

Jean-Claude eut un petit rire, mais l'amertume qu'il exprimait me donna l'impression d'avoir avalé du verre pilé. Ça faisait mal rien que de l'entendre.

— Tu me connais trop bien, ma petite.

— C'est marrant, je me disais la même chose il y a quelques minutes. Contentez-vous de répondre.

— Le garçon qui a été enlevé faisait-il plus jeune que son âge ?

— Oui. Pourquoi ?

Un silence à couper au couteau me répondit.

— Parlez-moi, Jean-Claude.

— D'autres jeunes garçons ont-ils disparu récemment dans la région ?

— Pas à ma connaissance, mais je n'ai pas demandé.

— Demande.

— Quel âge ?

— Douze ou treize ans, un peu plus s'ils ne sont pas encore pubères.

— Comme Jeff Quinlan, hein ?
— Je le crains.
— Ce vampire dont vous ne voulez pas me parler… se borne-t-il à enlever des enfants ?
— Que veux-tu dire, ma petite ?
— Je veux savoir s'il est porté sur le meurtre.
— Quel genre de meurtre ?
J'hésitai. En général, j'évite d'évoquer les enquêtes de police en cours avec les monstres.
— Je sais que tu ne me fais pas confiance, ma petite, mais c'est important. Parle-moi de ces morts, s'il te plaît.
Il est très rare que Jean-Claude dise « s'il te plaît ». Assez pour que ça me foute les jetons. Alors, je lui racontai ce qui s'était passé.
— Les corps avaient-ils été violés ?
— Comment ça, violés ? Vous voulez dire, sexuellement ? Je ne pense pas. Ils portaient encore leurs vêtements.
— On peut faire des tas de choses à quelqu'un sans le déshabiller, ma petite. Mais le viol dont je te parle aurait eu lieu avant les meurtres. Il s'agirait d'un abus répété sur une période de plusieurs semaines, voire plusieurs mois.
— Je vais me renseigner. (Une idée me traversa l'esprit.) Ce vampire s'intéresse-t-il aussi aux filles ?
— D'un point de vue sexuel ?
— Oui.
— S'il manquait vraiment de compagnie, il pourrait prendre une très jeune fille prépubère. Mais seulement s'il n'avait rien d'autre à se mettre sous la dent – passe-moi l'expression.
Je déglutis. Nous parlions d'enfants comme s'ils étaient des objets.
— Non, la fille à qui je pense ressemblait déjà à une femme.

— Dans ce cas, non, il ne l'aurait pas touchée volontairement.

— Volontairement ? Comment aurait-il pu la toucher involontairement ?

— Son maître aurait pu le lui ordonner… Mais je vois très peu de gens assez puissants pour le forcer à faire une chose qui lui répugne.

— Vous connaissez ce vampire. Qui est-il ? Donnez-moi un nom.

— Quand j'arriverai, ma petite.

— Donnez-moi son nom.

— Pour que tu puisses le transmettre aux flics ?

— C'est leur boulot…

— Non, ma petite. Pas s'il s'agit bien de la créature à laquelle je pense.

— Pourquoi ?

— Disons qu'elle est trop dangereuse et trop… exotique pour que son existence soit révélée au grand public. Si les mortels venaient à apprendre que de telles horreurs se cachent parmi nous, ils pourraient se retourner contre nous tous. Tu as sans doute entendu parler du vilain projet de loi sur lequel le Sénat doit se prononcer prochainement.

— J'en ai entendu parler.

— Dans ce cas, tu peux comprendre ma prudence.

— Peut-être, mais si d'autres gens meurent à cause de votre prudence, ça aidera la loi de Brewster à passer. Pensez-y.

— Oh, j'y pense, ma petite. Fais-moi confiance : j'y pense. Et maintenant, au revoir. J'ai beaucoup de travail en perspective.

Il me raccrocha au nez dans le plus pur style « dolphien ».

Je restai assise dans la Jeep à contempler le téléphone et à le maudire. Que voulait-il dire par « exotique » ? Que pouvait faire cet étrange vampire dont les autres étaient incapables ? Rétrécir assez pour passer par une porte pour chien ? Houdini aurait peut-être hurlé à la concurrence déloyale, mais ce n'était pas un crime.

Je me souvenais de son visage. Un visage qui n'était pas celui d'un humain, ni même d'un cadavre. Quelque chose d'autre, de différent. Et je me souvenais des secondes que j'avais perdues. Deux fois. Moi, la grande chasseuse de vampires, je m'étais retrouvée aussi impuissante que n'importe quel civil. Et face à un vampire, une seule seconde d'hésitation aurait suffi à me faire tuer.

Ce genre de visions pouvait justifier qu'on parle de démons, ce que M. Quinlan avait fait brièvement. Mais les flics l'avaient ignoré et je n'avais pas corroboré son histoire. Il n'avait jamais rencontré de véritable démon, sinon, il n'aurait pas pu se tromper.

Quand on a croisé un démon, on ne l'oublie jamais. Je préférerais combattre une douzaine de vampires à la fois. Parce que les démons se fichent des balles en argent.

Chapitre 17

Il était plus de deux heures du matin quand nous revînmes au cimetière. Les Fédéraux nous avaient retenus une éternité, comme s'ils ne croyaient pas que nous leur ayons dit la vérité. Allez donc comprendre pourquoi !

Je déteste être accusée de cacher des informations quand je ne le fais pas. Ça me donne envie de mentir pour ne pas décevoir les gens qui m'interrogent. J'imagine que Freemont leur avait fait de moi un portrait assez peu charitable. Ça m'apprendra à être généreuse. Mais il semblait un peu mesquin de se montrer mutuellement du doigt et de dire « C'est pas moi, c'est elle » quand le sang de Beth St. John était encore humide sur la moquette.

Le vent qui nous avait promis une pluie imminente était retombé comme un soufflé trop cuit. Les nuages qui obscurcissaient les bois pendant que nous jouions aux gendarmes et aux vampires avaient disparu. La lune brillait haut dans le ciel ; elle avait commencé sa phase descendante deux jours avant. Depuis que je sors avec Richard, c'est le genre de détail auquel je fais attention. Bizarre, vous avez dit bizarre ?

Le clair de lune était si vif qu'il projetait de légères ombres sur le sol. Du coup, on n'avait pas besoin de lampe. Ça n'avait pas empêché Raymond Stirling d'apporter une putain de torche halogène qui emplissait sa main tel un soleil captif. Dès qu'il fit mine de la braquer sur Larry et sur moi, je levai un bras et m'exclamai :

— Ne nous mettez pas la lumière dans les yeux ! Vous allez bousiller notre vision nocturne !

Pas très diplomatique, mais j'étais fatiguée, et la nuit n'était pas terminée…

Stirling hésita. Je n'eus pas besoin de voir son visage pour comprendre que ça ne lui avait pas plu. Les hommes comme lui distribuent les ordres mieux qu'ils ne les reçoivent.

Il éteignit sa lampe. Un bon point pour lui. Il nous attendait avec Mlle Harrison, Bayard et Beau. Et il était le seul à avoir une lampe. J'aurais parié que ses sous-fifres se fichaient de leur vision nocturne comme de l'an quarante, et qu'ils auraient bien aimé en avoir une aussi.

Larry et moi portions toujours nos combinaisons. Je commençais à me lasser de la mienne. J'avais vraiment envie de rentrer à l'hôtel pour dormir. Mais je devais attendre Jean-Claude. Alors, autant tuer le temps en bossant jusqu'à son arrivée. Sans compter que Stirling était mon seul client payant. Bien sûr, je touche une prime chaque fois que j'exécute un vampire à la demande du tribunal, mais ça ne va pas chercher loin. Stirling finançait ce voyage. Il méritait que je lui en donne pour son argent.

— Ça fait une éternité que nous vous attendons, mademoiselle Blake.

— Je suis navrée que la mort d'une jeune fille ait perturbé votre emploi du temps, monsieur Stirling. Y allons-nous ?

— Je ne suis pas dépourvu de compassion, mademoiselle Blake, et je n'aime pas beaucoup vos insinuations.

Il se tenait face à moi sous le clair de lune, le dos très droit. Mlle Harrison et Bayard se rapprochèrent légèrement de lui pour lui témoigner leur soutien. Beau resté planté dans son dos, un vague sourire sur les lèvres. Avec son imperméable noir à capuche, il ressemblait à un fantôme.

Je levai les yeux vers le ciel clair et scintillant, puis me retournai vers lui. Il eut une grimace si large que ses dents étincelèrent dans la pénombre. Je secouai la tête et ne relevai pas. Il avait peut-être été boy-scout autrefois : toujours prêt et tout le baratin.

— Si vous le dites… Dépêchons-nous d'en finir.

Je passai devant eux et, sans les attendre, commençai l'escalade de la montagne.

— Tu es malpolie, fit Larry qui, fidèle à son habitude, ne m'avait pas lâchée d'une semelle.

— Ouais, et alors ?

— C'est un client, Anita.

— Je n'ai pas de leçons à recevoir de toi, d'accord ?

— Mais enfin, qu'est-ce qui te prend ?

Je m'arrêtai net.

— Ce que nous venons de voir. J'aurais pensé que ça te turlupinerait un peu plus.

— Ça me turlupine, mais je n'éprouve pas le besoin de passer mes nerfs sur les autres.

Je pris une profonde inspiration et expirai lentement. Il avait raison. Et merde.

— Ça va, j'ai compris. Je tâcherai d'être un peu plus aimable.

Stirling nous rattrapa, sa clique sur les talons.

— Vous venez, mademoiselle Blake ? lança-t-il en nous dépassant, le dos raide comme un piquet.

Mlle Harrison trébucha, et seule la main de Bayard, qui lui tenait le coude, l'empêcha de tomber sur le cul. Elle portait toujours ses talons aiguilles. Le code vestimentaire des secrétaires devait sans doute prohiber le port des baskets.

Beau les suivait, son imperméable noir lui battant les jambes avec un bruit des plus irritants. D'accord : en ce moment, tout m'irritait. J'étais d'une humeur massacrante.

Jeff Quinlan était quelque part dans la nature, déjà mort ou au minimum mordu par un vampire. Ce n'était pas ma faute. J'avais dit à son père de déposer une hostie devant chaque accès de leur maison.

J'aurais mentionné la porte du chien si je l'avais vue, mais je ne m'étais pas aventurée assez loin pour ça. Malgré ma parano rampante, je n'aurais pas cru qu'un vampire puisse entrer par là. Mais je l'aurais citée quand même, et Beth St. John serait toujours vivante.

J'avais merdé. Je ne pouvais pas ressusciter Beth, mais sauver Jeff restait possible. Et je le ferais. Je le ferais. Je ne me contenterais pas de le venger en exécutant le vampire responsable de sa mort. Pour une fois, je voulais arriver à temps. Oui, je désirais sauver un innocent et laisser quelqu'un d'autre se charger de la vengeance.

Jeff se faisait-il violer à l'instant même ? La créature que j'avais vue dans le salon des Quinlan ne se contenterait-elle pas de lui suçoter le cou ? Dieu, j'espérais que si. J'étais presque sûre de guérir Jeff d'une morsure de vampire, mais s'il était sexuellement malmené par un monstre, je ne pourrais rien garantir. Et si je le retrouvais, mais qu'il ne restait pas grand-chose à sauver ? L'esprit humain est souvent plus fragile que le corps.

Alors que nous gravissions le flanc de la montagne, je priai pour Jeff Quinlan et sentis mon calme revenir. Je n'eus pas de vision et n'entendis pas chanter les anges. Mais un sentiment de paix me submergea. Je pris une grande inspiration, l'étau qui me comprimait le cœur se relâchant.

Je considérai ça comme un signe que je retrouverais Jeff à temps. Mais une partie de moi restait sceptique. Dieu ne sauve pas toujours les gens. Parfois, Il nous donne seulement la force de survivre à leur disparition. Je suppose que je ne Lui fais pas entièrement confiance. Si je ne doute jamais de Lui, Ses motivations me dépassent. « À travers une vitre sombre » et tout le bazar. De temps en temps, j'aimerais que la vitre soit transparente et qu'on puisse voir à travers.

La lune projetait sur le sommet de la montagne un éclat pareil à un feu argenté. L'air en devenait presque lumineux. La pluie s'était éloignée pour administrer sa bénédiction ailleurs. Le ciel savait pourtant que cette région en avait besoin, mais je me réjouissais de n'être pas obligée de piétiner dans la boue sous un déluge.

— Alors, mademoiselle Blake, pouvons-nous commencer ? demanda Stirling.

— Oui.

Je pris une inspiration et ravalai les choses un peu brutales que j'avais envie de dire. Larry avait raison. Stirling était un enfoiré, mais ce n'était pas après lui que j'en avais. Il faisait juste une cible commode.

— M. Kirkland et moi allons arpenter le cimetière. Vous devrez rester ici. La présence d'autres personnes autour de nous risquerait de nous distraire.

Voilà ! J'avais réussi à me montrer diplomate.

— Si vous aviez l'intention de nous laisser plantés là, vous auriez pu nous l'annoncer en bas et nous épargner l'escalade, répliqua Stirling, mécontent.

Au temps pour ma belle diplomatie ! Je soupirai.

— Auriez-vous préféré que je vous demande de rester en bas, là où vous n'auriez pas pu voir ce que nous allons faire ?

— Je suppose que non.

— Dans ce cas, de quoi vous plaignez-vous ?

— Anita, murmura Larry entre ses dents.

Je l'ignorai.

— Monsieur Stirling, la nuit a été très difficile, et je suis un peu à court de bonnes manières. Merci de me laisser faire mon travail. Plus vite nous aurons fini, plus vite nous pourrons tous rentrer chez nous. D'accord ?

L'honnêteté. C'était à peu près tout ce qui me restait. Pourvu que ça marche…

Stirling hésita avant de hocher la tête.

— Très bien, mademoiselle Blake. Faites donc votre travail. Mais sachez que je vous trouve très désagréable. Il vaudrait mieux pour vous que ce soit spectaculaire.

J'ouvris la bouche pour riposter, mais Larry me prit le bras. Il ne serra pas trop fort : juste assez pour que je ravale ce que j'étais sur le point de dire et m'éloigne de Stirling sans rien ajouter. Larry m'emboîta le pas. Brave garçon.

— C'est quoi, ton problème ? me demanda-t-il quand nous fûmes hors de portée d'ouïe de Stirling et compagnie.

— Je te l'ai déjà dit.

— Non. Ça n'a rien à voir avec ce qui s'est passé chez les Quinlan. Je t'ai déjà vue tuer des gens et être moins bouleversée que ça. Dis-moi ce qui ne va pas.

Je m'arrêtai et restai plantée là une bonne minute. Larry m'avait vue tuer des gens et être moins bouleversée ensuite. C'était vrai ? Je n'eus pas à réfléchir longtemps. Oui, ça l'était. Et je trouvais ça bien triste.

Je savais ce qui clochait chez moi. J'avais vu beaucoup trop de cadavres au cours des derniers mois. Trop de sang. Trop de meurtres. Et j'en avais commis certains, parfois sans autorisation légale.

Je voulais partir à la recherche de Jeff Quinlan, mais je ne pouvais rien faire jusqu'à l'arrivée de Jean-Claude. Pourtant, j'avais l'impression que mon boulot pour l'agence gênait mon travail pour la police. Était-ce mauvais signe ?

J'aspirai une longue goulée d'air pur et la relâchai lentement en me concentrant sur mon souffle. Inspirer… Expirer… Inspirer… Expirer… Quand j'eus retrouvé mon calme, je levai les yeux vers Larry.

— Je suis juste un peu à cran ce soir, affirmai-je. Mais ça va aller.

— Si je répétais « juste un peu à cran » d'un air incrédule, tu te mettrais en rogne ?

— Probablement.

— Tu es d'une humeur encore plus massacrante que d'habitude depuis que tu as parlé à Jean-Claude. Pourquoi ?

Je sondai son visage innocent en me demandant si je devais lui répondre. Larry n'est pas beaucoup plus vieux que Jeff Quinlan : quatre ans à peine. Il pourrait encore se faire passer pour un lycéen.

— Tu veux vraiment le savoir ? soupirai-je.

Et je lui racontai.

— Un vampire pédophile, murmura-t-il. Ça ne va pas contre les règles ?

— Quelles règles ?

— Celles qui disent qu'on ne peut être qu'un seul genre de monstre à la fois.

— Moi aussi, ça m'a surprise, avouai-je.

Une expression étrange passa dans le regard de Larry.

— Doux Jésus. Jeff Quinlan est avec cette horreur. Nous devons faire quelque chose, Anita. Il faut le sauver !

Il se détourna comme pour redescendre immédiatement. Je le retins et secouai la tête.

— Nous ne pouvons pas partir à sa recherche avant l'arrivée de Jean-Claude.

— Mais on ne va pas rester là les bras croisés ! lança Larry.

— Nous ne restons pas là les bras croisés ! criai-je. Nous faisons notre boulot.

— Alors qu'un gamin risque de…

— Nous ne pouvons rien faire d'autre pour le moment ! coupai-je.

Larry me dévisagea un instant, puis hocha la tête.

— D'accord. Si tu peux te montrer aussi calme, j'y arriverai aussi.

— C'est bien.

— Merci. Maintenant, montre-moi ce truc si pratique dont tu m'as parlé. Je n'ai jamais entendu parler d'une personne capable de « lire » les morts sans les relever avant.

En vérité, j'ignorais s'il y parviendrait. Mais lui dire le contraire ne risquait pas de lui donner confiance. La magie – si c'est le terme exact – dépend bien souvent de la foi en ses propres capacités. J'ai vu des gens très puissants se laisser paralyser par le doute.

— Je vais arpenter le cimetière.

Je cherchais une façon d'exprimer ça avec des mots. Comment expliquer une chose qu'on ne comprend pas ?

J'ai toujours eu une affinité avec les morts. Toute petite, déjà, j'étais capable de dire si l'âme d'un défunt avait quitté son corps. Je me souviens des funérailles de ma grand-tante Katerine, celle dont mes parents m'ont donné le prénom – en second, après Anita. C'était la tante préférée de mon père. Le jour de son enterrement, nous sommes arrivés tôt pour voir le corps et nous assurer que tout était prêt. J'ai senti son âme planer au-dessus du cercueil. J'ai levé la tête, mais il n'y avait rien que mes yeux puissent repérer.

Depuis, beaucoup d'eau a coulé sous les ponts. Je n'ai jamais vu une âme. J'en ai senti des tas, mais jamais aperçu aucune.

Je sais à présent que celle de ma grand-tante Katerine est restée dans les parages un moment. La plupart des âmes s'en vont dans les trois jours qui suivent le décès. Certaines s'envolent instantanément, d'autres pas. Celle de ma mère avait déjà disparu le jour de son enterrement. Il ne restait qu'un cercueil fermé couvert d'un tapis de roses, comme si quelqu'un avait craint que le corps prenne froid.

C'était chez nous que je sentais la présence de ma mère. Pas son âme, mais un morceau d'elle qui s'accrochait encore à ce monde. J'entendais ses pas dans le couloir, hors de ma chambre, comme si elle allait entrer pour me dire bonne nuit. Elle s'était déplacée dans la maison pendant des mois, et j'avais trouvé ça réconfortant. Quand elle était enfin partie, j'étais prête à la laisser s'en aller. Je n'en avais jamais parlé à mon père. À l'époque, j'avais seulement huit ans, mais je savais qu'il était incapable d'entendre ça. Cela dit, il captait peut-être d'autres choses auxquelles je demeurais sourde. Il est très rare que nous parlions de la mort de maman. Aujourd'hui encore, ça le fait pleurer.

J'étais capable de sentir les fantômes longtemps avant de commencer à relever les morts. Ce que j'allais faire était une « extension » de ce pouvoir, ou peut-être une combinaison des deux. Je ne sais pas trop au juste. Mais c'était comme tenter d'expliquer qu'une âme flottait au-dessus du cercueil de la grand-tante Katerine. Ou on la sent, ou on ne la sent pas. Et dans le second cas, les mots ne suffisent pas à compenser le manque de perception.

— Tu arrives à voir les fantômes ? demandai-je à Larry.

— Quoi, en ce moment ?

— Non, je veux dire : en général.

— Eh bien… Je savais que la maison de Calvin n'était pas hantée, quoi que prétendaient les gens du voisinage. Mais près de chez nous, il y avait une petite grotte qui abritait quelque chose de pas sympa.

— Un fantôme ?

Larry haussa les épaules.

— Je n'ai jamais été vérifié, mais personne d'autre ne le sentait.

— Es-tu capable de dire à quel moment une âme quitte le corps qu'elle occupait ?

— Bien entendu, répondit-il comme si n'importe qui pouvait en faire autant.

Je ne pus réprimer un sourire.

— C'est déjà pas mal. Bon, je vais me contenter de faire mon boulot. J'ignore ce que tu verras, ou même si tu verras quelque chose. Mais je sais déjà que Raymond sera très déçu : parce que lui, il ne verra rien… À moins qu'il soit beaucoup plus doué qu'il en a l'air.

— Que vas-tu faire exactement, Anita ? À la fac, on ne nous a jamais parlé d'« arpenter un cimetière ».

— Ça n'a rien à voir avec un sort. Il n'y a pas de mots à prononcer ni de gestes particuliers à faire. Ça ressemble davantage à une capacité psychique qu'à de la magie. Ce n'est pas physique. Ça ne relève ni du déplacement, ni même de la pensée. Je le fais, un point c'est tout. Laisse-moi commencer. Si je peux, j'essaierai de t'inclure dans le processus ou d'assurer les commentaires au fur et à mesure, d'accord ?

— Je ne comprends toujours pas de quoi il s'agit, mais ça n'est pas grave. La plupart du temps, je n'ai pas la moindre idée de ce qui se passe autour de moi.

— Mais en général, tu finis par piger !

Il fit la grimace.

— C'est vrai.

Je me campai au centre de la zone de terre retournée. Il n'y avait pas si longtemps, ce que j'étais sur le point de faire m'aurait effrayée. Pas parce que c'était effrayant en soi, mais parce que j'en étais capable. Et que ça n'avait rien de très humain, comme pouvoir.

Dernièrement, j'ai été amenée à réviser mon jugement sur ce qui fait de quelqu'un un humain ou un monstre. Autrefois, j'étais très sûre de mon camp, et de celui auquel appartenaient tous les gens que je rencontrais. Depuis, mes certitudes ont volé en éclats. Et je me suis beaucoup entraînée.

D'accord : je me suis entraînée dans des cimetières vides, où j'étais seule avec les morts. Et quelques insectes nocturnes. Mais les arthropodes n'ont jamais troublé ma concentration. Contrairement aux gens.

Même en lui tournant le dos, je sentais la présence de Larry derrière moi. Et ça me gênait.

— Tu pourrais reculer un peu ?

— Bien sûr. Jusqu'où ?

— Aussi loin que possible sans me perdre de vue.

Il fronça les sourcils.

— Tu veux que j'aille attendre avec Stirling ?

— Si tu peux le supporter.

— Je le supporterai. Je suis plus doué que toi pour fraterniser avec les clients.

Ça, c'était la pure vérité !

— Parfait. Quand je t'appellerai, approche lentement. Je n'ai jamais essayé de parler à quelqu'un en même temps.

— D'accord. J'ai vraiment hâte de voir ça.

Je me détournai, puis m'éloignai de quelques pas. Quand je regardai par-dessus mon épaule, je le vis marcher vers les autres. J'espérais qu'il ne serait pas trop déçu. Je ne savais toujours pas s'il réussirait à sentir quelque chose. Mais j'étais sûre que de le voir me perturberait...

Le sommet de la montagne avait été rasé. C'était comme se tenir au bord du monde et regarder vers le bas. Le clair de lune baignait le paysage d'une douce lumière. À cette altitude et en terrain découvert, il faisait si clair que l'air semblait scintiller.

La brise rasait le sol, charriant un parfum de terre mouillée, comme si la pluie était bel et bien tombée. Je fermai les yeux et la laissai caresser ma peau. Il n'y avait presque aucun bruit, à part le bourdonnement des insectes qui montait de la vallée. Rien que la brise, les morts et moi.

Je ne pouvais pas indiquer à Larry comment procéder parce que je n'en étais pas très sûre moi-même. S'il s'était agi d'un muscle, je l'aurais remué. Si ça avait été une idée, je l'aurais pensée. Et si c'était une incantation, je l'aurais prononcée. Mais ça n'est rien de tout ça. Comme si ma peau s'ouvrait, dénudant l'extrémité de mes nerfs. Comme si un vent froid émanait de mon corps. Sauf que ce n'est pas tout à fait du vent. On ne peut ni le voir, ni le sentir. Pourtant, il est là. Réel!

Je frissonnai alors que les tentacules de «vent» se déployaient autour de moi. J'allais pouvoir sonder les tombes dans un rayon de trois à cinq mètres et, si je me déplaçais, ces tentacules bougeraient avec moi.

Je levai le bras et agitai la main sans me retourner pour voir si Larry avait capté mon signal. Mais je restai plantée dans mon cercle, immobile, essayant de ne pas commencer à fouiller le sol avant son arrivée. J'espérais vraiment qu'il sentirait ce qui se passait et qu'il aurait moins de mal à comprendre s'il assistait à tout le processus depuis le début.

Je captais le bruit de ses pas sur la terre sèche. Amplifié comme si je pouvais entendre chaque grain de poussière crisser sous ses semelles.

Il s'arrêta derrière moi.

—Doux Jésus, qu'est-ce que c'est?

—Quoi?

Ma voix me semblait à la fois lointaine et extrêmement forte.

—Ce vent… Ce vent froid.

Larry avait l'air un peu effrayé. Tant mieux. Il faut toujours l'être un peu quand on utilise la magie. C'est quand on commence à prendre trop d'assurance qu'on s'attire des ennuis.

—Rapproche-toi, mais ne me touche pas.

J'ignorais ce qui m'avait poussée à lui donner ce dernier conseil, mais sur le coup, ça m'avait paru être une bonne idée. Un excès de prudence n'a jamais tué personne. Alors qu'un excès de témérité conduit tout droit au cimetière…

Larry avança lentement, une main tendue comme s'il testait le contact du vent sur sa peau. Il écarquilla les yeux.

— Jésus, Marie, Joseph ! Anita, ça vient de toi ! Ce vent vient de toi !

— Je sais, dis-je calmement. Si je me tenais près de Stirling, il ne sentirait rien. Les autres non plus.

Larry secoua la tête.

— Comment pourraient-ils ne pas le sentir ? Plus je me rapproche de toi, plus ça devient froid et fort.

— Intéressant, commentai-je.

— Et maintenant ?

— Maintenant, je vais toucher les morts.

Je lâchai prise, comme si j'ouvrais le poing. Les tentacules de vent s'enfoncèrent dans le sol. Que ressent-on quand on traverse de la terre compacte pour toucher les morts qui gisent dessous ? Rien d'humain, en tout cas. On a l'impression que ces appendices invisibles pourraient se liquéfier pour mieux chercher.

Cette fois, ils n'eurent pas à chercher longtemps. La terre avait été retournée, et les corps étaient remontés pratiquement à la surface.

Je n'avais jamais essayé ce truc ailleurs que dans un cimetière bien rangé, où chaque tombe et chaque corps étaient distincts les uns des autres. Le vent contournait Larry comme un torrent évite un rocher posé au milieu. Mais Larry était vivant, et il perturbait son flux. Il nous perturbait. Heureusement, nous nous étions entraînés, et nous pouvions passer outre.

Je me tenais sur des os, à peine couverts par une pellicule de terre qui empêchait l'œil de les voir. Je tentai de m'en écarter et réussis seulement à poser les pieds sur un autre corps démantibulé. Le sol en était truffé…

J'étais perchée sur un radeau d'ossements dans une mer de terre rouge et sèche. À chaque endroit qu'effleuraient mes sens, il y avait un corps, ou au moins des morceaux de corps. Il ne restait pas d'espace libre pour respirer. Je me recroquevillai sur moi-même, essayant de mettre de l'ordre dans ce que je percevais.

La cage thoracique sur ma gauche allait avec le fémur qui gisait quelques mètres plus loin. Le vent caressait tous les ossements. J'aurais pu reconstituer le squelette comme un puzzle géant. En tout cas, c'était ce que ferait mon pouvoir, si j'essayais de relever ce cadavre.

Je me déplaçai dans le cimetière, marchant sur les morts et identifiant leurs différentes composantes. Les pièces restaient chacune à leur place, mais je me souvenais de leur emplacement.

Larry me suivait. Il évoluait à travers mon pouvoir avec une aisance surprenante, tel un nageur expérimenté laissant des vagues imperceptibles dans son sillage.

Un fantôme jaillit devant nous, flamme pâle et vacillante dans l'obscurité. J'avançai vers lui. Il se redressa en oscillant comme un serpent prêt à frapper, me dévisageant malgré son absence d'yeux. Il émanait de lui la vague hostilité que certains esprits semblent éprouver envers les vivants. Une forme de jalousie. Mais si j'avais été liée à un bout de terre oublié de tous pendant un siècle ou plus, je n'aurais pas forcément été dans de bonnes dispositions non plus.

— Qu'est-ce que c'est ? chuchota Larry.

— Que vois-tu au juste ?

— Je crois que c'est un fantôme. Mais c'est la première fois que j'en vois un se matérialiser.

Il tendit la main comme pour le toucher. Je lui saisis le poignet pour le retenir et sentis son propre pouvoir jaillir, produisant une bourrasque qui aurait dû repousser mes cheveux en arrière.

Le cercle s'élargit brusquement, tel l'objectif d'une caméra dont on vient d'enclencher la fonction grand angle. Les morts s'éveillèrent face à notre pouvoir combiné comme des brindilles embrasées par un feu de forêt. Et alors que nos ondes se répandaient dans tout le cimetière, ils nous dévoilèrent leurs secrets. Lambeaux de muscles desséchés sur les os, crânes béants : tous les morceaux étaient là. Nous n'avions qu'à les appeler pour qu'ils se relèvent.

Deux autres fantômes se dressèrent comme des volutes de fumée. Ça faisait beaucoup d'esprits actifs pour un cimetière aussi petit et aussi ancien. Et ils paraissaient tous furieux que nous les ayons dérangés. Leur niveau d'hostilité était franchement inhabituel.

Combiner nos pouvoirs n'avait pas doublé la surface du cercle : ça l'avait quadruplée.

Le fantôme le plus proche m'apparaissait comme un pilier de flammes blanches. Il était fort et puissant. Larry et moi le regardâmes en silence. Tant que nous ne le toucherions pas, nous serions en sécurité.

Et même si nous le touchions, que pourrait-il nous arriver ? Les fantômes sont incapables de faire des dégâts physiques. Ils peuvent tenter d'empoigner une personne, mais si elle les ignore, ils finissent par se lasser. En revanche, si on leur accorde de l'attention, ils risquent de devenir assez chiants. Et flanquer à quelqu'un la trouille de sa vie. Mais un esprit capable de faire du mal n'est pas un simple fantôme.

Plus j'observais la forme ondulante qui se tenait devant nous, moins j'étais certaine qu'il s'agisse d'un « simple fantôme ». Sinon, il se serait dématérialisé petit à petit, ne laissant qu'un nuage de brume qui aurait mis mal à l'aise toute personne tentant de la traverser. Les fantômes ne durent pas éternellement. Ceux-là avaient l'air un peu trop solides à mon goût.

—Arrêtez ! cria une voix masculine.

Larry et moi nous retournâmes. Magnus Bouvier apparut au sommet de la montagne. Ses cheveux qui voletaient au vent cachaient son visage, à part ses yeux, qui brillaient dans le noir, reflétant des lumières invisibles pour moi.

—Arrêtez ! répéta-t-il en faisant de grands gestes.

Il atteignit la circonférence du cercle de vent et se pétrifia, puis leva les mains comme pour le palper.

Deux personnes capables de sentir mon pouvoir en une seule nuit ! Surprenant, mais plutôt cool. Si Magnus n'avait pas été poursuivi par les flics, nous aurions pu nous asseoir pour en parler tranquillement.

—Nous vous avions demandé de vous tenir à l'écart de ce terrain, monsieur Bouvier, lança Stirling.

Magnus tourna très lentement la tête vers lui, comme s'il avait du mal à se concentrer sur autre chose que mon pouvoir.

—Nous avons tenté de nous montrer conciliants, continua Stirling. Mais cette fois, vous avez dépassé les bornes. Beau ?

Chambrer une cartouche dans un fusil à pompe produit un son très typique. Sans même réfléchir, je me tournai vers sa source, mon flingue à la main.

Beau ne visait rien ni personne en particulier. Ce fut ce qui le sauva. S'il avait braqué son arme sur nous, je lui aurais tiré dessus.

Je voyais toujours double. Derrière mes yeux, à l'endroit où il n'y a pas de nerf optique, était gravée une image du cimetière. Il m'appartenait. Je connaissais ses fantômes et les corps qu'il abritait. Je savais où était chaque os.

Je regardai Beau et son fusil à pompe, mais dans mon esprit, les morts continuaient à ramper vers leurs morceaux éparpillés. Les fantômes étaient toujours réels. Mon pouvoir les avait réveillés, ils danseraient et oscilleraient d'eux-mêmes un moment, mais à la fin, ils regagneraient le sol. Il existe plus d'un moyen de relever les morts, mais pas de manière permanente.

Je ne pouvais détacher mon regard du fusil à pompe pour voir ce que fichait Magnus.

—Anita, je vous en prie, ne relevez pas les morts.

Sa voix étonnamment basse contenait des inflexions suppliantes qui me surprirent. Je luttai contre l'envie de tourner la tête vers lui.

—Pourquoi donc, Magnus ?

—Fichez le camp de mon terrain, grogna Stirling.

—Ce n'est pas votre terrain.

—Fichez le camp de mon terrain, ou je vous fais abattre pour violation de propriété privée.

Beau me regarda.

—Monsieur Stirling ?

Il faisait très attention à tenir son fusil de la manière la moins menaçante qui soit.

—Beau, montrez-lui que nous ne plaisantons pas.

—Monsieur Stirling !

—Faites votre boulot !

Beau fit mine d'épauler le fusil, mais très lentement et sans me quitter des yeux.

—Ne l'écoutez pas, dis-je.

J'expirai à fond et laissai tous mes muscles se détendre.

Beau baissa son arme.

Je pris une inspiration et ordonnai :

—Maintenant, posez-le à terre.

—Mademoiselle Blake, tout ça ne vous concerne pas, dit Stirling.

—Vous ne tuerez personne sous mes yeux pour une infraction aussi mineure, répliquai-je.

Larry aussi avait sorti son flingue. Il le braquait sur personne, ce dont je lui fus reconnaissante. Quand on vise quelqu'un, le coup a tendance à partir, surtout si on ne sait pas ce qu'on fait.

— Posez ce fusil, Beau. Tout de suite. Je ne le répéterai pas une troisième fois.

Beau obéit.

— C'est moi qui vous paie ! enragea Stirling.

— Pas assez pour que je me fasse tuer !

Stirling poussa un grognement exaspéré et fit un pas en avant – comme pour ramasser l'arme.

— N'y touchez pas, Raymond. Vous saignerez aussi bien que n'importe qui, l'avertis-je.

Furieux, il se tourna vers moi.

— Je n'arrive pas à croire que vous me menaciez sur ma propriété.

Je baissai un peu mon Browning. Quand on tient un flingue à bout de bras trop longtemps, on finit par trembler.

— Et moi, je n'arrive pas à croire que vous ayez demandé à Beau de venir armé. Vous saviez que ma petite démonstration attirerait Magnus Bouvier. Vous le saviez, et vous comptiez dessus, espèce de fils de pute !

— Monsieur Kirkland, allez-vous la laisser me parler sur ce ton ? cria Stirling. Je suis votre client !

Larry secoua la tête.

— Sur ce coup-là, je suis d'accord avec elle, monsieur Stirling. Vous avez tendu une embuscade à cet homme. Vous vouliez l'abattre de sang-froid. Pourquoi ?

— Bonne question, lançai-je. Pourquoi avez-vous si peur de la famille Bouvier ? Ou est-ce seulement Magnus qui vous effraie ?

— Je n'ai peur de personne ! cracha Stirling. (Il se tourna vers sa clique.) Venez. Laissons mademoiselle Blake seule avec son nouvel ami.

Il s'éloigna. Bayard et Mlle Harrison lui emboîtèrent aussitôt le pas, mais Beau hésita.

— Je descendrai le fusil à pompe pour vous, lançai-je.

Il hocha la tête.

— Je m'en doutais un peu…

— Et vous feriez mieux de ne pas nous attendre en bas avec un autre flingue.

Il hésita puis secoua la tête.

— Je rentre chez moi retrouver ma femme.

— Faites donc ça…

Il s'éloigna, les pans de son imper noir lui battant les jambes.

— Je me retire de cette affaire, lança-t-il par-dessus son épaule. Les morts ne peuvent pas dépenser leur argent.

Je connaissais quelques vampires qui auraient pu lui prouver le contraire, mais je me contentai d'approuver.

— Ravie de l'entendre.

— Je n'ai pas envie de me faire buter, c'est tout.

Beau s'engagea dans la pente et disparut de ma vue. Je restai plantée là, mon Browning pointé vers le ciel. Quand je fus certaine qu'il ne reviendrait pas, je tournai lentement sur moi-même, balayant du regard le sommet de la montagne. Nous étions seuls, Larry, Magnus et moi. Alors, pourquoi n'avais-je pas envie de rengainer ?

Magnus fit un pas vers moi et s'immobilisa. Il leva les mains dans l'air chargé de pouvoir et les baissa tout doucement, comme pour une caresse. Je sentis les ondulations provoquées par le bout de ses doigts frissonner sur ma peau, tremblant à travers ma magie.

Non, je n'allais pas rengainer tout de suite.

— Qu'est-ce que c'était ? demanda Larry.

Lui aussi avait toujours son flingue à la main, même s'il le pointait vers le sol. Magnus tourna vers lui son regard brillant.

— Ce garçon n'est pas un nécromancien, mais il n'est pas non plus l'humain ordinaire dont il a l'air, dit-il.

— Comme chacun de nous, répliquai-je. Pourquoi ne vouliez-vous pas que je relève les morts ?

Magnus me dévisagea en silence. Ses yeux étaient pleins de lumières scintillantes, comme des reflets à la surface d'une mare. Mais c'étaient les reflets de choses qui n'étaient pas là.

— Répondez-moi, Magnus.

— Sinon, quoi ? Vous me tirerez dessus ?

— Peut-être.

J'étais un peu plus haut que lui dans la pente et il était obligé de lever les yeux vers moi.

— Je ne pensais pas qu'on puisse relever des morts aussi anciens sans un sacrifice humain. Je croyais que vous empocheriez le fric de Stirling, que vous essaieriez, que vous échoueriez et que vos rentreriez chez vous.

Il fit un autre pas en avant, les mains tendues pour tester notre pouvoir. Comme s'il n'était pas certain de réussir à le pénétrer. Son contact fit hoqueter Larry.

— Mais avec un pouvoir pareil, reprit-il, vous relèveriez certains cadavres. Peut-être assez…

— Assez pour quoi ? demandai-je.

Magnus cligna des paupières comme s'il n'avait pas eu l'intention de parler à voix haute.

— Anita, Larry, vous ne devez pas relever les morts de cette montagne. Vous ne devez pas !

— Donnez-nous une bonne raison de ne pas le faire.

— J'imagine que demander gentiment ne suffira pas ?

— Pas vraiment.

— Ce serait plus facile si mes glamours fonctionnaient sur vous. Mais dans ce cas, nous n'en serions pas là.

Puisqu'il refusait de répondre à ma question, je décidai d'en lancer une autre.

— Pourquoi vous êtes-vous enfui devant la police ?

Magnus avança encore vers moi et je reculai. Il n'avait pas eu de geste menaçant, mais quelque chose d'étrange, en lui, déclenchait une alarme dans ma tête.

C'était peut-être à cause des images, dans ses yeux. Elles me donnaient envie de regarder à l'intérieur de son crâne pour voir ce qui se reflétait dans ses prunelles turquoise. Il me semblait presque distinguer des arbres, de l'eau… Comme ces choses qu'on perçoit du coin de l'œil, mais en couleur.

— Vous leur avez raconté mon secret, dit-il sur un ton accusateur. Pourquoi ?

— J'étais obligée.

— Vous croyez vraiment que j'aurais pu faire ces choses horribles à ces pauvres garçons ?

Il continua à avancer, se déplaçant dans le cercle sans l'aisance naturelle de Larry. Telle une montagne, il forçait le flux de pouvoir à le contourner, comme s'il remplissait plus d'espace – magiquement parlant – que je ne pouvais le voir à l'œil nu.

Je saisis mon Browning à deux mains et le braquai sur sa poitrine.

— Non, je ne le crois pas.

— Dans ce cas, pourquoi me tenez-vous en joue ?

— Parce que vous utilisez votre magie fey.

Il fit la grimace.

— J'ai lancé beaucoup de glamours ce soir. Ça m'est monté à la tête.

— Vous vous nourrissez de vos clients, l'accusai-je. Vous ne faites pas seulement ça pour mettre de l'animation. Vous les siphonnez. Si ce n'est pas la marque d'un Unseelie…

Magnus haussa gracieusement les épaules.

— Je suis ce que je suis.

— Comment savez-vous que les victimes étaient des garçons ?

Larry se plaça sur ma gauche, son flingue toujours pointé vers le sol. Il s'était fait engueuler plusieurs fois pour avoir braqué des gens un peu trop vite. J'étais ravie de voir que mes paroles n'étaient pas tombées dans l'oreille d'un sourd.

—Les flics me l'ont dit.

—Menteur !

Magnus sourit.

—L'un d'eux m'a touché. J'ai tout vu.

—Ben voyons. Comme c'est pratique !

Il tendit la main vers moi.

—N'y pensez même pas.

Larry brandit son flingue.

—Que se passe-t-il, Anita ? demanda-t-il.

—Je n'en suis pas sûre, avouai-je.

—Je ne peux vous autoriser à relever ces morts, déclara Magnus. Je suis désolé.

—Comment allez-vous nous arrêter ? demandais-je.

Il me fixa et je sentis quelque chose pousser contre ma magie. Comme un poing enfonçant un film plastique et l'étirant sans parvenir à le crever. Je lâchai un hoquet de surprise.

—Plus un geste, ou je tire !

—Je n'ai pas remué un seul muscle…

—Assez joué, Magnus. Si vous tenez à la vie, je vous conseille d'arrêter immédiatement.

—Qu'est-ce qu'il a fait ? demanda Larry, dont les mains tremblaient légèrement sur la crosse de son arme.

—Plus tard ! Magnus, je veux que vous leviez les bras et que vous croisiez les mains sur votre tête. Tout doucement.

—Vous allez m'embarquer, comme on dit à la télévision ?

—Oui. Et estimez-vous heureux : vous aurez plus de chance d'arriver vivant à la prison avec moi qu'avec la plupart des flics.

— Je ne crois pas que je vous accompagnerai…

Nous étions deux à le tenir en joue, et il affichait toujours la même assurance à la limite de l'arrogance. Ou il était stupide, ou il savait quelque chose que j'ignorais. Or, je ne pensais pas qu'il soit stupide.

— Dis-moi quand tu voudras que je tire, marmonna Larry.

— Dès que tu entendras mon coup partir.

— D'accord.

— Vous me tueriez pour si peu de chose? demanda Magnus.

— Sans l'ombre d'une hésitation, affirmai-je. Maintenant, croisez lentement les mains sur votre tête.

— Et si je refuse?

— Je ne bluffe pas, Magnus.

— Vous avez des balles en argent, pas vrai?

Je le regardai sans répondre. Près de moi, je sentis Larry s'agiter. Il est difficile de braquer quelqu'un pendant longtemps sans fatiguer ou choper des fourmis dans les bras.

— Je parie qu'elles sont en argent, insista Magnus. Ce n'est pas très efficace contre les fairies.

— Le fer produit de meilleurs résultats, dis-je. Je m'en souviens.

— Même des balles en plomb ordinaires feraient mieux l'affaire que des munitions en argent. Le métal de lune est l'ami des feys.

Je perdis patience.

— Vos mains, tout de suite, ou nous ne tarderons pas à découvrir les limites de cette amitié.

Magnus leva les bras, lentement et gracieusement. Ses mains venaient d'atteindre le niveau de ses épaules quand il se jeta en arrière dans la pente.

Je tirai, mais il continua à rouler sur lui-même, si vite que je n'arrivai pas à le viser. Ni même à le voir clairement, malgré la lueur du clair de lune. On eût dit que l'air se brouillait autour de lui.

Debout au sommet de la montagne, Larry et moi fîmes feu à plusieurs reprises, mais je doutai qu'aucune de nos balles l'ait touché. Magnus devint de plus en plus difficile à distinguer, jusqu'à ce qu'il disparaisse dans les buissons, à mi-hauteur du flanc de la montagne.

— Dis-moi qu'il ne vient pas de se volatiliser, supplia Larry.

— Il ne vient pas de se volatiliser.

— Qu'est-ce qu'il a fait, dans ce cas ?

— Comment veux-tu que je le sache ? Ça n'est pas mentionné dans l'UV Mœurs et Coutumes des Fairies. (Je secouai la tête.) Filons d'ici. J'ignore ce qui se passe, mais quoi qu'il en soit, nous avons perdu notre client.

— Et nos chambres d'hôtel ?

— Nous ne tarderons pas à le découvrir.

J'enclenchai le cran de sûreté du Browning, mais le gardai à la main. Je n'aurais pas remis la sécurité si je n'avais pas dû crapahuter en terrain accidenté et en pleine nuit pour regagner la voiture.

— Range ton flingue, Larry, ordonnai-je.

— Pourquoi moi et pas toi ? demanda-t-il.

— Parce que j'ai mis le cran de sûreté.

— Oh. Tu penses qu'ils l'auraient vraiment tué ?

— Je ne sais pas. Peut-être. Beau lui aurait tiré dessus, mais si j'en crois notre propre expérience, il n'aurait pas forcément réussi à le toucher.

— Pourquoi Stirling veut-il la mort de Magnus ?

— Je ne sais pas.

— Pourquoi Magnus s'est-il enfui ?

— Je ne sais pas.

— Quand tu n'arrêtes pas de répondre à mes questions par des « je ne sais pas », ça me rend très nerveux…

— Moi aussi.

Une seule fois, je regardai en arrière avant que nous perdions de vue le sommet de la montagne. Les fantômes brillaient encore comme des flammes de bougie, des flammes blanches et froides.

J'ignorais encore des foules de choses, mais j'en avais au moins appris une ce soir : certains corps de ce cimetière avaient près de trois cents ans. Soit un siècle de plus qu'annoncé par Stirling.

Un siècle, ça fait une grosse différence en matière de réanimation. Pourquoi avait-il menti ? Il craignait que je refuse s'il me révélait leur âge véritable ?

Certains squelettes appartenaient à des Indiens. J'avais perçu des bijoux en os d'animaux et d'autres objets qui n'étaient pas d'origine européenne. Or, les Indiens de cette région n'enterraient pas leurs morts dans des tombes.

Il se passait quelque chose. Pour le moment, je n'avais pas la moindre idée de ce que c'était, mais je le découvrirais. Peut-être le lendemain, après avoir dégoté de nouvelles chambres d'hôtel, rendu la Jeep hyperaccessoirisée, loué une nouvelle voiture et annoncé à Bert que nous n'avions plus de client.

Réflexion faite, je laisserai Larry s'en occuper. À quoi servent les assistants si on ne peut pas se décharger du sale boulot sur eux ?

D'accord, je téléphonerais moi-même à Bert ! Mais je n'avais vraiment pas hâte d'entendre sa réaction.

Chapitre 18

Stirling et compagnie avaient disparu quand nous atteignîmes le pied de la montagne. En revanche, la Jeep était toujours là. J'étais franchement surprise qu'ils ne l'aient pas emmenée pour nous laisser rentrer à pied. Stirling n'avait pas l'air du genre de type qui apprécie qu'on le braque avec un flingue. Cela dit, ces hommes-là ne sont pas si nombreux. À croire que le masochisme est une valeur en perte de vitesse.

Larry s'immobilisa dans le couloir de l'hôtel, sa carte magnétique visant la serrure de sa chambre.

— Tu crois que c'est payé pour la nuit, ou qu'il vaut mieux faire nos bagages tout de suite ?

— Qu'il vaut mieux faire nos bagages tout de suite, répondis-je.

Il hocha la tête, tourna la poignée et entra. J'avançai vers la porte suivante et glissai ma propre carte dans la serrure. Les deux chambres communiquaient par une porte interne, mais nous ne l'avions pas déverrouillée. Personnellement, je n'aime pas trop qu'on vienne troubler mon intimité. Même si « on » est un ami, et à plus forte raison si « on » est un collègue de travail.

Un profond silence m'enveloppa. Fabuleux. Quelques minutes de calme avant d'appeler Bert et de lui annoncer que la poule aux œufs d'or s'était envolée de la basse-cour.

J'étais dans un salon mitoyen à la chambre à coucher et à la salle de bains. Réunies, les trois pièces faisaient presque la superficie de mon appartement. Il y avait un bar intégré dans le mur de gauche, mais comme je ne bois pas d'alcool, je m'en fichais pas mal.

Les murs étaient rose pâle avec un délicat motif de feuilles dorées, la moquette bordeaux, et le canapé d'un violet si foncé qu'il semblait presque noir. Une causeuse assortie était disposée à angle droit, non loin de deux fauteuils à fleurs pourpres, bordeaux et blanches. Toutes les surfaces de bois étaient sombres et cirées.

J'avais d'abord cru qu'on m'avait attribué la suite « lune de miel », jusqu'à ce que je voie celle de Larry. C'était pratiquement la même, mais décorée dans des tons de vert.

Un bureau en cerisier, qui avait l'air d'une authentique antiquité, se dressait contre le mur du fond, près de la porte communicante. Un nécessaire d'écriture à monogramme reposait sur le dessus, près de la deuxième ligne de téléphone – pour les clients qui débarquaient avec un ordinateur portable et voulaient brancher leur modem, j'imagine.

Je n'avais jamais dormi dans un endroit aussi luxueux, et je doutais que Beadle, Beadle, Stirling et Lowenstein soient prêts à payer la note après l'humiliation que j'avais infligée à Raymond.

Un bruit me fit sursauter. Le Browning se matérialisa instantanément dans ma main. Le long du canon, j'aperçus la silhouette de Jean-Claude. Il se tenait sur le seuil de la chambre, vêtu d'une chemise à manches bouffantes qui lui serraient les bras en trois endroits et s'achevaient en corolle soyeuse autour de ses longues mains pâles. Le col haut était fermé par une lavallière de dentelle blanche, dont l'extrémité reposait sur son gilet de velours noir piqueté d'argent. Des cuissardes noires moulaient ses jambes comme une seconde peau.

Ses cheveux étaient presque aussi noirs que son gilet. Du coup, j'avais du mal à déterminer où s'arrêtaient ses boucles et où commençait le tissu. Une épingle de cravate en argent et en onyx, que j'avais déjà vue, se détachait sur la dentelle de sa lavallière.

— Tu ne vas quand même pas me tirer dessus, ma petite ?

J'étais toujours plantée dans le salon, mon Browning braqué sur lui. Il avait pris garde à ne pas esquisser un geste que je puisse interpréter comme menaçant. Ses yeux si bleus me fixaient, graves et inquisiteurs.

Je levai mon flingue vers le plafond et expirai. Mais je ne m'étais pas aperçue que je retenais mon souffle.

— Comment diable êtes-vous entré ?

Il sourit et s'écarta du chambranle, puis s'avança dans la pièce de sa merveilleuse démarche fluide et glissante. Un peu comme celle d'un félin ou d'un danseur, et beaucoup comme celle de quelque chose d'autre. Quelque chose de non humain.

Je rengainai le Browning, même si je n'en avais pas vraiment envie. Je me sens toujours mieux une arme à la main. Pourtant, un flingue ne m'aurait servi à rien contre Jean-Claude. Si j'avais voulu le tuer, ça aurait peut-être fait l'affaire. Mais nous savions tous les deux que ce n'était pas mon intention.

Depuis quelque temps, je sors avec lui. Cela dit, j'ai encore du mal à y croire.

— Le réceptionniste m'a laissé entrer, répondit-il sur un ton amusé, bien qu'il fût impossible de dire si c'était moi ou lui qu'il trouvait si drôle.

— Pourquoi aurait-il fait ça ?

— Parce que je le lui ai demandé.

Il me contourna tel un requin décrivant des cercles autour de sa proie. Je ne lui fis pas le plaisir de me retourner pour le suivre des yeux. Le regard rivé devant moi, je le laissai faire sans réagir.

Soudain, mes cheveux se hérissèrent sur ma nuque. Je fis un pas en avant et sentis sa main retomber. Il avait voulu me la poser sur l'épaule. Mais je n'avais pas envie qu'il me touche.

—Vous avez utilisé vos pouvoirs mentaux sur le réceptionniste ?

—Oui, dit-il.

Ce simple mot contenait tant d'autres choses... Je me tournai vers lui pour le dévisager.

Jean-Claude observait mes jambes. Il leva la tête et, d'un seul regard, balaya tout mon corps. Ses yeux bleus semblaient encore plus sombres que d'habitude. Ni lui ni moi ne comprenions comment j'arrivais à soutenir son regard sans être affectée. Je commençais à soupçonner qu'être une nécromancienne avait de nombreux avantages secondaires, et pas seulement vis-à-vis des zombies.

—Le rouge te va bien, ma petite, souffla Jean-Claude.

Il se rapprocha de moi, mais sans me toucher. Il me connaissait assez pour savoir que j'aurais mal réagi, mais ses yeux désignaient assez clairement les endroits où il aurait voulu poser ses mains.

—Ça me plaît beaucoup.

Sa voix était douce et tiède, beaucoup plus intime que ses paroles.

—Tu as des jambes magnifiques.

Un murmure dans le noir qui planait autour de moi comme un voile caressant... Sa voix a toujours été ainsi, presque palpable. Je n'en ai jamais entendu de plus bouleversante.

—Arrêtez, Jean-Claude. Je suis trop petite pour avoir des jambes magnifiques.

—Je ne comprends vraiment pas l'engouement moderne pour les girafes.

Il laissa courir ses mains à quelques millimètres de mes collants, si près que je perçus le déplacement d'air contre ma peau.

— Arrêtez, répétai-je.

— Arrêter quoi ? fit-il sur un ton innocent.

Je secouai la tête. Demander à Jean-Claude de ne pas être pénible, c'était comme supplier la pluie de ne pas mouiller. Pourquoi gaspiller ma salive ?

— D'accord, flirtez autant que vous voudrez, mais n'oubliez pas que vous êtes ici pour sauver la vie d'un jeune garçon qu'un monstre est peut-être en train de violer pendant que nous nous chamaillons.

Jean-Claude soupira et fit un geste dans ma direction. Quelque chose dans mon expression dut le dissuader de continuer, car il se laissa tomber dans un fauteuil sans insister.

— Chaque fois que j'essaie de te séduire, tu me coupes l'herbe sous le pied, gémit-il. Une très vilaine habitude.

— Hourra pour moi ! répliquai-je. Maintenant, on peut se mettre au travail ?

Il m'adressa son sourire agaçant de perfection.

— Je me suis arrangé pour avoir un rendez-vous avec la maîtresse de Branson.

— Sans blague !

— N'est-ce pas ce que tu attendais de moi ?

— Si. Mais je n'ai pas l'habitude que vous me donniez ce que je demande.

— Je te donnerais tout ce que tu veux, ma petite, si seulement tu me laissais faire.

— Je vous ai demandé de sortir de ma vie, dis-je. Vous avez refusé.

— En effet…

Il en resta là. Il ne m'accusa pas de vouloir être avec Richard plutôt qu'avec lui, et ne me menaça pas non plus de tuer son rival. Étrange…

— Vous, vous mijotez quelque chose.

Il écarquilla les yeux et posa une main sur son cœur.

— Qui, moi ?

— Oui, vous.

Je secouai la tête et laissai tomber. Il mijotait quelque chose, j'en étais convaincue. Je le connaissais assez bien pour repérer les signes avant-coureurs, mais il ne me dirait rien avant d'être prêt. Personne ne sait garder un secret comme lui, et personne n'en a autant. Il n'y a pas trace de duplicité en Richard. Mais c'est l'air que respire Jean-Claude, le sang qui coule dans ses veines mortes.

— Je dois me changer et faire mes bagages avant de partir, annonçai-je en marchant vers la chambre.

— Tu veux enlever ta ravissante jupe rouge ? Pourquoi ? Parce qu'elle me plaît ?

— Pas seulement, même si c'est un plus. Je ne peux pas porter mon holster de cuisse avec ce truc.

— Je ne nie pas qu'une deuxième arme à feu servira notre petite démonstration de force, demain soir, déclara Jean-Claude.

Je m'arrêtai net et me tournai vers lui.

— Comment ça, demain soir ?

— L'aube est trop proche, ma petite. Nous ne pourrions pas atteindre l'antre de la maîtresse avant le lever du soleil.

— Et merde ! jurai-je tout bas, mais avec conviction.

— J'ai fait ma part du travail. Mais je ne saurais arrêter la rotation de la Terre.

Je m'appuyai au dossier de la causeuse, l'agrippant assez fort pour avoir mal aux mains.

— Nous arriverons trop tard pour le sauver.

— Ma petite, ma petite. Pourquoi cela te tourmente-t-il à ce point ? Pourquoi la vie de ce garçon t'est-elle si précieuse ?

Je sondai son visage parfait et ne pus pas lui fournir de réponse.

— Je ne sais pas.

Il me prit les mains.

— Tu te fais du mal, ma petite.

Je me dégageai et croisai les bras. Jean-Claude resta à genoux, les mains sur mes hanches. Il était beaucoup trop près de moi, et je pris soudain conscience de la longueur minimale de ma jupe.

— Il faut que j'aille faire mes bagages, insistai-je.

— Pourquoi ? Cette suite ne te plaît pas ?

Il n'avait pas bougé, et pourtant, il me semblait encore plus près. Je sentais les contours de son corps contre mes jambes, pareils à une vague de chaleur.

— Écartez-vous, ordonnai-je.

Il se contenta de s'asseoir sur les talons, me forçant à faire un pas sur le côté. L'ourlet de ma jupe effleura sa joue alors que je marchai vers la chambre.

— Vous êtes vraiment pénible…

— C'est gentil à toi de l'avoir remarqué, ma petite. À présent, explique-moi pourquoi tu ne veux pas rester ici.

— C'est un client qui a loué cette suite, et je ne travaille plus pour lui.

— Pourquoi ?

— Je l'ai menacé avec mon flingue.

Un instant, son visage trahit de la surprise. Puis elle s'évanouit, et il posa sur moi ses yeux si anciens qui avaient vu tant de choses, mais ne savaient toujours pas ce qu'ils regardaient quand ils se rivaient sur moi.

— Pourquoi as-tu fait ça ? demanda-t-il.

— Parce qu'il voulait qu'un de ses sbires abatte un homme qui s'était introduit dans sa propriété.

— N'a-t-il pas le droit de défendre ce qui lui appartient ?

— Pas au point de tuer quelqu'un. Un bout de terre ne mérite pas qu'on verse de sang pour lui.

— Protéger son territoire est une excuse valable depuis la nuit des temps, ma petite. Aurais-tu décidé de changer soudain les règles ?

— Je n'allais pas rester plantée là et les regarder tuer un homme juste parce qu'il avait mis les pieds là où il ne fallait pas. En plus, je crois que c'était une embuscade.

— Tu veux dire, un piège ? Un complot pour tuer cet homme ?

— Oui.

— Faisais-tu partie de ce complot ?

— Il se peut que j'aie servi d'appât. L'homme a senti mon pouvoir sur les morts. C'est ce qui l'a attiré au mauvais endroit.

— Ça, c'est intéressant, murmura Jean-Claude. Comment s'appelle-t-il ?

— Donnez-moi d'abord le nom du mystérieux vampire !

— Xavier.

Je ne m'étais pas attendue à ce qu'il cède aussi facilement.

— Pourquoi avez-vous refusé de me le dire tout à l'heure, au téléphone ?

— Je ne voulais pas que tu le communiques à la police.

— Pourquoi ?

— Je te l'ai déjà expliqué. Maintenant, donne-moi le nom de l'homme que tu as sauvé ce soir.

Je faillis refuser. Que ça l'intéresse à ce point m'inquiétait, mais un marché est un marché.

— Bouvier, Magnus Bouvier.

— Ça ne me dit rien.

— Ça devrait ?

Il se contenta de me sourire.

— Vous êtes vraiment un fils de pute ! grognai-je.

— Ah, ma petite, comment pourrais-je te résister quand ta voix est comme du miel, et que tu me murmures d'aussi doux surnoms ?

Je le foudroyai du regard. Son sourire s'élargit, révélant la pointe de ses canines.

Quelqu'un frappa à la porte. Sans doute le gérant qui venait me demander de partir. Je ne pris même pas la peine de regarder par l'œilleton avant d'ouvrir, et je fus très surprise de découvrir Lionel Bayard sur le seuil. Était-il venu nous jeter dehors ?

Je le regardai sans rien dire. Il se racla la gorge.

— Mademoiselle Blake, puis-je m'entretenir avec vous quelques instants ? demanda-t-il.

Je le trouvais bien poli pour quelqu'un qui était venu nous vider.

— Je vous écoute, monsieur Bayard.

— Je doute que le couloir soit l'endroit le plus indiqué pour cette conversation.

Je m'effaçai. Il entra dans le salon en lissant sa cravate. Son regard se posa sur Jean-Claude, qui s'était levé et lui adressait son sourire le plus aimable.

— J'ignorais que vous aviez de la compagnie, mademoiselle Blake. Je peux revenir plus tard.

Je refermai la porte.

— Non, monsieur Bayard, vous ne nous dérangez pas. J'ai raconté à Jean-Claude la petite… méprise de ce soir.

— Oui, euh…

Bayard nous regarda tour à tour en hésitant.

Jean-Claude se rassit dans le fauteuil, s'y lovant comme un félin.

— Anita et moi n'avons pas de secrets, monsieur…

— Bayard. Lionel Bayard.

Il approcha et tendit la main à Jean-Claude, qui leva un sourcil, mais la lui serra.

Bayard sembla légèrement rassuré par ce geste normal. Visiblement, il ignorait la nature de Jean-Claude. Je ne comprenais pas comment il pouvait le regarder en face et le croire humain. J'ai rencontré un seul vampire capable de faire illusion. Et je l'ai tué.

Bayard se retourna vers moi et rajusta ses lunettes. Il était nerveux. Quelque chose se tramait.

— Qu'y a-t-il, Bayard ? demandai-je en m'adossant à la porte, les bras croisés sur la poitrine.

— Je suis venu vous présenter nos plus sincères excuses pour ce qui s'est passé tout à l'heure.

— Vos excuses ?

— Oui. M. Stirling a fait montre d'un excès de zèle. Si vous n'aviez pas été là pour nous ramener à la raison, une tragédie aurait pu arriver.

Je tentai de conserver une expression neutre.

— Stirling n'est pas furieux contre moi ?

— Bien au contraire, mademoiselle Blake. Il vous est reconnaissant.

Je n'arrivais pas à y croire.

— Vraiment ?

— En fait, j'ai été autorisé à vous offrir un bonus.

— Pourquoi ?

— Pour vous dédommager de notre comportement de ce soir.

— Combien ?

— Vingt mille.

Je continuai à le dévisager sans bouger de ma place.

— Non.

Il cligna des yeux.

— Je vous demande pardon ?

— Je ne veux pas de votre bonus.

— Je ne suis pas censé monter au-delà de vingt mille, mais j'en parlerai avec M. Stirling. Il acceptera peut-être de revoir sa proposition à la hausse.

Je secouai la tête et m'écartai de la porte.

— Vous ne comprenez pas. Je ne veux pas du tout de bonus.

— Vous n'allez pas nous laisser tomber, n'est-ce pas, mademoiselle Blake ?

Bayard respirait si vite que je crus qu'il allait s'évanouir. Apparemment, l'idée que je puisse les planter là l'inquiétait beaucoup.

— Non, je ne vous laisse pas tomber. Mais vous avez déjà versé des honoraires énormes à mon agence. Inutile de me payer davantage.

— M. Stirling est seulement désireux de réparer l'offense que vous avez subie.

Je ne relevai pas. C'était trop facile.

— Dites-lui que ses excuses auraient eu plus de valeur s'il était venu me les présenter en personne.

— Monsieur Stirling est un homme très occupé. Il serait passé lui-même, mais il avait des affaires urgentes à régler.

Je me demandai combien de fois Bayard avait déjà dû s'excuser à la place de son patron – en particulier parce qu'il avait ordonné à un autre sous-fifre de buter quelqu'un.

— Très bien. Vous avez remis le message en mains propres. Dites à M. Stirling que ce n'est pas l'incident de ce soir qui me fera renoncer. J'ai *lu* le cimetière. Certains corps sont plus proches de trois siècles que de deux. Trois siècles, Lionel. Ça fait sacrément vieux pour un zombie.

— Pouvez-vous les relever ?

Bayard s'était rapproché de moi en tripotant les revers de sa veste. Il n'allait pas tarder à envahir mon espace personnel. À tout prendre, j'aurais préféré que ça vienne de Jean-Claude.

— Peut-être. La question n'est pas de savoir si je peux, mais si je veux.

— Qu'entendez-vous par là, mademoiselle Blake ?

— Vous m'avez menti, Lionel. Vous avez sous-estimé l'âge des morts de près d'un siècle.

— Ce n'était pas voulu, mademoiselle Blake, je vous l'assure. J'ai seulement répété ce que m'a dit notre département de recherches. Je ne vous ai pas volontairement induite en erreur.

— Ben voyons !

Il tendit la main comme s'il voulait me toucher. Je reculai assez pour me mettre hors de sa portée. L'intensité de son expression me perturbait.

Il laissa retomber sa main.

— Je vous en prie, mademoiselle Blake. Je n'ai pas fait exprès de vous mentir.

— Le problème, Lionel, c'est que je ne suis pas sûre de pouvoir relever des zombies aussi anciens sans un sacrifice humain. Même moi, j'ai mes limites.

— C'est bon à savoir, murmura Jean-Claude.

Je le foudroyai du regard. Il me sourit.

— Mais vous essaierez, n'est-ce pas, mademoiselle Blake ? insista Bayard.

— Peut-être. Je n'ai pas encore pris ma décision.

— Nous sommes prêts à tout pour nous faire pardonner. C'est entièrement ma faute : j'aurais dû vérifier les informations de notre département de recherches. Demander une contre-expertise. Puis-je faire quelque chose pour racheter mon erreur ?

— Contentez-vous de partir. Demain, j'appellerai votre bureau pour parler des détails. Il se peut que j'aie besoin de… matériel supplémentaire pour tenter la réanimation.

— Tout ce que vous voudrez, mademoiselle Blake.

— D'accord. Je vous recontacte.

J'ouvris la porte en grand. Il me semblait que c'était un geste assez éloquent.

Ça l'était. Bayard gagna la sortie à reculons, sans cesser de me bombarder de plates excuses. Je refermai derrière lui et restai immobile quelques instants.

— Ce petit homme te cache quelque chose, déclara Jean-Claude.

Je me tournai vers lui. Il était toujours pelotonné dans le fauteuil, l'air très appétissant.

—Je n'ai pas eu besoin de pouvoirs vampiriques pour le deviner.

—Moi non plus, répliqua-t-il.

Il se leva d'un mouvement fluide. Moi, si j'avais été pliée en deux, j'aurais dû commencer par m'étirer.

—Je dois prévenir Larry qu'il n'a plus besoin de faire ses bagages. Je ne comprends pas pourquoi nous ne sommes pas virés, mais c'est le cas.

—Quelqu'un d'autre pourrait-il relever les morts de ce cimetière ?

—Pas sans un sacrifice humain, et peut-être même pas avec.

—Ils ont besoin de toi, ma petite. À en juger par l'anxiété du petit homme, ils veulent absolument que ce travail soit fait.

—Des millions de dollars sont en jeu.

—Je doute que ce soit une question d'argent.

—Moi aussi, avouai-je.

J'ouvris la porte, et Jean-Claude me rejoignit.

—De quel « matériel supplémentaire » auras-tu besoin pour relever un corps vieux de trois siècles, ma petite ?

Je haussai les épaules.

—Une mort plus importante. À l'origine, je pensais utiliser deux ou trois chèvres.

Je sortis dans le couloir.

—Et maintenant ? demanda-t-il.

—Je ne sais pas. Un éléphant, peut-être.

Il me dévisagea, l'air incrédule.

—Je plaisante. De toute façon, les éléphants sont une espèce protégée. Je devrai sans doute me contenter d'une vache.

Jean-Claude me regarda un long moment.

—Souviens-toi, ma petite, que je sais toujours quand tu me mens.

— Ce qui veut dire ?

— Tu étais sérieuse à propos de l'éléphant.

Je fronçai les sourcils. Que pouvais-je répliquer ?

— D'accord, mais une seconde seulement. Je n'irais pas jusqu'à égorger Dumbo. C'est la pure vérité.

— Je sais, ma petite.

Honnêtement, je ne voulais de mal à aucun éléphant. Mais c'était le plus gros animal qui me soit venu à l'esprit, sur le coup. Et si je devais tenter de relever plusieurs corps vieux de trois siècles, j'allais avoir besoin de quelque chose de très gros. Je doutais qu'une vache suffise. Et même qu'un troupeau convienne. Mais je ne voyais pas vraiment d'alternative.

D'accord, d'accord, pas d'éléphant. De toute façon, je m'imaginais mal en train d'essayer d'égorger une de ces bestioles. Comment aurais-je pu l'immobiliser pendant que je la tuais ? Si la plupart des animaux utilisés sont plus petits que les humains, il y a une bonne raison : ça les rend plus faciles à maîtriser.

— Nous ne pouvons pas laisser Jeff avec ce monstre ! lança Larry.

Il se tenait au milieu de la moquette vert sapin de son salon. Jean-Claude avait pris place dans le canapé vert amande à motifs. Et il semblait beaucoup s'amuser, comme un chat qui vient de tomber sur une souris plus rigolote que la moyenne.

— Nous ne l'abandonnons pas. Mais il est trop tard pour partir à sa recherche ce soir.

Mon assistant se retourna en tendant un index accusateur vers Jean-Claude.

— Pourquoi ? Parce qu'il en a décidé ainsi ?

Le sourire de Jean-Claude s'élargit.

— Regarde l'heure, Larry. Ce sera bientôt l'aube, et les vampires rentreront dormir dans leur cercueil.

Larry secoua la tête. L'expression de son visage me rappelait la mienne. La même obstination à nier la réalité…

— Nous devons faire quelque chose, Anita.

— Nous ne pourrons pas parler à la maîtresse de Branson pendant la journée, Larry. Ça ne me plaît pas plus qu'à toi, mais ce n'est pas moi qui décide.

— Et que deviendra Jeff pendant que nous attendrons le coucher du soleil ?

La peau de Larry, déjà très claire, était devenue d'un blanc crayeux. Ses taches de rousseur se détachaient telles des gouttelettes d'encre marron, et ses yeux bleu pâle brillaient comme du verre. Je ne l'avais jamais vu péter les plombs.

Je jetai un coup d'œil à Jean-Claude, qui soutint mon regard sans réagir. Compris. J'étais seule sur ce coup-là. Comme d'habitude.

— Xavier devra dormir. Il ne pourra plus faire de mal à Jeff quand le soleil sera levé.

Larry secoua la tête.

— Arriverons-nous à le retrouver à temps ?

J'avais envie de lui répondre « Bien sûr », mais je ne voulais pas lui mentir.

— Je n'en sais rien. Je l'espère.

La détermination avait transformé son visage aux traits d'ordinaire un peu mous. En le regardant, je compris pourquoi tant de gens le sous-estimaient. Larry semblait si inoffensif. Et il l'était, à la base. Mais à présent, il était armé et il apprenait à devenir dangereux.

Je n'avais pas prévu de l'emmener quand j'irais parler à la maîtresse de Branson. Soudain, je n'étais plus très sûre qu'il accepte d'être laissé en arrière. Ce soir, il venait de participer à sa première chasse aux vampires. Jusque-là, j'avais réussi à le tenir à l'écart des aspects les moins ragoûtants de notre métier. Mais ça ne durerait pas éternellement.

J'avais espéré qu'il abandonnerait l'idée de devenir un exécuteur. En sondant ses yeux brillants, je m'aperçus que c'était moi qui me leurrais depuis le début. À sa façon, Larry était aussi entêté que moi. Une idée assez effrayante. Au moins, il serait en sécurité jusqu'au lendemain soir.

— Tu ne pourrais pas te contenter de me rassurer ? De me dire que nous le retrouverons à temps ?

— Dans la mesure du possible, j'essaie d'être honnête avec toi.

— Pour une fois, un petit mensonge ne m'aurait pas dérangé.

— Désolée.

Larry prit une profonde inspiration et expira lentement. Sa colère s'évapora d'un coup. Il ne savait pas s'y accrocher. Pas du genre à ressasser les choses… Une de nos différences majeures. Moi, je ne pardonne jamais rien à personne. Je sais, la rancune est un vilain défaut, mais chacun doit en avoir au moins un.

Quelqu'un frappa à la porte. Larry alla ouvrir.

Soudain, Jean-Claude se matérialisa près de moi. Je ne l'avais pas vu bouger, ni entendu ses bottes glisser sur la moquette. De la magie. Je sentis mon cœur remonter dans ma gorge.

— Prévenez avant de faire ça, grognai-je.

— De faire quoi, ma petite ?

Je le foudroyai du regard.

— Ce n'était pas un tour de passe-passe mental, n'est-ce pas ?

— Non.

Ce simple mot rampa sur ma peau comme un vent humide.

— Soyez maudit ! soufflai-je avec conviction.

— Nous en avons déjà parlé, ma petite. Tu arrives trop tard.

Larry referma la porte et se tourna vers nous.

— Il y a un type dans le couloir. Il dit qu'il est avec Jean-Claude.

— Un type ou un vampire ? demandais-je.

Larry se rembrunit.

— Ce n'est pas un vampire, mais je n'irais pas jusqu'à affirmer qu'il est humain, si c'est à ça que tu faisais allusion.

— Vous attendez quelqu'un ? demandai-je à Jean-Claude.

— En effet.

— Qui ?

Il s'approcha de la porte et saisit la poignée.

— Quelqu'un que tu connais déjà.

D'un geste théâtral, il ouvrit la porte et fit un pas sur le côté pour me révéler son visiteur.

Jason se tenait sur le seuil, souriant et détendu. Il fait la même taille que moi – c'est plutôt rare pour un homme. Ses cheveux blonds et raides atteignaient à peine le col de sa chemise, et ses yeux rappelaient le bleu innocent d'un ciel printanier. La dernière fois que je l'avais vu, il avait tenté de me dévorer. Les loups-garous font parfois ce genre de trucs...

Il portait un sweat-shirt noir beaucoup trop grand pour lui qui lui arrivait à mi-cuisses et dont il avait dû rouler les manches sur ses poignets. Son pantalon en cuir, lacé sur les côtés, laissait entrevoir deux bandes de chair pâle avant de disparaître dans ses bottes.

— Salut, Anita.

— Salut, Jason. Qu'est-ce que tu fiches ici ?

Il eut le bon goût de prendre un air embarrassé.

— Je suis le nouveau familier de Jean-Claude.

Il s'exprimait comme s'il trouvait ça normal. Richard ne se serait jamais comporté de la sorte.

— Vous ne m'aviez pas dit que vous aviez amené de la compagnie, lançai-je à Jean-Claude.

— Nous allons rendre visite à la maîtresse de Branson. Je ne peux pas me déplacer sans une escorte minimale.

— Donc, un loup-garou et… moi ?

Il soupira.

— Oui, ma petite. Que tu portes ma marque ou pas, les membres de notre communauté te considèrent comme ma servante humaine. (Il leva une main pour éluder mes objections.) S'il te plaît, Anita. Je sais que tu n'es pas ma servante humaine au sens technique du terme. Mais tu m'as aidé à défendre mon territoire. Et tu as tué pour me protéger. La définition exacte de ce que font les serviteurs humains.

— Il va falloir que je fasse semblant d'être une des vôtres pendant notre entrevue avec la maîtresse ?

— Quelque chose comme ça, oui.

— Laissez tomber !

— Anita, je dois paraître impressionnant. Branson faisait partie du territoire de Nikolaos. J'y ai renoncé parce que la densité de la population permettait à un autre groupe de subsister ici. Mais la ville m'appartenait quand même, et à présent, ce n'est plus le cas. Certains considèrent ça comme un aveu de faiblesse, pas comme une preuve de bon sens.

— Vous avez trouvé un moyen de me faire jouer les servantes, même sans marques. Espèce de fils de pute manipulateur !

— C'est toi qui m'as demandé de venir, ma petite, répliqua Jean-Claude en avançant vers moi. Je te fais une faveur, ne l'oublie pas.

— Et il m'étonnerait que vous me laissiez l'oublier…

Il grogna, comme s'il n'existait pas de mots pour exprimer sa frustration.

— Je me demande pourquoi je continue à te supporter. Tu ne perds jamais une occasion de m'insulter. Beaucoup de gens donneraient leur âme pour ce que je t'offre.

Il se tenait devant moi, les yeux comme des saphirs sombres, sa peau aussi blanche que du marbre brillant – à croire qu'elle était éclairée de l'intérieur. Il ressemblait à une sculpture vivante faite de lumière, de joyaux et de pierre. Très impressionnant, mais ce n'était pas la première fois que je voyais ça.

—Arrêtez avec vos putains de pouvoirs, Jean-Claude! C'est presque l'aube. Vous n'avez pas un cercueil à regagner en rampant?

Il éclata d'un rire abrasif comme de la laine de verre. Un rire qui n'était pas conçu pour charmer.

—Nos bagages ne sont pas arrivés, n'est-ce pas, mon loup?

—Non, maître, répondit Jason.

—Qu'est devenu votre cercueil? demandai-je.

—Mon taxi aérien a eu un accident, ou...

Il laissa la fin de la phrase en suspens.

—Ou quoi? lança Larry.

—Ma petite?

—Vous pensez que la maîtresse locale a dérobé votre cercueil, avançai-je.

Jean-Claude hocha la tête.

—Histoire de me punir d'être entré sur son territoire sans respecter les usages en vigueur.

—J'imagine que c'est ma faute, grommelai-je.

Il haussa les épaules.

—J'aurais pu refuser, ma petite.

—Cessez de le prendre aussi bien.

—Préférerais-tu que je me mette en colère?

—Peut-être.

Je me serais sentie un peu moins coupable. Mais je me gardai de le dire à voix haute.

—Jason, va à l'aéroport et tente de localiser nos bagages. Ramène-les dans la chambre d'Anita.

— Une minute ! Vous n'allez pas vous installer dans ma suite !

— C'est presque l'aube, ma petite. Je n'ai pas le choix. Demain, nous trouverons un autre arrangement.

— Vous avez tout manigancé.

Il éclata d'un rire amer.

— Mon machiavélisme a des limites… Je ne me laisserais pas volontairement surprendre par le lever du soleil loin de mon cercueil.

— Alors, qu'allez-vous faire ? demanda Larry.

Jean-Claude sourit.

— Ne crains rien, Lawrence. Mon seul besoin, c'est l'obscurité, ou au moins, une absence de lumière. Le cercueil n'est pas nécessaire en soi : c'est une mesure de sécurité supplémentaire.

— Je n'ai jamais connu de vampire qui dorme ailleurs que dans un cercueil, dis-je.

— Si je suis sous terre, dans un endroit sûr, je m'en passe très bien. Une fois le soleil levé, je deviens insensible à mon environnement au point que je pourrais dormir sur une planche à clous sans m'en apercevoir.

Je n'étais pas certaine de le croire. De fait, il se démenait plus que la moyenne des vampires pour réussir à se donner une apparence humaine.

— Tu constateras très bientôt que c'est la stricte vérité, ma petite.

— C'est bien ce qui m'inquiète.

— Tu pourras prendre le canapé si tu préfères, mais une fois le jour levé, je serai inoffensif. Impuissant… Je ne pourrais pas te molester, même si je le voulais.

— Et quels autres bobards comptez-vous me faire avaler ? Je vous ai déjà vu debout en plein jour, à l'abri de la lumière du soleil. Vous fonctionniez parfaitement bien.

—Après avoir dormi environ huit heures, si le soleil n'est toujours pas couché, je retrouve l'usage de mon corps. Mais je doute que tu restes au lit si longtemps. Tu as des clients à voir et une enquête en cours. Tu seras sortie bien avant que je me réveille.

—Si je vous laisse seul, qui s'assurera que la femme de chambre ne tirera pas malencontreusement les rideaux ?

Le sourire de Jean-Claude s'élargit.

—Tu t'inquiètes pour moi. Je suis très touché.

Il semblait amusé, mais ce n'était qu'un masque. L'expression qu'il adoptait quand il ne voulait pas que je devine à quoi il pensait.

—Que mijotez-vous encore ?

—Pour une fois, rien.

—Mon œil !

—Si je trouve le cercueil, il faudra que je loue une camionnette ! lança Jason.

—Tu peux utiliser notre Jeep, proposa Larry.

Je le foudroyai du regard.

—Non, il ne peut pas.

—Ce serait pourtant plus commode, ma petite. Si Jason doit louer une camionnette, je devrai passer une journée de plus dans ton lit. Et tu n'en as pas envie.

Il y avait de l'amusement dans la voix de Jean-Claude – et un fond d'amertume.

—Je conduirai, proposa Larry.

—Non, tu ne conduiras pas, dis-je.

—C'est presque l'aube, Anita. Ça va aller.

—Non.

—Tu ne pourras pas éternellement me traiter comme un gamin. Je peux conduire la Jeep.

—Je jure de ne pas le manger, fit Jason.

Larry tendit la main pour que je lui remette les clés.

—Il faut que tu apprennes à me faire confiance.

Je ne fis aucun commentaire.

— Je promets de descendre quiconque me menacera pendant le trajet, que ce soit un humain ou un monstre. Il te suffira de venir payer ma caution et d'expliquer aux flics que je suivais les ordres.

Je soupirai.

— D'accord, d'accord…

Je lui remis les clés de la Jeep.

— Merci.

— Ne traîne pas en route et sois prudent.

Larry et Jason sortirent. La porte se referma derrière eux. Je la regardai un long moment en me demandant si je n'aurais pas dû les accompagner. Larry aurait été furieux, mais c'est toujours mieux que d'être mort.

Calme-toi, ma vieille. Ce n'est qu'une petite course. Il va chercher un cercueil à l'aéroport. Qu'est-ce qui pourrait bien merder ? Il reste à peine une heure d'obscurité.

— Tu ne peux pas le protéger, Anita, dit doucement Jean-Claude, comme s'il avait lu dans mes pensées.

— Je peux essayer.

Il haussa les épaules, parfaitement conscient que ça m'énerverait au possible.

— Et si nous nous retirions dans ta chambre, ma petite ?

J'ouvris la bouche pour dire qu'il dormirait dans celle de Larry… et me ravisai. Je doutais qu'il mordrait Larry. Mais j'étais certaine qu'il ne me mordrait pas, moi.

— Si vous voulez.

Il eut l'air un peu surpris, comme s'il s'attendait à ce que je lui oppose ma résistance habituelle. Mais j'avais épuisé mes réserves de combativité. Il prendrait le lit et je dormirai sur le canapé. Rien n'aurait pu être plus innocent.

Pas vrai ?

Chapitre 19

Quand nous regagnâmes ma suite, l'aube pointait derrière les fenêtres.

Jean-Claude me sourit.

— C'est la première fois que nous partageons une chambre d'hôtel, et nous n'avons pas le temps d'en profiter. (Il soupira.) Décidément, les choses ne fonctionnent jamais comme prévu, avec toi…

— C'est peut-être un signe.

— Peut-être. (Il regarda les rideaux tirés.) Je dois y aller, ma petite. À ce soir.

Il ferma la porte de la chambre derrière lui avec un rien de précipitation.

Je sentais la lumière naissante envelopper le bâtiment. Au fil des années passées à chasser les vampires, j'ai fini par développer une conscience aiguë de l'aube et du crépuscule. À plusieurs reprises, j'ai foncé de désastre en désastre, uniquement pour rester vivante jusqu'à ce que le ciel s'éclaircisse et que le soleil levant sauve mes abattis. Pour la première fois, je me demandais ce que ça me ferait de tenir cet événement pour une menace plutôt que pour une bénédiction.

Soudain, je m'aperçus que j'avais laissé ma valise dans la chambre. Et merde!

J'hésitai, puis me décidai à frapper à la porte. Pas de réponse. J'entrouvris le battant et regardai dedans.

Jean-Claude n'était pas là, mais j'entendis de l'eau couler dans la salle de bains, et je vis un rayon de lumière filtrer sous la porte. Que pouvait faire un vampire dans une salle de bains ?

Réflexion faite, je préfère ne pas le savoir.

Je saisis ma valise et la portai dans le salon avant que Jean-Claude revienne. Je ne voulais pas le revoir. Pas question de savoir ce qu'il advenait de lui au lever du jour.

Quand le soleil fut assez haut dans le ciel pour marteler les rideaux fermés, j'enlevai mon chemisier et ma jupe, que je remplaçai par un tee-shirt et un jean. J'avais apporté un peignoir, mais je ne voulais pas me balader à moitié nue devant Larry et Jason quand ils rentreraient.

Puis j'appelai la réception pour réclamer un oreiller et une couverture supplémentaires. Personne ne répondit qu'il était un peu tard pour avoir besoin de ça, et l'employée qui m'apporta le tout ne parut pas remarquer la porte fermée de la chambre.

Je dépliai la couverture sur le canapé et étudiai le meuble, dubitative. Il était joli, mais il n'avait pas vraiment l'air confortable.

Moralité : même la médaille de la vertu a son revers.

Mais ce n'était pas forcément la vertu qui me tenait à l'écart de la chambre. Si Richard avait été couché à quelques mètres de moi, il aurait très difficile de ne pas le rejoindre. Mais avec Jean-Claude… Je ne l'avais jamais vu après l'aube, quand il était mort pour le reste du monde. Et je n'étais pas certaine d'en avoir envie. En tout cas, je ne voulais pas me blottir contre lui pendant que la chaleur quitterait son corps.

Quelqu'un frappa à la porte de la suite. J'hésitai. C'était sans doute Larry, mais on ne sait jamais. Je dégainai mon Browning avant d'aller ouvrir.

La nuit dernière, Beau avait caché un fusil à pompe sous son imperméable. La frontière est parfois très mince entre la prudence et la paranoïa…

—Oui ? fis-je, plaquée contre le mur.

—Anita, c'est nous.

J'enclenchai la sécurité et fourrai mon flingue dans la ceinture de mon jean. Il était trop gros pour entrer dans un holster de cuisse, mais là, ça pouvait aller.

J'ouvris la porte. Larry était appuyé contre le chambranle, les traits tirés. Il tenait un sac en papier de McDo et un plateau en polystyrène où étaient coincés quatre gobelets : deux de café, et deux de Coca.

Jason portait une grosse valise en cuir sous chaque bras, une valise beaucoup plus petite et plus moche dans la main droite, et un autre sac McDo dans la gauche. Il semblait frais comme un gardon. Ce type était du matin, même après une nuit blanche. Je trouvais ça répugnant.

Son regard se posa sur le flingue passé dans ma ceinture, mais il s'abstint de tout commentaire. Un bon point pour lui. Quant à Larry, la vue du Browning ne le fit même pas ciller.

—De la bouffe ? m'étonnai-je.

—Je n'ai presque rien mangé hier soir, se justifia Larry. Et Jason aussi avait faim.

Il entra et déposa le ravitaillement sur le bar. Aucun de nous ne buvait d'alcool. Autant que ce comptoir serve à quelque chose.

Jason dut se mettre de profil pour passer la porte avec son chargement, mais je vis que ça ne lui coûtait pas le moindre effort.

—Frimeur, l'accusai-je.

Il posa les bagages sur le sol.

—Tu ne pourrais pas dire ça si tu m'avais déjà vu frimer pour de bon.

Je verrouillai la porte de la suite derrière eux.

—Je suppose que tu pourrais monter le cercueil de Jean-Claude d'une seule main.

—Non, mais pas à cause de son poids : parce qu'il est trop long et mal équilibré.

Génial. Super loup-garou ! Mais pour ce que j'en savais tous les lycanthropes étaient aussi costauds. Richard pouvait peut-être porter un cercueil d'une seule main.

Une idée pas très réconfortante...

Jason déballa la bouffe. Larry s'était déjà perché sur un tabouret et il vidait un sachet de sucre en poudre dans un gobelet de café.

—Vous avez laissé le cercueil dans le hall ? demandai-je.

Beaucoup trop courte sur pattes pour le garder à la ceinture dans cette position, je dus laisser mon Browning sur le comptoir avant de m'asseoir.

Larry posa l'autre gobelet de café devant moi.

—Non. Il a disparu.

—Vous avez trouvé les valises, mais pas le cercueil ?

—Ouais, dit Jason en finissant de diviser la nourriture en trois parts.

Il en poussa deux vers Larry et moi, mais je remarquais qu'il se gardait la plus grosse.

—Comment peux-tu manger si tôt dans la journée ?

—J'ai toujours faim, grogna-t-il.

Je ne relevai pas. C'était trop facile.

—Tu n'es pas drôle, gémit-il.

—Tu n'as pas l'air particulièrement inquiet, répliquai-je.

Il haussa les épaules et se hissa sur un tabouret.

—J'ai vu des tas de trucs bizarres depuis que je suis devenu un loup-garou. Si je pétais les plombs chaque fois que les choses vont de travers, ou qu'une de mes connaissances meurt, j'habiterais une cellule capitonnée.

— Je croyais que les luttes de domination, au sein de la meute, n'étaient pas des combats à mort, sauf quand la place de chef est en jeu.

— Les gens se laissent emporter et ils oublient parfois les règles.

— Il faudra que je parle à Richard quand je rentrerai en ville. Il n'a jamais mentionné ça.

— Il n'y a rien à mentionner. Ce sont des affaires courantes...

Génial ! Je préférai changer de sujet...

— Savez-vous qui a emporté le cercueil ?

Larry me répondit d'une voix pâteuse malgré la caféine et le sucre qu'il venait d'ingurgiter. Même pour un humain doté de pouvoirs surnaturels, il est difficile de fonctionner normalement après une nuit blanche.

— Personne n'a rien vu. Le seul employé de nuit qui n'était pas encore rentré chez lui nous a dit, je cite : « J'ai tourné la tête une seconde, et il s'est volatilisé. »

— Et merde.

— Où est l'intérêt d'avoir emporté ce cercueil ?

Larry avait bu presque tout son café, mais il n'avait pas touché à son « Egg McMuffin ». Pas plus que moi à mes pancakes ou à ma barquette de sirop d'érable.

— Ton petit déjeuner refroidit, dit Jason.

Il s'amusait un peu trop à mon goût. Je le foudroyai du regard, mais soulevai quand même le couvercle de mon gobelet de café. La bouffe ne me disait rien.

— Je crois que la maîtresse cherche à nous intimider. Qu'en penses-tu, Jason ? demandai-je sur un ton désinvolte.

Il me sourit, la bouche pleine, avala et répondit :

— Je pense ce que Jean-Claude veut que je pense.

Je m'étais peut-être montrée trop subtile. Certaines personnes ont du mal à saisir les insinuations.

— Il t'a interdit de me parler ?

— Non : juste de te raconter n'importe quoi.

— Il t'ordonne de sauter, et tu demandes à quelle hauteur, c'est ça ?

— Absolument.

Jason avala une bouchée d'œufs brouillés. Il ne semblait pas troublé le moins du monde.

— Et ça ne t'embête pas ?

— Je ne suis pas un mâle alpha. Ce n'est pas moi qui fais les règles.

— Et ça ne t'embête pas ? répétai-je.

Il haussa les épaules.

— Parfois. Mais comme je n'y peux rien…

— Je ne comprends pas, dit Larry.

— Moi non plus, renchéris-je.

— Vous n'avez pas à comprendre, trancha Jason.

Il ne devait pas avoir plus de vingt ans, mais son regard était bien plus ancien que ça. Celui de quelqu'un qui avait vu et fait beaucoup de choses – et pas seulement agréables. Et celui que je redoutais de voir un jour à Larry. Ils avaient presque le même âge. Jason avait subi quelles horreurs, pour paraître aussi blasé ?

— Et maintenant, on fait quoi ? demanda Larry après quelques instants de silence.

— C'est vous, les experts en vampires. Moi, je suis le familier de Jean-Claude.

Une fois encore, il avait dit ça comme si c'était tout naturel. Je secouai la tête.

— Je vais appeler les flics. Ensuite, je dormirai un peu.

— Que comptes-tu leur raconter ?

— Je leur parlerai de Xavier.

— Jean-Claude a dit que tu avais le droit ?

— Je n'ai pas demandé sa permission.

— Il sera furieux que tu mêles la police à cette affaire.

Je regardai Jason, qui battit des paupières.

— Ne le fais pas juste parce que ça ennuierait Jean-Claude, d'accord ?

— Il te connaît plutôt bien pour quelqu'un qui t'a rencontrée deux fois, fit Larry.

— Trois, corrigeai-je. Dont deux où il a essayé de me manger.

Larry écarquilla les yeux.

— Tu déconnes !

— Elle a l'air tellement appétissante ! lança Jason.

— Toi, tu commences à me les briser menu !

— Qu'est-ce qui te prend ? Jean-Claude et Richard n'arrêtent pas de te chambrer.

— Je sors avec eux. Pas avec toi.

— Si tu aimes les monstres à ce point, je peux me montrer aussi effrayant qu'eux.

— Non, tu ne peux pas. C'est pour ça que tu n'es pas un mâle alpha, mais le familier de Jean-Claude : tu n'es pas assez effrayant.

Une lueur dangereuse passa dans ses yeux. Il était toujours assis au même endroit, une fourchette en plastique dans une main et un gobelet de Coca dans l'autre. Pourtant, il était différent. D'une manière difficile à exprimer avec des mots, mais qui me fichait la trouille.

— Couché ! ordonnai-je.

J'étais à moins de cinquante centimètres de lui. À cette distance, il aurait facilement pu me sauter dessus. Le Browning reposait à côté de ma main droite. J'aurais peut-être le temps de le saisir, mais pas de tirer. J'avais déjà vu bouger Jason… et je n'avais pas été assez rapide. Le manque de sommeil m'avait rendue confiante ou stupide. Ce qui est plus ou moins la même chose.

Un grognement sourd monta de sa gorge. Mon pouls accéléra.

Soudain, le flingue de Larry se braqua sur la tête du loup-garou.

— Ne fais pas ça !

Je me laissai glisser de mon tabouret en prenant le Browning, histoire de ne pas être à côté de Jason si Larry lui tirait dessus.

D'une seule main, presque nonchalamment, je visai la poitrine du loup-garou.

— Ne me menace plus jamais !

Jason me dévisagea. La bête était tapie derrière ses yeux, prête à bondir.

— Commence à te transformer, et je n'attendrais pas de voir si tu bluffes.

Larry avait posé un genou sur son tabouret et braquait toujours son flingue. J'espérais qu'il n'allait pas perdre l'équilibre et buter Jason. S'il devait lui tirer dessus, que ce soit au moins volontaire.

Les épaules du loup-garou se détendirent. Il posa sa fourchette et son gobelet sur le comptoir, puis ferma les yeux et resta immobile une minute.

Nous attendîmes sans baisser nos armes. Larry me jeta un coup d'œil interrogateur, et je secouai la tête.

Enfin, Jason rouvrit les yeux et soupira. Il semblait normal, toute tension envolée.

— Je devais essayer ! lança-t-il.

Je reculai encore, pour me retrouver dos au mur. Une fois hors de portée, je baissai mon flingue. Larry hésita avant de m'imiter.

— C'est bien, tu as essayé. Et maintenant ?

Il haussa les épaules.

— Tu es ma dominante.

— Juste comme ça ?

— Tu préférerais que je t'oblige à me combattre ?

Je fis « non » de la tête.

—Mais je l'ai couverte, dit Larry. Elle ne l'a pas fait seule.

—Peu importe ! lança Jason. Tu es loyal et tu risquerais ta vie pour elle. La domination n'est pas seulement une affaire de muscles ou de puissance de feu.

Larry fronça les sourcils.

—Quelle *domination* ? J'ai l'impression de louper la moitié de la conversation.

—Pourquoi te donnes-tu tant de mal pour ne pas paraître humain ? demandai-je à Jason.

Il sourit et se concentra sur son petit déjeuner.

—Réponds-moi ! exigeai-je.

Il finit ses œufs brouillés avant de lâcher :

—Non.

—Bon sang, qu'est-ce qui se passe ? s'impatienta Larry.

—Juste une petite lutte de pouvoir…

—J'aimerais qu'on m'explique pourquoi nous avons dû tenir en joue quelqu'un qui est censé être de notre camp.

—Jean-Claude dit toujours que Richard n'est pas plus humain que lui. La démonstration de Jason ajoute du poids à ses discours – n'est-ce pas, louveteau ?

Jason engloutit le reste de sa nourriture comme si nous n'étions pas là.

—Réponds-moi !

Il tourna sur le tabouret et appuya les coudes sur le comptoir, derrière lui.

—J'ai déjà trop de maîtres, Anita. Je n'en ai pas besoin d'un autre…

—Et j'ai déjà trop de monstres sur le dos, Jason. Essaie de ne pas ajouter ton nom à la liste.

—Une liste très longue ?

—Elle l'était, mais elle ne cesse pas de raccourcir.

Il sourit et se laissa glisser à terre.

—Suis-je le seul à être crevé ?

Larry et moi l'étudiâmes. Il n'avait pas l'air crevé du tout – et on ne pouvait pas en dire autant de nous deux.

Jason n'allait pas répondre à mes questions, et elles n'étaient pas assez importantes pour que je le bute.

Statu quo !

— Très bien, capitulai-je. Où comptes-tu dormir ?

— Dans la chambre de Larry, si tu me fais assez confiance…

— Non.

— Tu veux que je reste avec toi ?

— Quand nous revenions de l'aéroport, je lui ai dit qu'il pourrait dormir dans ma chambre.

— C'était avant qu'il nous fasse le coup de la tentative de domination.

Larry haussa les épaules.

— Le maître de Saint Louis est dans ton lit. Je pense pouvoir me débrouiller avec un loup-garou.

Ça m'aurait étonnée… Mais je ne voulais pas en parler devant le loup-garou en question.

— Non, Larry.

— Putain, que dois-je faire pour te convaincre que je suis à la hauteur ?

— Rester en vie.

— Qu'est-ce que c'est censé signifier ?

— Tu n'es pas un flingueur, Larry.

— J'étais prêt à lui tirer dessus, dit-il en désignant Jason.

— Je sais.

— Parce que je ne suis pas chatouilleux de la gâchette, tu me crois incapable de me défendre ?

Je soupirai.

— Larry, s'il te plaît… Si Jason se couvrait de poils au milieu de la journée et qu'il te tuait, je ne pourrais plus jamais me regarder dans une glace.

— Et s'il te tuait, toi ?

— Ça n'arrivera pas.

— Pourquoi ?

— Parce que Jean-Claude le dépècerait. S'il te faisait du mal, je le descendrais, mais je ne suis pas certaine que Jean-Claude se sentirait concerné. Or, Jason a plus peur de Jean-Claude que de moi. N'est-ce pas, Jason ?

Le loup-garou s'était assis au bout du canapé, par-dessus ma couverture.

— Oh, oui, approuva-t-il.

— Je ne vois vraiment pas pourquoi, insista Larry. C'est toujours toi qui fais le sale boulot pour Jean-Claude. À ma connaissance, il ne tue jamais personne de ses propres mains.

— Larry, qui craindrais-tu le plus : moi ou Jean-Claude ?

— Tu ne me ferais pas de mal…

— Mais si tu devais affronter l'un de nous deux, qui préférerais-tu ?

Il me dévisagea un long moment. Sa colère s'évapora et fut remplacée dans ses yeux par une très ancienne lassitude.

— Lui, répondit-il enfin.

— Pour l'amour de Dieu, pourquoi ? lançai-je.

— Je t'ai déjà vue tuer des gens, Anita. Beaucoup plus que Jean-Claude. Il pourrait essayer de me terroriser jusqu'à ce que mort s'ensuive, mais toi, tu me descendrais sur place.

J'en restai bouche bée.

— Si tu me crois vraiment plus dangereuse que Jean-Claude, tu n'as rien compris au film.

— Je n'ai pas dit que tu étais plus dangereuse. Simplement que tu me tuerais plus vite.

— C'est bien pour ça que je n'ai pas aussi peur d'elle que de Jean-Claude, fit Jason.

Larry se tourna vers lui.

— Que veux-tu dire ?

— Anita se contenterait de me buter proprement et sans faire de chichis. Jean-Claude s'assurerait que ce soit long et douloureux.

Les deux hommes se regardèrent. Leur logique se tenait, mais sur ce coup-là, j'étais de l'avis de Jason.

— Si tu penses vraiment ce que tu dis, Larry, c'est que tu n'as pas encore assez fréquenté de vampires.

— Comment le pourrais-je, puisque tu passes ton temps à me tenir à l'écart ?

L'avais-je surprotégé à ce point ? M'étais-je appliquée à lui montrer combien je pouvais être impitoyable, tout en lui dissimulant que Jean-Claude pouvait l'être davantage ?

— Et je t'accompagne chez la maîtresse de Branson demain soir, continua Larry. À partir de maintenant, tu ne me laisseras plus sur la touche.

— D'accord, fis-je.

Ma réponse me surprit autant que lui.

— Il est temps que tu saches à quel point Jean-Claude et ses semblables sont dangereux. Sinon, tu te feras tuer le jour où je ne serai pas là pour te protéger.

Je pris une profonde inspiration et expirai lentement. Mon estomac était noué par la peur que Larry se fasse tuer parce que j'avais tenté de le tenir à l'écart. Quelque chose que je n'avais pas prévu…

— Tu viens, Jason ? lança Larry.

Jason se leva pour le suivre dans sa chambre.

— Non ! criai-je. Demain, tu viendras avec moi chez les vampires. Mais jusqu'à ce que tu comprennes à quel point les monstres sont dangereux, je ne te laisserai pas seul avec eux.

Larry était furieux et blessé. J'avais sapé sa confiance en lui. Mais aurais-je pu agir autrement ?

Il tourna les talons et sortit sans discuter. Il ne me souhaita pas de faire de beaux rêves, se contentant de claquer la porte. Je me retins de lui courir après. Qu'aurais-je pu ajouter ?

Le front appuyé contre le chambranle, je murmurai :

— Et merde…

— J'ai droit au canapé ? demanda Jason.

Je me tournai vers lui et m'adossai à la porte. Je tenais toujours le Browning, même si je ne savais plus très bien pourquoi. La fatigue me rendait négligente.

— Non, le canapé est pour moi.

— Où veux-tu que je dorme, alors ?

— Je m'en fiche. Le plus loin possible.

Il caressa le bord de la couverture.

— Si tu tiens vraiment à dormir ici, je pourrais peut-être prendre le lit, proposa-t-il.

— Il est déjà occupé.

— Il fait quelle taille ?

— C'est un king size. Pourquoi ?

— Jean-Claude ne verra pas d'inconvénient à le partager avec moi. Je sais qu'il aurait préféré dormir avec toi, mais…

Il haussa les épaules.

— Tu as déjà dormi avec Jean-Claude ?

— Oui.

Mon incrédulité dut se lire sur mon visage, car il tira sur le col de son sweat-shirt pour me montrer les marques de crocs dans son cou. Je m'approchai pour mieux voir. La plaie était presque guérie.

— Parfois, il aime grignoter quelque chose au réveil, expliqua Jason.

— Doux Jésus !

Il lâcha le col de son sweat-shirt, qui glissa pardessus les traces de crocs comme si elles n'étaient pas là.

Exactement comme on cache un suçon. Jason semblait inoffensif. Il faisait la même taille que moi et il avait le visage d'un ange.

— Richard n'a pas laissé Jean-Claude se nourrir de son sang.

— En effet…

— En effet ? C'est tout ce que tu as à dire ?

— Que voudrais-tu que je dise, Anita ?

— Je voudrais que tu sois outré. En colère.

— Pourquoi ?

Je secouai la tête.

— Va te coucher, Jason. Tu me fatigues.

Il passa dans la chambre sans rien ajouter. Je ne regardai pas dedans pour voir s'il s'était transformé en loup et pelotonné sur la moquette, ou s'il s'était glissé dans les draps, près du cadavre. Ça ne me regardait pas – ou plutôt, je ne voulais pas regarder ça.

Chapitre 20

Je fourrai le Browning sous mon oreiller, cran de sûreté enclenché. Si j'avais été chez moi, et que j'aie pu le ranger dans le holster spécial fixé à la tête de mon lit, je n'aurais pas pris cette précaution.

Mais j'aurais l'air franchement con si je me faisais accidentellement sauter la cervelle pendant mon sommeil parce que j'avais tenté de me protéger d'un loup-garou.

Quant au Firestar, je le glissai sous les coussins du canapé. En temps normal, je l'aurais laissé dans mes bagages, mais je me sentais un chouia nerveuse.

Mes couteaux restèrent dans la valise. La situation n'était pas encore assez dangereuse pour me convaincre d'aller au lit avec des fourreaux attachés aux avant-bras. Un harnachement franchement inconfortable, surtout quand on espère dormir.

Je venais de m'installer pour une longue journée de sommeil quand je m'aperçus que je n'avais pas appelé l'agent spécial Bradford. Et merde! Je repoussai la couverture et marchai vers le téléphone, vêtue d'un tee-shirt et d'une culotte.

J'emmenai le Browning. Il ne sert à rien d'avoir une arme si elle n'est pas à portée de main.

Je composai le numéro, mais personne ne décrocha. Bizarre. Moi qui croyais que tout le monde bossait vingt-quatre heures sur vingt-quatre…

Les nouvelles au sujet de Xavier pouvaient-elles attendre ? En quoi un nom aiderait-il le FBI ? L'agent Bradford m'avait fait comprendre très clairement que j'étais *persona non grata*.

Freemont m'avait jetée et les Quinlan menaçaient de faire un procès si je ne me tenais pas à l'écart de l'enquête. Ma façon de les protéger les avait tellement éblouis qu'ils ne voulaient plus jamais me voir. Ils semblaient croire, si je m'en mêlais, que leur fils se ferait tuer à cause de moi.

Je me demandais bien pourquoi...

J'avais le numéro de bipeur de Bradford. Il m'avait ordonné de l'appeler – et de n'appeler que lui – si je découvrais du nouveau. Vu mon délicieux esprit de contradiction, ça me donnait envie de ne rien lui dire du tout.

Mais qui étais-je pour affirmer que le FBI ne tenait pas un dossier sur les vampires ? Le nom de Xavier parlerait peut-être aux Fédéraux. Il les aiderait à retrouver Jeff. Et Jean-Claude ne m'avait pas interdit de leur transmettre l'information.

Je contactai Bradford et envoyai le numéro de ma ligne directe sur son bipeur. Maintenant, je pouvais me coucher et le laisser me réveiller Dieu sait quand, ou m'asseoir dans un fauteuil et attendre quelques minutes.

J'attendis.

Le téléphone sonna moins de cinq minutes après.

J'aime les hommes qui sont prompts à réagir.

— Allô ?

— Ici l'agent spécial Bradford. Votre numéro vient de s'afficher sur mon bipeur.

Sa voix était pâteuse de sommeil.

— C'est Anita Blake.

Une seconde de silence, puis :

— Vous savez l'heure qu'il est ?

— Je ne me suis pas couchée de la nuit. Donc, oui, je sais l'heure qu'il est.

Une autre seconde de silence.

— Que voulez-vous, mademoiselle Blake ?

Je pris une profonde inspiration et expirai lentement. M'énerver ne nous avancerait à rien.

— J'ai peut-être le nom du vampire qui a massacré tous ces gamins.

— Je vous écoute.

— Xavier.

— Et son nom de famille ?

— En général, les vampires n'en ont pas.

— Merci pour le renseignement, mademoiselle Blake. Comment l'avez-vous eu ?

Je réfléchis très vite. À l'évidence, je ne pouvais pas lui fournir de réponse satisfaisante.

— Il m'est tombé dans l'oreille par hasard.

— Pourquoi ai-je du mal à vous croire ? Je pensais m'être montré très clair, hier soir. Vous ne devez pas vous impliquer dans cette affaire !

— Je n'étais pas obligée de vous appeler, mais je veux qu'on retrouve Jeff Quinlan vivant. Je pensais que le FBI saurait utiliser le nom de son ravisseur.

— Je veux savoir d'où vous tenez ce nom.

— D'un informateur.

— J'aimerais lui parler.

— Non.

— Cacheriez-vous des renseignements à un agent fédéral, mademoiselle Blake ?

— Bien au contraire, agent Bradford : je vous communique des renseignements alors que rien ne m'y obligeait.

— D'accord, vous avez raison. Merci d'avoir appelé. Nous ferons une recherche informatique.

— Ce vampire a des antécédents criminels. Il est connu pour molester de jeunes garçons. C'est un pédophile.

—Grand Dieu, un vampire pédophile… (Bradford semblait enfin intéressé par ce que je lui racontais.) Et il tient le fils Quinlan.

—Oui.

—J'aimerais vraiment parler à votre informateur.

—Il déteste les flics.

—Je pourrais insister, mademoiselle Blake. On nous a rapporté l'arrivée d'un jet privé la nuit dernière, et le déchargement d'un cercueil. L'appareil appartient à la JC Corporation, un consortium qui semble contrôler beaucoup d'entreprises vampiriques basées sur Saint Louis. Ça vous dit quelque chose ?

Mentir au FBI était une mauvaise idée, mais je ne savais pas comment ces gens réagiraient à la vérité. Les Fédéraux enquêtaient sur un crime commis par un vampire, et soudain, un autre vampire arrivait en ville. Dans le meilleur des cas, ils souhaiteraient l'interroger. Et dans le pire…

Un jour, dans le Mississippi, un vampire a été accidentellement transféré dans une cellule avec fenêtre. Le soleil s'est levé, et pouf! Vampire frit au petit déjeuner! Un avocat a poursuivi les flics et gagné son procès, mais ça n'a pas ramené le vampire. Certes, c'était un mort-vivant récemment transformé. À sa place, Jean-Claude aurait pu s'échapper. Mais il se serait retrouvé avec un mandat d'arrêt au cul. Un peu comme Magnus Bouvier.

Sans compter qu'un vampire avait tué un flic la nuit précédente. Du coup, les collègues du défunt risquaient de ne pas être très prudents avec les autres buveurs de sang des environs. Après tout, ce n'étaient que des humains.

—Vous êtes toujours là, mademoiselle Blake ?

—Oui.

—Vous n'avez pas répondu à ma question.

—Où le cercueil a-t-il été livré ?

—Il n'a pas été livré : il a disparu.

— Qu'attendez-vous de moi ?

— Des bagages ont été déchargés en même temps que ce cercueil. Deux hommes sont passés les chercher à l'aéroport il y a peu de temps. La description du plus grand collait parfaitement avec Larry Kirkland.

— Vraiment ?

— Vraiment.

Nous gardâmes le silence un moment, chacun de nous attendant que l'autre dise quelque chose.

— Je pourrais envoyer des agents à votre hôtel.

— Il n'y a pas de cercueil dans ma chambre, agent Bradford.

— Vous en êtes certaine ?

— Je vous le jure devant Dieu.

— Savez-vous qui dirige la JC Corporation ?

— Non.

Ça aussi, c'était la vérité. Jusqu'à ce que Bradford me balance ce nom, je n'avais jamais entendu parler de la JC Corporation. Évidemment, il n'était pas difficile de deviner qu'elle appartenait à Jean-Claude. Mais je ne le *savais* pas au sens strict du terme.

D'accord, je jouais sur les mots…

— Savez-vous où ce cercueil a été livré ?

— Non.

— Me le diriez-vous si vous le savez ?

— Si ça pouvait vous aider à retrouver Jeff Quinlan, oui.

— D'accord, mademoiselle Blake. Désormais, tenez-vous à l'écart de cette enquête. Quand nous aurons mis la main sur le vampire, nous vous ferons signe, et vous viendrez faire votre boulot. Vous êtes une chasseuse et une exécutrice de vampires, pas un flic. Essayez de vous en souvenir.

— Très bien.

— Maintenant, je vais me recoucher, et je vous conseille d'en faire autant. Nous trouverons l'assassin aujourd'hui.

Et si ça peut vous rassurer, je ne crois pas tout ce que le sergent Freemont m'a raconté. Nous ferons appel à vous pour l'exécution.

— Merci.

— Bonne nuit, mademoiselle Blake.

— Bonne nuit, agent Bradford.

Nous raccrochâmes.

Je restai assise une minute, m'efforçant de digérer ce que je venais d'entendre. Si les flics trouvaient Jean-Claude dans ma chambre, que feraient-ils ? Je les ai déjà vus fourrer un vampire comateux dans un sac à viande, le transporter jusqu'au commissariat et attendre la tombée de la nuit pour l'interroger.

Sur le coup, j'avais pensé que c'était une mauvaise idée, car le vampire serait forcément furax au réveil.

Et il l'avait été. À la fin, il avait fallu que je le tue.

J'ai toujours culpabilisé à propos de cette exécution-là. Ça ne s'est pas passé à Saint Louis, mais dans un État voisin. Les flics locaux m'avaient fait venir pour que je les conseille. Dès que nous avions trouvé le vampire, ils avaient cessé de m'écouter…

Ça me rappelait un peu la situation présente. À l'origine, les policiers étaient à sa recherche uniquement pour l'interroger. Ils n'avaient rien à lui reprocher.

Je me sentais soudain très fatiguée, comme si tous les événements de la nuit précédente venaient de s'abattre sur moi telle une lame de fond. Je n'arrivais plus à bouger ni à réfléchir correctement. Je ne pourrais pas aider Jeff Quinlan avant d'avoir dormi quelques heures. Et les Fédéraux le retrouveraient peut-être pendant mon sommeil. Des choses plus incroyables se sont déjà produites.

J'appelai la réception pour demander qu'on me réveille à midi, puis me glissai sous la couverture. Mon Browning formait une bosse sous l'oreiller. Au moins, je ne sentais pas le Firestar sous les coussins du canapé.

Je regrettais à moitié de ne pas avoir emporté Sigmund. Mais que Jean-Claude et Jason me trouvent endormie avec un pingouin en peluche dans les bras m'effrayait presque autant que l'idée qu'ils essaient de me manger.

Parfois, je suis plus macho qu'un mec.

Chapitre 21

Quelqu'un tambourinait à la porte.

J'ouvris les yeux sur une pièce pleine de lumière douce et indirecte. Les rideaux du salon n'étaient pas aussi épais que ceux de la chambre. Voilà pourquoi je dormais ici, et Jean-Claude là-bas.

Je luttai pour enfiler le jean que j'avais abandonné sur la moquette et criai :

— J'arrive !

Après un court silence, j'eus l'impression que mon visiteur attaquait le battant à coups de pied. Bradford avait-il envoyé ses collègues me réveiller en fanfare ?

Je m'approchai de la porte, Browning à la main. Il était douteux que des agents fédéraux se montrent aussi impolis. Plaquée contre le mur, je demandai :

— Qui est-ce ?

— Dorcas Bouvier. (Nouveau coup de pied rageur.) Ouvrez-moi !

Je regardai par l'œilleton. C'était bien Dorcas Bouvier, ou sa jumelle maléfique. Elle ne semblait pas armée. Je glissai le Browning dans la ceinture de mon jean. Mon tee-shirt m'arrivait à mi-cuisses et il était presque assez ample pour cacher une mitraillette.

Je déverrouillai la porte et me plaçai sur le côté. Dorcas l'ouvrit et entra. Je refermai derrière elle, mis le verrou et m'adossai au battant pour l'observer.

Elle traversa la pièce tel un félin exotique, ses longs cheveux auburn se balançant dans son dos à chacun de ses pas. Puis elle se tourna vers moi et me foudroya de ses yeux turquoise qui ressemblaient tant à ceux de son frère. Ses pupilles réduites à une tête d'épingle lui donnaient l'air d'être aveugle.

—Où est-il?

—Où est qui?

Elle me toisa en silence quelques instants, puis fonça vers la porte de la chambre à coucher. Je n'avais pas le temps de l'intercepter, et je n'étais pas encore disposée à lui tirer dessus.

Quand je la rejoignis, elle avait déjà fait deux pas dans la pièce et s'était pétrifiée, contemplant le lit d'un air abasourdi. Il faut dire qu'il y avait de quoi.

Jean-Claude était allongé sur le dos, une épaule et un bras mortellement pâles reposant au-dessus du drap pourpre qui lui montait jusqu'à la poitrine. Dans la pénombre, ses cheveux se fondaient avec la taie d'oreiller, encadrant son visage blanc et éthéré.

Jason gisait sur le ventre. Le drap recouvrait tout juste ses fesses et une de ses jambes. Il se dressa sur les coudes et tourna la tête vers nous. Ses cheveux blonds lui tombaient devant les yeux. Il cligna des paupières comme si nous l'avions arraché à un profond sommeil. Puis son regard se posa sur Dorcas, et il sourit.

—Ce n'est pas Magnus, souffla Dorcas.

—Bien observé, raillai-je. Vous voulez en parler à côté?

—Ne vous gênez surtout pas pour moi, dit Jason.

Alors qu'il se retournait, le drap glissa sur ses hanches.

Dorcas tourna les talons et quitta la pièce à grandes enjambées. Je refermai la porte au moment où Jason éclatait de rire.

Ma visiteuse semblait ébranlée – voire gênée. C'était bon à savoir. Moi aussi, je me sentais mal à l'aise, mais je ne voyais pas comment y remédier. Tenter de s'expliquer, dans ce genre de situation, ne marche jamais. Les gens pensent toujours au pire.

Je n'essayai donc pas de me disculper, me contentant de la dévisager sans rien dire.

Elle refusa de soutenir mon regard.

Après un long silence gênant qui lui fit monter le rouge aux joues, elle lâcha enfin :

— Je ne sais pas quoi dire. Je pensais trouver mon frère ici. J'étais certaine que…

Enfin, elle planta ses yeux dans les miens. Elle retrouvait déjà son assurance et elle n'était pas seulement là pour tirer Magnus de mon lit.

— Pourquoi pensiez-vous que votre frère serait ici ?

— Je peux m'asseoir ?

Je fis signe que oui. Elle prit place dans un des fauteuils, le dos très droit et les jambes serrées comme une vraie dame. Ma belle-mère, Judith, aurait été fière d'elle.

Je posai les fesses sur l'accoudoir du canapé, parce que je ne pouvais pas m'asseoir avec le Browning dans mon jean. Et comme je n'étais pas sûre de la réaction de Dorcas, si elle découvrait que j'étais armée, j'aimais autant ne pas le sortir devant elle. Certaines personnes sont terrorisées par la vue d'un flingue. Allez comprendre pourquoi…

— Je sais que Magnus était avec vous la nuit dernière.

— Avec moi ?

— Je ne veux pas dire… (De nouveau, elle rougit.) Pas de cette façon. Mais je sais que vous vous êtes vus.

— Il vous en a parlé ?

Elle secoua la tête et ses cheveux glissèrent sur ses épaules comme de la fourrure. Ou comme ceux de Magnus.

— Je vous ai vus ensemble.

J'étudiai son visage, tentant de déchiffrer son expression.

— Vous n'étiez pas là la nuit dernière.

— Où ça ? demanda-t-elle.

Je fronçai les sourcils.

— Comment nous avez-vous vus ?

— Donc, vous admettez que vous avez vu Magnus la nuit dernière !

— Ce que je veux savoir, c'est comment vous nous avez vus ensemble.

— Ça ne regarde que moi.

— Magnus m'a dit que vous étiez plus douée que lui pour la vision à distance. C'est vrai ?

— Bon sang, que ne vous a-t-il donc pas raconté ?

De nouveau, elle était en colère. Ses émotions se télescopaient sur ses traits et dans sa voix.

— Il ne m'a pas expliqué pourquoi il s'était enfui devant la police.

Dorcas baissa les yeux sur ses mains.

— Je l'ignore aussi. Ça n'a pas de sens. Mais je sais qu'il n'a pas tué ces enfants.

— Je suis d'accord avec vous sur ce point.

Elle écarquilla les yeux.

— Je croyais que vous aviez dit à la police qu'il était coupable.

Je secouai la tête.

— Non. J'ai dit qu'il aurait pu le faire. Pas qu'il l'avait fait.

— Mais… l'inspectrice semblait tellement sûre d'elle. Elle m'a révélé que l'information venait de vous.

— Vous parlez du sergent Freemont ?

— Oui.

— Ne croyez pas tout ce qu'elle vous raconte, surtout à mon sujet. Elle n'a pas l'air de beaucoup m'apprécier.

— Si vous ne lui avez pas dit que Magnus était l'assassin, pourquoi en a-t-elle après lui ? Il n'avait aucune raison de tuer ces enfants.

— Magnus n'est plus recherché pour ces meurtres. Personne ne vous a prévenue ?

— Non. Ça signifie qu'il peut rentrer à la maison ?

— Ce n'est pas aussi simple… Magnus a fait usage d'un glamour sur les flics pour leur échapper. C'est un délit en soi. Ils risquent de l'abattre à vue. Ils ne plaisantent pas avec l'usage illégal de magie. Et je ne peux pas les en blâmer.

— Je vous ai vue parler avec Magnus. Vous étiez dehors.

— Effectivement, nous nous sommes vus la nuit dernière.

— Vous l'avez dit à la police ?

— Non.

— Pourquoi ?

— Magnus est probablement coupable de quelque chose, sinon, il ne se serait pas enfui. Mais il ne mérite pas d'être abattu comme un chien.

— C'est vrai.

— Qu'est-ce qui vous a fait croire qu'il serait dans mon lit ?

Une fois encore, elle baissa les yeux.

— Mon frère peut se montrer très persuasif. Je ne me souviens pas de la dernière fois où une femme lui a dit non. Mais je m'excuse d'avoir pensé ça de vous.

Elle s'interrompit, regarda vers la porte de la chambre, se tourna vers moi et rougit de nouveau.

Je n'allais pas lui expliquer les circonstances qui avaient conduit deux hommes dans mon lit. La couverture et l'oreiller abandonnés sur le canapé indiquaient assez clairement que je n'avais pas dormi avec eux. Au moins, je l'espérais.

— Que voulez-vous de moi, mademoiselle Bouvier ?

— Je veux retrouver Magnus avant qu'il se fasse tuer. Je pensais que vous pourriez m'aider. Comment avez-vous pu le balancer aux flics ? Vous savez pourtant ce que c'est que d'être différente…

Je voulais lui demander si ça se voyait tant que ça. Lisait-elle le mot « nécromancienne » sur mon front ? Mais je me retins. Si la réponse était « oui », je n'étais pas sûre de vouloir l'entendre.

— S'il ne s'était pas enfui, les flics l'auraient seulement interrogé. Ils n'avaient pas assez de preuves pour l'arrêter. Savez-vous pourquoi il a fait ça ?

— J'ai beau me creuser la tête, je ne comprends pas. Mon frère est un peu amoral, mademoiselle Blake, mais ce n'est pas un méchant homme.

Je n'étais pas certaine qu'on puisse être « un peu » amoral, mais bon…

— S'il se rend à moi, je le conduirai au poste de police et j'assurerai sa protection. Cela mis à part, je ne vois pas ce que je peux faire.

— Je suis allée à tous les endroits où il aurait pu se réfugier, mais il n'était nulle part. J'ai même été voir au tumulus.

— Quel tumulus ?

Dorcas me regarda, les sourcils froncés.

— Il ne vous a pas parlé de la créature ?

J'envisageai de mentir pour lui soutirer des informations, mais son regard m'apprit que j'avais déjà laissé passer ma chance.

— Non.

— Évidemment. S'il vous en avait parlé, la police serait déjà sur place avec de la dynamite. Ça ne la tuerait pas, mais ça bousillerait nos glyphes de protection.

— Quelle créature ?

— Magnus vous a-t-il dit une chose que vous n'ayez pas répétée à la police ?

Je réfléchis quelques instants avant d'avouer :

—Non.

—Alors, il a eu raison de ne pas vous en parler.

—Mais en ce moment, j'essaie de l'aider.

—Parce que vous vous sentez coupable ?

—Peut-être…

Dorcas me dévisagea. Ses pupilles avaient repris leur taille normale et elle ressemblait presque à une humaine ordinaire. Presque.

—Comment vous faire confiance ?

—Vous ne pouvez pas. Mais je veux vraiment aider votre frère. Parlez-moi, mademoiselle Bouvier !

—Vous devez me donner votre parole de ne pas tout répéter aux flics. Je suis sérieuse. S'ils interviennent, ils risquent de libérer la créature, et des gens mourront.

J'hésitai un instant, mais je ne voyais aucune raison de mêler la police à ça.

—D'accord, je vous donne ma parole.

—Je ne suis peut-être pas aussi douée que Magnus pour les glamours, mais un serment prêté à un fairie est chose sérieuse, mademoiselle Blake. Ceux qui nous mentent le regrettent toujours.

—C'est une menace ?

—Considérez ça comme un avertissement.

L'air ondula entre nous comme la chaleur montant d'une route goudronnée en plein été. Les pupilles de Dorcas tournoyèrent comme des vortex miniatures.

Tout bien pesé, j'aurais peut-être dû lui montrer mon flingue.

—Ne jouez pas à ça avec moi ! criai-je. Je ne suis pas d'humeur.

Sa magie parut se résorber comme de l'eau qui disparaît dans la fissure d'un rocher. Je savais qu'elle était toujours là, sous la surface. Mais je me collette souvent avec des vampires et des loups-garous. Dorcas Bouvier n'avait aucune chance de m'impressionner. Magnus semblait avoir hérité du plus gros des pouvoirs familiaux. Il était bien plus effrayant qu'elle.

— C'était pour m'assurer que nous nous comprenions, mademoiselle Blake. Si vous parlez aux flics et qu'ils libèrent la créature, vous serez responsable des morts qu'elle provoquera.

— D'accord, j'ai pigé. Maintenant, racontez-moi ce que vous savez d'elle.

— Magnus vous a-t-il parlé de notre ancêtre, Llyn Bouvier ?

— Oui. Il fut le premier Européen à s'installer dans la région. Il épousa une fille du coin et convertit sa tribu au christianisme. C'était un fey.

Dorcas hocha la tête.

— Il avait amené un autre fey avec lui, une créature d'une intelligence inférieure qu'il avait enfermée dans une boîte magique. Mais le monstre s'échappa et massacra presque toute la tribu dont nous descendons. Llyn parvint à le capturer de nouveau avec l'aide d'un chaman indien, mais il ne reprit jamais son contrôle sur lui. Il put seulement l'emprisonner.

— De quel genre de fairie s'agissait-il ?

— *Squelette sanglant* n'est pas seulement le nom de notre bar. C'est le diminutif de Tête Écorchée, Squelette Sanglant.

— Mais c'est une comptine pour enfants ! Pourquoi votre ancêtre aurait-il voulu capturer un de ces monstres ? Ils n'ont pas de trésor à voler et ne réalisent pas de souhaits. À moins que je me trompe…

— Non, vous avez absolument raison.

— Dans ce cas, pourquoi l'avoir capturé ?

— La plupart des enfants nés d'un humain et d'un fairie n'ont pas beaucoup de magie.

— C'est ce qu'affirment les légendes, mais Magnus prouve qu'elles ont tort.

— Llyn Bouvier conclut une sorte de pacte pour lui et ses descendants. Nous aurions tous des pouvoirs feys, mais il y aurait un prix à payer.

Elle faisait traîner en longueur, et je n'avais pas eu mon quota de sommeil.

— Venez-en au fait, mademoiselle Bouvier. Ce suspens me fatigue.

— Avez-vous envisagé qu'il soit pénible pour moi de vous raconter tout ça ?

— Non. Et si c'est le cas, je m'en excuse.

— Mon ancêtre avait capturé Squelette Sanglant pour pouvoir préparer une potion avec son sang. Mais il devait en absorber des doses à intervalles réguliers pour que la magie ne l'abandonne pas. Voilà pourquoi il décida de le garder en cage.

— Et comment les autres feys réagirent-ils ?

— Il fut forcé de quitter l'Europe pour ne pas être tué. Car il est interdit de nous exploiter les uns les autres de cette façon.

— Je comprends pourquoi.

— Son acte barbare nous donna le pouvoir des glamours. Mais c'était un don acheté au prix du sang. Après avoir capturé Tête Écorchée, Squelette Sanglant pour la deuxième fois, mon ancêtre renonça à sa potion. Il avait enfin compris que c'était mal. Sa magie diminua, mais elle coulait déjà dans les veines des enfants qu'il avait engendrés. Et elle s'est transmise au fil des générations. Jusqu'à nous.

— Donc, résumai-je, vous gardez toujours Tête Écorchée, Squelette Sanglant dans une boîte ?

Dorcas sourit, et son visage parut soudain jeune et ravissant. Je n'avais aucun moyen de deviner son âge : elle n'avait pas la moindre ridule.

— Après son évasion, Tête Écorchée, Squelette Sanglant grandit jusqu'à atteindre sa taille maximum, et il devint un véritable géant. Aujourd'hui, il est emprisonné dans un tumulus de terre et de magie.

— Vous dites qu'il a pratiquement éradiqué une tribu ?

Elle hocha la tête.

— Je dois voir ce tumulus.

— Vous avez promis…

— J'ai juré de ne rien dire à la police, mais vous venez de m'avouer qu'une créature monstrueuse, avec des antécédents criminels, est emprisonnée près d'ici. Je dois m'assurer qu'elle ne s'échappera pas.

— Notre famille veille sur elle depuis des siècles, mademoiselle Blake. Nous savons ce que nous faisons.

— Si je ne peux pas en parler aux flics, je veux au moins vérifier de mes propres yeux.

Dorcas se leva et me toisa de toute sa hauteur, comme si elle essayait de m'intimider.

— Pour que vous puissiez indiquer le chemin à la police, après ? Vous me prenez pour une idiote ?

— Je n'indiquerai rien à personne, mais je dois aller sur les lieux. Si cette créature s'échappe et que la police n'est pas préparée à l'arrêter, je serai responsable des victimes qu'elle fera.

— Il est impossible d'arrêter Squelette Sanglant. Il est immortel, mademoiselle Blake. Il ne mourrait pas, même si vous lui coupiez la tête. La police aggraverait la situation.

Là, elle marquait un point.

— J'ai quand même besoin de le voir par moi-même, insistai-je.

— Vous êtes une femme têtue.

— Oui, je peux être vraiment pénible. Ne perdons pas de temps, voulez-vous ? Conduisez-moi au tumulus, et si je juge que c'est sûr, je vous laisserai veiller sur cette créature sans en parler à personne.

— Et si vous jugez que ce n'est pas sûr ?

— Nous contacterons une sorcière pour lui demander ce qu'elle préconise.

— Vous n'appellerez pas les flics ?

— Quand je me fais cambrioler, j'appelle les flics. Si j'ai un problème avec la magie, j'appelle quelqu'un qui s'y connaît.

— Vous êtes une femme étrange. Je ne vous comprends pas.

— Moi aussi, il y a des tas de choses que je ne comprends pas, si ça peut vous réconforter. Alors, vous allez me montrer ce tumulus, oui ou non ?

— D'accord. Je vous y conduirai.

— Quand ?

— Sans Magnus, nous allons être débordés, au bar. Donc, pas aujourd'hui. Venez me rejoindre là-bas, demain vers 15 heures.

— J'aimerais amener mon assistant.

— Un des hommes que j'ai vus dans votre chambre ?

— Non.

— Pourquoi voulez-vous qu'il nous accompagne ?

— Parce que je suis chargée de sa formation, et qu'il n'aura pas beaucoup d'autres occasions de voir de la magie fey en action.

Elle réfléchit quelques instants, puis hocha la tête.

— D'accord, vous pouvez amener votre assistant. Mais personne d'autre.

— Croyez-moi, mademoiselle Bouvier, Larry me suffira.

— Mes amis m'appellent Dorrie, dit-elle.

— Et moi, Anita, répliquai-je en lui tendant la main.

Elle avait une poignée de main ferme et très agréable, pour une femme. Je sais, c'est un commentaire sexiste, mais la plupart des nanas ne savent pas serrer une main correctement.

Dorcas prolongea le contact plus longtemps que nécessaire. Quand elle sursauta, je me souvins de la clairvoyance de Magnus. Les yeux écarquillés, elle retira vivement sa main et la porta à sa poitrine comme si elle s'était brûlée.

— Je vois du sang, de la douleur et de la mort. Elle vous suit comme une ombre, Anita Blake.

Ses yeux se glacèrent d'horreur. Et tout ça parce qu'elle avait eu une brève vision de moi, de ma vie et de mon passé. Je ne détournai pas le regard. Je n'avais pas à avoir honte. Parfois, je préférerais bosser dans un autre secteur, mais la nécromancie est mon métier.

Et ce que je suis.

Dorcas battit lentement des paupières.

— Je ne vous sous-estimerai pas, Anita.

Elle semblait redevenue normale. Enfin, aussi normale qu'à son arrivée, c'est-à-dire pas tellement. Pour la première fois, je la dévisageai en me demandant si ce que je voyais était bien réel. Utilisait-elle un glamour pour se donner une apparence normale ? Pour paraître moins puissante qu'elle ne l'était ?

— Et j'en ferai autant avec vous, Dorrie.

De nouveau, elle m'adressa le ravissant sourire qui lui donnait l'air si jeune et si vulnérable. Une illusion ?

— Alors, à demain, lança-t-elle.

— À demain.

Elle partit, et je fermai la porte derrière elle.

Ainsi, Magnus et sa famille étaient les gardiens d'un monstre immortel. Cela avait-il un rapport avec sa fuite de la veille ? Dorrie ne le pensait pas, et elle était bien placée pour le savoir. Mais une aura de pouvoir planait dans la pièce, un soupçon de magie qui flottait dans l'air comme un parfum, et dont je n'avais pas eu conscience jusqu'à son départ.

Dorrie était peut-être aussi douée que Magnus pour les glamours. Peut-être les utilisait-elle seulement de manière un peu plus subtile. Devais-je vraiment lui faire confiance ? Ça restait à voir.

Pourquoi avais-je demandé si Larry pouvait nous accompagner ? Parce que je savais que ça lui ferait plaisir. De plus, ça compenserait la façon dont je l'avais traité devant Jason.

Mais en sentant le pouvoir de Dorcas Bouvier en suspension dans l'air comme un fantôme, je n'étais plus très sûre que ce soit une bonne idée. Et puis merde : je *savais* que ça n'en était pas une !

Ça ne m'empêcherait pas d'aller au rendez-vous et d'emmener Larry. Il avait le droit de m'accompagner. Et même celui de risquer sa vie, si ça lui chantait. Je ne pourrais pas le protéger éternellement. Tôt ou tard, il devrait apprendre à s'occuper de lui-même. Je détestais ça, mais ça n'y changeait rien.

Je n'étais pas encore prête à lui enlever sa laisse, mais il allait falloir donner un peu de mou. En espérant qu'il ne s'en serve pas pour se pendre.

CHAPITRE 22

Je dormis la plus grande partie de la journée. À mon réveil, je découvris que personne ne voulait de moi dans le jeu. Mes petits camarades prenaient très au sérieux la menace du procès Quinlan. Du coup, je me fis refouler de tous les côtés. Même l'agent Bradford m'ordonna de plier bagages, menaçant de me jeter en prison pour obstruction à la justice. J'aime les gens qui savent faire preuve de gratitude.

Partout où j'allai, je me heurtai à un mur. La seule personne qui acceptait encore de me parler ? Dolph, bien sûr ! Mais il put seulement me dire que Jeff Quinlan et le corps de sa sœur n'avaient pas été retrouvés. Magnus était toujours porté disparu. Les flics interrogeaient des gens et cherchaient des indices pendant que je me tournais les pouces, mais ils ne découvrirent rien de plus intéressant que moi.

Je regardai tomber la nuit avec un certain soulagement. Au moins, j'allais pouvoir passer à l'action. Larry était retourné dans sa chambre sans que je le lui demande. Il voulait peut-être me laisser un peu d'intimité avec Jean-Claude. Ça, c'était une idée effrayante. Mais il m'adressait encore la parole. Plus que je pouvais en dire de la plupart des gens impliqués dans cette affaire.

J'ouvris les rideaux et regardai les vitres virer au noir. Un peu plus tôt, je m'étais brossé les dents dans la salle de bains de Larry. La mienne me semblait soudain hors limites. Je ne voulais pas voir Jason à poil (sans mauvais jeu de mots), et encore moins Jean-Claude. J'avais donc squatté une partie de la suite de mon assistant.

J'entendis la porte de la chambre s'ouvrir derrière moi, mais je ne bougeai pas. Inutile : je savais déjà qui c'était. Qu'on ne me demande pas comment.

— Bonsoir, Jean-Claude.

— Bonsoir, ma petite.

Je me retournai. La pièce était quasiment plongée dans le noir. La seule lumière venait des lampadaires de la rue et de l'enseigne de l'hôtel.

Jean-Claude avança dans cette douce phosphorescence. Le col de sa chemise blanche montait si haut qu'il masquait totalement son cou. Une douzaine de boutons de nacre scintillaient entre les plis du tissu. Une veste courte, presque trop noire pour qu'on la voie dans l'obscurité, cachait ses manches, laissant seulement dépasser leurs extrémités empesées qui lui couvraient à moitié les mains.

Jean-Claude leva un bras dans la lumière, et ses manchettes se rabattirent en arrière pour lui laisser une totale liberté de mouvement. Comme toujours, les jambes de son pantalon noir moulant étaient enfilées dans ses cuissardes de cuir noir tenues en place par des boucles métalliques.

— Ça te plaît ? demanda-t-il.

— C'est assez chicos.

— Chicos ? répéta-t-il, amusé.

— Vous êtes incapable d'accepter un compliment, l'accusai-je.

— Toutes mes excuses, ma petite. Je n'avais pas compris que c'en était un. Merci.

— De rien. Maintenant, pouvons-nous aller chercher votre cercueil ?

Jean-Claude s'écarta de la lumière. Ainsi, je ne pouvais plus voir son visage.

— À t'écouter, ça a l'air si simple…

— Pourquoi : ça ne l'est pas ?

Le silence qui suivit était si épais que le salon me sembla brusquement vide. Je faillis appeler Jean-Claude pour m'assurer qu'il était toujours là. Mais j'avançai vers le bar et allumai le spot placé au-dessus.

Une douce lumière blanche dissipa la pénombre, donnant à la pièce des allures de caverne éclairée. Ça me réconforta vaguement… Mais je tournais le dos à l'endroit où je pensais que Jean-Claude devait être, et je n'arrivais toujours pas à sentir sa présence.

Je me retournai. Il s'était assis dans un fauteuil. J'eus beau le regarder, je ne distinguai pas de mouvement. Comme un arrêt sur image.

— J'aimerais bien que vous ne fassiez pas ça.

Jean-Claude tourna la tête vers moi. Le blanc de ses yeux avait disparu, laissant deux puits de ténèbres dont la lumière diffuse faisait jaillir des étincelles bleues.

— Faire quoi, ma petite ?

Je secouai la tête.

— Rien. Qu'y a-t-il de si compliqué dans ce que nous nous apprêtons à faire ? J'ai l'impression que vous ne m'avez pas tout dit.

Il se leva d'un mouvement fluide, comme s'il avait sauté une étape du processus pour passer instantanément de l'état assis à l'état debout.

— Selon nos règles, Seraphina devrait me défier ce soir.

— C'est le nom de la maîtresse de Branson ?

Il hocha la tête.

— Vous ne craignez pas que je le dise aux flics ?

— Je vais te conduire à elle, ma petite. Ton impatience n'aura pas le temps de te faire commettre une erreur.

Si j'avais été coincée là toute la journée, sans rien à faire, mais en connaissant ce nom, aurais-je tenté de localiser Seraphina ? Probablement. Certainement.

— Très bien. Allons-y.

Jean-Claude entreprit de faire les cent pas en souriant.

— Ma petite, comprends-tu ce qu'un défi signifie ?

— Que nous allons les combattre, elle et ses serviteurs ?

Il s'immobilisa dans la lumière et se hissa sur un tabouret.

— Il n'y a aucune peur en toi, constata-t-il.

Je haussai les épaules.

— Avoir peur ne sert à rien. En revanche, être préparé est précieux. Et vous, vous avez peur d'elle ?

Je le dévisageai, tentant de percer son masque de perfection.

— Je ne crains pas son pouvoir. Sur ce plan-là, je pense que nous sommes presque égaux. Disons simplement que je me méfie. Je suis sur son territoire, avec pour toute escorte un de mes loups, ma servante humaine et M. Lawrence. Ce n'est pas comme ça que je l'impressionnerai...

— Pourquoi n'avez-vous pas amené plus de gens ? Ou de loups-garous...

— Si j'avais eu le temps d'obtenir une escorte plus conséquente, je l'aurais fait. Mais dans la précipitation, je n'avais pas le loisir de discuter.

— Êtes-vous en danger ?

Il éclata d'un rire désagréable.

— Elle demande si je suis en danger ! Quand le Conseil m'a dit de diviser mon territoire, il m'a promis d'installer à Branson une maîtresse d'une puissance égale ou inférieure à la mienne. Mais personne ne s'attendait que je vienne la rencontrer aussi désarmé.

Je fronçai les sourcils.

— De quoi parlez-vous ? Quel Conseil ?

— Tu nous fréquentes depuis si longtemps et tu n'as pas entendu parler du Conseil ?

— Inutile de vous payer ma tête. Contentez-vous de m'expliquer.

— Notre Conseil existe depuis très longtemps. Ce n'est pas un gouvernement, plutôt un tribunal ou une force de police. Avant que les autorités humaines fassent de nous des citoyens à part entière, nous avions très peu de règles et une seule loi : « Tu n'attireras point l'attention sur toi. » C'est celle que Tepes a oubliée.

— Tepes ? lançai-je, incrédule. Vlad Tepes ? Vous voulez dire, Dracula ?

Jean-Claude ne répondit pas. Parfaitement impassible, il ressemblait à une magnifique statue, pour autant que les yeux d'une statue puissent briller comme des saphirs. Je n'arrivais pas à déchiffrer son expression, et je n'étais d'ailleurs pas censée réussir.

— Je ne vous crois pas.

— À propos du Conseil, de notre loi ou de Tepes ?

— De Tepes.

— Oh, je peux t'assurer que nous l'avons tué.

— À vous entendre, vous étiez là quand ça s'est produit. Il est mort quand, au xve siècle ?

— Voyons… Était-ce en 1476, ou en 1477 ? murmura Jean-Claude comme s'il faisait un gros effort de mémoire.

— Vous n'êtes pas si vieux.

— En es-tu certaine, ma petite ?

Il tourna vers moi le visage figé qui me mettait si mal à l'aise. Même ses yeux étaient morts et vides. J'eus l'impression de regarder un automate particulièrement réussi.

— Oui, j'en suis certaine.

Il sourit et soupira. Alors, la vie – faute d'un terme plus approprié – revint sur son visage et dans son corps. Comme si Pinocchio venait de s'animer devant moi.

— Et merde !

— Ravi de constater que je réussis encore à te désarçonner de temps en temps, ma petite.

Je ne relevai pas. Il savait quel effet il produisait sur moi.

— Si Seraphina est votre égale, vous vous occuperez d'elle, et je descendrai tous les autres.

— Ça ne sera pas aussi simple.

— Ça ne l'est jamais. (Je me mordillai la lèvre.) Vous croyez qu'elle va vous défier ?

— Je n'en suis pas sûr à cent pour cent. Mais tu dois être consciente que c'est une possibilité.

— Il y a autre chose que je dois savoir ?

Le sourire de Jean-Claude s'élargit, révélant la pointe de ses canines. Il était d'une beauté à couper le souffle dans cette lumière. Pâle, mais pas trop. Je lui touchai la main.

— Vous êtes tiède.

— Oui, ma petite. Et alors ?

— Vous avez dormi toute la journée. Vous devriez être froid au toucher jusqu'à ce que vous vous nourrissiez.

Il se contenta de river sur moi ses yeux où j'aurais pu si facilement me noyer.

— Et merde !

Je partis vers la chambre. Il ne tenta pas de m'arrêter, ce qui aggrava ma nervosité. Je courais presque lorsque j'atteignis la porte.

Je distinguai d'abord une forme pâle sur le lit. J'actionnai l'interrupteur et une lumière crue inonda la pièce.

Jason gisait sur le ventre, ses cheveux blonds brillants sur l'oreiller sombre. Il était nu, à part un slip turquoise. Je m'approchai de lui en regardant son dos et en priant pour le voir respirer. Enfin, je vis sa poitrine se soulever, et le nœud qui s'était formé dans la mienne se desserra quelque peu.

Je dus m'agenouiller sur le bord du lit pour l'atteindre.

Quand je touchai son épaule, il remua un peu. Je le forçai à rouler sur le flanc. Il se laissa faire comme un poids mort, totalement passif. Deux filets écarlates coulaient le long de son cou. Il n'y avait pas beaucoup de sang sur les draps, mais je n'avais aucun moyen de savoir combien il en avait perdu. Combien Jean-Claude lui en avait pris.

Jason eut un sourire paresseux.

— Tu vas bien ? m'inquiétai-je.

Alors qu'il se tournait sur le dos, sa main glissa autour de ma taille.

— J'imagine que ça veut dire oui.

Je tentai de descendre du lit, mais son bras me tenait fermement. Il m'attira contre sa poitrine. Avant d'être plaquée contre lui, je parvins à dégainer mon Browning. Il aurait pu m'en empêcher, mais il n'essaya pas.

Je lui enfonçai le canon entre les côtes. Mon autre main était pressée sur sa poitrine nue, s'efforçant de maintenir une certaine distance entre nos deux visages.

Jason leva la tête.

— Je n'hésiterai pas à tirer, le prévins-je.

Il s'immobilisa, les lèvres à quelques centimètres des miennes.

— Je guérirai.

— Tu crois qu'un simple baiser vaut la peine de te faire trouer la peau ?

— Je ne sais pas encore. Mais beaucoup de gens semblent le penser.

Il approcha son visage du mien très lentement, pour me laisser le temps de prendre ma décision.

— Jason, lâche-la immédiatement

La voix de Jean-Claude résonna à l'infini dans la chambre.

Jason obéit. Je m'éloignai du lit, le flingue toujours dans la main.

— J'ai besoin de mon loup ce soir, Anita. Essaie de ne pas le descendre avant que nous soyons ressortis de l'antre de Seraphina.

— Dites-lui d'arrêter de me brancher.

— Oh, je le ferai, ma petite. Je le ferai…

Jason se radossa à son oreiller. Les mains croisées sur le ventre, il plia un genou. Sa posture était détendue, presque lascive, mais il n'avait pas quitté Jean-Claude des yeux.

— Tu es un familier presque parfait, Jason, mais ne me provoque pas.

— Vous ne m'avez jamais interdit de la toucher.

— Je le fais maintenant.

Jason se redressa.

— Très bien. À partir de cet instant, je me conduirai en parfait gentleman.

— J'y compte bien, souffla Jean-Claude.

Il se tenait sur le seuil de la chambre, toujours aussi séduisant mais dangereux. Je le sentais dans l'air et l'entendais dans sa voix.

— Laisse-nous, ma petite, ordonna-t-il.

— Nous n'avons pas de temps à perdre ! lançai-je.

Jean-Claude me regarda. Je vis que le blanc de ses yeux n'était pas réapparu.

— Tu essaies de le protéger ?

— Je ne veux pas que vous lui fassiez de mal parce qu'il s'est montré un peu trop entreprenant avec moi.

— Pourtant, tu étais prête à lui tirer dessus.

Je haussai les épaules.

— Je n'ai jamais dit que j'étais logique : seulement sérieuse.

Jean-Claude éclata de rire. Son changement d'humeur nous fit sursauter, Jason et moi. Son rire était aussi riche et épais que du chocolat. On aurait presque pu le cueillir dans l'air pour le manger.

Je regardai Jason. Il observait Jean-Claude comme un chien bien dressé observe son maître, cherchant à deviner ce qui lui ferait plaisir.

—Habille-toi, mon loup. Et toi, ma petite, tu dois te changer.

Je portais un jean noir et un polo bleu marine.

—Pourquoi ? Je suis parfaitement décente.

—Justement. Ce soir, nous devons en mettre plein la vue à nos interlocuteurs. Je ne te le demanderais pas si ça n'était pas important.

—Il est hors de question que je porte une robe.

—Bien entendu… Je me contenterai de quelque chose d'un peu plus stylé. Si ton jeune ami n'a rien de convenable à se mettre, Jason lui prêtera des vêtements. Ils doivent faire à peu près la même taille.

—Je vous laisse en parler vous-même à Larry.

—Si tu veux, ma petite. Et maintenant, va. Laisse Jason s'habiller en paix. Je resterai ici jusqu'à ce que tu te sois changée.

Je voulais me rebeller, car je n'aime pas qu'on me dise ce que je dois porter. Mais je renonçai. J'ai fréquenté assez de vampires pour savoir qu'ils admirent tout ce qui est spectaculaire et dangereux. Si Jean-Claude jugeait utile de leur en mettre plein la vue, il avait sans doute raison. Faire un effort vestimentaire ne me tuerait pas…

Franchement, j'ignorais tout des règles qui s'appliquaient dans une situation de ce genre. Mais je soupçonnais qu'il n'y en avait aucune.

Au moment de faire mes bagages, je n'avais pas prévu de me présenter devant une maîtresse vampire. Du coup, mes options étaient un peu limitées. J'optai pour un chemisier rouge vermillon avec un col haut, une lavallière en dentelle et des manches à volants : un truc assez victorien qui aurait pu paraître conservateur s'il n'avait pas été d'une couleur aussi criarde. Je n'avais pas envie de le mettre, parce que je savais d'avance qu'il plairait à Jean-Claude. La couleur exceptée, c'était tout à fait le genre de vêtement qu'il aurait pu porter.

J'enfilai ma veste noire passe-partout sur le chemisier. Mes deux flingues, mes deux couteaux, ma croix en pendentif… J'étais parée.

—Pouvons-nous sortir, ma petite? lança Jean-Claude dans la chambre.

—Oui.

Il ouvrit la porte et m'étudia de pied en cap.

—Tu es splendide, ma petite. J'apprécie le maquillage.

—Je suis obligée d'en porter quand je mets du rouge. Sinon, j'ai l'air d'un cadavre.

—Évidemment… As-tu d'autres chaussures?

—Seulement des escarpins à talons hauts. Je bouge mieux avec les Nike.

—Ce chemisier est plus que je n'en espérais. Garde tes baskets. Au moins, elles sont noires.

Jason sortit de la chambre, vêtu d'un pantalon de cuir noir assez moulant pour que je sache qu'il ne portait rien en dessous, et d'une chemise vaguement orientale d'un bleu doux parfaitement assorti à ses yeux. Les manches bouffantes, le col relevé fermé par un bouton, l'ensemble était couvert de broderies bleu foncé et doré. Chaque fois que Jason remuait, les pans de tissu s'écartaient assez pour révéler son ventre plat. Il avait enfilé des bottes de cuir souple qui lui montaient jusqu'aux genoux.

—Tu as le même tailleur que Jean-Claude, ou quoi? grommelai-je.

À côté d'eux, j'avais l'air d'une souillon.

—Si tu voulais bien aller chercher M. Kirkland… Nous partirons dès qu'il sera prêt.

—Larry ne voudra peut-être pas se changer.

— Si c'est le cas, qu'il reste comme il est. Je ne le forcerai pas.

Je n'étais pas certaine de croire Jean-Claude, mais j'allai quand même chercher Larry. Il accepta de regarder les fringues de Jason, mais sans promettre de trouver quelque chose qui lui irait.

Il ressortit de la chambre vêtu d'un jean indigo et d'une paire de Nike. Il avait troqué son tee-shirt contre une chemise de soie d'un bleu vibrant qui faisait ressortir la couleur de ses yeux. Un blouson de cuir noir un tantinet trop large au niveau des épaules cachait son holster. Mais c'était toujours mieux que la veste de flanelle qu'il portait jusque-là. Il avait rabattu le col de la chemise par-dessus le blouson, pour qu'il encadre son visage.

— Tu devrais voir les trucs qu'il a dans sa valise, dit-il en secouant la tête comme s'il n'arrivait pas à y croire. Je ne saurais même pas comment les enfiler.

— Tu es très élégant, le complimentai-je.

— Merci.

— On peut y aller, maintenant ?

— Oui, ma petite. Il sera intéressant de revoir Seraphina après deux siècles.

— Je sais que c'est la soirée des retrouvailles, pour vous, mais essayez de ne pas oublier la raison de votre présence ici. Xavier détient Jeff Quinlan. Qui sait ce qu'il lui fait subir ? Je veux ramener ce garçon chez lui sain et sauf. C'est sa deuxième nuit entre les mains de ce monstre. Nous devons le récupérer ce soir, ou trouver quelqu'un d'autre qui en soit capable.

— Dans ce cas, mettons-nous en route, dit Jean-Claude. Seraphina nous attend.

Il semblait presque impatient, comme s'il avait hâte de la revoir. Pour la première fois, je me demandai si Seraphina et lui avaient été amants. Je savais que Jean-Claude n'était pas puceau. Mais savoir qu'il avait eu d'autres maîtresses et en rencontrer une étaient deux choses différentes. Je fus surprise de constater que ça me turlupinait.

Jean-Claude me sourit comme s'il avait deviné à quoi je pensais. Le blanc de ses yeux était réapparu, lui donnant de nouveau l'air presque humain.

Presque.

Chapitre 23

Jean-Claude traversa le parking à grandes enjambées. Entre ses fringues, sa beauté surnaturelle et son allure féline, il me semblait que des flashes auraient dû crépiter sur son passage, des gens se précipitant pour lui réclamer un autographe.

Jason, Larry et moi le suivîmes tel l'entourage d'une star – ce que nous étions, en un sens, que ça me plaise ou non. Mais pour sauver Jeff Quinlan, j'étais prête à lécher les bottes de Jean-Claude autant qu'il voudrait. Même moi, je peux ramper un peu, si c'est pour une bonne cause.

— Vous conduisez, ou vous m'indiquez le chemin de la maison de Seraphina ? demandai-je.

— Je te guiderai étape après étape.

— Vous croyez que je vais courir chez les flics pour leur donner l'adresse de la maîtresse de la ville ?

— Non, répondit-il.

Et je dus m'en contenter. Malgré tous mes froncements de sourcils, il n'ajouta rien.

Nous montâmes dans la Jeep. Inutile de préciser qui eut droit à la place d'honneur à côté de moi…

Nous nous engageâmes sur l'avenue principale de Branson, le Strip. La circulation était si dense que les voitures roulaient pare-chocs contre pare-chocs. Aux heures de pointe, il faut parfois deux plombes pour parcourir les six kilomètres du Strip. Jean-Claude me fit tourner dans une petite rue que je pris d'abord pour une impasse, mais qui nous permit d'éviter le plus gros des embouteillages.

Parachuté dans le centre de Branson, on ne le devinerait jamais, mais dès qu'on sort de la ville et qu'on franchit la colline à laquelle elle est adossée, on se retrouve en pleine cambrousse. Montagnes, forêts, maisons habitées par des gens qui ne gagnent pas leur vie grâce au tourisme… Sur le Strip, tout est néons et artifices. Mais un quart d'heure après l'avoir laissé derrière nous, nous nous retrouvâmes sur une route qui serpentait entre les monts Ozark.

Les ténèbres se pressaient autour de la Jeep. À part le faisceau de nos phares, la seule lumière était celle des étoiles qui se détachaient contre le ciel nocturne.

— On dirait que vous vous réjouissez de revoir Seraphina, malgré la disparition de votre cercueil, dis-je.

Jean-Claude se tourna vers moi autant que sa ceinture de sécurité l'y autorisait. J'avais insisté pour que chaque passager boucle la sienne, ce qui l'avait beaucoup amusé. Je suppose qu'il était idiot de vouloir protéger un mort des accidents de la route, mais c'était moi qui conduisais.

— Je pense que Seraphina me considère toujours comme le très jeune vampire qu'elle a connu il y a des siècles. Si elle me prenait pour un adversaire digne d'elle, elle m'aurait affronté directement, ou elle s'en serait prise à mon escorte. Elle ne se serait pas contentée de voler mon cercueil. Bref, elle est trop sûre d'elle.

— Étant un membre de votre escorte, lança Larry, puis-je suggérer que c'est peut-être vous qui faites preuve d'un excès de confiance ?

Jean-Claude le regarda.

— Seraphina avait déjà des siècles quand je l'ai rencontrée. Les limites du pouvoir d'un vampire sont souvent établies au bout de deux ou trois cents ans. Et je connais les siennes, Lawrence.

— Cessez de m'appeler Lawrence. Mon nom est Larry.

Jean-Claude soupira.

— Tu l'as bien dressé, ma petite.

— Il était déjà comme ça quand j'ai hérité de lui.

— Vraiment ? C'est regrettable…

Il donnait à tout ça des allures de réunion de famille hostile – à moins que cette expression ne soit un pléonasme ? J'espérais qu'il avait raison. Mais si j'ai appris une chose sur les vampires, c'est qu'ils n'arrêtent pas de sortir de nouveaux lapins de leur cape. Des gros lapins carnivores aux crocs acérés qui bouffent les yeux des spectateurs s'ils ne font pas attention.

— Et le louveteau, il va faire quoi, au juste ? demandai-je.

— Ce qu'on me dira, répondit Jason.

— Génial.

Nous continuâmes en silence. Jean-Claude se donne rarement la peine de faire simplement la conversation, et je n'étais pas d'humeur à bavarder. La visite chez Seraphina se déroulerait peut-être sans encombres, mais quelque part, Jeff Quinlan passait sa deuxième nuit consécutive entre les bras attentionnés de Xavier. Il y avait de quoi baliser.

— Prends la prochaine à droite, ma petite.

La voix de Jean-Claude me fit sursauter, tant je m'étais laissé absorber par le silence et les ténèbres. Je ralentis, ne voulant surtout pas rater l'embranchement.

Bientôt, j'aperçus une allée de gravier tout à fait anodine, sur ma droite. Je m'y engageai prudemment. Elle n'avait rien de spécial, mais elle était très étroite, et les arbres qui la flanquaient me donnaient l'impression de rouler dans un tunnel. Leurs branches nues se refermaient au-dessus de notre tête, caressant le toit de la Jeep de leurs doigts noueux. De quoi vous filer une attaque de claustrophobie. Le faisceau des phares glissait sur les troncs sombres, rebondissant à chaque ornière.

— Mince alors ! lâcha Larry, le visage pressé contre la vitre. Si je ne savais pas qu'il y a une maison au bout de ce chemin, je ferais demi-tour.

— C'est l'idée, fit Jean-Claude. La plupart des Anciens chérissent leur tranquillité par-dessus tout.

Les phares de la Jeep éclairèrent un trou aussi large que la route. On eût dit, à cet endroit, que les écoulements d'eau de pluie avaient grignoté la chaussée au fil des ans.

Larry tira sur sa ceinture de sécurité pour se pencher entre les sièges avant.

— Qu'est devenue la route ? demanda-t-il en plissant les yeux.

— La Jeep peut passer, affirmai-je.

— Tu en es sûre ?

— Quasiment.

Jean-Claude s'était radossé à son siège. Il semblait détendu, comme s'il écoutait une musique que je ne pouvais pas entendre – ou qu'il pensait à des choses que je ne pourrais jamais comprendre.

— Pourquoi n'a-t-elle pas fait goudronner cette route ? demanda Jason. Voilà déjà presque un an qu'elle est là.

Je le regardai par-dessus mon épaule, fascinée de découvrir qu'il était mieux renseigné que moi sur les affaires de Jean-Claude.

— C'est la douve de sa forteresse, expliqua Jean-Claude. Sa barrière contre les intrus. Beaucoup de vampires trouvent leur nouveau statut légal difficile à accepter, et ils continuent à se cacher.

Les roues glissèrent sur le bord du trou. J'eus l'impression de m'enfoncer dans un cratère. Mais la Jeep parvint à gravir l'autre côté. Si nous avions eu une voiture ordinaire, nous aurions été obligés de l'abandonner là pour continuer à pied.

Après, la route montait sur une centaine de mètres. Soudain, j'aperçus une trouée entre les arbres sur le côté droit. Elle ne semblait pas assez large pour que je puisse y faire passer la Jeep – pas sans bousiller la peinture. Seul le clair de lune qui perçait un peu la végétation m'avait permis de la voir. Des herbes folles poussaient entre les graviers de ce qui, jadis, avait dû être une allée.

— C'est là ? demandai-je par acquit de conscience.

— Je crois, répondit Jean-Claude.

Je braquai à droite toute et écoutai les branches griffer les flancs de la Jeep. J'espérais qu'elle appartenait au cabinet de Stirling, et qu'il ne se contentait pas de la louer.

Nous émergeâmes de l'autre côté des arbres. Une clairière baignée par la lumière argentée du clair de lune s'étendait devant nous. L'herbe était coupée à ras, comme si quelqu'un s'était excité avec une tondeuse, l'automne précédent.

Le terrain montait doucement jusqu'au pied d'une montagne. Une maison délabrée se dressait devant nous, les écailles de peinture accrochées à sa façade évoquant les vêtements en lambeaux d'un accidenté de la route. Le grand porche de pierre engloutissait ses portes et ses fenêtres tel un puits d'ombre. Sur l'arrière du bâtiment, je voyais un verger à l'abandon et, au-delà, une forêt touffue.

— Éteins tes phares, ma petite, ordonna Jean-Claude.

Je sondai les ténèbres du porche sans la moindre envie d'obéir. Pourquoi le clair de lune ne perçait-il pas ces fichues ombres ?

— Ma petite… Tes phares.

J'obtempérai à regret. Le clair de lune illuminait notre Jeep et la clairière où nous nous étions arrêtés, mais le porche restait noir et immobile comme la surface d'un encrier. Jean-Claude défit sa ceinture de sécurité et sortit. Les garçons l'imitèrent. Je fus la dernière à descendre de la voiture.

Des pierres plates posées dans l'herbe formaient une allée incurvée qui menait au pied des marches du porche.

Sur un côté de la porte d'entrée, je distinguai une baie vitrée aux carreaux brisés. Quelqu'un avait cloué du contreplaqué à l'intérieur.

La fenêtre, de l'autre côté de la porte, était intacte, mais tellement sale qu'on ne pouvait pas voir à travers. Les ombres semblaient tellement épaisses qu'on aurait pu les toucher. Ça me rappela les ténèbres d'où l'épée avait jailli pour égorger l'adjoint Coltrain. Mais j'avais pu voir à travers ces ténèbres-là…

— C'est quoi, ces ombres ?

— Un tour de magie, affirma Jean-Claude. Rien de plus.

Sans hésitation, il gravit les marches de son pas léger. S'il était inquiet, il le cachait bien. Jason monta derrière lui, et Larry et moi nous contentâmes d'avancer normalement. Le mieux que nous puissions faire.

Les ombres étaient plus froides qu'elles ne l'auraient dû et Larry frissonna. Mais je ne captai aucune onde de pouvoir.

La contre-porte avait été arrachée de ses gonds. Malgré la protection du porche, la porte intérieure était déformée par l'humidité. Des feuilles mortes que le vent avait poussées jusque-là s'amassaient au pied de la rambarde.

— Vous êtes sûr que c'est là ? demanda Larry.

— Certain, répondit Jean-Claude.

Je comprenais le scepticisme de Larry. Sans ces ombres incongrues, j'aurais pensé que la maison était déserte.

— Ces ombres doivent décourager les visiteurs, avançai-je.

— Sûr que je ne viendrais pas chercher des bonbons ici le soir d'Halloween, grommela Larry.

Jean-Claude nous regarda par-dessus son épaule.

— Notre hôtesse approche.

La porte rongée par les intempéries s'ouvrit devant nous. Je m'étais attendue à un grincement de gonds rouillés, comme dans toute maison hantée qui se respecte, mais elle ne fit pas le moindre bruit.

Une femme apparut sur le seuil. Il n'y avait pas de lumière dans la pièce, derrière elle. Mais malgré l'obscurité, je compris aussitôt deux choses : c'était une vampire, et elle n'était pas assez âgée pour être Seraphina.

Elle devait mesurer environ cinq centimètres de plus que moi. Dans une main, elle tenait une bougie éteinte. Mes cheveux se hérissèrent sur ma nuque quand elle invoqua son pouvoir. La mèche de la bougie s'embrasa toute seule…

La vampire avait des cheveux bruns coupés très court sur le dessus et carrément rasés sur les côtés. Des clous en argent piquetaient les lobes de ses oreilles et une feuille d'émail vert suspendue à une chaînette d'argent pendait à la gauche. Elle portait une robe de cuir rouge dont seul le bustier archimoulant m'avait permis de deviner son sexe dans le noir. La jupe évasée à partir des hanches lui tombait jusqu'aux chevilles. Une robe du soir en cuir.

Ouah !

Elle fit la grimace, dévoilant ses crocs.

— Je suis Ivy.

Sa voix avait un accent rieur. Contrairement au rire de Jean-Claude, qui exprimait toujours quelque chose de sexuel, le sien était coupant comme du verre brisé. Pas conçu pour exciter ceux qui l'entendaient, mais pour leur faire du mal ou les terrifier.

— Entrez dans notre demeure, et soyez les bienvenus.

Une formulation un peu trop guindée, comme un discours préparé à l'avance… ou une incantation que je ne comprenais pas.

— Merci pour ta généreuse invitation, Ivy, dit Jean-Claude.

Soudain, je m'aperçus qu'il tenait la main de la vampire dans la sienne. Je ne l'avais pas vu tendre le bras pour la prendre. Comme si j'avais loupé quelques secondes du film. Et à en juger par l'expression d'Ivy, je n'étais pas la seule. Elle semblait très irritée.

Lentement, Jean-Claude porta sa main à ses lèvres sans la quitter du regard, histoire d'anticiper une éventuelle attaque.

Quelques gouttes de cire coulèrent le long de la bougie blanche qu'Ivy tenait dans son poing nu – beaucoup plus vite qu'elles ne l'auraient dû. Jean-Claude posa les lèvres sur le dos de son autre main, et la lâcha juste à temps pour qu'elle puisse changer sa prise.

Mais la vampire resta plantée là sans broncher, laissant la substance brûlante lui dégouliner sur la peau. Seule une lueur, dans son regard, indiqua que ça lui faisait mal. La cire durcit sur sa main légèrement rougie.

Ivy l'ignora.

La cire cessa aussitôt de couler. D'habitude, quand une bougie commence à fondre aussi vite, elle continue. Mais la cire forma une petite flaque dorée autour de la mèche, comme une goutte d'eau sous tension.

Mon regard passa d'un vampire à l'autre et je secouai la tête. Le mot « infantile » me vint à l'esprit. Mais je me gardai de le prononcer à voix haute. Pour ce que j'en savais, ça pouvait être un rituel vampirique très ancien. Même si j'en doutais franchement.

— Vos compagnons ne désirent-ils pas entrer ?

Ivy s'écarta et leva la bougie au-dessus de sa tête pour éclairer notre chemin.

Jean-Claude se campa de l'autre côté de la porte, nous obligeant à passer entre Ivy et lui pour entrer dans la maison. Je lui faisais confiance pour ne pas me croquer. Et même pour empêcher Ivy de me croquer. Mais qu'il ait l'air de s'amuser autant ne me plaisait pas. Chaque fois que j'ai été en présence de vampires qui s'amusent, ça a fini par mal tourner.

Jason passa entre les deux vampires. Larry regarda. Je haussai les épaules et avançai à mon tour. Il me suivit de près, persuadé que tout se passerait bien s'il restait avec moi. Et il avait raison. Probablement.

Chapitre 24

La porte se referma derrière nous sans que personne ne l'ait touchée – au moins, pas avec les mains. Simples tours de magie ou non, ces petites démonstrations de pouvoir commençaient à me porter sur les nerfs.

Dans la maison, l'air était immobile et sentait le renfermé, avec de légers relents de moisissure. Nous étions dans un salon vide de tout meuble. Même les yeux fermés, n'importe qui aurait deviné qu'il n'avait pas servi depuis longtemps.

Sur notre gauche, une arche donnait sur une pièce plus petite. Je distinguai un lit fait, mais tellement couvert de poussière qu'il semblait gris. Dans un coin, le miroir d'une coiffeuse reflétait le reste de la chambre.

Ivy marcha vers une porte, au fond du salon, l'ourlet de sa robe traçant un sillon dans la poussière qui couvrait le plancher. Un rayon de lumière filtrait sous le battant : de la lumière dorée et plus dense que celle de l'électricité. J'aurais parié que les occupants de cette maison étaient de grands consommateurs de bougies.

La porte s'ouvrit avant qu'Ivy l'atteigne. Une cascade de lumière s'en déversa ; elle me parut d'autant plus brillante que j'étais restée longtemps dans le noir.

La silhouette d'un vampire se découpa sur le seuil. Il était petit et mince, avec un visage trop juvénile pour être séduisant – « mignon » semblait un terme plus approprié.

Encore un gamin… et déjà mort. Il devait avoir au moins dix-huit ans, puisque la *vampirisation* de mineurs était illégale, mais il avait l'air si délicat, presque inachevé… Il avait dû être transformé peu de temps auparavant, car sa peau était encore bronzée, comme s'il avait passé le plus clair de son existence humaine à se faire dorer sur une plage.

— Je suis Bruce, se présenta-t-il, embarrassé.

C'était peut-être à cause de ses vêtements. Il portait un smoking gris clair à queue-de-pie, avec une bande anthracite le long des jambes du pantalon. Ses gants blancs étaient assortis à ce qu'on pouvait voir de sa chemise. Son gilet de soie avait la même couleur que sa veste, son nœud papillon et sa pochette étant rouges comme la robe d'Ivy. Ils ressemblaient à un jeune couple en route pour leur bal de la promo.

Deux chandeliers de la taille d'un homme encadraient la porte, répandant dans la pièce une lumière dorée fluctuante. Deux fois plus grande que le salon, la salle avait dû servir jadis de cuisine. Mais contrairement aux pièces de devant, elle avait fait l'objet d'un effort de redécoration.

Un tapis persan aux couleurs si vives qu'il ressemblait à un vitrail couvrait partiellement le sol. Les murs latéraux disparaissaient sous des tapisseries. La première représentait une licorne fuyant devant une meute de chiens ; l'autre, une scène de bataille tellement passée qu'on distinguait à peine la silhouette des protagonistes. Des draperies de soie, pendues au plafond, masquaient le fond de la pièce. Je remarquai une porte ouverte sur leur gauche.

Ivy posa sa bougie dans la bobèche vide d'un chandelier. Puis elle se campa en face de Jean-Claude et leva la tête pour le regarder dans les yeux.

— Vous êtes si beau, susurra-t-elle en caressant les revers de sa veste. Je croyais qu'ils m'avaient menti. Que personne ne pouvait être beau à ce point !

Elle commença à défaire un par un les boutons de nacre de la chemise de Jean-Claude, en partant du col et en descendant jusqu'à sa ceinture. Lorsqu'elle atteignit le dernier, il écarta sa main.

Ivy eut l'air de trouver ce geste très amusant. Elle se dressa sur la pointe des pieds, pressant ses deux mains et ses avant-bras sur la poitrine de Jean-Claude. Sa bouche entrouverte se tendit vers lui.

— Vous baisez aussi bien que vous êtes beau ? souffla-t-elle. On m'a dit que oui. Mais vous êtes tellement beau. Personne ne pourrait être un si bon coup.

Jean-Claude posa délicatement les mains de chaque côté de son visage et lui sourit. Ses lèvres rouges entrouvertes, Ivy se laissa aller contre lui.

Jean-Claude n'accentua pas la pression de ses mains. Pourtant, le sourire d'Ivy disparut comme le soleil couchant englouti par l'horizon. Elle glissa lentement vers le bas pour se retrouver les deux pieds à plat sur le sol. Dans le berceau des mains de Jean-Claude, son visage était dépourvu de toute expression.

Bruce la tira en arrière. Ivy trébucha et elle serait tombée s'il ne l'avait pas retenue. Elle cligna des yeux et promena autour d'elle un regard éberlué, comme si elle s'attendait à être ailleurs.

Jean-Claude ne souriait plus.

— Voilà longtemps que je n'avais pas été traité comme un vulgaire objet de plaisir. *Très* longtemps...

Ivy était affaissée dans les bras de Bruce, pétrifiée de frayeur. Elle repoussa son chevalier servant, se redressa de toute sa hauteur, puis tira sur les plis de sa robe rouge. La peur avait disparu de son visage. Il ne restait qu'une vague tension dans ses yeux.

— Comment avez-vous fait ça ? demanda-t-elle à Jean-Claude.

— J'ai des siècles de pratique, ma jeune amie.

— Vous n'êtes pas censé pouvoir hypnotiser un autre vampire.

— Ah bon ? répliqua Jean-Claude, faussement étonné.

— Ne vous moquez pas de moi.

J'éprouvais une certaine compassion pour elle. Jean-Claude peut vraiment être pénible, quand il veut.

— On t'a demandé de nous conduire quelque part, mon enfant. Alors, fais-le.

Ivy se tenait devant lui, les poings serrés. Sous l'effet de la colère, ses iris marron débordèrent sur le blanc de ses yeux, jusqu'à ce qu'elle ait l'air aveugle. Son pouvoir se déchaîna dans la pièce, rampant sur ma peau et hérissant mes poils comme un doigt qui les aurait effleurés dans le mauvais sens.

Instinctivement, je portai la main à mon Browning.

— Non, Anita. Ce ne sera pas nécessaire, dit Jean-Claude. Cette petite ne me fera pas de mal. Elle peut montrer ses crocs, mais à moins de vouloir mourir sur ce ravissant tapis, elle ferait mieux de se rappeler qui je suis.

» Le maître de la ville !

Sa voix résonna dans la maison comme un grondement de tonnerre jusqu'à ce que l'air soit chargé d'échos si denses que j'eus l'impression de respirer ses mots.

Quand le son retomba, je tremblais de tout mon corps. Ivy s'était ressaisie. Elle semblait toujours furieuse, mais ses yeux avaient repris leur aspect normal.

Bruce lui avait posé une main sur l'épaule, comme s'il n'était pas certain de sa réaction. Ivy se dégagea et, d'un geste gracieux, désigna la porte ouverte, au fond de la pièce.

— Nous sommes censés vous emmener en bas. D'autres… amis… vous y attendent.

Jean-Claude fit une courbette théâtrale – sans la quitter des yeux.

— Après toi, ma douce. Une dame doit toujours être devant un gentleman, jamais derrière.

— Dans ce cas, votre servante humaine peut marcher à côté de moi.

— Et puis quoi encore ? criai-je.

Elle tourna vers moi un regard innocent.

— Mais peut-être n'êtes-vous pas une dame… (Elle avança vers moi avec un balancement de hanches exagéré.) Nous auriez-vous amené une servante humaine qui n'est pas une dame, Jean-Claude ?

— Anita est une dame. Marche près d'elle, ma petite, mais sois prudente.

— Qu'avez-vous à foutre de ce que ces trous du cul pensent de moi ?

— Si tu n'es pas une dame, tu ne peux être qu'une catin. Et tu détesterais savoir ce qui arrive aux catins humaines ici, répliqua-t-il, accablé, comme s'il en avait lui-même fait l'expérience et n'en gardait pas un très bon souvenir.

Ivy me sourit en battant des cils. Je plongeai mes yeux dans les siens et lui rendis son sourire.

— Vous êtes humaine. Vous ne pouvez pas soutenir mon regard. Pas comme ça !

— Surprise, surprise…

— Nous y allons ? s'impatienta Jean-Claude.

Ivy se rembrunit, mais elle passa la porte et descendit deux marches, en tenant sa jupe d'une main pour ne pas se prendre les pieds dedans. Puis elle me regarda par-dessus son épaule.

— Vous venez ?

Je l'ignorai et demandai à Jean-Claude :

— Jusqu'à quel point dois-je être prudente ?

Larry et Jason s'approchèrent de moi.

— Défends-toi s'ils font usage de violence. Mais ne sois pas la première à faire couler le sang ou à porter un coup.

Défends-toi, mais n'attaque pas, ma petite. Ce soir, il s'agit d'un jeu. Les mises ne sont pas si élevées, à moins que tu les fasses grimper.

—Je n'aime pas ça du tout.

—Je sais, mais fais montre d'indulgence envers nous, ma petite. Pense à l'humain que tu veux sauver, et tente de contrôler ta merveilleuse impétuosité.

—Alors, humaine?

Ivy m'attendait, tapant du pied telle une enfant capricieuse.

—J'arrive.

Je ne courus pas pour la rattraper, me forçant à prendre tout mon temps, même si le poids de son regard sur ma peau me donnait des démangeaisons.

Je m'immobilisai en haut des marches pour regarder vers le bas. De l'air froid et humide me caressait le visage, charriant une odeur de renfermé et de moisissure. Je compris qu'il n'y avait pas de fenêtre à l'endroit où nous allions, et devinai que de l'eau devait attaquer les murs. Une cave.

Je déteste les caves!

J'inspirai une goulée d'air fétide et m'engageai dans l'escalier. Je n'avais jamais vu de marches aussi larges conduire à un sous-sol. Le bois était encore brut et rugueux, comme si le charpentier n'avait pas eu le temps de le poncer et de le vernir.

Il y avait assez de place pour que nous marchions toutes les deux de front. Sauf que je n'en avais pas envie. Ivy n'était peut-être pas une menace pour Jean-Claude, mais je n'avais pas d'illusions sur ce qu'elle était capable de me faire. C'était un bébé-maîtresse qui n'avait pas atteint l'apogée de sa puissance, mais son pouvoir bouillonnait sous la surface et frissonnait sur ma peau. Je m'arrêtai donc une marche au-dessus d'elle, attendant qu'elle reparte.

Ivy sourit. Elle sentait ma peur.

— Si nous sommes toutes deux des dames, nous devrions marcher ensemble. Venez, Anita, dit-elle en me tendant la main. Descendez avec moi.

Je ne voulais pas être aussi près d'elle. Si elle me sautait dessus, je n'aurais pas le temps de faire grand-chose. Je pourrais peut-être dégainer mon Browning… peut-être pas. Ne pas avoir le droit de sortir une arme la première m'agaçait. Et ça me foutait les jetons. Une des astuces qui m'ont gardée en vie est de tirer d'abord et de poser des questions ensuite. L'inverse allait contre tous mes instincts.

— La servante humaine de Jean-Claude aurait-elle peur de moi ? lança Ivy.

Sa silhouette se découpait contre la pénombre de la cage d'escalier. Derrière elle, la cave ressemblait à un précipice béant.

Mais je venais d'apprendre qu'Ivy ne pouvait pas percevoir les marques vampiriques, sinon, elle aurait su que je n'étais pas la servante de Jean-Claude au sens exact du terme. Elle n'était pas aussi douée qu'elle le pensait…

J'ignorai la main qu'elle tendait vers moi et descendis la marche qui nous séparait. Mon épaule frôla sa peau nue et j'eus l'impression que des vers de terre rampaient le long de mon bras. Je continuai à m'enfoncer dans les ténèbres, la main gauche sur la rampe.

Les talons d'Ivy claquèrent sur les marches de bois alors qu'elle se hâtait de me rattraper. Je sentais l'irritation monter d'elle comme une vague de chaleur. Derrière nous, j'entendis les hommes s'engager à leur tour dans l'escalier, mais je ne tournai pas la tête pour vérifier. Ce soir, nous jouions à qui serait une poule mouillée. Un des jeux auxquels je suis très forte.

Nous descendîmes épaule contre épaule, tels deux canassons tirant une carriole, ma main gauche sur la rampe, celles d'Ivy soulevant sa jupe. Je m'efforçai de maintenir une allure qui rendait tout « glissement » vampirique impossible, à moins qu'Ivy puisse léviter.

Visiblement, elle ne le pouvait pas.

Elle me saisit le bras droit et me força à me tourner vers elle. Il m'était interdit de dégainer mon flingue, et puisque je portais des fourreaux de poignet, je ne pouvais pas non plus sortir un de mes couteaux pour le moment. J'étais face à face avec une vampire hostile. La seule chose qui pouvait me sauver ? Qu'elle n'ait pas l'intention de me tuer. Savoir que ma survie dépendait de la bienveillance d'Ivy me semblait une mauvaise idée.

Sa colère se déversa sur moi en même temps qu'une vague de chaleur. Je sentis sa main, brûlante à travers le cuir de ma veste et ne tentai pas de me dégager. Les créatures capables de soulever des Toyota à bout de bras lâchent rarement leur proie contre leur gré. Son contact ne me faisait pas mal, mais j'avais quelque difficulté à convaincre mon corps qu'il en serait toujours ainsi.

J'avais le sentiment de me tenir près d'un brasier. Si Ivy avait émis toute cette chaleur volontairement, j'aurais trouvé ça impressionnant. Même comme ça, j'étais impressionnée. D'ici quelques siècles, elle serait aussi effrayante que l'enfer. Si ce n'était pas déjà le cas.

Je pouvais toujours soutenir son regard, profond à s'y noyer et brillant d'une lumière intérieure. Ça me serait d'un grand secours si elle décidait de m'arracher la gorge.

— Si tu lui fais du mal, Ivy, je considérerai que notre trêve est rompue, dit Jean-Claude en glissant jusqu'à nous et en s'immobilisant une marche au-dessus. Et tu n'as pas envie que ça arrive.

Il laissa courir ses doigts le long de la mâchoire d'Ivy.

Je sentis un éclair de pouvoir voler de lui jusqu'à elle, puis filer vers moi. Je hoquetai, mais Ivy me lâcha.

Mon bras pendait mollement contre mon flanc, engourdi comme si j'avais dormi dessus. Je n'aurais même pas pu tenir un flingue. Je voulus demander à Jean-Claude ce qu'il avait encore foutu, mais je m'abstins. Tant que je recouvrais l'usage de mon bras, nous pourrions en parler plus tard.

Bruce se faufila entre nous, se penchant vers Ivy tel un petit ami inquiet. Et en sondant son visage, je compris que c'était le cas. J'étais prête à parier que c'était elle qui l'avait transformé.

Ivy le poussa si fort qu'il perdit l'équilibre et dégringola dans l'escalier. Les ténèbres l'engloutirent. Pourquoi la vampire bougeait-elle encore à la perfection, alors que je n'arrivais plus à sentir le bout de mes doigts ?

Une vague de chaleur s'engouffra dans la cage d'escalier. Sur son passage, des flambeaux s'embrasèrent dans les torchères fixées aux murs. Une grosse lampe à kérosène suspendue au plafond s'alluma. Ses parois vitrées explosèrent et sa flamme nue dansa au bout de sa mèche.

— Seraphina te forcera à nettoyer, lâcha Jean-Claude, comme si Ivy était une gamine capricieuse qui venait de renverser son verre de lait.

La vampire descendit les dernières marches en ondulant des hanches.

— Seraphina s'en moquera. Le verre brisé et les flammes ont tant d'usages intéressants…

Je n'aimais pas la façon dont elle avait dit ça…

La cave était noire. Murs noirs, plancher noir, plafond noir.

J'avais l'impression d'être enfermée dans une grande boîte sombre. Des chaînes étaient accrochées aux murs. Les menottes qui les prolongeaient paraissaient garnies de fourrure. Des lanières de cuir pendaient du plafond telles d'obscènes décorations.

Dans toute la pièce, il y avait… des instruments. J'en reconnus certains : un chevalet, une vierge de fer… Tout ça ressemblait à du matériel sadomasochiste. On devinait à quoi ça devait servir, mais pas comment ça fonctionnait. Et il n'y avait jamais de mode d'emploi.

Un filet d'eau coulait par une bonde ouverte, au centre du plancher. Mais j'étais prête à parier qu'elle laissait souvent passer autre chose que de la condensation.

Larry descendit la dernière marche et s'immobilisa près de moi.

— C'est bien ce que je pense ?

— Si tu crois que ce sont des instruments de torture, oui…

Je me forçai de serrer le poing une fois, puis une autre. Les sensations revenaient dans mon bras engourdi.

— Je croyais qu'ils ne devaient pas nous faire de mal.

— C'est surtout censé nous effrayer…

— Et ça marche !

Moi non plus, je n'aimais pas la déco, mais je sentais de nouveau ma main. Autrement dit, je pouvais me servir d'un flingue en cas de besoin.

Une porte que je n'avais pas vue s'ouvrit sur notre gauche. Un panneau secret.

Un vampire entra, obligé de se plier en deux pour passer la porte. Puis il redressa sa silhouette impossiblement grande et mince, à la limite du cadavérique. Il ne s'était pas encore nourri ce soir et ne gaspillait pas une goutte de son pouvoir pour se donner une apparence présentable.

Sa peau couleur de vieux parchemin était tendue sur ses os comme un film plastique étiré à craquer. Ses yeux enfoncés dans leurs orbites étaient bleus et morts comme ceux d'un poisson. Ses mains décharnées et osseuses aux doigts incroyablement longs, ressemblaient à des araignées blanches jaillissant de ses manches.

Il approcha de nous à grandes enjambées, les pans de son manteau volant derrière lui comme une cape. Il était entièrement vêtu de noir ; seule sa peau et ses cheveux blancs coupés très court trahissaient sa présence. Tandis qu'il se déplaçait dans la pièce obscure, on eût dit que sa tête et ses mains flottaient dans les airs.

Je secouai la tête pour chasser cette image. Quand je me retournai vers lui, il semblait un peu plus normal.

— Il utilise ses pouvoirs pour paraître plus effrayant, murmurai-je.

— En effet, ma petite.

Quelque chose dans la voix de Jean-Claude me força à me retourner. Un instant, je lus de la peur dans ses yeux.

— Que se passe-t-il, Jean-Claude ?

— Les règles n'ont pas changé. Ne dégaine pas d'arme. Ne porte pas le premier coup. Ils ne peuvent pas nous faire de mal, sauf si nous les enfreignions.

— Pourquoi avez-vous si peur tout à coup ?

— Ce n'est pas Seraphina…

— Qu'est-ce que ça veut dire ?

Il éclata de rire.

Un écho joyeux se répercuta contre les murs de la cave. Mais quand je sentis son arrière-goût dans le fond de ma gorge, il était amer.

— Ça signifie, ma petite, que je suis un imbécile.

Chapitre 25

Le rire de Jean-Claude explosa, comme si le son s'accrochait aux murs et se fragmentait.

— Où est Seraphina ? demanda-t-il.

Ivy et Bruce sortirent de la pièce. J'ignorais où ils allaient, mais ça devait forcément être mieux qu'ici. Combien de salles de torture une maison de cette taille pouvait-elle abriter ?

La réponse ne m'intéressait pas vraiment…

Le grand vampire nous étudia de ses yeux aussi inexpressifs que ceux d'un cadavre.

Quand il prit la parole, je ne pus m'empêcher de sursauter. Il avait une voix basse et profonde, comme celle d'un acteur ou d'un chanteur d'opéra. Pleine d'une résonance qui n'était pas due à ses pouvoirs vampiriques. Comme dans un numéro de ventriloquie ou un mauvais doublage, je m'attendais à voir ses lèvres fines remuer à contretemps, mais ce ne fut pas le cas.

— Vous devez passer par moi avant que Seraphina vous reçoive.

— Tu me surprends, Janos, lança Jean-Claude en finissant de descendre les marches. Tu es plus puissant que Seraphina. Comment expliquer que tu la serves ?

— Quand tu la verras, tu comprendras. Maintenant, venez donc vous joindre à nous. La nuit commence à peine, et je veux tous vous voir nus et sanguinolents avant l'aube.

— Qui est ce type ? demandai-je.

J'avais recouvré l'usage de ma main. Du coup, je pouvais me permettre de jouer les insolentes.

Jean-Claude s'immobilisa sur la dernière marche. Jason resta prudemment derrière lui. Aucun de nous n'avait hâte de voir ce qui nous attendait dans ce sous-sol.

Le vampire tourna son regard mort vers moi.

— Je suis Janos.

— Et je vous en félicite. Mais selon les règles, vous ne pouvez pas nous toucher. À moins que quelque chose m'ait échappé…

— Il est très rare que quelque chose t'échappe, ma petite, fit Jean-Claude.

— Personne ne vous fera de mal sans votre consentement, dit Janos.

— Dans ce cas, nous n'avons rien à craindre, répliquai-je.

Janos sourit, et la peau de son visage se tendit comme du papier. Un instant, je crus que ses os allaient la déchirer. Son sourire était joliment hideux.

— Nous verrons.

Jean-Claude descendit la dernière marche et avança dans la pièce. Jason le suivit. Après quelques secondes d'hésitation, je fis de même. Larry m'emboîta le pas comme un brave petit soldat.

— Cette salle… C'était ton idée, n'est-ce pas, Janos ? demanda Jean-Claude.

— Je ne fais rien sans l'accord de ma maîtresse.

— Seraphina ne peut pas être ta maîtresse. Elle n'est pas assez puissante.

— Et pourtant, je suis ici.

Jean-Claude contourna le chevalet en laissant courir une main blanche sur son bois sombre.

— Seraphina n'a jamais été portée sur la torture. Elle a beaucoup de défauts, mais le sadisme n'en fait pas partie.

(Il s'immobilisa devant Janos.) Je pense que tu es le maître ici, et qu'elle te sert de couverture. Comme c'est elle qui règne officiellement sur la ville, on vient la défier. Quand elle mourra, tu te trouveras une autre marionnette.

— Je te jure que Seraphina est ma maîtresse. Considère cette salle comme la récompense accordée à un fidèle serviteur.

Janos promena autour de lui un regard de propriétaire, tel un marchand admirant ses étagères bien garnies.

— Et quel sort nous réserve le « fidèle serviteur » ?

— Encore un peu de patience, mon garçon. Tu ne tarderas pas à le découvrir.

Je trouvais bizarre d'entendre quelqu'un appeler Jean-Claude « mon garçon », comme s'il était un jeune cousin que Janos avait vu grandir. S'étaient-ils rencontrés quand Jean-Claude était un bébé vampire ? Un mort-vivant récemment transformé ?

— Où m'emmenez-vous ? Vous me faites mal ! cria une voix féminine.

Ivy et Bruce revinrent par la porte dérobée, traînant une jeune fille entre eux. Au sens littéral du terme. La malheureuse laissait pendre ses jambes comme un chien, quand on essaie de l'emmener chez le vétérinaire. Mais elle devait peser cinquante-cinq kilos toute mouillée, et elle n'était pas de taille à ralentir deux vampires.

Ses cheveux blonds coupés au carré effleuraient ses épaules. Elle avait de grands yeux bleus rougis d'avoir trop pleuré, et la figure striée de coulées de mascara.

Ivy semblait beaucoup s'amuser. Bruce, pas tant que ça. À mon avis, il avait peur de Janos. Et je pouvais difficilement lui en vouloir.

La fille regarda Janos en silence pendant une seconde, puis elle hurla. Ivy la gifla d'un air absent, comme elle aurait flanqué une tape à un chien trop bruyant. La fille gémit et se tut, le regard rivé sur le sol, des larmes dégoulinant le long de ses joues.

Nous étions seuls dans la cave avec Janos et deux jeunes vampires. J'étais prête à parier que nous pouvions nous les faire.

Deux autres vampires entrèrent, encadrant une seconde fille, qui ne se faisait pas traîner. Celle-là avait les yeux brillants de colère derrière ses lunettes, le dos très droit et les poings serrés. Elle était petite et un peu potelée, mais pas vraiment grosse, comme s'il avait suffi d'une poussée de croissance pour tout arranger. Ses cheveux étaient d'un brun terne, comme ses petits yeux et les taches de son qui constellaient son visage. En revanche, sa personnalité n'avait rien de terne. Elle me plut instantanément.

— Pitié, Lisa, relève-toi !

Elle paraissait presque aussi gênée que furieuse.

Mais la fille blonde se contenta de sangloter de plus belle.

Les deux vampires de sexe féminin qui venaient de nous rejoindre n'étaient pas jeunes. Vêtues de cuir noir, toutes les deux frôlaient le mètre quatre-vingts. La première avait de longs cheveux blonds tressés dans le dos, la seconde des mèches brunes qui tombaient autour de son visage. Leurs bras nus étaient fins mais musclés. Elles ressemblaient à des « gardettes du corps » sorties d'un film d'espionnage.

Mais le pouvoir qu'elles irradiaient n'avait rien d'un effet spécial à deux ronds. Il se déversa dans la pièce comme un torrent d'eau glacée. Quand il me frappa de plein fouet, j'en eus le souffle coupé et le sentis s'infiltrer douloureusement dans mes os.

Derrière moi, Larry lâcha un petit cri. Je le regardai pour m'assurer que c'était juste à cause des deux vampires, et qu'un autre monstre ne venait pas de surgir dans mon dos.

— Vous faites quoi ici : tenir une hôtellerie pour vampires de plus de cinq siècles ? lançai-je.

Tout le monde se tourna vers moi. Les deux buveuses de sang me firent un sourire fort déplaisant, me fixant comme si j'étais un chocolat de Noël et se demandant à quoi j'étais fourrée. Caramel mou ou noisette dure ? Il m'est déjà arrivé que des hommes me déshabillent du regard. Mais jamais qu'on essaie de s'imaginer à quoi je ressemblerais sans ma peau. Beuuurk !

— Vous avez quelque chose à ajouter ? demanda Janos.

— Vous ne pouvez pas amener deux mineures ici et vous attendre à ce que nous ne fassions rien.

— Anita, nous nous attendons à ce que vous fassiez des tas de choses...

Cette phrase ne me plut pas du tout.

— Qu'est-ce que c'est censé signifier ?

— Premièrement, ces jeunes femmes ne sont pas mineures, n'est-ce pas, mesdemoiselles ?

La brune le regarda en silence. Lisa secoua la tête sans détacher le regard du plancher.

— Dites-lui votre âge, ordonna Janos.

Aucune d'elles ne répondit. Ivy tira sur les cheveux de Lisa, assez fort pour qu'elle crie.

— Dix-huit ans ! J'ai dix-huit ans !

Ivy et Bruce la lâchèrent, et elle s'écroula sur le sol.

— Ton âge, grogna une des vampires.

Les yeux de la brune s'écarquillèrent derrière ses lunettes.

— J'ai dix-neuf ans.

Je reconnus de la peur derrière sa colère.

— D'accord, elles sont majeures. Mais un humain non consentant reste un humain non consentant, quel que soit son âge.

— Auriez-vous l'intention de faire la police ici ? demanda Janos, amusé.

— Non, mais je ne resterai pas les bras croisés à vous regarder les malmener.

— Vous avez une très haute opinion de vous-même, Anita. Beaucoup d'assurance. Ça me plaît. Il est toujours plus divertissant de briser quelqu'un qui a de la volonté. Les faibles plient, pleurent et rampent, mais les braves demandent presque toujours qu'on leur fasse mal. (Il tendit sa main décharnée.) Voulez-vous que je vous fasse mal ?

Je n'avais pas oublié la mise en garde de Jean-Claude, mais tant pis ! J'allais dégainer mon Browning.

Soudain, Jean-Claude se dressa à côté de moi, une main autour du poignet de Janos, qui eut l'air impressionné – pas autant que moi, mais quand même… Je n'avais pas vu Jean-Claude bouger. Apparemment, Janos non plus. Ça, c'était balèze !

Je laissai retomber ma main. J'étais pourtant sûre de me sentir mieux un flingue à la main. Cela dit, le but de l'exercice de ce soir n'était pas de se sentir mieux, mais de rester en vie.

— Vous ne devez pas nous toucher. Vous avez promis.

Janos se dégagea lentement de l'étreinte de Jean-Claude.

— Seraphina tient toujours ses promesses.

— Dans ce cas, que font ces deux jeunes filles ici ?

— Veux-tu dire que ces humains… (Janos nous désigna, Larry et moi)… ne resteraient pas les bras croisés à nous regarder torturer des inconnues ?

Il semblait surpris, mais pas franchement mécontent.

— Malheureusement, oui, répondit Jean-Claude. Comme Anita vient de le mentionner.

— Et s'ils s'opposent à nous, tu interviendras pour les protéger ?

— En cas de besoin.

Janos sourit, et j'entendis sa peau craquer sous la pression de ses os.

— Magnifique.

Je vis un frisson courir le long du dos de Jean-Claude. Bon sang, je ne comprenais vraiment rien à ce qui se passait !

— Ces deux jeunes filles sont venues ici de leur plein gré. Elles savaient ce que nous étions, et elles ont accepté de nous aider à divertir nos invités.

Je regardai la brune.

— C'est vrai ?

Une vampire lui posa une main sur l'épaule. Doucement, mais cela suffit à la faire répondre :

— Nous sommes venues de notre plein gré, mais nous ne pensions pas…

La main de la vampire serra plus fort. La brune se tordit de douleur, mais elle n'émit pas un son.

— Elles sont venues de leur plein gré, et elles sont majeures, résuma Janos.

— Alors, que va-t-il se passer maintenant ? demandai-je.

— Ivy, enchaîne celle-là par là, ordonna Janos en désignant une paire de menottes doublées de fourrure, à gauche de la porte.

Ivy et Bruce forcèrent Lisa à se lever et la poussèrent vers le mur.

— Dos face au centre de la pièce, je vous prie…

Je me rapprochai de Jean-Claude.

— Je n'aime pas ça du tout, murmurai-je tout en sachant que les autres m'entendraient quand même.

— Moi non plus, ma petite.

— Ne pouvons-nous pas les arrêter sans rompre la trêve ?

— Non. Sauf s'ils menacent de s'en prendre directement à nous.

— Que se passera-t-il si je romps la trêve ?

— Ils tenteront de nous tuer.

Il y avait cinq vampires dans la pièce, dont trois plus vieux que Jean-Claude. Si je levais le petit doigt, nous mourrions tous. Et merde !

La blonde sanglota et se débattit quand Ivy et Bruce l'attachèrent au mur. Elle tirait très fort sur ses bras. Sans la fourrure des menottes, elle se serait fait saigner les poignets.

Une femme entra dans la cave par la porte latérale. Elle était grande – plus encore que Jean-Claude. Sa peau avait la couleur d'un café où on a versé une double dose de crème. Ses longs cheveux noirs tressés lui tombaient jusqu'à la taille. Elle portait une combinaison de cuir noir moulante qui ne laissait pas grand-chose à l'imagination. Ses talons martelaient le sol d'une manière très humaine. Mais elle n'était pas humaine.

— Kissa, la salua Jean-Claude. Tu es toujours avec Seraphina.

Il semblait surpris.

— Nous n'avons pas tous autant de chance que toi.

La voix de Kissa était épaisse comme du miel. Une odeur épicée planait dans l'air. Je n'aurais su dire si c'était son parfum ou une illusion.

Son visage aux pommettes hautes ne portait pas trace de maquillage. Pourtant, elle était très belle. Mais je me demandais de quoi elle aurait eu l'air si elle n'avait pas embrumé mon esprit. Parce qu'aucun être humain n'aurait pu irradier la sexualité à l'état pur qui l'enveloppait.

— Je suis désolé que tu sois encore là, Kissa.

— Économise ta pitié, Jean-Claude. Seraphina a promis que je pourrais m'amuser avec toi avant que Janos brise ton corps si délicieux.

Six vampires, dont quatre plus vieux que Jean-Claude. La situation ne s'améliorait pas, loin de là.

— Enchaînez l'autre fille ici.

Janos désigna une deuxième paire de menottes à droite de la porte.

La brune secoua la tête.

— Pas question !

Elle se jeta à terre et utilisa tous ses muscles. Pas pour se débattre, mais pour rester là où elle était. Elle se débrouillait beaucoup mieux que sa copine. Deux vampires âgées de plusieurs siècles, et assez puissantes pour que leur proximité me fasse grincer des dents, durent l'empoigner et la porter jusqu'au mur.

Alors, elle hurla, ses cris rauques et rageurs se succédant comme si elle ne devait jamais s'arrêter. La vampire brune la cloua contre le mur, l'autre lui attachant les poignets.

— Je ne peux pas regarder ça, souffla Larry.

Tout près de moi, il ignorait peut-être que les vampires étaient capables d'entendre ses chuchotements. Non que ça ait eu la moindre importance.

— Moi non plus.

Puisque nous allions nous faire tuer, autant en emmener le maximum possible avec nous, résolus-je.

Jean-Claude se tourna, comme s'il nous avait sentis porter la main à nos flingues.

— Ma petite, monsieur Kirkland, ne dégainez pas vos armes. Ils n'ont pas l'intention de commettre un acte illégal. Ces jeunes filles sont venues pour les divertir. Ils ne les tueront pas.

— Vous en êtes sûr ? demandai-je.

— Je ne suis plus sûr de rien, mais je crois qu'ils tiendront parole. Ces jeunes filles sont effrayées et un peu contusionnées, mais jusqu'ici, ils ne leur ont pas fait de mal.

— Pas fait de mal ? lança Larry.

Il était outré, et je ne pouvais pas le lui reprocher.

— Les vampires ont une conception très particulière du mal, n'est-ce pas, Jean-Claude ? lâchai-je amèrement.

Il soutint mon regard.

— Ne me fixe pas de cet air accusateur, ma petite. Souviens-toi que c'est toi qui m'as demandé de te conduire ici. Ne rejette pas la faute sur moi.

— Trouvez-vous nos divertissements si ennuyeux? demanda Janos.

— Nous nous demandions surtout si nous allions vous tuer maintenant, ou attendre encore un peu, répliquai-je calmement.

Il gloussa.

— Allez-y, Anita, rompez la trêve ! Je vous en prie. J'adorerais avoir un prétexte pour tester un de mes nouveaux gadgets sur vous. À mon avis, vous résisteriez longtemps. Cela dit, ce sont parfois les fanfarons qui cèdent les premiers.

— Je ne fanfaronne pas, Janos. Je dis la pure vérité.

— Elle est persuadée de ce qu'elle avance, déclara Kissa.

— En effet, fit Janos. Il émane d'elle un parfum de sincérité aussi incongru que savoureux.

Lisa avait cessé de se débattre. Affaissée dans ses chaînes, elle balbutiait des paroles incohérentes. La brune était immobile, les poings serrés pour tenter de contrôler ses tremblements.

— Ces jeunes filles sont venues ici en quête de sensations fortes. Et nous allons leur en donner pour leur argent, promit Janos.

Les deux vampires ouvrirent des panneaux dans les murs noirs. Chacune en sortit un fouet. Les filles ne pouvaient pas les voir, heureusement...

Rester inactive devenait insupportable. Ça aurait anéanti quelque chose en moi. Je préférais mourir en me battant et en emmenant quelques monstres avec moi. Ce serait toujours mieux que rien. Mais avant de me suicider, je tentai de parlementer.

— Si vous n'essayez pas de nous pousser à rompre la trêve, qu'espérez-vous donc ?

— Oh, des tas de choses, Anita, dit Janos.

Je détestais la façon dont il prononçait mon nom – cette inflexion intime et vaguement amusée, comme si nous étions des amis ou des ennemis de toujours.

— Que voulez-vous, Janos ?

— N'est-ce pas à toi de négocier au nom de tes serviteurs ? demanda-t-il à Jean-Claude.

— Anita se débrouille très bien toute seule.

Nouveau rictus de Janos.

— Si tu le dis…

Les deux vampires approchèrent des filles en brandissant leurs fouets pour qu'elles puissent les voir.

— Qu'est-ce que c'est ? demanda Lisa, affolée.

— Des fouets, répondit son amie brune d'une voix qui, contrairement à son corps, ne tremblait pas.

Les deux vampires reculèrent d'un pas, sans doute pour bénéficier de l'allonge nécessaire au maniement de leurs instruments de torture.

— Allez-vous enfin me dire ce que vous voulez ? lançai-je.

— Êtes-vous familière avec le concept de « correction par procuration » ?

— Je sais qu'autrefois, les héritiers d'une famille royale avaient des serviteurs qui recevaient le fouet à leur place quand on les avait punis.

— Excellent ! me félicita Janos. De nos jours, peu de gens ont des notions d'histoire.

— Mais quel rapport avec ces filles ?

— Elles vont recevoir le fouet à la place des deux jeunes hommes qui vous accompagnent.

Les deux vampires déroulèrent leurs fouets et les firent claquer. Elles ne touchèrent pas les filles, mais la brune poussa un cri étranglé quand une lanière siffla près de son oreille. La blonde se plaqua contre le mur en sanglotant :

— Pitié, pitié, pitié.

— Ne leur faites pas de mal, implora Larry.

— Seriez-vous prêt à prendre leur place ? demanda Janos.

Enfin, je compris où il voulait en venir.

— Vous ne pouvez pas nous toucher sans notre accord. Espèce de fils de pute pervers !

— Répondez-moi, mon garçon. Seriez-vous prêt à prendre leur place ?

Larry hocha la tête. Je lui saisis le bras.

— Non.

— Le choix lui appartient ! lança Janos.

— Lâche-moi, Anita.

Je le regardai dans les yeux, cherchant à voir s'il comprenait à quoi il s'engageait.

— Tu n'as pas idée de ce qu'un fouet peut faire à de la chair humaine.

— Oh, nous pouvons y remédier, m'assura Janos.

D'un geste vif, les vampires déchirèrent le dos des chemisiers de leurs victimes. La blonde hurla.

— Nous ne pouvons pas les regarder faire, insista Larry.

Il avait raison. Que ça me plaise ou non, il avait raison.

— Moi, j'ai vu ce que peut infliger un fouet, dit Jason. Ne leur faites pas de mal.

Je tournai la tête vers lui.

— Tu n'as pas l'air du genre à te sacrifier pour autrui.

Il haussa les épaules.

— Nous avons tous nos moments de faiblesse.

— Accepteriez-vous plus facilement si je vous faisais une promesse ? demanda Janos. Dans le cas où vos compagnons prendraient la place de ces filles, nous ne leur infligerons pas de dommages permanents.

— Larry est un simple humain. Le choc pourrait le tuer. C'est déjà arrivé.

— Nous ferons attention. Nous voulons seulement notre livre de chair et notre litre de sang. Au sens figuré, bien sûr, se hâta-t-il d'ajouter. Votre ami conservera des cicatrices jusqu'au jour de sa mort, mais rien de plus.

—C'est ridicule! criai-je.

—Si on sort nos flingues, on a une chance de se les faire? demanda Larry.

Je détournai le regard. Il me toucha le bras.

—Anita?

—Nous pourrions en emmener avec nous.

—Mais pas tous. Et quand nous serons morts, qui aidera ces filles?

Je secouai la tête.

—Il doit y avoir un meilleur moyen.

Larry se tourna vers Jean-Claude.

—Il est sincère quand il dit qu'il ne me tuera pas?

—La parole de Janos a toujours été fiable. En tout cas, elle l'était il y a deux siècles.

—Pouvons-nous leur faire confiance? demanda Jason.

—Non, répondis-je.

—Si! lança Jean-Claude.

Je le foudroyai du regard.

—Je sais que tu préférerais régler ça à coups de pistolet, mais tu réussirais seulement à nous faire tuer. Ou transformer en vampires...

Larry me posa les mains sur les épaules et me força à me tourner vers lui.

—Ça ira, promit-il.

—Non, ça n'ira pas du tout.

—C'est le mieux que nous puissions faire pour le moment.

—Ne te sacrifie pas.

—Je n'ai pas le choix. Et je suis un grand garçon, tu t'en souviens? Je peux prendre soin de moi.

Je le serrai dans mes bras. Je ne savais pas quoi faire d'autre.

— Ça va bien se passer, me chuchota-t-il à l'oreille.

Je me contentai de hocher la tête. Ma voix risquait de me trahir et je m'efforce de ne jamais mentir. Ça ne se passerait pas bien du tout. Je le savais. Larry le savait. Nous le savions tous.

Jason avança vers les vampires.

— Oh non, mon brave métamorphe, nous ne voulons pas t'enchaîner au mur.

— Mais vous avez dit…

— J'ai dit que toi et ton compagnon pouviez prendre la place de ces filles, mais pas comme ça. Laisse l'humain recevoir des coups de fouet. Toi, je te destine à satisfaire les désirs de mes deux beautés, Bettina et Pallas.

Jason étudia les deux vampires qui s'étaient tournées vers nous. J'essayai de porter sur elles le regard d'un homme de vingt ans. Elles avaient la poitrine généreuse et la taille mince. L'une avait un visage de sorcière et l'autre les yeux un peu trop petits, mais c'étaient de simples détails. Elles n'étaient pas franchement belles, simplement séduisantes comme peuvent l'être certaines femmes très grandes avec des jambes interminables. Un détail qui aurait largement suffi, si elles avaient été humaines.

Perplexe, Jason fronça les sourcils.

— On dirait que je m'en tire à meilleur compte que Larry…

— Changeras-tu d'avis si je précise que tu devras le faire ici, par terre, devant nous tous ? demanda Janos.

— Si je refuse, vous ferez fouetter la fille ?

Janos hocha la tête.

— Dans ce cas, j'accepte, fit Jason, hésitant.

Être bestial en privé était une chose. L'être en public en devenait une autre.

— Alors, approche, et que le spectacle commence ! cria Janos.

Jason regarda Jean-Claude, comme un petit garçon, le jour de la rentrée des classes, qui se demande si ses camarades ne vont pas s'en prendre à lui pendant la récré.

Jean-Claude ne lui prodigua pas de paroles réconfortantes. Son expression toujours figée et indéchiffrable, il se contenta d'un bref hochement de tête qui aurait pu vouloir dire « Ça va aller » ou « Dépêchons-nous d'en finir ».

Je regardai les épaules de Jason se soulever alors qu'il prenait une profonde inspiration, et l'entendis expirer comme un athlète avant le départ d'une course. Pourquoi les choses qu'on ferait volontiers en d'autres circonstances deviennent-elles si répugnantes quand on ne nous laisse pas le choix ?

— Tu as déjà été avec l'un de nous ? demanda Janos.

Jason secoua la tête. Janos lui posa une main sur l'épaule. Il n'eut pas l'air d'apprécier.

— Les plaisirs qui t'attendent sont infinis, mon jeune métamorphe. Des plaisirs qu'aucun humain ni garou ne saurait te donner. Des sensations que seuls les morts peuvent offrir.

Les deux vampires s'étaient placées au fond de la pièce, dans un espace dégagé entre les engins de torture. Elles avaient posé leurs fouets aux pieds des filles, histoire de nous rappeler ce qui se passerait si quelqu'un prenait peur et décidait de faire marche arrière.

Si Jason voulait baiser des vampires, ça ne me dérangeait pas. De toute façon, il ne m'appartenait pas de le protéger. Mais leurs ébats ne dureraient pas éternellement. Je ne pouvais pas leur laisser Larry et rester là pendant qu'on le torturerait.

Cela dit, si je faisais des miennes, et à supposer que nous réussissions à sortir vivants de la cave – ce qui semblait assez peu probable –, tous les vampires de cette maison se lanceraient à nos trousses. Il devait y en avoir d'autres, c'était sûr.

Puis une idée me traversa l'esprit. Qu'avait dit Jean-Claude ? S'ils rompaient la trêve les premiers, nous pourrions dégainer nos armes. Voilà qui ouvrait un tas de possibilités.

La blonde défit sa tresse et secoua la tête. Ses cheveux se déployèrent comme un rideau de soie jaune. Un instant, ils dissimulèrent son visage, lui donnant un air plus doux, presque humain.

Ce n'était peut-être qu'une illusion…

Jason passa les mains dans ses mèches avant de l'enlacer. Puisqu'il était obligé d'y passer, il semblait décidé à en profiter un maximum. Il est toujours agréable de voir quelqu'un faire montre de conscience professionnelle…

La vampire brune s'approcha et pressa son corps vêtu de cuir contre le dos de Jason. Il était beaucoup plus petit qu'elles, sa tête leur arrivant au niveau des seins. Il enfouit son visage dans la poitrine de la blonde, qui délaça son gilet et en écarta les pans pour qu'il puisse lui sucer les mamelons.

Je détournai la tête. Pas très portée sur le voyeurisme, j'ai une fâcheuse tendance à rougir.

Ivy et Bruce se déplacèrent le long du mur et s'immobilisèrent dans le coin le plus proche du trio. Bruce semblait embarrassé *et* fasciné. Il n'arrivait pas à détacher son regard de Jason et des deux vampires. Ivy ne paraissait pas gênée. Les lèvres entrouvertes, elle se laissa glisser le long du mur, sa robe rouge remontant sur ses cuisses tandis qu'elle se mettait à quatre pattes.

Avoir suivi des yeux le déplacement d'Ivy et de Bruce ramena mon regard vers le spectacle en cours. La chemise de Jason avait disparu. Il portait seulement son pantalon et ses bottes, tout comme ses deux partenaires. À genoux, le dos arqué, il s'appuyait contre la brune, qui laissa courir ses mains le long de sa poitrine nue. Jason tourna la tête vers elle en lui offrant ses lèvres. Leur baiser fut long, profond et plus explorateur qu'un examen médical.

Face à eux, la blonde était assise jambes écartées. Elle avait déjà déboutonné la braguette de son pantalon de cuir et s'attaquait maintenant à celui de Jason. Visiblement, c'était une vraie blonde. Pourquoi cela me surprenait-il ?

Ivy tendit une main pour lui tirer les cheveux.

— Ivy, tu n'as pas été invitée à te joindre à eux ! cria Janos.

Elle retira sa main mais ne recula pas, aussi près de l'action qu'elle pouvait l'être sans y prendre part. Bruce était toujours plaqué contre le mur, bouche bée et un peu en sueur, mais il n'avait pas l'air de vouloir s'approcher davantage.

Janos observait la scène avec un calme olympien. Un rictus déformait ses lèvres et, pour la première fois, j'aperçus de la lumière dans ses yeux de poisson mort. Il prenait son pied.

Jean-Claude était adossé à un cadre métallique qui imitait la forme d'un corps humain. Lui aussi observait le spectacle, mais son visage était toujours impassible. Quand il s'aperçut que je le regardais, son expression ne se modifia pas d'un iota. Il était aussi replié sur lui-même et solitaire que s'il était dans une pièce vide. D'après ce que je voyais, il ne respirait pas. Son cœur battait-il toujours quand il était ainsi immobile ?

Kissa était campée près de la porte que nous n'avions pas franchie. Elle avait croisé les bras sur son ventre. Pour quelqu'un qui avait tellement envie de se taper Jean-Claude, elle ne semblait pas apprécier le spectacle. Ou elle montait peut-être la garde pour nous empêcher de fuir, Larry et moi.

Larry avait reculé pour s'éloigner autant que possible du trio qui se contorsionnait sur le sol. Le dos plaqué au mur, il cherchait désespérément un détail sur lequel fixer son attention, mais elle revenait sans cesse vers l'autre bout de la pièce.

C'était comme essayer de ne pas regarder un accident ferroviaire. On n'a pas envie de voir ça, mais si ça doit vraiment arriver, on n'a pas non plus envie de détourner les yeux. Après tout, quand se présentera une autre occasion d'assister à un carnage pareil ? Une partie fine entre deux vampires et un loup-garou ne devait pas être un spectacle banal pour Larry.

Ça ne l'était même pas pour moi...

Les deux filles enchaînées au mur ne pouvaient pas voir ce qui se passait. C'était sans doute aussi bien.

Un gémissement sourd retentit à l'autre bout de la pièce. Je tournai la tête. Son pantalon baissé révélant ses fesses fermes et lisses, Jason allait et venait rythmiquement, en appui sur les bras, seule la moitié inférieure de son corps étant en contact avec la blonde, qui se tortillait sous lui. Quand elle se redressa pour chercher la bouche de Jason avec la sienne, ses seins jaillirent de son gilet de cuir telle une offrande.

La vampire brune darda une langue rose et lécha lentement la colonne vertébrale de Jason. Un frisson courut le long de son dos. Plaisir ou dégoût ? Impossible à dire. Vu de l'extérieur, l'effet était le même.

Je me détournai, mais l'image était gravée comme au fer rouge dans mon esprit. Je sentis de la chaleur me monter aux joues. Et merde ! Larry écarquilla les yeux. Je vis toute couleur déserter son visage, jusqu'à ce que sa peau soit aussi blanche qu'une feuille de papier.

Je luttai quelques instants avant de capituler et de me concentrer sur le spectacle, telle la femme de Lot risquant tout pour un dernier coup d'œil interdit. Jason s'était écroulé, le visage enfoui dans les cheveux de la blonde, qui avait la tête tournée vers nous. Sa chair avait fondu et on devinait le contour de ses os. Ses lèvres désormais inexistantes faisaient paraître ses crocs encore plus longs, puisqu'elle n'avait plus de bouche pour les cacher.

La brune était toujours agenouillée derrière Jason, entre les jambes de la blonde. Elle passa les mains sur son visage, dont une moitié commençait à pourrir. Puis elle fit courir ses doigts dans ses longs cheveux noirs, qui se détachèrent par poignées. Alors qu'elle se tournait légèrement vers nous, la peau du côté gauche de son visage tomba sur le sol avec un bruit mouillé.

Je déglutis avec difficulté et reculai pour rejoindre Larry. Il n'était plus blanc, mais vert…

— À mon tour, maintenant, lança une voix féminine.

Contre ma volonté, je tournai de nouveau la tête vers le trio. Je ne supportais pas de les regarder… et je ne supportais pas de ne pas les regarder.

Jason se redressa sur ses bras, comme s'il voulait faire des pompes. Quand il aperçut le visage de la blonde, ses épaules se contractèrent, et sa colonne vertébrale se raidit. Il s'écarta d'elle très lentement et posa les fesses sur ses talons.

La brune lui caressa le dos, laissant sur sa chair une traînée de substance molle et verdâtre. Cette fois, je fus certaine que le frisson qui parcourut Jason n'avait rien à voir avec du plaisir.

De l'autre côté de la pièce, je vis sa poitrine se soulever et s'abaisser de plus en plus vite, comme s'il hyperventilait. Il continua à regarder droit devant lui, sans faire mine de se tourner vers la brune. Comme si elle allait disparaître s'il ne lui prêtait aucune attention.

Elle lui passa ses bras à demi décomposés autour des épaules, appuya son visage pourrissant dans le creux de son cou et lui chuchota quelque chose. Jason s'arracha à son étreinte et battit en retraite. Sa poitrine nue était couverte de lambeaux de chair. Ses yeux écarquillés contenaient beaucoup trop de blanc, et il semblait incapable de respirer. Un filament épais glissa le long de son cou. Il l'écarta d'un geste vif, comme il l'eût fait d'une araignée rampant sur sa peau.

Il était plaqué contre le mur noir, le pantalon baissé sur les cuisses. La blonde se redressa et rampa vers lui, tendant une main qui n'était plus qu'ossements couverts de lambeaux de chair desséchée. La brune, en revanche, faisait dans l'humidité. Elle gisait sur le dos, un fluide sombre suintant de son corps et formant une flaque sous elle. Entre les pans de son gilet de cuir défait, ses seins pendaient comme deux outres flasques.

— Je suis prête, déclara-t-elle d'une voix toujours claire et distincte qui n'aurait pas dû pouvoir sortir de ses lèvres en décomposition.

La blonde saisit le bras de Jason. Il hurla.

Jean-Claude continuait à les observer sans bouger.

Malgré moi, je fis un pas vers eux. J'en fus la première surprise. D'un instant à l'autre, je m'attendais à sentir une odeur de pourriture envahir mes narines, mais l'air était toujours aussi frais.

Je m'immobilisai près de Jean-Claude.

— C'est une illusion ?

Il ne tourna pas la tête vers moi.

— Non, ma petite.

Je touchai son avant-bras du bout de l'index. Il était aussi dur que du bois. Rien à voir avec de la chair.

— Et ça, c'est une illusion ?

— Non, ma petite.

Enfin, il me regarda, ses yeux entièrement bleus.

— Les deux formes sont réelles.

Même à quelques centimètres de lui, je ne le voyais toujours pas respirer.

La brune s'était mise à quatre pattes et tendait vers Jason une main qui tombait en morceaux à chaque mouvement.

Le loup-garou hurla en se pressant contre le mur comme s'il espérait le traverser. Il se cacha le visage, me faisant penser à un enfant qui tente d'ignorer les monstres tapis sous son lit. Mais il n'était plus un enfant, et il savait que les monstres étaient réels.

— Il faut l'aider, croassai-je sans savoir auquel de nous deux je m'adressais.

— Je vais voir ce que je peux faire, dit Jean-Claude.

Je me tournai vers lui quand j'entendis ses paroles suivantes résonner dans ma tête. À aucun moment, ses lèvres ne remuèrent.

— S'ils rompent la trêve les premiers, ma petite, tu seras libre de massacrer les occupants de cette pièce.

Je l'interrogeai du regard, mais son expression était toujours aussi impassible. Seul l'écho de sa voix, dans ma tête, me convainquit que je n'avais pas rêvé.

Je n'avais pas le temps de protester contre cette intrusion mentale. Plus tard. Nous en discuterions plus tard…

— Janos !

Ce mot se répercuta contre les murs de la pièce, faisant vibrer la plante de mes pieds comme le roulement d'un tambour.

Janos se retourna vers Jean-Claude, l'air ravi.

— Tu m'as appelé ?

— Je te défie !

Trois mots très ordinaires, mais qui me mirent les nerfs à vif.

Si le ton de Jean-Claude perturba Janos, il n'en laissa rien paraître.

— Tu n'as aucune chance de me vaincre, dit-il calmement.

— Ça reste à déterminer, tu ne crois pas ?

Janos sourit à s'en faire craquer la peau.

—Si, par miracle, tu triomphais, qu'exigerais-tu de moi ?

—Que tu laisses passer mon escorte sans lui faire de mal.

Je me raclai la gorge.

—Mon escorte, et les deux filles, corrigea Jean-Claude.

—Et si je gagne, à quoi aurais-je droit ?

—Que veux-tu ?

—Tu sais très bien ce que nous voulons.

—Dis-le.

—Vous renoncerez à votre droit de passage. Nous pourrons faire de vous ce que nous désirerons.

—Qu'il en soit ainsi, lâcha Jean-Claude. (Il désigna les deux vampires pourrissantes.) Dis-leur de laisser mon loup tranquille.

—Elles ne lui feront pas de mal, promit Janos. En revanche, si tu échoues… J'en ferai cadeau à mes deux beautés.

Un bruit étranglé, comme un cri qu'on ravale, monta de la gorge de Jason. Les mains de la brune se posèrent sur son ventre et descendirent lentement vers son intimité. Il hurla et la repoussa, mais à moins de recourir à la violence, il était coincé. Et si nous rompions la trêve les premiers, nous étions morts. En revanche, s'ils la brisaient d'abord…

Jean-Claude et Janos s'étaient placés face à face au centre de la pièce. Jean-Claude avait les pieds écartés et plantés dans le sol comme s'il s'apprêtait à se battre physiquement. Son adversaire avait adopté une posture nonchalante.

—Tu vas tout perdre, Jean-Claude. Que mijotes-tu donc ?

Il secoua la tête.

—Le défi a été lancé et accepté. Qu'attends-tu, Janos ? Aurais-tu enfin peur de moi ?

— Peur de toi ? Jamais ! Tu ne m'effrayais pas il y a deux siècles, et tu ne m'effraies toujours pas aujourd'hui.

— Assez parlé…

Bien que basse et douce, la voix de Jean-Claude porta dans toute la pièce. Elle monta à l'assaut des murs pour retomber comme une pluie noire chargée de colère.

Janos éclata d'un rire qui n'avait aucune des qualités de celui de Jean-Claude.

— Dansons donc !

Le silence s'abattit si brusquement sur la cave que je crus être devenue sourde. Puis je m'avisai que j'entendais toujours mes battements de cœur et le sang qui me martelait les tympans.

Des volutes d'air chaud montèrent entre les deux vampires, comme sur une route goudronnée en pleine canicule. Mais ce qui se déversa sur ma peau n'était pas de la chaleur. C'était du pouvoir.

Un maelström de pouvoir. J'avais déjà senti Jean-Claude affronter des vampires, et je n'avais jamais rien éprouvé de tel. Le vent qui émanait des deux adversaires faisait voler mes cheveux en arrière.

La chair du visage de Jean-Claude fondait à vue d'œil, sa peau blanche luisant comme de l'albâtre poli, ses yeux semblables à deux flammes bleues qui faisaient couler un feu couleur de saphir dans ses veines. Son humanité se consumait, et ça n'allait pas suffire. Il allait perdre.

À moins que les autres rompent la trêve les premiers.

Kissa montait toujours la garde près de la porte, l'air impassible. Elle ne pouvait donc m'être d'aucun « secours ». Les deux créatures à moitié décomposées rampaient toujours sur Jason. Seuls Bruce et Ivy étaient encore debout : le premier terrifié, la seconde très excitée. La bouche entrouverte, elle observait les deux maîtresses vampires en se léchant la lèvre inférieure.

J'avais été capable de soutenir son regard et ça l'avait agacée.

Ma décision fut prise en un clin d'œil.

Je traversai la pièce. Quand je passais derrière Jean-Claude, le flux de pouvoir se tendit vers moi et m'enveloppa. Je continuai à marcher et il retomba, mais ma peau frissonnait à l'endroit où il m'avait touchée. Si je ne faisais rien, la situation n'allait pas tarder à dégénérer.

Kissa me suivit du regard, les yeux plissés. Je l'ignorai.

Un seul maître vampire à la fois…

Je m'immobilisai devant Ivy, qui continua à regarder Jean-Claude et Janos sans me prêter attention.

J'ouvris la bouche. Quand je parlais, le son de ma propre voix me perça les tympans.

—Je vous défie!

Ivy cligna des yeux comme si je venais d'apparaître devant elle.

—Qu'est-ce que tu as dit?

—Je vous défie, répétai-je.

Je restai impassible et m'efforçai à ne pas penser à ce que j'étais en train de faire.

Ivy éclata de rire.

—Tu es folle. Je suis une maîtresse vampire. Tu ne peux pas me défier.

—Mais je peux soutenir votre regard, répliquai-je.

Je m'autorisai un sourire. Surtout ne pas réfléchir et ne pas laisser ma peur se manifester. Évidemment, il me suffit d'y penser pour la sentir me nouer l'estomac.

Ivy éclata d'un rire aigu cristallin comme du verre brisé. À l'entendre, je sentais pratiquement ma peau se fendiller. Que diable étais-je en train de faire?

Une bourrasque me frappa par-derrière, manquant me projeter contre elle. Je regardai par-dessus mon épaule, juste à temps pour voir Jean-Claude tituber, un peu de sang coulant de sa main. Janos ne transpirait même pas.

Quoi que je sois en train de faire, j'avais intérêt à agir vite.

— Quand Jean-Claude aura perdu, je demanderai à Janos de l'obliger à me baiser. Ton maître sera le jouet de tout le monde, et toi aussi.

Mon regard se riva sur les créatures pourrissantes qui torturaient Jason. Ce fut une motivation suffisante. Je me tournai vers Ivy.

— Vous ne ferez rien du tout ! Vous n'arrivez même pas à forcer une pauvre humaine à détourner les yeux !

Elle me foudroya du regard, sa colère jaillissant comme la flamme d'une allumette. Je vis le brun de ses iris envahir le blanc qui les entourait.

À présent, ses yeux évoquaient deux flaques de lumière sombre. Mon pouls était si précipité qu'il menaçait de m'étouffer, et une petite voix dans ma tête me hurlait : « Cours ! Cours ! » Mais je restai là et soutins son regard sans ciller.

Ivy était une maîtresse vampire, mais une jeune maîtresse. Dans un siècle, elle pourrait croquer dix cinglées comme moi au petit déjeuner. Pour l'instant, j'espérais qu'une seule serait encore trop.

Elle siffla en découvrant ses canines.

— Très impressionnant, fis-je. On dirait une chienne qui montre les crocs.

— Cette chienne-là pourrait t'arracher la gorge.

Sa voix devenue basse et maléfique rampa le long de ma colonne vertébrale jusqu'à ce que j'aie utilisé le plus gros de ma volonté pour m'empêcher de frissonner.

Comme je n'avais pas confiance en mes propres cordes vocales, je répliquai très lentement :

— Essayez donc.

Elle se rua en avant. Mais je l'avais vue bouger et sentie avant même qu'elle bondisse.

Je me jetai en arrière. Elle me saisit par le bras et me souleva de terre, le coude plaqué contre le corps pour un meilleur appui. Sa force était incroyable. Elle aurait pu me broyer le bras sans même y penser…

Mais Kissa se matérialisa à nos côtés.

— Repose-la immédiatement !

Ivy me jeta à travers la pièce. De l'air siffla à mes oreilles, le monde se brouillant devant mes yeux comme si je devenais aveugle.

Puis il y eut un bruit sourd.

Chapitre 26

Je heurtai violemment le mur d'en face et le frappai des deux bras pour absorber une partie de l'impact avant que ma tête le touche.

Alors, je me sentis glisser vers le sol – encore que « glisser » ne soit pas forcément le mot juste : il implique une certaine lenteur, et ma chute n'eut rien de lent. Je m'écroulai, le souffle coupé, clignant des yeux pour réassocier les fragments colorés qui refusaient de former des images distinctes.

La première qui s'imposa à moi fut un visage décomposé, encadré par quelques mèches de cheveux noirs. La langue de la vampire remua derrière ses dents brisées ; un fluide noir plus épais que du sang jaillit de sa bouche.

Je me redressai sur les genoux. Des bras squelettiques me saisirent par les épaules tandis que les lèvres desséchées de la blonde me chuchotaient :

— Viens jouer.

Quelque chose de dur et de raide s'enfonça dans mon oreille. C'était sa langue. Je me dégageai et m'éloignai précipitamment, mais ses griffes restèrent accrochées au cuir de ma veste. Ses mains, qui auraient dû être aussi friables que des brindilles mortes, avaient la résistance de l'acier.

— Ils ont rompu la trêve, ma petite. Je ne pourrai pas retenir Janos longtemps.

Je levai les yeux et aperçus Jean-Claude à genoux, les mains tendues vers son adversaire. Toujours debout, il ne faisait rien de particulier.

Je n'avais que quelques secondes.

Je renonçai à échapper aux deux vampires. Elles se jetèrent sur moi. Dans le fouillis de leurs membres décharnés, je dégainai mon Browning et tirai à bout portant sur la poitrine de la brune. Elle vacilla, mais ne s'effondra pas. Des crocs s'enfoncèrent dans mon cou. Je hurlai.

Une détonation retentit de l'autre côté de la pièce, mais je n'eus pas le temps de regarder. Soudain, Jason se dressa à mes côtés et écarta la blonde. Ma deuxième balle fit éclater le crâne pourrissant de la brune, qui s'écroula dans une mare de liquide visqueux.

Je me tournai vers Jean-Claude. Il était prostré sur le sol. Une flaque rouge foncé s'était formée devant lui, et son bras restait tendu vers Janos.

Son adversaire fit un petit geste sec. Du sang jaillit du corps de Jean-Claude. Il s'écroula, une rafale de pouvoir faisant voler mes cheveux en arrière.

Soudain, une odeur de décomposition envahit la pièce. Prise de nausée, je tirai sur la grande silhouette noire de Janos.

Le maître vampire se tourna vers moi au ralenti, comme si j'avais tout le temps de viser et de tirer une deuxième fois. Pourtant, il était face à moi quand j'appuyai sur la détente.

La balle l'atteignit à la poitrine. Il tituba mais ne tomba pas.

Je braquai mon flingue sur son crâne rond et squelettique. Quand sa main blanche se leva et s'abaissa, j'eus l'impression que des griffes invisibles venaient de me lacérer le bras. Je tirai, mais son attaque dévia ma main et la balle lui effleura seulement la joue.

Janos fit un nouveau geste. Je vis du sang dégouliner le long de mon avant-bras. Il cherchait à m'effrayer. Je n'avais pas vraiment mal. Enfin, pas autant que s'il m'avait griffée pour de bon.

Un second flingue cracha. Janos vacilla alors qu'une balle s'enfonçait dans son épaule. Larry se tenait derrière lui, l'arme à la main.

Ma vision se brouilla, comme si une nappe de brume se formait derrière mes yeux. Je baissai le bras pour viser une cible plus large – le torse de Janos – et appuyai de nouveau sur la détente.

J'entendis la balle de Larry passer au-dessus de ma tête et s'écraser contre le mur derrière moi. Une exclamation angoissée m'apprit que Jason était toujours dans les parages.

Je vis Janos foncer vers la porte, avec le sentiment de regarder un film au ralenti à travers un brouillard si épais que je parvenais à peine à distinguer les contours des protagonistes.

Je tirai encore deux balles et sus que je l'avais touché au moins une fois. Quand il fut sorti de la pièce, je tombai à quatre pattes et attendis que ma vision s'éclaircisse.

Au milieu de la cave, Jean-Claude gisait toujours dans une mare de sang. *Est-il mort?* me demandai-je. Je sais, c'est une question stupide à propos d'un vampire. Mais dans l'état où j'étais, j'avais des excuses.

Je regardai derrière moi. Jason éparpillait les morceaux des deux vampires. Il déchiquetait leurs corps à mains nues, faisant craquer leurs os et les jetant le plus loin possible les uns des autres, comme si cette destruction méthodique pouvait effacer ce qu'elles lui avaient fait.

Bruce était allongé sur le dos au pied du mur. Sa veste de smoking était imbibée de sang, et il ne bougeait pas. Je n'en aurais pas mis ma tête à couper, mais il semblait mort. Ivy et Kissa n'étaient plus en vue.

Larry était toujours campé de l'autre côté de la pièce, son flingue braqué comme s'il n'avait pas compris que Janos avait disparu. Autrement dit, l'escorte du maître de Saint Louis avait survécu. Restait à savoir si on pouvait en dire autant de Jean-Claude.

N'osant pas me relever, de peur que la tête me tourne, je rampai vers lui. J'eus l'impression qu'il me fallut une éternité pour l'atteindre, comme si ma vision n'était pas ma seule fonction affectée par le pouvoir de Janos.

Le temps que je m'agenouille près de lui, j'avais en partie recouvré l'usage de mes yeux. Je le regardai, paniquée. Comment déterminer si un vampire est mort ? Parfois, Jean-Claude n'avait pas de pouls. Son cœur ne battait pas, et il pouvait se passer de respirer. Merde, merde, merde !

Je rengainai mon Browning. Il ne restait plus rien à flinguer, et j'avais besoin de mes mains. Mes doigts laissèrent des traces sanglantes sur mon chemisier, et pour la première fois, je regardai mes bras.

On eût dit que des ongles crochus m'avaient griffé les avant-bras à travers les manches, écorchant le dessus de mes mains en fin de course. Les égratignures étaient assez profondes, mais elles guériraient. Avec un peu de chance, elles ne laisseraient pas de cicatrices.

Je touchai l'épaule de Jean-Claude. Sa chair était parfaitement normale. Je le fis rouler sur le dos. Sa main tomba sur le sol avec la mollesse typique des cadavres encore tièdes. Par quelque étrange tour de magie, son visage était redevenu plus humain que je ne l'avais jamais vu. Sinon qu'aucun être humain ne pouvait être aussi beau.

Je posai deux doigts dans son cou, à l'endroit où j'aurais dû pouvoir lui prendre le pouls. Mais je ne sentis rien. Quelque chose me brûla les yeux, et ma gorge se serra. Je n'allais pas pleurer. Pas encore. Je n'étais même pas certaine de le vouloir.

Quand un vampire est-il mort pour de bon ? Peut-on le ressusciter en lui faisant du bouche-à-bouche ou un massage cardiaque ?

Après tout, il respirait, la plupart du temps, et son cœur battait – en général. Qu'il ne batte pas en ce moment n'était sans doute pas très bon signe.

Je positionnai sa tête, lui pinçai le nez et soufflai dans sa bouche. Sa poitrine se souleva. Je lui soufflai encore deux fois dans la bouche, sans réussir à activer ses fonctions respiratoires. Alors, je déboutonnai sa chemise, localisai l'emplacement au-dessus de son sternum et pressai avec les deux mains. Une fois, deux fois, trois fois… Quinze fois.

Jason s'approcha de moi en titubant et se laissa tomber à genoux.

— Il est parti ?

— Je ne sais pas.

J'appuyais assez fort pour briser les côtes d'un être humain, mais Jean-Claude n'en était pas un.

Il gisait, réagissant comme un pantin désarticulé quand je le faisais bouger. Ses lèvres entrouvertes, ses yeux clos ourlés par la dentelle sombre de ses cils épais, des boucles noires encadraient toujours son visage si pâle.

Je m'étais souvent représenté Jean-Claude mort. Une ou deux fois, j'avais pensé à le tuer moi-même. À présent, j'éprouvais des émotions conflictuelles. La situation me paraissait injuste. Il était venu ici à cause de moi, parce que je le lui avais demandé.

Maintenant, il était mort pour de bon, et c'était en partie ma faute. Si j'avais vraiment dû tuer Jean-Claude, j'aurais voulu appuyer moi-même sur la détente et regarder ses yeux pendant qu'il crevait.

Jamais je n'avais souhaité que ça se passe ainsi.

Je tentai de me représenter un monde sans lui. Son corps magnifique pourrissant enfin dans la tombe qu'il méritait tant...

Je secouai la tête. Pas question de laisser faire ça, si j'avais une chance de le sauver !

Il existe une chose, une seule, que tous les morts respectent et qu'ils désirent vraiment. Le sang.

Avant de souffler de nouveau dans sa bouche, je la barbouillai de mon propre sang. Quand mes lèvres se posèrent sur les siennes, je sentis son goût métallique. Mais Jean-Claude ne réagit pas.

Larry s'accroupit près de nous.

— Où est passé Janos ?

Il n'avait pas pu voir à travers le brouillard, et je n'avais pas le temps de lui expliquer.

— Surveille la porte, et tire sur quiconque la franchira.

— Puis-je laisser partir les filles ?

— Bien sûr.

Je les avais complètement oubliées, ces deux-là. Tout comme Jeff Quinlan. Je les aurais tous abandonnés avec joie pour voir Jean-Claude cligner des yeux. Bon, je n'aurais peut-être pas fait ça si on m'avait donné le choix, mais à cet instant, ils n'étaient pour moi que des étrangers. Contrairement à Jean-Claude.

— Avec plus de sang, peut-être..., dit Jason.

Je levai la tête vers lui.

— C'est une proposition ?

— Un seul d'entre nous ne peut pas le ramener sans y laisser la vie, mais je veux bien t'aider.

— Tu l'as déjà nourri une fois, ce soir. Tu crois que tu pourrais recommencer ?

— Je suis un loup-garou, donc je récupère vite. Et mon sang est plus nourrissant que celui d'un humain. Il contient plus de pouvoir.

Alors, je le regardai vraiment. Il était couvert d'une substance visqueuse. Une grosse tache sombre maculait sa joue gauche. Ses yeux bleus n'avaient plus rien de dangereux. Son regard était hanté.

Il y a des choses plus marquantes que la souffrance physique.

Je pris une profonde inspiration et sortis un couteau de son fourreau. Puis je m'entaillai le poignet gauche.

La douleur fut aiguë et immédiate. L'ignorant, je collai la plaie contre les lèvres de Jean-Claude. Du sang emplit sa bouche, déborda au coin de ses lèvres et coula le long de sa joue. Je lui massai la gorge pour le forcer à avaler.

Comme il rirait s'il savait que je m'étais enfin ouvert les veines pour lui !

Pour l'instant, il ne réagissait toujours pas. Et merde ! Je lui soufflai dans la bouche, goûtant mon propre sang, et sa poitrine se souleva. *Vivez, vivez, vivez*, lui ordonnai-je en silence.

Jean-Claude frissonna. Sa gorge se convulsa et déglutit. Je me redressai.

Alors que j'écartais ma main de sa bouche, il me saisit brusquement le poignet. Je me retins pour ne pas crier. Avec sa force surnaturelle, il aurait pu me broyer les os. Ses yeux étaient toujours fermés. Seuls ses doigts, serrés sur mon poignet, m'indiquaient que nous progressions.

Je posai une main sur sa poitrine. Il ne respirait pas encore de lui-même, et je ne percevais pas de battements de cœur. Était-ce mauvais signe ? Bon signe ? Indifférent ? Du diable si je le savais.

— Jean-Claude, vous m'entendez ? C'est Anita.

Il se redressa légèrement et pressa mon poignet ensanglanté contre sa bouche. Lorsqu'il me mordit, je hoquetai de douleur.

À présent, il s'agrippait à mon bras avec les deux mains et suçait férocement la plaie. Si nous avions été en train de faire l'amour, j'aurais peut-être trouvé ça bon. Là, ça faisait un mal de chien.

— Et merde, soufflai-je.

— Qu'est-ce qui ne va pas ? demanda Larry.

— Ça fait mal.

— Je croyais que c'était censé être agréable, dit Lisa.

Je secouai la tête.

— Seulement quand on est sous contrôle hypnotique, la détrompai-je.

— Combien de temps ça prendra ? demanda Larry.

— Le temps qu'il faudra… Surveille la porte.

— Quelle porte ?

— Laisse tomber. Tire sur tout ce qui entrera, un point c'est tout.

La tête commençait à me tourner. Combien de sang Jean-Claude avait-il bu ?

— Jason, je me sens toute flapie. Il ne veut pas me lâcher.

Jason saisit les poignets de Jean-Claude et tira, sans plus de résultat.

— Je suppose que je pourrais lui briser tous les doigts pour te libérer, mais…

— Je sais : ça risquerait de l'énerver.

La nausée m'assaillait et je sentais de la bile envahir ma bouche. Je devais me sortir de là.

— Lâchez-moi, Jean-Claude ! Putain de bordel, lâchez-moi !

Les paupières toujours closes, le visage impassible, il se nourrissait comme un bébé, avec une détermination aveugle.

Mais c'était ma vie qu'il buvait. Je la sentais couler le long de mon bras. Mon pouls me martelait les tempes comme si je piquais un sprint. Mon cœur battait de plus en plus vite. Abreuvait Jean-Claude de plus en plus vite. Me tuait de plus en plus vite.

Des taches noires dansèrent devant mes yeux. L'obscurité grignotait la lumière. Je dégainai mon Browning.

— Qu'est-ce que tu fais ? lança Jason.

— Il est en train de me vider.

— Il ne sait pas ce qu'il fait.

— Le résultat sera le même.

— Quelque chose vient de bouger en haut de l'escalier, annonça Larry.

Génial.

— Jean-Claude, lâchez-moi, tout de suite !

Je pressai le canon de mon flingue sur la peau lisse de son front. Les ténèbres dévoraient ma vision et la nausée me brûlait la gorge. Je me penchai sur lui et chuchotai :

— Je vous en prie, Jean-Claude, lâchez-moi. C'est Anita.

Je me redressai.

— Des vampires approchent, dit Larry. Dépêchez-vous.

Je contemplai le visage magnifique qui était en train de me dévorer vive, et mon index se raidit sur la détente.

Jean-Claude ouvrit les yeux.

Je dépliai mon doigt pour l'empêcher d'écraser la détente.

Jean-Claude se laissa aller sur le sol. Il tenait encore mon poignet, mais il ne buvait plus. Sa bouche était maculée de sang. Mon flingue restait braqué sur lui.

— Ah, ma petite, j'ai comme une impression de déjà-vu.

— Elle n'est qu'à moitié exacte...

Je forçai pour dégager mon poignet. Il me laissa faire à contrecœur. Je m'assis sur mes talons, le Browning posé sur mes genoux.

Larry était accroupi au pied de l'escalier, flingue à la main. J'avais l'impression de le regarder du fond d'un tunnel, comme si j'étais très loin de lui et pas du tout concernée par la situation.

Jason s'allongea sur le sol poisseux. Je fronçai les sourcils.

—Dans le cou, ça fait moins mal, répondit-il à ma question muette.

Jean-Claude rampa sur lui. Sans qu'il ait à le lui demander, Jason tourna la tête. Jean-Claude pressa sa bouche couverte de sang sur la veine du métamorphe, et je vis jouer les muscles de ses mâchoires alors qu'il enfonçait ses crocs dans la peau tendre.

Même si j'avais su que ça faisait moins mal à cet endroit, j'aurais quand même préféré m'entailler le poignet, et entretenir l'illusion qu'il ne s'agissait pas d'un geste très intime. Ce que faisaient Jean-Claude et Jason ressemblait beaucoup trop à un acte sexuel.

—Anita!

Je me retournai vers l'escalier. Larry était seul au pied des marches. Les deux filles avaient reculé vers le fond de la pièce et la blonde piquait de nouveau une crise d'hystérie. Honnêtement, je ne pouvais pas lui en vouloir.

Je secouai la tête pour éclaircir ma vision, saisis mon Browning au prix d'un violent effort et le pointai vers l'escalier en calant ma main gauche sous mon avant-bras droit. Je tremblais et ça n'allait pas m'aider à viser juste.

Une bourrasque de pouvoir souffla à travers la pièce, me picotant la peau. On pouvait presque le sentir, comme une odeur de draps parfumés dans le noir. Je me demandais si Jean-Claude et moi avions émis la même onde pendant qu'il se nourrissait. Si c'était le cas, je ne m'en étais pas aperçue.

Une forme blanche apparut dans l'encadrement de la porte, au sommet des marches. Il me fallut une seconde pour comprendre de quoi il s'agissait. Un mouchoir attaché au bout d'un bâton.

— Qu'est-ce que c'est ?

— Un drapeau de trêve, ma petite.

Je ne détournai pas mon attention de l'escalier pour regarder d'où venait cette voix épaisse comme du miel. Plus que jamais, chaque mot de Jean-Claude caressait mon corps endolori. C'était encore meilleur – ou pire – que d'habitude. Assez jouissif pour effacer toutes les douleurs et dissiper toutes les souffrances.

Je déglutis et baissai mon flingue vers le sol.

— Arrêtez ça ! Cessez de vous introduire dans ma tête !

— Toutes mes excuses, ma petite. J'ai encore ton goût dans la bouche. Tes battements de cœur affolés me reviennent comme un souvenir chéri. Je vais maîtriser mon enthousiasme, Anita, mais cela me coûtera un gros effort. Un très gros effort.

On eût dit que je venais de le laisser me peloter, et qu'il en voulait davantage.

Je le regardai. Il était assis près du corps à moitié nu de Jason, qui contemplait le plafond, les paupières lourdes et les yeux mi-clos, comme s'il somnolait. Du sang coulait de deux petites plaies, dans son cou. Il n'avait pas l'air de souffrir. Au contraire. J'avais en partie étanché la soif dévorante de Jean-Claude et il s'était montré plus doux avec Jason. Tant mieux pour lui.

— Pouvons-nous parler ?

Une voix d'homme, dans le couloir… Elle m'était vaguement familière, mais je n'arrivais pas à la replacer.

— Anita, que veux-tu que je fasse ? demanda Larry.

— C'est un drapeau de trêve, dis-je avec difficulté.

J'avais la bouche pâteuse, mais mes paroles résonnèrent assez clairement à mes oreilles. Pourtant, je me sentais comme ivre ou droguée.

Magnus descendit l'escalier. Un instant, je crus que j'hallucinais. Je ne m'attendais pas du tout à ça. Il était entièrement vêtu de blanc, du smoking aux chaussures. Le tissu semblait luire contre sa peau bronzée. Ses longs cheveux étaient attachés sur sa nuque par un ruban blanc. Il tenait toujours son drapeau improvisé à la main, et se déplaçait d'une démarche gracieuse, presque identique au glissement des vampires.

Larry garda son flingue braqué sur lui.

— Restez où vous êtes, ordonna-t-il.

Il semblait effrayé mais déterminé, et son bras ne tremblait pas.

— Nous avons déjà dit que les balles en argent ne marchent pas sur les feys, fit Magnus.

— Qui a prétendu que ce flingue contenait des balles en argent ? répliqua Larry.

Un bon mensonge. J'étais fière de lui. Dans mon état, je n'aurais jamais pensé à ça.

— Anita ?

Le regard de Magnus dépassa Larry comme s'il n'était pas là. Pourtant, il s'immobilisa dans l'escalier.

— À votre place, je ferais ce qu'il dit, Magnus. Que voulez-vous ?

Il sourit et écarta les bras, sans doute pour montrer qu'il n'était pas armé. Mais je savais, et Larry aussi, qu'il était assez dangereux comme ça.

— Je n'ai pas l'intention de vous faire de mal. Nous savons qu'Ivy a rompu la trêve la première. Seraphina vous présente ses plus sincères excuses. Elle demande que vous alliez directement dans sa salle d'audience. Il n'y aura plus de tests. Nous avons fait preuve d'une incroyable grossièreté face à un maître en visite.

— Allons-nous le croire ? lançai-je à la cantonade.

— Il dit la vérité, déclara Jean-Claude.

— Laisse-le passer, Larry.

— Tu es sûre que c'est une bonne idée ?

—Non, mais fais-le quand même.

Larry baissa son flingue, l'air contrarié. Magnus descendit les dernières marches en souriant. Il le dépassa et lui tourna ostensiblement le dos. Son arrogance me fit souhaiter que Larry en profite pour le descendre.

Il s'arrêta à un mètre du reste de notre groupe. Nous étions toujours assis par terre – ou allongé, dans le cas de Jason.

Magnus baissa sur nous un regard amusé et vaguement surpris.

—Qu'est-ce que vous fichez ici? demandai-je brusquement.

Jean-Claude me regarda.

—Apparemment, vous vous connaissez.

—C'est Magnus Bouvier. Et je ne comprends pas ce qu'il fout avec eux.

Magnus desserra sa cravate et écarta le col amidonné de sa chemise. Je me doutais un peu de ce qu'il essayait de me montrer, mais je ne pouvais pas le voir du sol, et je n'étais pas sûre de réussir à me lever seule.

—Si vous voulez que je regarde, il va falloir que vous vous baissiez.

—Avec plaisir.

Il s'agenouilla devant moi. Il avait deux traces de morsure à moitié cicatrisées dans le cou.

—Merde alors! Pourquoi?

Il baissa les yeux sur mon poignet ensanglanté.

—Je pourrais vous demander la même chose.

—J'ai donné du sang à Jean-Claude pour lui sauver la vie. Et vous, quelle est votre excuse?

Il sourit.

—Rien d'aussi altruiste, je le crains.

Magnus défit son ruban et laissa ses cheveux se répandre sur ses épaules. Sans me quitter des yeux, il se mit à quatre pattes et s'approcha de Jean-Claude. Il se déplaçait comme s'il avait des muscles à des endroits où les humains ne sont pas censés en avoir. On aurait cru voir bouger un gros félin.

Il s'immobilisa devant Jean-Claude, si près de lui qu'ils se touchaient presque. Puis il ramena ses cheveux sur le côté et lui offrit son cou.

—Non, dit Jean-Claude.

—Que se passe-t-il ? demanda Larry.

Une excellente question. Je n'avais pas de bonne réponse. Ni même de mauvaise.

D'un haussement d'épaules, Magnus défit sa veste de smoking et la laissa glisser à terre. Il déboutonna sa manche droite, la releva jusqu'à son coude et tendit son poignet nu à Jean-Claude. Sa peau était lisse, dépourvue de la moindre marque. Jean-Claude prit sa main et la porta à ses lèvres.

Je faillis détourner les yeux, mais je me ravisai. Ne pas regarder, c'est se mentir : faire semblant qu'il ne se passe rien, alors qu'on sait très bien que c'est faux.

Jean-Claude effleura le poignet de Magnus de ses lèvres, puis le lâcha.

—C'est une offre très généreuse, mais je serais complètement saoul si je buvais votre sang en plus du leur.

—Saoul ? répétai-je, incrédule. Vous déconnez, ou quoi ?

—Ah, ma petite. Toujours aussi raffinée…

—La ferme !

—Perdre une grande quantité de sang te rend irritable.

—Allez vous faire foutre !

Il éclata d'un rire doux et sucré, indescriptible comme le goût d'une friandise interdite qui ne serait pas seulement calorique, mais empoisonnée.

À genoux devant lui, Magnus le regardait toujours.

—Vous ne voulez pas me goûter ?

Jean-Claude secoua la tête, comme s'il craignait que sa voix le trahisse. Ses yeux pétillaient d'un amusement réprimé.

— Le sang a été offert.

Magnus revint vers moi à quatre pattes. Ses cheveux lui cachaient une moitié de la figure, dévoilant seulement un de ses yeux turquoise qui brillait comme un joyau à travers ses mèches. Aucun humain n'avait des yeux de cette couleur.

— Un litre de sang, une livre de chair, chuchota-t-il, son visage à quelques centimètres du mien.

Puis il se pencha comme pour m'embrasser. Je me jetai en arrière et, déséquilibrée, tombai sur le dos. Ce n'était pas franchement mieux. Magnus rampa au-dessus de moi, mais je lui enfonçai le canon de mon Browning entre les côtes.

— Reculez ou je tire, menaçai-je.

Il battit en retraite – pas très loin. Je me redressai en gardant mon flingue braqué sur lui d'une seule main. Mon bras tremblait beaucoup plus que d'habitude.

— Bon sang, qu'est-ce qui vous prend ?

Jean-Claude éclaira ma lanterne.

— Janos a parlé de nous prendre du sang et de la chair, ce soir. À titre d'excuse, Seraphina nous offre du sang et de la chair…

Magnus était toujours à quatre pattes, l'air toujours aussi dangereux. Je baissai mon Browning.

— Non, merci. Sans façon.

Magnus s'assit sur les talons et passa les mains dans ses cheveux pour les ramener en arrière.

— Vous avez refusé les offrandes de paix de Seraphina. Refusez-vous également ses excuses ?

— Conduisez-nous à Seraphina, et vous aurez rempli votre mission, dit Jean-Claude.

Magnus ne me quitta pas des yeux.

—Et vous, Anita ? Suffira-t-il que je vous conduise à Seraphina ? Accepterez-vous ses excuses ?

—Pourquoi le ferais-je ?

—Anita n'est pas une maîtresse ! cria Jean-Claude. C'est mon pardon que vous devriez implorer.

—Je fais ce qu'on m'a ordonné, répliqua Magnus. Anita a défié Ivy en duel de volontés. Et Ivy a perdu.

—Pourtant, elle m'a projetée à travers la pièce, dis-je.

—Elle a recouru à la force physique, ma petite. Parce qu'elle n'arrivait pas à triompher d'une humaine avec sa seule volonté ou ses pouvoirs vampiriques. Elle a perdu face à toi.

—Et alors ?

—Alors, tu t'es autoproclamée maîtresse, et tu as prouvé que tu en étais une.

—C'est ridicule ! lançai-je. Je ne suis pas une vampire !

—Je n'ai pas parlé de maîtresse vampire : juste de maîtresse.

—Maîtresse quoi, dans ce cas ? Maîtresse humaine ?

Jean-Claude écarta les mains en signe d'ignorance, puis se tourna vers Magnus.

—Qu'en dit Seraphina ?

—Elle m'a ordonné de vous conduire à elle, c'est tout.

Jean-Claude hocha la tête et se releva comme une marionnette dont on vient d'actionner les ficelles. Il semblait frais et dispos, bien qu'encore barbouillé de sang. Comment osait-il avoir l'air tellement en forme quand j'étais dans cet état merdique ?

Il baissa les yeux sur Jason et moi. Son étrange bonne humeur était soudain revenue. Il me sourit. Même avec sa bouche maculée de sang, il était d'une beauté à couper le souffle. Ses yeux brillaient comme s'il était le seul à connaître un secret très amusant.

—Je ne suis pas sûr que mes compagnons puissent marcher. Ils se sentent un peu vidés, en ce moment.

Il gloussa de sa propre plaisanterie.

— Vous êtes ivre, l'accusai-je.

— C'est bien possible.

— On ne peut pas être ivre de sang.

— Je viens de boire celui de deux mortels dont aucun n'est véritablement humain.

Je ne voulais pas entendre ça. Pourtant, je ne pus m'empêcher de demander :

— De quoi parlez-vous ?

— Une bonne rasade de nécromancienne avec un soupçon de loup-garou : un cocktail qui ferait tourner la tête de n'importe quel vampire.

De nouveau, il gloussa. Jean-Claude ne gloussait jamais. Je décidai de l'ignorer.

— Jason, tu peux te lever ?

— Je crois.

Sa voix était pâteuse mais pas ensommeillée, plutôt lourde d'une langueur post-coïtale. Finalement, j'étais plutôt contente que Jean-Claude m'ait fait mal en me mordant.

— Larry ?

Larry s'approcha de nous en surveillant Magnus du coin de l'œil. Il n'avait pas rengainé son flingue et il ne semblait pas du tout content.

— On peut lui faire confiance ? demanda-t-il.

— On n'a pas vraiment le choix. Aide-moi à me relever, et fichons le camp d'ici avant que Face-de-Crocs meure de rire.

Il me tendit la main et je me propulsai en position verticale. La tête me tourna un instant. Rien de plus.

Sans que j'aie à le lui demander, Larry aida Jason, qui vacilla, mais parvint à rester debout.

— Tu peux marcher ? lui demandai-je.

— Si tu y arrives, j'y arriverai aussi.

Ça, c'est un homme comme je les aime.

Je fis un pas, puis un autre, en gardant le regard rivé devant moi. Larry et Jason me suivirent. Jean-Claude se releva avec difficulté, sans cesser de rire tout bas.

Magnus nous attendait au pied de l'escalier, sa veste de smoking pliée sur un avant-bras. Il avait même rattaché ses cheveux.

Jason fit un écart pour contourner les restes déchiquetés de ses deux ex-amantes. Il ramassa sa chemise, qui dissimula sa poitrine souillée, mais pas les traces de substance visqueuse qui maculaient son visage et ses cheveux raidis.

Le dos des habits de Jean-Claude était tout poisseux de sang à moitié séché. Quant à moi... Je préférais ne pas faire l'inventaire de mes taches. Une bonne chose que je sois presque entièrement vêtue de noir... Mais mon joli chemisier était sans doute foutu.

Larry était le seul encore présentable. Pourvu que ça dure!

Les deux filles s'étaient cachées sous l'escalier pendant que nous parlions. J'aurais parié que c'était une idée de la brune. Lisa semblait trop terrorisée pour réfléchir, et à plus forte raison pour faire preuve d'intelligence. Je ne pouvais pas le lui reprocher, mais l'hystérie mène souvent à la mort...

La brune approcha de Larry. Lisa lui emboîta le pas, la tenant si fort par le bras qu'il aurait fallu un chirurgien pour les séparer.

—Maintenant, nous aimerions rentrer chez nous. Croyez-vous que c'est possible? demanda la brune.

Je la regardai dans les yeux et hochai la tête. Larry me jeta un regard interrogateur.

—Magnus?

Il fronça les sourcils, toujours planté au pied des marches comme un guide touristique ou un maître d'hôtel prêt à nous escorter à l'étage.

— Vous m'avez appelé ?

— Je veux que vous laissiez partir ces filles sans leur faire de mal.

Il les détailla longuement.

— Pourquoi pas ? Seraphina les avait fait amener pour vous. Elles ne nous servent plus à rien.

Je n'aimais pas la façon dont il avait dit ça.

— Sans leur faire de mal, Magnus, insistai-je. Vous comprenez ce que ça signifie ?

Il se tourna vers moi et sourit.

— Elles franchissent cette porte sur leurs deux pieds et rentrent chez elles. Ça vous convient ?

— Pourquoi vous montrez-vous si coopératif tout à coup ? demandai-je, soupçonneuse.

— Les laisser partir saines et sauves vous convaincrait de notre bonne foi ?

— Oui. Si vous les libérez, je passerai l'éponge.

Magnus hocha la tête.

— Dans ce cas, considérez que c'est chose faite.

— Ne devez-vous pas d'abord en référer à votre maîtresse ?

— Ma maîtresse ordonne, Anita, et j'obéis.

Il avait dit ça en souriant, mais je lus une grande dureté dans ses yeux, et la crispation de ses mains ne m'échappa pas.

— Être son toutou ne vous plaît pas…

— Peut-être, mais je ne peux pas y faire grand-chose. (Il s'engagea dans l'escalier.) Vous venez ?

Jean-Claude s'immobilisa au pied des marches.

— Tu as besoin d'aide, ma petite ? J'ai bu une grande quantité de ton sang, et tu ne récupères pas aussi vite que mon loup.

De fait, l'escalier me semblait beaucoup plus imposant vu d'en bas. Néanmoins, je secouai la tête.

— Je me débrouillerai.

— Je n'en doute pas, ma petite. Je n'en ai jamais douté.

Il s'approcha de moi. Mais au lieu de me chuchoter à l'oreille, je l'entendis parler dans ma tête.

— Tu es faible, Anita. Laisse-moi t'aider.

— Putain, arrêtez de faire ça ! lançai-je.

Il soupira.

— Comme tu voudras, ma petite.

Il gravit les marches en les touchant à peine, comme s'il lévitait. Larry et les filles passèrent ensuite. Aucun d'eux ne semblait fatigué. Je leur emboîtai le pas en traînant les pieds.

Jason ferma la marche. Il avait les yeux cernés. La morsure de Jean-Claude avait peut-être été agréable, mais donner autant de sang fatigue même les loups-garous. Si Jean-Claude avait proposé de le porter jusqu'en haut, aurait-il accepté ?

Jason vit que je l'observais. Au lieu de sourire, il soutint mon regard sans ciller. Il aurait peut-être refusé lui aussi. Visiblement, nous avions tous décidé de faire notre mauvaise tête, ce soir.

Chapitre 27

Les draperies de soie avaient été écartées, révélant un trône dans le coin droit, au fond de la pièce. Il n'y avait pas d'autre mot. « Chaise » n'aurait pas rendu justice aux dorures et aux joyaux incrustés dans le bois.

Une multitude de coussins étaient éparpillés sur le sol comme pour accueillir un harem ou une famille de petits chiens toilettés et enrubannés. Mais ils étaient vides. On eût dit une scène de théâtre avant le lever du rideau.

Une tapisserie avait été poussée sur le côté, révélant une porte tenue ouverte par un morceau de bois triangulaire. L'air printanier pénétrait par l'entrebâillement, chassant l'odeur de pourriture.

Je venais d'ouvrir la bouche pour dire : « Venez, les filles », quand le vent devint plus froid et souffla plus fort. Alors, je sus que ce n'était pas du vent. Ma peau me picota, et les muscles de mes épaules et de mes bras se contractèrent.

— Qu'est-ce que c'est ? demanda Larry.

— Des fantômes, répondis-je.

— Des fantômes ? Qu'est-ce qu'ils foutent ici ?

— Seraphina peut invoquer des spectres, expliqua Jean-Claude. Une capacité unique au sein de notre communauté…

Kissa apparut sur le seuil. Son bras droit pendait contre son flanc, et du sang coulait lentement de son épaule.

— C'est ton œuvre ?

Larry hocha la tête.

— Je lui ai tiré dessus, mais ça n'a pas eu l'air de la ralentir beaucoup.

— Tu l'as blessée.

Il écarquilla les yeux.

— Génial…

Cette idée ne semblait pas le réjouir, et je le comprenais. Les maîtres vampires blessés ont tendance à devenir irritables.

— Seraphina vous invite à la rejoindre dehors, lança Kissa.

Magnus se laissa tomber sur les coussins avec la grâce d'un gros chat. Visiblement, ce n'était pas la première fois qu'il se pelotonnait là. Il avait ses petites habitudes.

— Vous ne venez pas ? lui demandai-je.

— J'ai déjà vu le spectacle.

Jean-Claude marcha vers la porte. Jason le suivit deux pas en arrière, comme un brave toutou.

Les deux filles s'accrochaient à la veste de Larry. C'était lui qui les avait détachées et elles l'avaient vu flinguer les méchants. À leurs yeux, il était un héros. Comme tous les héros, il se serait fait tuer pour les protéger, si nécessaire.

Soudain, Jean-Claude apparut à mes côtés.

— Qu'est-ce qui ne va pas, ma petite ?

— Je préférerais faire sortir les filles par-devant.

— Pourquoi ?

— Parce que rien de bon ne nous attend de ce côté, et que je ne veux pas qu'elles voient ça.

— Que se passe-t-il ? demanda Jason, un peu en retrait.

Il ne cessait de serrer et de desserrer les poings. Une demi-heure plus tôt, il était beaucoup plus détendu que ça. Comme nous tous.

Jean-Claude se tourna vers Kissa.

— A-t-il dit vrai ? demanda-t-il en désignant Magnus. Les filles sont-elles libres de partir ?

— Elles le sont, dit Kissa. Ainsi l'a décidé notre maîtresse.

Jean-Claude se tourna vers les deux filles.

— Allez-y.

Elles se regardèrent, puis consultèrent Larry du regard.

— Seules ? balbutia Lisa.

La brune secoua la tête.

— Ne fais pas la difficile. (Elle regarda Larry.) Merci.

— De rien. Soyez prudentes sur le chemin du retour.

La brune avança vers la pièce de devant, Lisa toujours pendue à son bras. Par la porte ouverte, nous les vîmes sortir de la maison. Aucune créature maléfique ne se jeta sur elles. Pas un cri ne déchira la nuit. Ça alors...

— Et maintenant, ma petite, es-tu prête ? Nous devons présenter nos respects à la maîtresse des lieux.

Jean-Claude fit un pas en avant sans me quitter des yeux. Jason était déjà à ses côtés, les mains toujours tremblantes. Je hochai la tête et leur emboîtai le pas. Larry resta près de moi telle une deuxième ombre. Je sentais sa peur comme un tremblement sur ma peau.

Je comprenais qu'il ait les jetons. Janos avait battu Jean-Claude. Or, Janos servait Seraphina, qui devait donc pouvoir vaincre Jean-Claude les doigts dans le nez. Et je ne parlais même pas de sa pitoyable escorte – nous. Si j'avais deux sous de bon sens, je tirerais sur cette vampire dès que je la verrais. Mais nous étions venus réclamer son aide, ce qui limitait un peu mes options.

Le vent froid soulevait nos cheveux comme s'il avait des mains. Il était presque vivant. Je n'en avais jamais senti qui me donne envie de le repousser, comme un rencard trop entreprenant. Pourtant, je n'avais pas peur. Même si j'aurais dû.

Les fantômes n'avaient rien d'effrayant. Je ne pouvais pas en dire autant de la personne qui les avait invoqués. Mais je me sentais encore détachée de tout. Pas franchement concernée… Voilà ce qui arrive quand on perd trop de sang.

Nous franchîmes le seuil et descendîmes deux petites marches de pierre. Des rangées d'arbres fruitiers rabougris se dressaient derrière la maison. Un mur de ténèbres se découpait dans le fond du verger. Un mur d'ombre si dense que je ne pouvais pas voir à travers, les branches nues se détachant dessus comme en plein jour.

— Qu'est-ce que c'est ? demandai-je.

— Certains de nous peuvent tisser des voiles d'ombres et de ténèbres autour d'eux, répondit Jean-Claude.

— Je sais. J'ai déjà vu ça quand Coltrain s'est fait tuer. Mais c'est un putain de mur !

— Assez impressionnant, reconnut le vampire.

Je le regardai. Malgré le clair de lune, je ne pus déchiffrer son expression.

Une étincelle blanche apparut derrière les ombres. Des rayons de lumière froide transpercèrent les ténèbres et les consumèrent comme du papier. Quand les derniers lambeaux d'obscurité furent retombés, une silhouette pâle se tenait entre les arbres.

Même à cette distance, personne n'aurait pu la prendre pour une humaine. Elle ne faisait d'ailleurs pas d'effort pour s'en donner l'air. Une phosphorescence blanche planait au-dessus de sa tête comme un nuage scintillant ou un néon décoloré long de plusieurs mètres. Des formes aux contours imprécis grouillaient à l'intérieur.

— C'est ce que je pense ? demanda Larry.

— Des fantômes, fis-je.

— Et merde !

— Tu l'as dit.

Les fantômes se déployèrent parmi les arbres. Ils s'accrochèrent aux branches mortes comme une nuée de bourgeons précoces – si des bourgeons avaient pu remuer et luire.

De nouveau, l'étrange vent plaqua mes cheveux en arrière. Une longue ligne de formes lumineuses piqua vers le sol et fonça sur nous.

— Anita ! beugla Larry.

— Ignore-les. Ils ne peuvent pas te faire de mal tant que tu ne leur prêtes aucune attention.

Le premier fantôme était grand et mince, avec une bouche qui ressemblait à un rond de fumée. Il me frappa à la poitrine, et le choc me parcourut comme une décharge d'électricité, faisant tressauter les muscles de mes bras. Larry hoqueta.

— Qu'est-ce que c'était ? demanda Jason.

Je serrai les dents.

— Continuez à avancer et ignorez-les.

Ça n'était pas mon intention, mais en pressant l'allure, je me retrouvai en tête de notre groupe. Le fantôme suivant se dressa devant mon visage. Un instant, j'eus la sensation d'étouffer, mais je continuai à marcher, et elle se dissipa.

Jean-Claude me toucha le bras. Je levai les yeux vers lui. De toute évidence, il essayait de me dire quelque chose. Il me dépassa sans me quitter du regard. Je hochai la tête et le laissai faire. Après tout, ça ne me coûtait rien.

— Je n'aime pas ça, dit Larry.

— Moi non plus, renchérit Jason.

Il s'acharnait à repousser un petit tourbillon de brume blanche. Mais à chaque geste, le spectre gagnait en solidité. Bientôt, un visage se forma au centre du brouillard. Je revins vers Jason et le saisis par les bras.

— Ignore-le.

Le fantôme se percha sur son épaule. Il avait un gros nez et des yeux à demi formés. Je sentis les bras de Jason se raidir sous mes mains.

— Chaque fois que tu leur prêtes attention, tu leur donnes un peu plus de pouvoir pour se manifester, expliquai-je.

Un autre fantôme percuta mon dos. J'eus l'impression qu'un bloc de glace me traversait le corps. Il ressortit par ma poitrine. La sensation était déplaisante, mais pas vraiment douloureuse, et je savais qu'elle ne durerait pas.

Puis le fantôme plongea dans le torse de Jason. Si je ne lui avais pas tenu les bras, il se serait sans doute griffé et débattu. Tous les muscles de son corps tressautaient.

Quand le fantôme eut émergé dans son dos, ses épaules s'affaissèrent, et il me regarda avec des yeux écarquillés d'horreur. Je fus ravie de découvrir qu'il pouvait encore avoir peur. Les deux vampires semblaient lui avoir arraché une partie de son courage. Rien de critiquable là-dedans... Moi aussi, à sa place, j'aurais pété les plombs.

Larry sursauta quand un fantôme le traversa, mais ce fut tout. Il avait les yeux ronds d'appréhension, mais il savait où était le véritable danger – pas chez ces fantômes.

Jean-Claude se rapprocha de nous.

— Qu'est-ce qui ne va pas, mon loup ?

Dans sa voix, je captai une nuance d'avertissement et de colère. Son familier était en train de faillir à sa réputation.

— Tout va bien, répondis-je à la place de Jason.

Je lui pressai le bras. Il déglutit et hocha la tête.

Jean-Claude marcha vers la silhouette blanche d'un pas gracieux et nonchalant, faisant comme s'il n'avait pas aussi peur que nous. Ce qui était peut-être le cas...

J'entraînai Jason à sa suite. Larry s'était placé derrière moi. Nous marchions comme de simples humains que nous n'étions pas tout à fait, et nous devions avoir l'air de braves petits soldats – au détail près que je tenais le loup-garou par la main.

Je sentais sa paume transpirer contre la mienne. Mais je ne pouvais pas me permettre d'avoir un métamorphe hystérique sur les bras. Ma main droite était toujours libre de dégainer un flingue ou un couteau. Nous avions déjà blessé nos hôtes. S'ils se conduisaient mal, nous pourrions finir le travail. Ou mourir en essayant.

Jean-Claude nous guida entre les arbres nus, les fantômes rampant sur leurs branches tels des serpents. Il s'immobilisa à deux mètres de la vampire. Je m'attendais à ce qu'il s'incline devant elle, mais il ne le fit pas.

— Salutations, Seraphina.

— Salutations, Jean-Claude.

Elle portait une robe blanche toute simple dont les plis soyeux tombaient jusqu'à ses pieds. Des gants blancs couvraient presque entièrement ses bras. Ses cheveux gris striés de mèches blanches étaient tenus par un bandeau d'argent et de perles. Ou peut-être un diadème – je ne suis pas très calée en matière de bijoux.

Son visage ridé était délicatement maquillé, mais pas assez pour cacher son grand âge. Pourtant, les vampires ne sont pas censés vieillir. C'est tout l'intérêt du truc, non ?

— Passerons-nous à l'intérieur ? demanda-t-elle.

— Si tu veux, répondit Jean-Claude.

— Tu peux m'escorter comme dans le bon vieux temps.

— Mais ce n'est plus le bon vieux temps, Seraphina. Nous sommes tous les deux des maîtres à présent.

— Beaucoup de maîtres me servent, Jean-Claude.

— Moi, je ne sers que moi-même.

Elle hocha la tête.

— Je comprends. Mais ça ne t'empêche pas de te conduire en gentleman.

Jean-Claude prit une inspiration assez profonde pour que je l'entende. Il lui offrit son bras, Seraphina enroulant une main gantée autour de son poignet.

Les fantômes flottaient derrière elle comme une immense traîne. Ils nous effleurèrent, un souffle qui nous picota la peau, puis s'élevèrent jusqu'à trois mètres du sol.

— Vous pouvez marcher avec nous, dit Seraphina. Ils ne vous molesteront pas.

— Comme c'est réconfortant, grinçai-je.

Elle me sourit. C'était difficile à dire avec le clair de lune et la phosphorescence qui émanait d'elle, mais il me sembla que ses yeux étaient gris, ou peut-être bleus. Je n'avais pas besoin de voir leur couleur exacte pour ne pas aimer ce qu'ils exprimaient.

— J'étais très impatiente de faire ta connaissance, nécromancienne.

— J'aimerais pouvoir en dire autant.

Son sourire ne bougea pas d'un iota, comme si son visage était un masque délicatement sculpté.

Je plongeai brièvement mes yeux dans les siens. Ils ne tentèrent pas de m'hypnotiser, mais je sentis en eux une énergie contenue, comme une flamme sourde brûlant sous la surface et attendant une occasion de jaillir pour nous consumer tous.

Je ne pouvais pas évaluer son âge, car elle m'en empêchait. Je n'avais jamais rencontré de vampire qui en soit capable. Certains pouvaient se faire passer pour plus jeunes qu'ils ne l'étaient, mais aucun n'aurait réussi à me « bloquer » complètement.

Seraphina se détourna et entra dans la maison. Jean-Claude l'aida à monter les marches, comme si elle en avait besoin.

L'agréable sensation de détachement provoquée par la perte de sang se dissipait peu à peu, me laissant consciente, vivante et bien déterminée à le rester. Peut-être à cause de la main de Jason dans la mienne… La sueur sur sa paume. Sa proximité et sa réalité.

Je me sentais effrayée, et Seraphina n'avait encore rien fait. Ça ne présageait pas grand-chose de bon.

Les fantômes entrèrent dans la maison, certains passant par la porte et d'autres se contentant de traverser les murs. On aurait pu s'attendre à ce qu'ils fassent du bruit en s'arrachant au bois – « plop ! » –, mais les morts-vivants se déplacent toujours dans un silence absolu.

Ils lévitèrent vers le plafond et rebondirent doucement comme des ballons gonflés à l'hélium, ou se laissèrent glisser le long du mur, derrière le trône. Dans la lumière des bougies, ils étaient aussi translucides que des bulles.

Seraphina prit place sur son trône. À ses pieds, Magnus était pelotonné dans les coussins. Une lueur de colère brilla dans son regard et disparut aussitôt. Il n'aimait pas être le jouet de Seraphina. Un point de plus pour lui.

— Viens t'asseoir près de moi, Jean-Claude, dit Seraphina en indiquant les coussins, du côté opposé à celui de Magnus.

Fairie et maître vampire. Ils auraient fait un duo intéressant.

— Non, lâcha Jean-Claude.

Ce simple mot était un avertissement. Lentement, je lâchai la main de Jason. Si nous devions nous battre, j'aurais besoin des deux miennes.

Seraphina éclata de rire. Avec ce son, son pouvoir brisa les digues qui le contenaient pour déferler sur nous. Il fonça tel un cheval lancé au galop, faisant vibrer tout mon corps, asséchant ma bouche et me coupant le souffle.

Seraphina n'avait pas besoin de me frapper pour me faire mal. Il lui suffisait de rester sur son trône et de me balancer son pouvoir. Elle pouvait me broyer les os et les réduire en poudre à distance.

Quelque chose me toucha le bras. Je sursautai et fis volte-face, avec l'impression de me déplacer au ralenti. J'eus du mal à focaliser ma vision sur Jean-Claude, mais une fois que j'y parvins, le pouvoir écrasant de Seraphina reflua comme l'océan à marée basse.

Je pris une profonde inspiration, puis une autre, et encore une, chacune plus ferme que la précédente.

— Une illusion, chuchotai-je. Une putain d'illusion.

— Oui, ma petite.

Jean-Claude se détourna de moi pour s'approcher de Larry et de Jason, toujours figés dans leur transe.

Je me tournai vers le trône. Les fantômes formaient un nimbe lumineux autour de Seraphina. Très impressionnant, mais pas autant que ses yeux. Un instant, il me sembla qu'ils étaient deux puits sans fond. Puis je me forçai à baisser la tête et à étudier l'ourlet de sa robe blanche.

— Ne peux-tu pas soutenir mon regard ?

Je fis un signe de dénégation.

— Comment pourrais-tu être une nécromancienne puissante, si tu n'es même pas fichue de soutenir mon regard ?

Et si ça n'avait été que ça ! Carrément accablée par sa présence, j'étais courbée en deux comme une petite vieille. Je me redressai de toute ma modeste hauteur, mais gardai le regard rivé sur le sol.

— Vous n'avez que six ou sept siècles…

Lentement, je levai les yeux, centimètre par centimètre, le long des plis de sa robe blanche, jusqu'à ce que son menton entre dans mon champ de vision.

— Comment diable êtes-vous devenue si puissante en aussi peu de temps ?

— Tant de bravache ! Regarde-moi dans les yeux, et je te répondrai.

— J'ai envie de savoir, mais pas à ce point.

Seraphina gloussa – un gloussement bas et maléfique qui rampa le long de ma colonne vertébrale.

— Ah, Janos, Ivy, comme c'est gentil de vous joindre à nous !

Janos entra d'un pas glissant, suivi de près par Ivy. Son visage était toujours aussi pâle, mais moins décharné.

Même s'il aurait eu du mal à se faire passer pour un humain, il avait l'air un peu moins monstrueux que lorsque je l'avais vu pour la première fois. Et il semblait complètement remis de notre affrontement.

— Et merde !

— Quelque chose ne va pas, nécromancienne ? demanda Seraphina.

— Je déteste gaspiller autant de balles.

De nouveau, elle émit un gloussement sourd, et je me sentis à l'étroit dans ma peau.

— Janos est très talentueux, dit-elle.

Quand il passa devant nous, je vis des trous dans sa chemise. Au moins, j'avais endommagé sa garde-robe.

Ivy paraissait en pleine forme. S'était-elle enfuie dès que nous avions commencé à tirer ? Avait-elle abandonné Bruce à son sort ?

Janos mit un genou en terre au milieu des coussins. Ivy l'imita. Tête baissée, ils restèrent immobiles, attendant que leur maîtresse daigne leur prêter attention.

Kissa s'approcha de Magnus. Elle saignait toujours et son bras pendait contre son flanc. Je vis son regard se poser sur les deux vampires agenouillés, puis sur Seraphina. Elle semblait… inquiète.

Quelque chose de déplaisant se préparait.

— Qu'est-ce qui t'amène ici, Jean-Claude ? demanda Seraphina.

— Il semble que tu détiennes un objet qui m'appartient…

— Janos ?

Le vampire se leva. Il sortit de la pièce et revint très vite, portant un gros sac de tissu qui me fit penser à celui du Père Noël. Il défit le cordon qui le maintenait fermé et le vida aux pieds de Jean-Claude.

Des éclats de bois sombre et poli, aucun n'étant assez long pour faire un pieu décent, formèrent une petite pile sur le sol. Ils étaient encore blancs et hérissés d'échardes aux endroits où ils avaient été découpés.

— Avec mes compliments, déclara Janos.

Il fit tomber les derniers morceaux et s'agenouilla de nouveau.

Jean-Claude étudia les restes de son cercueil.

— C'est infantile de ta part, Seraphina. Ce genre de réaction ne m'aurait pas surpris il y a quelques siècles. Mais maintenant…

D'un geste, il désigna les fantômes et l'aura de pouvoir qui l'enveloppait.

— Comment as-tu réussi à asservir Janos ? Tu le craignais, autrefois…

— Dis-moi ce que tu veux, Jean-Claude, avant que je m'impatiente et que je te défie.

Il sourit et s'inclina gracieusement, les bras en arrière comme un acteur de théâtre saluant son public à la fin d'une représentation. Quand il se redressa, son sourire avait disparu, et son visage était redevenu un masque.

— Xavier est sur ton territoire.

— Crois-tu que j'aurais pu sentir la présence de ta nécromancienne et pas celle de Xavier ? répliqua Seraphina. Je sais qu'il est ici. S'il me défie, je lui réglerai son compte. As-tu autre chose à me dire, ou étais-tu seulement venu me prévenir ? Si oui, je trouve ça très touchant.

— Je m'aperçois que tu es plus puissante que Xavier, concéda Jean-Claude. Mais il massacre des humains. Depuis quelque temps, il a repris l'habitude de découper ses familiers, et il vient d'enlever un jeune homme. Il attire l'attention sur nous.

— Dans ce cas, laisse le Conseil se charger de lui.

— Tu es la maîtresse de ce territoire, Seraphina. Il t'appartient de faire la police.

— Je n'ai pas besoin de toi pour me rappeler mes devoirs. J'avais déjà des siècles quand tu as été transformé. À l'époque, tu n'étais qu'un giton pour tout vampire qui désirait s'amuser avec toi. Notre beau Jean-Claude.

Elle avait dit ça comme si la beauté était un défaut.

— Je sais très bien ce que j'étais, Seraphina, répliqua Jean-Claude. Mais aujourd'hui, je suis le maître de Saint Louis, et j'obéis aux lois du Conseil. Nous ne devons pas autoriser nos semblables à massacrer des humains. C'est mauvais pour les affaires.

— Laisse Xavier tuer des centaines d'humains, si ça lui chante. Il en restera toujours assez.

— Sympa, commentai-je.

Seraphina se retourna vers moi, et je regrettai de n'avoir pas tenu ma langue. Son pouvoir pulsait comme les battements d'un cœur gigantesque.

— Comment oses-tu me critiquer ?

J'entendis le bruissement de sa robe de soie alors qu'elle se levait. Personne d'autre ne bougea. Sa robe glissa sur les coussins, puis sur le sol pendant qu'elle approchait de moi. Je ne voulais pas qu'elle me touche.

Je me forçai à relever les yeux et vis sa main gantée fuser vers moi, rapide comme un serpent. Je hoquetai de surprise. Du sang dégoulina le long de mes doigts.

— Meeerde !

La blessure était plus profonde que celle infligée par Janos, et elle faisait beaucoup plus mal. Je soutins le regard de Seraphina. La colère me rendait très courageuse… ou très stupide.

Ses yeux étaient blancs, comme deux lunes captives piquées au milieu de son visage. Et ils m'appelaient. Je voulais me jeter dans ses bras pâles, sentir le contact de ses lèvres douces, la caresse aiguë de ses canines. Je désirais que son corps me berce, qu'elle me tienne comme ma mère le faisait jadis. Elle prendrait soin de moi à jamais. Elle ne partirait pas, elle ne mourrait pas, elle ne m'abandonnerait pas…

Cette idée m'arrêta net. Je me pétrifiai au bord des coussins, l'ourlet de la robe de Seraphina frôlant le sol devant mes pieds. Il m'aurait suffi de tendre la main pour la toucher. La peur amplifiait le martèlement de mon sang à mes tempes, et je sentais mon pouls dans ma gorge.

Seraphina écarta les bras.

— Viens à moi, mon enfant, et je resterai toujours avec toi.

Sa voix exprimait tout ce qu'il y avait de bon en ce monde : la tiédeur, la nourriture, un refuge contre tout ce qui blesse et déçoit… À cet instant, je sus que je n'avais qu'à me laisser aller dans son étreinte pour qu'elle chasse à jamais le mal.

Je restai plantée là, les poings serrés, la peau brûlante du désir de la sentir m'enlacer. Du sang coulait toujours de ma main. J'enfonçai mes ongles dans la blessure pour aviver la douleur.

Et je secouai la tête.

— Viens à moi, mon enfant, et je serai ta mère à jamais.

Enfin, je recouvrai l'usage de ma voix. Un peu étranglée, mais suffisante pour articuler :

— Tout le monde meurt un jour, salope ! Vous n'êtes pas immortelle. Aucun de vous ne l'est.

Je sentis mon pouvoir frissonner comme la surface d'une mare où on a jeté un caillou. Je reculai de deux pas et dus mobiliser tout le courage qui me restait pour ne pas tourner les talons et m'enfuir en courant. Courir, courir, courir jusqu'à ce que je sois loin d'elle.

Au lieu de ça, je regardai autour de moi. Les autres n'étaient pas restés inactifs pendant ce petit dialogue. Janos s'était rapproché de Jean-Claude. Ils ne se battaient plus à coups de pouvoirs vampiriques, mais une menace évidente planait dans l'air.

Kissa se tenait sur le côté, du sang gouttant sur les coussins, à ses pieds. Je n'arrivais pas à déchiffrer son expression. On aurait dit de la stupéfaction. Ivy s'était redressée et me regardait en souriant, ravie que j'aie failli tomber dans les bras de Seraphina.

Personne n'avait été aussi près de me faire succomber. Pas même Jean-Claude. Au-delà de la terreur, glacée jusqu'à la moelle, j'avais échappé à son emprise, mais c'était temporaire.

J'avais senti son esprit effleurer le mien. Si Seraphina me voulait, elle pouvait m'avoir. Pas avec ses illusions ni ses tours de magie : la force brute suffirait. Je ne lui tomberais peut-être jamais dans les bras, mais elle était capable de me briser.

Cette idée avait quelque chose de presque apaisant. Puisque je ne pouvais rien y faire, autant ne pas trop y penser. Seules les choses qu'on peut contrôler valent la peine qu'on s'en préoccupe. Les autres finissent par s'arranger d'elles-mêmes ou par vous tuer. Dans un cas comme dans l'autre, ruminer n'aurait servi à rien.

— Tu as raison, nécromancienne ! lança Seraphina. Nous sommes tous mortels dans cette pièce. Les vampires vivent si longtemps qu'ils ont parfois tendance à l'oublier.

Ce n'était pas une question, et j'étais tout à fait d'accord avec elle. Je me contentai donc de la regarder sans rien dire.

— Janos m'a dit que tu avais une aura de pouvoir, et qu'il s'en était servi contre toi, comme il aurait pu le faire avec un vampire. Je viens de recommencer à l'instant, quand je t'ai entaillé la main. Je n'avais jamais rencontré d'humain qu'on puisse blesser ainsi.

— Quelle aura de pouvoir ?

— C'est ce qui t'a permis de te soustraire à ma magie. Aucun autre humain n'aurait pu me tenir tête, et très peu de vampires en seraient capables.

— Ravie d'avoir pu vous impressionner.

— Je n'ai jamais dit que j'étais impressionnée, nécromancienne.

Je haussai les épaules.

— D'accord. Vous vous fichez de tous les humains sans exception, et vous vous moquez de passer inaperçue. Je ne connais pas votre Conseil, et j'ignore ce que ses membres feront pour vous punir de ne pas nous avoir aidés. Mais je sais ce que je ferai, moi…

— De quoi parles-tu ?

— Je suis l'exécutrice de vampires officielle de cet État. Xavier et sa clique ont enlevé un jeune garçon. Je veux le récupérer vivant. Ou vous coopérez, ou j'irai au tribunal réclamer un mandat d'exécution contre vous.

— Jean-Claude, raisonne-la, ou je la tue.

— La loi humaine est de son côté, Seraphina.

— Que signifie la loi humaine pour nous ?

— Le Conseil dit qu'elle nous gouverne comme elle gouverne les humains. L'ignorer reviendrait à défier le Conseil.

— Je ne te crois pas.

— Tu sens que je dis la vérité. Je ne pouvais pas te mentir il y a deux siècles, et je ne le peux toujours pas aujourd'hui.

Jean-Claude s'était exprimé très calmement, avec beaucoup d'assurance.

— Et depuis quand en est-il ainsi ?

— Depuis que le Conseil a compris l'intérêt de garder profil bas. Les nôtres veulent l'argent, le pouvoir et la liberté d'arpenter les villes en toute sécurité. Ils n'ont plus envie de cacher, Seraphina.

— Tu es convaincu de ce que tu racontes. Cela, au moins, est vrai…

Elle baissa les yeux vers moi, et le poids de son regard, même quand je ne m'efforçais pas de le soutenir, était pareil à une main géante me clouant au sol. Je parvins à rester debout, mais cela me coûta un gros effort. En principe, on s'incline devant un tel pouvoir. On se prosterne. On le vénère.

— Arrêtez ça, Seraphina. Vos tours de magie à deux sous ne marchent pas sur moi, et vous le savez.

Le nœud de mon estomac, en revanche, n'en était pas si sûr.

— Tu as peur de moi, humaine. Je sens ta frayeur sur ma langue.

Il ne manquait plus que ça.

— D'accord, vous me faites peur. Vous terrorisez probablement tout le monde dans cette pièce. Et alors ?

Elle se redressa de toute sa hauteur.

— Je vais te montrer, dit-elle d'une voix douce.

Elle fit un geste de sa main gantée. Je me raidis, persuadée que j'allais recevoir une autre coupure, mais elle ne vint jamais.

Un hurlement déchira l'air. Je fis volte-face.

Du sang dégoulinait sur le visage d'Ivy. Une autre coupure apparut sur son bras nu, puis deux autres sur son visage. De longues plaies aux bords bien nets, chaque fois que Seraphina agitait la main.

— Seraphina, pitié ! cria Ivy.

Elle tomba à genoux parmi les coussins, une main tendue vers son bourreau.

— Seraphina, maîtresse, pitié !

Seraphina la contourna d'un pas aérien.

— Si tu t'étais retenue, ils seraient à nous. Je connais leur cœur, leur esprit et leurs terreurs les plus intimes.

Nous aurions pu les briser. Ils auraient rompu la trêve, et nous nous serions repus d'eux.

Elle était presque arrivée à mon niveau. J'avais envie de reculer, mais elle aurait interprété ça comme une preuve de faiblesse. Puis sa robe effleura ma jambe, et ma fierté s'envola. Je ne voulais pas qu'elle me touche, un point c'est tout. Je fis un pas en arrière.

Seraphina me saisit le poignet. Je ne l'avais pas vue bouger.

Je regardai sa main gantée comme si un serpent venait de s'enrouler autour de mon bras. À tout prendre, j'aurais préféré.

— Viens, nécromancienne. Aide-moi à punir la méchante vampire.

— Non, merci, déclinai-je d'une voix tremblante.

Seraphina n'avait rien fait d'autre que me toucher. Mais le contact renforce tous les pouvoirs. Si elle essayait ses tours de magie sur moi, j'étais foutue.

— Ivy se serait réjouie de te voir souffrir, nécromancienne.

— C'est son problème, pas le mien.

Je faisais de gros efforts pour me concentrer sur le tissu de la robe de Seraphina. Mais j'avais une envie terrible de lever les yeux et de croiser son regard. Pourtant, je résistai. Je ne crois pas que ça venait de son pouvoir : simplement de ma propre fascination morbide.

Et il est difficile de jouer les dures à cuire quand on a les yeux baissés comme une enfant prise en faute et qu'on vous tient par la main.

Ivy gisait sur le sol, en appui sur ses bras tendus. Son ravissant visage n'était plus qu'une masse de coupures. L'os d'une pommette brillait dans la lumière des bougies, et les muscles de son bras droit ensanglanté étaient à vif.

Elle leva les yeux vers moi. Derrière sa douleur, je vis une haine assez brûlante pour allumer un feu. Sa colère jaillissait d'elle comme une vague d'acide.

Seraphina s'agenouilla près d'Ivy en m'entraînant avec elle. Je regardai Jean-Claude par-dessus mon épaule. Janos avait posé une main sur sa poitrine. Larry articula silencieusement le mot « flingue ». Je secouai la tête. Elle ne m'avait pas fait mal. Pas encore.

Sa main tira sur mon bras assez fort pour que ma tête se tourne vers elle. Soudain, nous nous retrouvâmes face à face. Ses yeux, dont j'aurais juré qu'ils étaient gris ou bleu pâle quelques minutes plus tôt, avaient désormais une chaude couleur noisette.

Les yeux de ma mère !

Seraphina espérait sans doute que ce serait une vision réconfortante – ou attirante – pour moi. Mais elle se trompait. Mon sang se glaça dans mes veines.

— Arrêtez ça !

— Tu n'en as pas vraiment envie, susurra-t-elle.

J'essayai de me dégager. Autant tenter de déplacer le soleil vers l'autre bout du ciel.

— Vous n'avez que la mort à m'offrir. Ma mère morte dans vos yeux morts.

Je sondai ces yeux bruns que je croyais ne jamais revoir en ce monde et je criais. Parce que je ne pouvais pas détourner le regard. Seraphina ne m'y autoriserait pas et je ne pouvais pas lutter contre son pouvoir – pas tant qu'elle me tenait.

— Vous êtes un cadavre ambulant, et tout le reste n'est que mensonges !

— Je ne suis pas morte, Anita.

Dans ses paroles, j'entendis l'écho de la voix de ma mère. Elle leva son autre main pour me caresser la joue.

Je tentai de fermer les yeux ou de regarder ailleurs. Impossible ! Une étrange paralysie s'emparait de moi, comme quand on est sur le point de s'endormir, que le corps semble peser une tonne et que tout mouvement devient hors de question.

Cette main se tendit vers moi au ralenti. Si elle me touchait, je tomberais dans les bras de Seraphina. Oui, je m'accrocherais à elle en sanglotant.

Je me souvins du visage de ma mère la dernière fois que je l'avais vue. Son cercueil était en bois sombre, couvert d'un tapis de roses. Je savais qu'elle était dedans, mais on ne m'avait pas laissé la voir.

Tous les adultes de ma vie avaient cédé à l'hystérie. La pièce résonnait de leurs gémissements et de leurs pleurs. Mon père était effondré sur le sol. Il ne m'était d'aucune utilité. Je voulais ma mère.

Les fermoirs de son cercueil étaient en argent. Quand je les avais ouverts, un cri étranglé avait retenti derrière moi. Je n'avais pas beaucoup de temps. Le couvercle était lourd, mais j'avais donné une bonne poussée et il s'était soulevé.

J'avais pu apercevoir du satin blanc et des ombres…

Puis ma tante Mattie m'avait tirée en arrière. Le couvercle était retombé et elle avait remis les fermoirs en place avant de m'entraîner plus loin. Je ne m'étais pas débattue. J'en avais assez vu. C'était comme regarder une image dont on sait ce qu'elle est censée représenter, mais qu'on n'arrive pas à comprendre.

Il m'avait fallu des années pour saisir. Ce que j'avais vu n'était pas ma mère. Ça ne pouvait pas être ma si jolie maman. Une coquille vide abandonnée. Tout juste bonne à enfermer dans une boîte pour la laisser pourrir.

Je rouvris les yeux. Ceux de Seraphina étaient redevenus gris. Je dégageai mon poignet de son étreinte et crachai :

— La douleur aide.

Je me relevai et m'écartai d'elle. Elle ne tenta pas de m'en empêcher. Une bonne chose, parce que je tremblais de la tête aux pieds, et pas à cause d'elle. Les souvenirs aussi ont des crocs.

Seraphina resta agenouillée près d'Ivy.

— Très impressionnant, nécromancienne, déclara-t-elle. Je t'aiderai à retrouver le garçon que tu cherches.

Je trouvai bizarre qu'elle soit tout à coup disposée à coopérer. Bizarre, et inquiétant.

— Pourquoi ?

— Parce que depuis que j'ai atteint l'apogée de mes pouvoirs, personne n'a pu échapper à mes illusions deux fois dans la même nuit. Personne de vivant… ni de mort.

Elle saisit Ivy par un bras et l'attira sur ses genoux, où la vampire saigna sur sa robe blanche.

— Souviens-toi de ça, jeune maîtresse vampire : cette humaine a réussi là où tu as échoué. Elle s'est dressée contre moi, et elle a gagné.

Ivy hoqueta. Seraphina la repoussa sans ménagements.

— Tu es indigne de mon attention. Disparais !

Seraphina se redressa. Le sang frais se détachait violemment sur sa robe et sur ses gants.

— Tu nous as tous impressionnés, nécromancienne. Maintenant, pars, et emmène tes amis.

Elle se détourna et regagna son trône. Mais au lieu de s'y asseoir, elle resta plantée devant, le dos vers nous et une main sur un accoudoir. C'était peut-être un effet de mon imagination, mais elle semblait très lasse, tout à coup.

Les fantômes descendirent du plafond et vinrent l'envelopper d'une brume blanche tourbillonnante. Je ne distinguai pas autant de formes individuelles qu'avant, comme s'ils avaient perdu une partie de leur solidité.

— Partez ! nous ordonna Seraphina sans se retourner.

La porte de derrière était ouverte, mais Jean-Claude marcha vers celle de devant. Je n'allais pas discuter. Tant que nous sortions d'ici, peu m'importait par quel côté.

Nous traversâmes la pièce très calmement. J'avais envie de courir. Près de moi, je voyais la pomme d'Adam de Larry tressauter à cause de l'effort qu'il faisait pour ne pas prendre ses jambes à son cou.

Jason atteignit la porte avec quelques pas d'avance sur nous, mais il s'arrêta et se retourna pour nous faire signe de passer les premiers. Un geste de domestique. En voyant ses yeux terrifiés, je sus combien il lui avait coûté.

Larry et moi franchîmes le seuil de la maison. Jason nous suivit, tandis que Jean-Claude fermait la marche.

La porte claqua derrière nous.

Nous étions dehors.

Pour la première fois de ma vie, je compris qu'on m'avait *laissé partir*. Je ne m'étais pas échappée en me battant ou en bluffant mes adversaires. Seraphina était peut-être impressionnée. Ça ne l'aurait pas empêchée de nous retenir si elle l'avait voulu. Et être autorisée à partir n'était pas du tout la même chose que remporter une victoire.

Je ne reviendrais jamais ici de mon plein gré et n'approcherais plus jamais de Seraphina, à moins qu'on m'y oblige. Même si je m'étais bien débrouillée, je n'étais pas certaine de pouvoir recommencer. La maîtresse vampire aurait pu m'avoir. Elle connaissait tous mes secrets, et elle était capable de me raconter des mensonges qui valaient presque le coup de renoncer à mon âme immortelle. Et merde !

Chapitre 28

De retour à l'hôtel, Jason me bouscula dans sa hâte de gagner la salle de bains.

— Je vais prendre une douche.

Son attitude n'était guère courtoise, mais il empestait le cadavre décomposé. Malgré la fraîcheur, nous avions dû rouler vitres baissées. La plupart du temps, quand on pue, on ne sent pas la puanteur des autres. J'avais un peu de substance visqueuse sur moi, et je sentais toujours Jason. Certaines odeurs sont trop uniques pour passer inaperçues.

— Attends, le retint Larry.

Jason se tourna vers lui, sourcils froncés.

— Prends plutôt ma salle de bains. (Il leva une main avant que je puisse protester.) Il reste une heure avant l'aube. Si nous voulons coucher tout le monde avant, mieux vaut utiliser les deux.

— Je pensais que nous dormirions tous dans ma suite.

— Pourquoi ?

Jean-Claude se tenait près de la causeuse, l'air aussi séduisant qu'inutile. Jason semblait impatient.

— Pour avoir la sécurité du nombre.

Larry secoua la tête.

— D'accord, mais je peux quand même emmener le métamorphe dans ma chambre et le laisser se doucher. À moins que tu me fasses même pas confiance pour ça ?

De nouveau, je vis de la colère dans ses yeux.

— Je te fais confiance, Larry. Tu t'es bien débrouillé ce soir.

Je m'attendais à un sourire. Je ne l'obtins pas.

— J'ai tué Bruce, lâcha-t-il avec une expression mortellement sérieuse.

Je hochai la tête.

— Un moment, j'ai cru que nous allions devoir buter tout le monde…

— Moi aussi. (Il se laissa tomber dans un fauteuil.) C'était la première fois que je tuais quelqu'un.

— Bruce était un vampire. Ce n'est pas comme de descendre une personne.

— Ben voyons ! À combien de cadavres as-tu fait du bouche-à-bouche, récemment ?

Je regardai Jean-Claude. Il fit la grimace, et je haussai les épaules.

— Un seul. Jean-Claude, vous pourriez nous laisser un peu d'intimité ?

— J'entendrai ce que vous dites, où que je sois dans cette pièce, me rappela-t-il.

— Mais les apparences seront sauves. Ne discutez pas, s'il vous plaît.

Il inclina la tête et entraîna Jason vers la fenêtre. Je savais qu'aucune de nos paroles ne lui échapperait, mais au moins, il ne serait pas planté à côté de nous.

— Tu n'arrives pas à croire qu'il soit vraiment mort, n'est-ce pas ? attaqua Larry.

— Tu as vu ce qui est arrivé à Bettina et à Pallas. Les vampires sont des cadavres pourrissants. Tout le reste n'est qu'illusion.

— Tu penses qu'il ressemble parfois à ça ?

Je regardai quelques instants le dos de Jean-Claude.

— Je crains que oui.

—Alors, comment peux-tu sortir avec lui ? demanda Larry.

Je secouai la tête.

—Je n'en sais rien.

—Cadavre ou pas, tu t'es donné du mal pour le maintenir en vie. (Voyant l'expression de mon visage, il se hâta de rectifier :) Vivant, mort-vivant, peu importe comment tu le qualifies. Tu as donné ton sang pour lui. Tu avais peur qu'il soit vraiment mort.

—Et alors ?

—Et alors, j'ai tué un autre être vivant, ou mort-vivant. Bruce était transformé depuis si peu de temps qu'il semblait encore humain.

—Ça explique sans doute pourquoi une seule balle dans la poitrine a suffi pour lui régler son compte.

—Que suis-je censé ressentir ?

—Au sujet de sa mort ?

—Oui.

—Ce sont des monstres, Larry. Certains plus agréables à regarder que les autres... Mais ce sont tous des monstres. Ne l'oublie jamais !

—Peux-tu me dire honnêtement que tu considères Jean-Claude comme un monstre ?

Malgré moi, je faillis tourner la tête vers le vampire, mais je me retins.

—Oui. Sans le moindre doute.

—Maintenant, dit Jean-Claude, demande-lui si *elle* se considère comme un monstre.

Il se cala contre le dossier de la causeuse, les bras croisés. Larry fronça les sourcils, perplexe.

—Anita ?

Je me mordis la lèvre.

—Parfois, admis-je.

Jean-Claude sourit.

— Tu vois, Lawrence ? Anita pense que nous sommes tous des monstres.

— Pas Larry ! lançai-je.

— Laisse-lui le temps.

C'était bien ce qui m'inquiétait.

— Je vous ai demandé un peu d'intimité, l'auriez-vous oublié ?

— Je n'oublie jamais rien, ma petite, mais mon loup n'est pas le seul à avoir besoin de se laver. Seul notre jeune ami est encore d'une propreté immaculée.

Je détaillai Larry. Pas une goutte de sang sur ses vêtements... C'était le seul qui ne se soit pas battu au corps à corps avec un vampire ce soir.

Il haussa les épaules.

— Désolé de n'avoir réussi à convaincre personne de me saigner dessus.

— Ne plaisante pas avec ça, le rabrouai-je. Je pense que Seraphina t'offrira une seconde chance.

— C'est tristement vrai, ma petite.

— Combien de temps pouvez-vous tenir sans cercueil ?

De nouveau, Jean-Claude sourit.

— Tu t'inquiètes de mon bien-être. Je suis très touché.

— Ne me gonflez pas ! Je me suis ouvert une putain de veine pour vous.

— Si je ne t'ai pas assez remerciée de m'avoir sauvé la vie ce soir, ma petite, je m'en excuse.

Je le dévisageai. Il avait l'air aimable, mais c'était un masque. L'expression qu'il adoptait quand il ne voulait pas que je sache à quoi il pensait...

— Laissez tomber.

— Je n'oublierai pas ma dette envers toi, ma petite. Tu aurais pu être débarrassée de moi. Merci.

Pour une fois, il semblait sincère.

— De rien.

— Il faut absolument que je me lave, dit Jason, une pointe d'hystérie dans la voix.

J'aurais parié que ça n'était pas seulement la saleté matérielle qu'il voulait nettoyer. Mais les souvenirs ne s'effacent pas si facilement. Et c'est bien dommage.

— Allez-y, tous les deux… Jason se douchera dans la suite de Larry. Ce sera plus pratique.

Larry fit la grimace.

— Merci.

— Quand j'ai dit que tu t'étais bien débrouillé ce soir, je le pensais.

Enfin, j'obtins le sourire que j'attendais.

— Viens, Jason. De l'eau chaude et des serviettes propres t'attendent.

Larry tint la porte pour Jason et esquissa un petit salut militaire dans ma direction.

Une fois encore, je me retrouvai seule avec Jean-Claude. Cette nuit ne finirait-elle donc jamais ?

— Vous n'avez pas répondu à ma question sur le cercueil.

— Ça devrait aller une ou deux nuits de plus.

— Comment se peut-il que Seraphina, qui était votre égale en termes de pouvoir, soit devenue ce que nous avons vu tout à l'heure ?

Il secoua la tête.

— Franchement, je n'en ai pas la moindre idée, ma petite. J'ai été très désagréablement surpris. Elle n'était pas obligée de nous laisser partir. Sans nous faire de mal, elle aurait pu nous retenir toute la journée.

— Êtes-vous étonné qu'elle nous ait relâchés ?

— Oui. (Il s'écarta de la causeuse.) Va prendre ta douche, ma petite. J'attendrai le retour de nos jeunes messieurs.

— Je pensais vous laisser y aller le premier, pour que vous puissiez nettoyer le sang, dans vos cheveux.

Jean-Claude porta une main à ses boucles noires et grimaça de dégoût.

— C'est répugnant, mais je préférerais prendre un bain. Ça durera plus longtemps qu'une douche. Il vaut donc mieux que tu passes la première.

Je le regardai en silence.

— Si tu ne te dépêches pas, je n'aurai pas le temps de me laver avant l'aube. Et je détesterais souiller tes draps propres.

Je pris une profonde inspiration et expirai lentement.

— D'accord. Mais évitez de faire irruption dans la salle de bains pendant que j'y serai, d'accord ?

— Tu as ma parole d'honneur.

— Ouais…

Bizarrement, je le croyais. Ça fait un bail que Jean-Claude essaie de me séduire. Un assaut frontal n'est pas son style.

J'allai prendre ma douche.

Chapitre 29

Ronnie m'avait traînée chez Victoria's Secret. Je lui avais fait remarquer que personne ne verrait mes sous-vêtements ou mes chemises de nuit, à part les autres nanas dans le vestiaire du club de gym.

— Toi, tu les verras, avait-elle répliqué.

Sa logique m'échappait, mais je m'étais quand même laissé convaincre d'acheter un peignoir en panne de velours bordeaux. Ce soir-là, il scintillait sur ma peau pâle, parfaitement assorti aux ecchymoses qui fleurissaient sur mon dos. Rien de tel que vous faire balancer contre un mur pour prendre de belles couleurs.

La trace de morsure était assez superficielle. Difficile pour des crocs humanoïdes de s'enfoncer correctement selon cet angle-là… Les marques de canines, sur mon poignet, étaient déjà plus profondes. Deux petits trous bien nets, presque délicats. Ça ne faisait pas aussi mal que ça aurait dû. La salive des vampires contient peut-être un anesthésiant.

Je n'arrivais toujours pas à croire que j'avais laissé Jean-Claude me mordre. Et merde !

Je resserrai les plis du peignoir autour de moi. Le tissu était assez épais pour me réchauffer par une soirée hivernale. Avec ses larges manchettes et sa bordure de soie, il avait l'air un peu masculin et vaguement victorien. Quand je le portais, j'avais l'air presque fragile, comme une poupée à moitié nue. J'enfilai un maxi tee-shirt noir dessous. Ça gâchait un peu l'effet, mais ça serait toujours mieux que de parader devant les garçons avec une simple culotte sous mon peignoir.

Je récupérai le Browning sur le tabouret où je l'avais posé, l'emmenai avec moi dans la chambre et hésitai. C'est vrai, je me balade toujours armée. Et je dors même avec un flingue. Mais je ne me sentais pas trop d'enfiler un holster. Je renonçai donc au Browning, me contentant de glisser le Firestar dans la poche de mon peignoir, qui tombait un peu bizarrement sur le côté droit. Comme ça, si une créature mal intentionnée franchissait la porte, je serais prête à la recevoir.

Quand je passai dans le salon, Jean-Claude était près de la fenêtre. Il avait ouvert les rideaux pour sonder les ténèbres. Quand la porte s'ouvrit, il se tourna vers moi, même si je savais qu'il m'avait entendue approcher bien avant ça.

— Ma petite, tu es ravissante.

— C'est le seul peignoir que j'aie, me défendis-je.

— Évidemment…

De nouveau ce masque d'amusement. Cette fois, j'aurais aimé savoir à quoi il pensait. Son regard bleu nuit très intense contrastait avec son expression nonchalante. En fin de compte, je n'avais peut-être pas envie de savoir à quoi il pensait…

— Où sont Larry et Jason ?

— Venus et repartis…

— Où ça ?

— Jason avait un petit creux, et Lawrence l'a emmené chercher à manger avec la Jeep.

— Vous avez déjà entendu parler du service d'étage ?

— L'aube approche, ma petite, et le menu est plutôt limité. Jason m'a donné son sang deux fois, cette nuit. Il avait besoin de protéines. Ou il se mettait en quête d'un fast-food, ou il mangeait Lawrence. J'ai pensé que tu préférerais la première solution.

—Très drôle. Vous n'auriez pas dû les laisser partir seuls.

—Nous n'avons plus rien à craindre de Seraphina à présent, ma petite, et tant qu'ils restent en ville, nos jeunes amis n'auront rien à redouter de Xavier non plus.

—Comment pouvez-vous en être si sûr? demandai-je en croisant les bras.

Jean-Claude s'adossa à la fenêtre et me dévisagea.

—Ton M. Kirkland s'est bien comporté. Je pense que tu t'inquiètes pour rien.

—Son coup d'éclat de tout à l'heure ne garantira pas éternellement sa sécurité.

—Le soleil se lèvera bientôt. Même Xavier ne saurait supporter la lumière du jour. Tous les vampires du coin se mettent déjà à l'abri. Ils n'auront pas le temps de chasser nos compagnons.

Je le dévisageai, en tentant de lire au-delà de son expression plaisante.

—J'aimerais en être aussi certaine que vous...

Alors, Jean-Claude me sourit et s'écarta du mur. Il se défit de sa veste et la laissa tomber sur la moquette.

—Que faites-vous?

—Je me déshabille.

Du pouce, je désignai la chambre.

—Faites-le là-bas.

Il commença à déboutonner sa chemise.

—Dans la pièce d'à côté. Tout de suite! criai-je.

Il sortit de son pantalon les pans de sa chemise blanche et s'approcha de moi en défaisant les derniers boutons. La chair de sa poitrine et de son ventre était plus colorée que le tissu. Gonflé à bloc, il avait retrouvé son apparence humaine, et c'était en partie grâce à mon sang. Quelques taches avaient traversé ses vêtements pour sécher sur sa peau, souillant son corps si parfait.

Je m'attendais à ce qu'il essaie de m'embrasser ou un truc dans le genre, mais il me dépassa sans me toucher. Le dos de sa chemise était brunâtre et raidi. Un bruit de déchirure retentit quand Jean-Claude le détacha de sa peau. Il laissa tomber le haillon sur la moquette et passa dans la chambre.

Je restai plantée là, fixant la porte derrière laquelle il avait disparu. J'avais vu des cicatrices blanchâtres dans son dos. Enfin, je pensais que c'étaient des cicatrices. Difficile à dire, avec tout ce sang…

Quelques minutes plus tard, j'entendis l'eau couler dans la salle de bains.

Je m'assis sur un fauteuil, ne sachant pas que faire. Au bout d'un long moment, l'eau s'arrêta de couler. Il y eut un instant de silence, puis un clapotis. Jean-Claude venait d'entrer dans la baignoire. Et il n'avait pas fermé la porte de la salle de bains derrière lui. Génial.

— Ma petite, appela-t-il.

Je ne répondis pas.

— Ma petite, je sais que tu es là. Je t'entends respirer.

Je m'approchai de la porte de la chambre, attentive à ne pas regarder dans la salle de bains. Puis je m'adossai au mur et croisai les bras sur ma poitrine.

— Oui ?

— Il n'y a pas de serviettes propres.

— Que voulez-vous que j'y fasse ?

— Pourrais-tu appeler la réception et demander qu'on nous en monte ?

— Ça doit pouvoir se faire, grognai-je.

— Merci.

Je marchai vers le téléphone à grands pas furieux. Il s'était aperçu de l'absence de serviettes propres avant d'entrer dans la baignoire. Moi-même, je savais qu'il n'en restait pas, mais j'avais été trop occupée à l'écouter s'ébattre dans l'eau pour y penser.

Ma colère était dirigée contre moi autant que contre lui. Jean-Claude a toujours été un fils de pute pénible. J'aurais dû faire plus attention. J'étais dans une chambre d'hôtel qui ressemblait à une foutue suite nuptiale, avec Jean-Claude nu et dégoulinant d'eau savonneuse dans la pièce voisine.

Après ce que je l'avais vu faire avec Jason, je n'aurais pas dû éprouver la moindre attirance sexuelle. Et pourtant... Peut-être était-ce seulement une habitude. Ou Larry avait-il raison ? Je ne voulais pas croire que Jean-Claude était un cadavre pourrissant comme les autres.

J'appelai la réception et réclamai des serviettes propres. Pas de problème, me répondit-on. Elles arrivaient tout de suite. Personne ne me fit remarquer l'heure tardive, ni ne me posa de question. En général, l'amabilité des employés d'un hôtel est proportionnelle aux tarifs qu'il applique.

Une femme de chambre vint frapper à la porte de la suite. Elle tenait quatre grandes serviettes moelleuses. Je la regardai en hésitant. Après tout, j'aurais pu lui demander de les porter à Jean-Claude.

— Madame ?

Je pris les serviettes, la remerciai et fermai la porte. Je ne pouvais pas laisser une inconnue voir qu'il y avait un vampire nu dans ma baignoire. Je n'étais même pas sûre que l'aspect « vampire » soit le plus embarrassant. Les filles convenables ne se retrouvent pas avec un mâle – humain ou non – dans leur baignoire à 4 heures du matin. Je n'étais peut-être pas une fille convenable. Et l'avais-je seulement été un jour ?

La chambre était plongée dans le noir. La seule lumière, qui venait de la salle de bains, découpait un rectangle brillant sur la moquette.

Je serrai les serviettes contre ma poitrine, pris une profonde inspiration et entrai dans la chambre. De là, je pouvais voir la baignoire, mais Dieu merci, pas entière. J'apercevais simplement un bout de porcelaine blanche et une montagne de bulles. Du coup, les muscles de mes épaules se détendirent un peu. Les bulles peuvent cacher beaucoup de péchés.

Je m'immobilisai sur le seuil de la salle de bains.

Jean-Claude était adossé au rebord de la baignoire, sur lequel il avait étendu ses deux bras. Ses cheveux noirs humides, qu'il avait déjà shampouinés, pendaient sur ses épaules nues. Sa tête était appuyée contre le carrelage du mur. Sous ses paupières closes, ses cils formaient deux demi-lunes sombres sur ses joues pâles. Des gouttes d'eau s'accrochaient à son visage et à ce que je pouvais voir de son corps. Il semblait presque endormi.

Un genou émergea de la masse de bulles blanches, mouillé et dégoulinant. Jean-Claude tourna la tête vers moi et ouvrit les yeux. Ses prunelles bleues semblaient encore plus sombres que d'habitude, peut-être à cause de l'eau qui alourdissait et fonçait ses cheveux.

Je pris une courte inspiration et lâchai :

— Voici vos serviettes.

— Peux-tu les poser là, s'il te plaît ? demanda-t-il avec un geste languissant.

« Là », c'était sur l'abattant des toilettes, qu'il avait fermé et qui se trouvait à portée de la baignoire.

— Je vais plutôt les mettre sur le lavabo, proposai-je.

— Pour que je fiche de l'eau partout en sortant de la baignoire, avant de pouvoir les attraper ?

La voix de Jean-Claude était neutre, dépourvue de tout pouvoir vampirique et quasiment atone. Il avait raison. Il ne se jetterait pas sur moi quand je passerais près de lui. Si ç'avait été son intention, il l'aurait déjà fait. Dieu sait que les occasions n'avaient pas manqué. Je me comportais comme une idiote.

Je posai les serviettes, en faisant très attention à ne pas regarder la baignoire.

— Tu dois avoir des tas de questions sur ce qui s'est passé tout à l'heure, lança Jean-Claude.

Je le regardai. Sur son torse nu, l'eau reflétait la lumière comme du mercure. Un peu de mousse tremblotait sous un de ses mamelons. Saisie par une horrible envie de l'écarter, je reculai jusqu'au mur du fond.

— Offrir des réponses de votre plein gré ne vous ressemble pas, dis-je.

— Je me sens d'humeur généreuse, ce soir.

Sa voix était alourdie par l'approche du sommeil.

— Si vous n'étiez pas nu dans un bain de mousse, me feriez-vous la même proposition ?

— Peut-être pas. Mais si je dois satisfaire ta curiosité dévorante, n'est-ce pas plus amusant ainsi ?

— Amusant pour qui ?

— Pour nous deux, si seulement tu voulais l'admettre.

Malgré moi, je souris. Je n'en avais pas eu l'intention, ne désirant pas me délecter de le voir tout mouillé et couvert de savon. Je voulais avoir peur de lui – et j'avais peur de lui, mais ça ne m'empêchait pas de le désirer. De brûler d'envie de laisser mes mains courir le long de sa chair nue et de toucher ce que les bulles dissimulaient.

Je ne voulais pas faire l'amour – je n'arrivais même pas à imaginer ça –, mais je me serais bien laissé tenter par une petite exploration. Et je détestais ça. Jean-Claude était un cadavre. La scène dont j'avais été témoin ce soir aurait dû m'en convaincre.

— Tu fronces les sourcils, ma petite. Pourquoi ?

— Je vous ai demandé si les deux vampires pourrissantes étaient une illusion, et vous m'avez répondu que non. Je vous ai demandé si votre apparence était réelle, et vous avez répondu que oui. Les deux formes étaient réelles !

— C'est vrai.

— Êtes-vous un cadavre pourrissant ?

Jean-Claude ramena ses bras le long de ses flancs et se laissa glisser dans l'eau savonneuse jusqu'à ce que sa tête seule émerge encore des bulles.

—Ce n'est pas une de mes formes.

—Ce n'est pas une réponse.

Il sortit une main pâle de l'eau, une poignée de mousse reposant dans sa paume comme une boule de neige.

—Il existe différentes capacités vampiriques, ma petite. Tu le sais.

—Quel rapport avec la choucroute ?

Il leva son autre main et joua avec la mousse, la faisant passer de l'une à l'autre.

—Janos et ses deux compagnes sont d'un type différent du mien. Et beaucoup plus rare. Si tu me vois un jour sous la forme d'un cadavre pourrissant, c'est que je serai bel et bien mort. Mais eux, ils peuvent se décomposer et se reconstituer à volonté, ce qui les rend infiniment plus difficiles à tuer. Le feu est le seul moyen de garantir qu'ils ne reviendront pas.

—Je vous trouve bien bavard tout à coup, lâchai-je sur un ton soupçonneux. Vous ne m'avez jamais révélé autant d'informations à la fois.

Jean-Claude rentra ses mains dans l'eau et se redressa, des paquets de mousse sur le torse.

—C'est parce que j'ai peur que tu croies que ce qui est arrivé à Jason se produise entre nous…

—Nous ne mettrons jamais cette théorie à l'épreuve.

—Tu sembles bien sûre de toi. Ton désir flotte dans l'air comme un parfum, et pourtant, tu es vraiment persuadée que nous ne ferons jamais l'amour. Comment peux-tu avoir envie de moi presque autant que j'ai envie de toi et être convaincue que nos deux corps ne s'uniront jamais ?

Pas certaine d'avoir une réponse, je glissai le long du mur et m'assis sur le carrelage, les genoux pliés contre la poitrine. Mon flingue tapa contre le mur.

— C'est comme ça, c'est tout. Je ne pourrais pas.

Une partie de moi le regrettait. Mais une partie seulement.

— Pourquoi, ma petite ?

— Le sexe est une question de confiance. Il faut que j'aie confiance en quelqu'un pour faire l'amour avec lui. Or, je n'ai pas confiance en vous.

Il riva sur moi ses yeux si bleus.

— Tu es sincère, n'est-ce pas ?

— Absolument.

— Je ne te comprends pas, ma petite. J'essaie, mais en vain.

— Vous aussi, vous êtes une énigme pour moi, si ça peut vous consoler.

— Ça ne me console pas. Si tu étais une femme normale, nous aurions couché ensemble depuis longtemps.

Jean-Claude soupira et se redressa encore, l'eau ne lui arrivant plus qu'au niveau de la taille.

— Évidemment, si tu étais une femme normale, je ne crois pas que je t'aimerais.

— C'est la poursuite qui vous excite. Le défi.

— Exact, mais dans ton cas, il n'y a pas que ça. Si seulement tu voulais bien me croire…

Il se pencha en avant, ramena ses genoux contre sa poitrine nue et les entoura de ses bras en arrondissant les épaules. Alors, j'aperçus les cicatrices blanches qui couraient le long de son dos pour disparaître dans l'eau. Elles n'étaient pas si nombreuses, mais quand même.

— D'où viennent ces cicatrices sur votre dos ? demandai-je. Sauf si elles vous ont été infligées avec un objet béni, vous auriez dû pouvoir les guérir.

Jean-Claude tourna la tête vers moi et appuya la joue sur ses genoux pour me regarder. Tout à coup, il semblait plus jeune, plus humain, presque vulnérable.

— Pas si je les ai récoltées avant ma mort.

— Qui vous a fouetté ?

— J'étais le « corrigé par procuration » du fils d'un aristocrate.

— Vous dites la vérité, n'est-ce pas ?

— Oui.

— C'est pour ça que Janos a agi ainsi ce soir : pour vous rappeler d'où vous venez ?

— Oui.

— Vous n'êtes pas né noble ?

— J'ai vu le jour dans une maison au sol en terre battue, ma petite.

— Ben voyons !

Il releva la tête.

— Si je devais réinventer mes origines, j'aurais choisi quelque chose de plus romantique ou de plus original que fils de paysan.

— Donc, vous étiez domestique dans un château ?

— J'étais le compagnon du fils unique de mon maître. Chaque fois qu'il se faisait tailler de nouveaux vêtements, j'en recevais aussi. Nous avons eu le même précepteur et le même professeur d'équitation. À ses côtés, j'ai appris le maniement de l'épée, les danses et la bonne façon de se tenir à table. Et quand il faisait une bêtise, c'est moi qui étais puni à sa place, parce qu'il était le seul fils de ses parents, l'héritier d'un nom très ancien.

Il se radossa au bord de la baignoire, se recroquevillant sur lui-même.

— De nos jours, dès que des parents donnent une fessée à leur enfant, les âmes bien pensantes s'insurgent et parlent de maltraitance. Les gens n'ont aucune idée de ce qu'est la véritable maltraitance. Quand j'étais petit garçon, tout le monde trouvait normal de fouetter un enfant désobéissant ou de le battre jusqu'au sang. Y compris les aristocrates.

» Mais mes maîtres n'avaient qu'un seul fils, et ils voulaient le préserver. Ils donnèrent de l'argent à mes parents pour pouvoir m'emmener chez eux. La dame du manoir m'avait choisi à cause de ma beauté. Plus tard, la vampire qui me transforma me dit la même chose.

— Attendez une minute ! lançai-je.

Jean-Claude tourna la tête vers moi pour me faire sentir le poids de ses yeux bleus. Je fis un gros effort afin de ne pas détourner le regard.

— Ce visage et ce corps magnifiques ne sont qu'une illusion vampirique, pas vrai ? Personne ne pourrait être aussi beau.

— Je t'ai déjà expliqué que mes pouvoirs ne sont pas responsables de la façon dont tu me vois... Au moins, la plupart du temps.

— Seraphina a dit que vous étiez le giton de tous les vampires qui désiraient s'amuser avec vous. Qu'est-ce que ça signifie ?

— Les vampires tuent des humains pour se nourrir, mais ils ont des tas d'autres raisons de les transformer. L'argent, le pouvoir, l'amour... En ce qui me concerne, ce fut le désir sexuel. Quand j'étais encore jeune et faible, ils me faisaient circuler parmi eux. Et quand un d'eux se lassait de moi, il y en avait toujours un autre pour prendre sa place.

Je le regardai, horrifiée.

— Vous avez raison. Si vous deviez inventer une histoire, ça ne serait pas celle-là.

— La vérité est souvent hideuse ou décevante, ma petite, ne trouves-tu pas ?

Je hochai la tête.

— Seraphina avait l'air âgé. Je croyais que les vampires n'étaient pas censés vieillir...

— Nous gardons l'apparence que nous avions au moment de notre mort.

— Connaissiez-vous Seraphina quand vous étiez jeune ?
— Oui.
— Avez-vous couché avec elle ?
— Oui.
— Comment avez-vous pu la laisser vous toucher ?
— Je lui avais été donné par un maître vampire face auquel elle ferait pâle figure, même avec ses nouveaux pouvoirs. (Jean-Claude plongea son regard dans le mien.) Elle sait ce que tu veux. Elle connaît ton souhait le plus cher, ton désir le plus brûlant, et elle peut le réaliser – ou, au moins, t'en donner l'impression. Que t'a-t-elle offert, ma petite ? Qu'a-t-elle pu te proposer ce soir pour manquer te faire craquer ?

Je détournai les yeux.

— Et vous ? Que vous a-t-elle offert jadis ?
— Du pouvoir.

Je sursautai.

— Du pouvoir ?

Jean-Claude hocha la tête.

— Celui de leur échapper à tous.
— Mais vous aviez déjà la capacité de devenir un maître vampire. Elle était en vous depuis le début. Sinon, personne n'aurait pu vous la conférer.

Il eut un sourire qui n'avait rien de joyeux.

— Je le sais à présent. Mais à l'époque, je croyais que Seraphina était la seule qui me sauverait d'une éternité de…

Jean-Claude n'acheva pas sa phrase. Il se laissa glisser sous l'eau, seules quelques mèches noires flottant encore à la surface de la baignoire. Puis il se redressa en expirant bruyamment et en clignant des paupières. Ses cils épais étaient collés entre eux. Il passa les mains dans ses cheveux mouillés, qui se répandirent sur ses épaules.

— Vos cheveux n'étaient pas si longs la première fois que nous nous sommes rencontrés.

— J'ai remarqué que tu aimais ça chez un homme.

— Si vous êtes mort, comment peuvent-ils continuer à pousser ?

— Ça, c'est une question à laquelle je te laisserai trouver la réponse.

Il tordit sa chevelure pour l'essorer, puis tendit la main vers la pile de serviettes. Je me relevai précipitamment.

— Je vous laisse vous rhabiller.

— Jason et Larry sont revenus ?

— Pas encore.

— Dans ce cas, je ne vais pas me rhabiller tout de suite.

Il se releva en attirant une serviette à lui. J'eus une brève vision de son corps nu et pâle, dégoulinant d'eau mousseuse, avant que la serviette s'interpose. À temps.

Je m'enfuis de la salle de bains.

Chapitre 30

Je me pelotonnai dans le fauteuil le plus éloigné de la chambre. Mais je ne pus détacher mon regard de la porte ouverte.

Et merde ! J'aurais voulu prendre mes jambes à mon cou, n'était que ça n'aurait servi à rien. Ce n'était pas de Jean-Claude que je me méfiais. Mais de moi.

Je touchai le Firestar, dans la poche de mon peignoir. Il était lisse, dur et rassurant, mais il ne m'aiderait pas sur ce coup-là. La violence est une chose que je comprends. Le sexe me pose plus de problèmes.

Honnêtement, je n'avais pas envie de coucher avec Jean-Claude, mais j'espérais voir encore un bout de sa chair nue. La ligne de sa cuisse, ou peut-être… Je pressai les paumes de mes mains contre mes yeux, comme pour chasser l'image qui venait de s'imposer à moi.

— Ma petite ?

Sa voix semblait beaucoup plus proche que si elle venait de la salle de bains.

Je ne voulais pas regarder, comme si je risquais de devenir aveugle, conformément aux menaces de grand-maman Blake. Mais je sentis l'air se déplacer alors qu'il s'approchait de moi.

Millimètre par millimètre, je baissai mes mains. Jean-Claude était agenouillé devant moi, une épaisse serviette blanche enroulée autour de la taille.

Je laissai mes mains retomber sur mes genoux. Des gouttes d'eau perlaient toujours sur sa peau. Il s'était peigné, mais ses cheveux encore mouillés, plaqués en arrière, découvraient plus son visage que d'habitude. Sans le contraste de ses boucles noires, ses yeux semblaient plus clairs.

Jean-Claude posa une main sur chaque accoudoir et se pencha vers moi. Ses lèvres effleurèrent les miennes en un baiser fugitif, presque chaste. Puis il s'écarta de moi, lâcha le fauteuil et s'assit sur ses talons.

J'avais l'impression que mon cœur était remonté dans ma gorge, et ça n'était pas à cause de la peur.

Jean-Claude me prit doucement les mains, les souleva et les posa sur ses épaules nues. Sa peau était tiède, lisse et humide. Il ne me serrait pas du tout les poignets. J'aurais facilement pu me dégager, et je savais qu'il n'aurait rien fait pour m'en empêcher.

Mais lorsqu'il fit courir ses mains le long de mon torse, je m'arrachai à son étreinte. Il ne prononça pas un mot, n'esquissa pas le moindre geste, se contentant de rester agenouillé et de me dévisager. Je voyais pulser la veine de son cou, et j'avais envie de la toucher.

Je posai de nouveau mes mains sur ses épaules et approchai mon visage du sien. Alors que ses lèvres venaient à ma rencontre, je le saisis par le menton et lui tournai la tête sur le côté. Puis j'appuyai mes lèvres sur son cou, les entrouvris et tâtonnai jusqu'à ce que je sente son pouls battre contre ma langue. Il avait un goût de savon parfumé, d'eau et de propreté.

Je me laissai glisser à terre et me retrouvai agenouillée face à lui. À présent, il était plus grand que moi, mais pas trop. Je léchai l'eau sur sa poitrine et m'autorisai à faire une chose dont j'avais envie depuis des mois. Alors que ma langue lui caressait le mamelon, je le sentis frissonner.

Quand il défit la ceinture de mon peignoir, je ne protestai pas. Je le laissai glisser ses mains sous la panne de velours et les poser sur ma taille. Seul mon tee-shirt séparait encore sa chair de la mienne. Ses doigts remontèrent le long de mes flancs et caressèrent ma poitrine.

Pendant ce temps, mon flingue se balançait dans la poche de mon peignoir défait. Un mouvement qui me distrayait et m'irritait.

Je levai mon visage vers celui de Jean-Claude. Ses bras glissèrent derrière mon dos et me pressèrent contre la longue ligne humide de son corps. Sa serviette était dangereusement près de se détacher.

Ses lèvres caressèrent les miennes. Doucement d'abord, puis avec de plus en plus d'avidité. Pour un peu, il m'aurait presque fait mal. Ses bras étaient verrouillés autour de mes épaules.

Mes mains descendirent vers sa taille et découvrirent que la serviette était déjà défaite. Le bout de mes doigts effleurant le haut de ses fesses, je m'aperçus que seule la pression de nos corps l'empêchait de tomber.

Jean-Claude me dévorait la bouche. Je sentis quelque chose d'aigu, de douloureux. Je me rejetai en arrière et goûtai mon propre sang.

Jean-Claude me lâcha. Il se rassit sur ses talons, la serviette posée sur ses genoux.

— Désolé, ma petite. Je me suis laissé emporter.

Je touchai ma langue et retirai mes doigts tachés de sang.

— Vous m'avez mordue.

— Encore une fois, je suis désolé.

— Je n'en doute pas.

— Ne joue pas les offensées. Tu viens d'admettre, pour ton bénéfice autant que pour le mien, que tu éprouves de l'attirance envers moi.

Je m'assis sur le sol au pied du fauteuil, mon peignoir toujours ouvert et mon tee-shirt remonté jusqu'à la taille.

Je suppose qu'il était un peu tard pour protester de mon innocence.

— D'accord, de l'attirance. Vous êtes content ?

— Presque, dit-il.

À présent, je voyais autre chose dans ses yeux. Quelque chose de sombre, de liquide et d'infiniment ancien.

— Je peux t'offrir mon corps mortel et bien plus encore, ma petite. Bien plus qu'aucun amant humain. Tu n'as jamais rien connu de semblable.

— Perdrai-je un peu de sang chaque fois ?

— C'était un accident.

Je le regardai en silence. Pâle et mouillé, agenouillé devant moi avec une pauvre serviette chiffonnée qui ne masquait pas grand-chose de sa nudité.

— C'est la première fois que je trompe Richard, déclarai-je enfin.

— Tu sors avec moi depuis des semaines.

Je secouai la tête.

— Ce n'était pas tromper. Contrairement à ce que je viens de faire.

— Dans ce cas, puis-je te demander si tu m'as trompé avec Richard ?

Je n'avais pas envie de répondre.

— Allez vous habiller.

— C'est vraiment ce que tu veux ?

Subitement gênée, je détournai le regard.

— Oui. S'il vous plaît.

Jean-Claude se releva en tenant la serviette. Je baissai les yeux, et n'eus pas besoin de voir son visage pour savoir qu'il souriait.

Il gagna la chambre sans prendre la peine de s'envelopper de la serviette. Ses muscles bougeaient sous sa peau, de sa taille jusqu'à ses mollets, et je profitai du spectacle jusqu'à ce qu'il passe dans la pièce voisine.

Je touchai ma langue du bout du doigt. Elle saignait encore. Voilà ce qui arrive quand on embrasse un vampire. Rien que d'y repenser, ça me rendait nerveuse.

— Ma petite ? appela Jean-Claude.

— Oui.

— Tu as un sèche-cheveux ?

— Dans ma valise. Servez-vous.

Dieu merci, je l'avais traînée près de la porte de la salle de bains pour m'épargner la peine de revenir la chercher en sortant de la douche. Un bon point pour ma paresse. Maintenant que mes hormones refluaient, l'embarras reprenait le dessus.

J'entendis mon sèche-cheveux se mettre en marche, et me demandai si Jean-Claude se tenait nu devant le miroir pendant qu'il se coiffait. J'étais parfaitement consciente d'avoir simplement à approcher de la porte pour le vérifier.

Je me relevai, descendis mon tee-shirt sur mes cuisses, nouai la ceinture de mon peignoir et m'assis sur le canapé en tournant le dos à la chambre. Comme ça, je ne serais pas tentée.

Je sortis le Firestar de ma poche et le posai sur la table basse, devant moi. Toujours aussi solide et aussi sombre, il semblait me fixer d'un air accusateur.

Le sèche-cheveux s'arrêta.

— Ma petite ? appela de nouveau Jean-Claude.

— Quoi encore ?

— Viens me parler pendant que le soleil se lève.

Je levai les yeux vers la fenêtre dont il avait ouvert les rideaux. Dehors, le ciel était moins sombre. Il n'y avait pas encore de lumière, mais il s'éclaircissait peu à peu.

Je refermai les rideaux et passai dans la pièce voisine, laissant le Firestar sur la table. De toute façon, le Browning était dans la chambre.

Jean-Claude avait proprement replié le couvre-lit et la couverture au pied du lit. Seul le drap couleur de vin rouge cachait son corps jusqu'à la taille. Ses doux cheveux noirs bouclaient sur la taie d'oreiller.

— Tu peux venir t'allonger près de moi, si tu veux.

Je m'adossai au mur et secouai la tête.

— Je ne te propose pas de faire l'amour, ma petite. L'aube est trop proche pour ça. Je t'offre une moitié du lit…

— Je dormirai sur le canapé, mais merci quand même.

Un sourire légèrement moqueur retroussa le coin de ses lèvres. Son arrogance habituelle refaisait surface. Il était presque réconfortant de s'apercevoir que rien n'avait changé.

— Ce n'est pas en moi que tu n'as pas confiance. C'est en toi.

Je haussai les épaules.

Il tira le drap sur sa poitrine – un geste presque protecteur.

— Ça vient, dit-il avec une trace de peur dans la voix.

— Qu'est-ce qui vient ?

— Le soleil.

Je regardai les rideaux tirés, contre le mur du fond. Ils étaient trop épais pour laisser entrer la lumière, mais un rayon grisâtre soulignait leurs contours.

— Ça va aller, même sans votre cercueil ? demandai-je.

— Tant que personne n'ouvrira les rideaux… Je t'aime, ma petite. Autant que j'en suis capable.

Je ne sus pas quoi répondre. « Je vous désire » ne me semblait guère approprié. « Je vous aime aussi » eût été un mensonge.

La lumière blanchit autour des rideaux. Le corps de Jean-Claude s'affaissa sur le lit. Il roula sur le côté, une main tendue, l'autre plaquant le drap sur sa poitrine. Alors qu'il se tournait vers la fenêtre, je sentis le goût de sa peur sur ma langue.

M'agenouillant près du lit, je faillis lui prendre la main, mais je me retins.

— Et maintenant, que va-t-il se passer ?

— Si tu veux le savoir, tu n'as qu'à regarder.

Je m'attendais à ce que ses yeux papillotent et à ce que sa voix devienne pâteuse comme s'il s'endormait. Mais cela ne se passa pas ainsi.

La douleur le fit grimacer.

— Ça fait mal, chuchota-t-il.

Puis ses paupières se fermèrent d'un coup, et son visage se détendit.

J'avais déjà vu mourir des gens, regardé la lumière s'éteindre dans leurs yeux et senti leur âme s'échapper de leur corps. Et ce fut ce qui arriva. Quand le soleil levant découpa une ligne blanche autour des rideaux, Jean-Claude mourut. Son souffle s'échappa de ses poumons en un sifflement rauque.

Agenouillée près du lit, je frissonnai. Bon sang, je savais reconnaître un cadavre quand j'en voyais un.

Et merde !

Les bras croisés sur le drap et le menton posé dessus, j'observai Jean-Claude, attendant qu'il respire ou qu'il bouge. Mais une immobilité parfaite s'était emparée de lui.

Je tendis une main vers son bras. Un instant, mes doigts s'immobilisèrent au-dessus de sa peau. Puis je le touchai. Sa chair était encore tiède, encore humaine, mais il ne bougeait pas. Je lui saisis le poignet : pas de pouls. Aucun sang ne circulait dans son corps.

S'apercevait-il que j'étais là ? Me sentait-il le toucher ? Je le contemplai pendant ce qui me parut une éternité.

J'avais enfin la réponse à ma question. Les vampires étaient morts. La force qui les animait ressemblait à mon pouvoir : une forme de nécromancie. Voilà qui éclairait la nécrophilie sous un nouveau jour, sans mauvais jeu de mots.

J'avais cru sentir son âme s'échapper de son corps. Était-ce le fruit de mon imagination ? Les vampires ne sont pas censés avoir une âme – c'est bien là le problème…

Pourtant, j'avais perçu l'envol de quelque chose. Si ce n'était pas une âme, de quoi pouvait-il s'agir ? Et si c'était une âme, où allait-elle pendant la journée ? Qui veillait sur les âmes des vampires alors qu'ils gisaient morts à l'abri du soleil ?

Quelqu'un frappa à la porte de ma suite. Les garçons étaient de retour.

Je me levai en resserrant la ceinture de mon peignoir.

J'avais soudain très froid, et je ne comprenais pas pourquoi.

Je marchai vers la porte. La coupure de ma langue avait presque cessé de saigner.

Chapitre 31

Je rêvais.

Dans mon rêve, quelqu'un me tenait sur ses genoux. Des bras lisses et bruns m'enveloppaient. Je levai les yeux vers le visage rieur de ma mère, la plus belle femme du monde… Je me pelotonnai contre elle et inspirai l'odeur propre de sa peau. Elle avait toujours senti le talc Hypnotique.

Elle se pencha et m'embrassa sur les lèvres. J'avais oublié le goût de son rouge, la façon dont elle me frottait la bouche avec son pouce et éclatait de rire parce qu'elle m'avait barbouillée.

Cette fois, quand elle retira son doigt, il était maculé d'une substance plus brillante, plus liquide que d'habitude. Du sang. Elle s'était piquée avec une épingle à nourrice.

« Fais un bisou sur mon bobo pour le guérir, Anita », dit-elle en me tendant son pouce.

Mais trop de sang coulait le long de sa main en filets écarlates. Je levai de nouveau les yeux vers son visage. Lui aussi ruisselait de sang.

Je me réveillai en sursaut sur le canapé de velours, haletante. Je sentais encore le goût de son rouge à lèvres sur ma bouche, et l'odeur du talc Hypnotique s'accrochait à moi.

Larry se redressa sur la causeuse en se frottant les yeux.

— Qu'est-ce qui se passe ? Le téléphone a sonné ?

— Non. J'ai fait un cauchemar.

Il hocha la tête, s'étira, puis fronça les sourcils.

— Tu t'es mis du parfum ?

— Que veux-tu dire ?

— Du parfum ou du talc. Tu ne sens pas ?

Je déglutis et faillis m'étrangler.

— Si, je le sens.

Je poussai ma couverture et jetai l'oreiller à travers la pièce.

Larry posa les pieds sur le sol.

— Mais enfin, qu'est-ce qui t'arrive ?

J'avançai vers la fenêtre et tirai les rideaux. La porte de la chambre fermée, Jean-Claude était en sécurité. Jason devait dormir avec lui.

Debout dans la lumière du soleil, je laissai sa chaleur me pénétrer et m'appuyai contre la vitre tiède. Alors seulement, je m'aperçus que je ne portais rien d'autre qu'un maxi tee-shirt par-dessus ma culotte. Tant pis.

Je restai plantée devant la fenêtre plusieurs minutes, attendant que les battements de mon cœur ralentissent.

— Seraphina m'a envoyé un rêve, expliquai-je. L'odeur que tu sens c'est le parfum de ma mère.

Larry me rejoignit. Il portait un short de gym et un tee-shirt vert. Ses cheveux roux et bouclés étaient tout ébouriffés. Quand il entra dans la lumière, il plissa les yeux.

— Je croyais que seul un vampire ayant une connexion avec toi – une prise sur toi – pouvait envahir tes rêves, dit-il.

— Je le croyais aussi.

— Alors, comment ai-je pu sentir le parfum de ton rêve ?

Le front appuyé contre la vitre, je secouai la tête.

— Je ne sais pas.

— Seraphina t'a marquée ?

— Je ne sais pas.

Il me posa une main sur l'épaule et la pressa.

—Ça va aller.

Je me dégageai et fis les cent pas dans le salon.

—Non, ça n'ira pas du tout, Larry! Seraphina a envahi mes rêves. Jusque-là, personne d'autre que Jean-Claude n'y était parvenu.

Je m'arrêtai net en m'avisant que c'était faux. Nikolaos l'avait fait. Mais seulement après m'avoir mordue. Quoi qu'il en soit, c'était très mauvais signe.

—Que vas-tu faire? demanda Larry.

—La tuer.

—L'assassiner, tu veux dire.

S'il ne m'avait pas dévisagée de ses grands yeux sérieux, j'aurais répondu: «Et comment!» Mais il est dur de plaisanter avec ces choses-là quand quelqu'un vous regarde comme si vous veniez de flanquer un coup de pied à son chiot préféré.

—Je vais essayer d'avoir un mandat.

—Et si tu n'y arrives pas?

—Si c'est elle ou moi, Larry, ce sera elle. D'accord?

Il me dévisagea tristement.

—Ce que j'ai fait la nuit dernière... C'était un meurtre. Je le sais. Mais au moins, je n'avais rien prémédité.

—Reste dans ce métier assez longtemps, et ça finira par t'arriver.

Il secoua la tête.

—Je ne crois pas.

—Crois ce que tu veux, mais c'est quand même la vérité. Ces créatures sont trop dangereuses pour qu'on respecte les règles quand on joue avec elles.

—Si tu en es persuadée à ce point, comment peux-tu sortir avec Jean-Claude? Le laisser te toucher?

—Je n'ai jamais dit que j'étais logique.

—Tu ne peux pas te justifier, pas vrai?

— Justifier quoi ? Vouloir tuer Seraphina, ou sortir avec Jean-Claude ?

— Les deux. Anita, si tu fais partie des méchants, tu ne peux pas faire partie des gentils.

J'ouvris la bouche et la refermai. Que pouvais-je répondre ?

— Je suis une gentille, Larry, lâchai-je enfin. Mais je refuse de devenir une martyre. Si ça m'oblige à enfreindre la loi, tant pis.

— Alors, tu vas réclamer un mandat d'exécution ? insista-t-il avec une expression parfaitement neutre.

Soudain, il semblait beaucoup plus vieux. Presque solennel, malgré ses cheveux roux dressés sur sa tête.

Je regardais Larry vieillir sous mes yeux. Pas en termes d'âge, mais d'expérience. Quelques mois plus tôt, il n'avait pas du tout ce regard. Le regard de quelqu'un qui en avait trop vu, trop fait. Il s'efforçait de rester Sire Galaad, mais Galaad avait Dieu de son côté. Larry n'avait que moi. Ça ne suffisait pas.

— Le seul moyen d'obtenir un mandat serait de mentir, dis-je.

— Je sais.

— Seraphina n'a enfreint aucune loi pour le moment. Je ne mentirai pas à ce sujet.

Larry sourit.

— Je préfère ça. Quand avons-nous rendez-vous avec Dorcas Bouvier ?

— À 15 heures.

— As-tu trouvé ce que tu pourrais sacrifier pour relever les zombies de Stirling ?

— Non.

— Que comptes-tu lui dire ?

— Je ne sais pas encore. J'aimerais vraiment savoir pourquoi il veut la peau de Magnus.

— Pour s'approprier son terrain, avança Larry.

— Le cabinet de Stirling a parlé de la famille Bouvier dans son ensemble. Ça signifie que Magnus n'est pas le seul à leur intenter un procès. Donc, le tuer ne résoudrait rien.

— Alors, pourquoi ?

— C'est justement la question que je me pose.

— Nous devons parler à Magnus.

— Et de préférence loin des oreilles de Seraphina.

— Ce n'est pas moi qui te contredirai.

— Mais avant, je voudrais me procurer de l'onguent antifairies.

— Du quoi ?

— Tu n'as pas eu de cours sur les fairies ?

— C'était une UV facultative, dit-il piteusement.

— L'onguent antifairies immunise contre leurs glamours. Juste au cas où Magnus nous cacherait quelque chose de pire que Seraphina.

— Rien ne peut être pire que ça, affirma Larry.

— Sans doute, concédai-je. Mais ça empêchera Magnus de faire usage de sa magie sur nous. C'est une précaution que nous ferions aussi bien de prendre avant d'aller voir Dorrie. Elle n'est peut-être pas aussi effrayante que son frère, mais elle brille, et j'aimerais autant qu'elle ne brille pas *sur nous*.

— Tu crois que Seraphina retrouvera Jeff Quinlan ?

— Si quelqu'un en est capable, c'est elle. Elle semblait persuadée de réussir à vaincre Xavier. Cela dit, Jean-Claude était convaincu de la vaincre, elle. Et il se trompait.

— Donc, nous sommes dans le camp de Seraphina ?

Présenté comme ça, ça n'avait rien d'attrayant. Pourtant, je hochai la tête.

— À choisir entre un vampire qui respecte la plupart des lois, et un autre qui massacre des gamins... Ouais, on est dans son camp.

— Il n'y a pas cinq minutes, tu parlais de la tuer.

— Je me retiendrai jusqu'à ce qu'elle ait sauvé Jeff et buté Xavier.

— Pourquoi le tuerait-elle ? demanda Larry.

— Parce qu'il massacre des humains sur son territoire. Elle peut dire ce qu'elle veut, c'est quand même un défi à son autorité. Et il m'étonnerait que Xavier relâche Jeff sans se battre.

— Que lui est-il arrivé la nuit dernière, d'après toi ?

— Y penser ne sert à rien. Nous faisons déjà tout notre possible pour lui.

— Nous pourrions parler de Seraphina au FBI, proposa Larry.

— Il vaut mieux pas. Les maîtres vampires ne coopèrent pas avec les flics à moins d'y être forcés. Les policiers ont passé trop d'années à leur tirer dessus à vue.

— D'accord. Nous devons quand même trouver un sacrifice assez important pour relever les morts du cimetière, ce soir.

— Je vais y réfléchir, promis-je.

— Tu n'as vraiment aucune idée pour le moment ?

Larry semblait surpris.

— À moins de recourir à un sacrifice humain, je ne crois pas pouvoir réanimer plusieurs zombies vieux de trois siècles, avouai-je. Même moi, j'ai mes limites.

— Ravi de t'entendre l'admettre.

Malgré moi, je souris.

— J'espère que ça restera entre nous…

Larry me tendit une main, et je frappai dedans. Il frappa la mienne en retour, et je me sentis tout de suite mieux. Les amis, ça a quand même du bon !

Chapitre 32

Dorcas Bouvier était adossée à une voiture dans le parking. Ses cheveux scintillaient au soleil, tourbillonnant comme des remous à la surface d'un torrent chaque fois qu'elle bougeait. Un jean et un débardeur kaki moulaient sa silhouette irréprochable.

Larry tenta de ne pas la reluquer trop ouvertement, mais c'était difficile. Il portait un tee-shirt bleu, un jean, des Nike blanches et une surchemise en flanelle à carreaux qui dissimulait son holster d'épaule.

De mon côté, j'avais enfilé un jean, un polo bleu marine, des Nike noires et une chemise bleue deux tailles trop grande pour moi. J'avais dû l'emprunter à Larry, car ma veste en cuir était couverte de poix vampirique, et il me fallait quelque chose pour cacher mon Browning. Se balader avec un flingue en vue rend les gens nerveux. Larry et moi avions l'air de nous fournir dans le même magasin.

Dorrie s'écarta de la voiture.

— Y allons-nous ?

— Nous aimerions d'abord parler à Magnus, déclarai-je.

— Pour pouvoir le livrer aux flics ?

Je secouai la tête.

— Pour découvrir pourquoi Stirling a tellement envie de le tuer.

— J'ignore où il est. (Dorrie dut lire du scepticisme sur mon visage, car elle ajouta :) Et même si je le savais, je ne vous le dirais pas. Les gens qui font usage de magie sur la police risquent la peine de mort. Je ne trahirai pas mon frère.

— Je ne suis pas flic, lui rappelai-je.

Elle plissa les yeux.

— Êtes-vous venue examiner le tumulus de Squelette Sanglant, ou m'interroger sur Magnus ?

— Pourquoi nous attendiez-vous dehors ? Vous auriez pu rester là longtemps.

— Je savais que vous seriez à l'heure.

Ses pupilles tournoyèrent et rétrécirent jusqu'à devenir deux points minuscules, comme les yeux d'un perroquet surexcité.

— D'accord, allons-y.

Dorrie nous fit contourner le restaurant adossé à la lisière des bois et s'engagea sur un chemin à peine assez large pour laisser passer un homme adulte. Même si nous marchions en file indienne, les branches me fouettaient les épaules, et les feuilles vert tendre à peine écloses frottaient contre mes joues comme du velours. Des racines saillaient à certains endroits, des mauvaises herbes ayant commencé à envahir la piste, comme si elle n'était plus autant fréquentée qu'autrefois.

Dorrie se déplaçait sur le sol accidenté avec aisance, en ondulant des hanches. Visiblement, ce chemin lui était familier. Mais il n'y avait pas que ça. Les branches qui s'accrochaient à ma chemise ne se prenaient jamais dans ses cheveux. Les racines qui menaçaient de me faire trébucher ne la ralentissaient pas.

Nous avions trouvé de l'onguent dans une boutique de diététique. Donc, que les buissons s'écartent pour elle et pas pour nous ne pouvait pas être une illusion. Les glamours des Bouvier n'étaient peut-être pas la seule chose dont nous devions nous inquiéter. Voilà pourquoi, exceptionnellement, j'avais chargé mon Browning avec des balles ordinaires, que j'avais dû acheter pour la circonstance.

Larry aussi était chargé à bloc, et pour la première fois, je regrettais qu'il n'ait pas deux flingues au lieu d'un. J'avais gardé mon Firestar et ses balles en argent, mais si un vampire nous sautait dessus, Larry ne pourrait pas se défendre. Évidemment, nous étions en plein jour, et les fairies me préoccupaient beaucoup plus que les buveurs de sang pour le moment.

Nous avions du sel dans nos poches de chemise : pas une grosse quantité, juste assez pour lancer sur un fey ou sur un objet enchanté par un fey. Le sel neutralise la magie des fairies. Temporairement, mais c'est mieux que rien.

Une petite brise balaya le chemin et se transforma brusquement en bourrasque. L'air embaumait le frais et le neuf. J'imagine que le commencement des temps devait avoir cette odeur : le pain tiède, le linge propre, le printemps… En réalité, il empestait sûrement l'ozone et l'eau croupie. La réalité sent toujours plus mauvais que les rêves éveillés.

Dorrie s'immobilisa et se tourna vers nous.

— Les arbres en travers du chemin ne sont qu'une illusion. Ignorez-les.

— Quels arbres ? demanda Larry.

Je jurai intérieurement. Il aurait été bien de ne pas trahir notre petit secret.

Dorrie revint vers nous. Elle m'étudia un moment, puis fit la grimace comme si elle avait vu quelque chose de répugnant.

— Vous portez de l'onguent, dit-elle.

— Magnus a tenté de nous charmer deux fois. La prudence est la mère de la sûreté, me défendis-je.

— Dans ce cas, nos illusions ne vous gêneront pas.

Elle fit volte-face et repartit d'un bon pas, nous laissant trébucher derrière elle.

Le chemin débouchait sur une clairière parfaitement circulaire. Au centre se dressait un petit tumulus surmonté d'une croix celtique en pierre blanche et couvert d'une masse de fleurs bleu vif. Le sol disparaissait sous ces campanules épaisses et charnues, à la couleur plus intense que celle du ciel.

Je n'y connais pas grand-chose en botanique, mais je sais que les campanules ne poussent pas spontanément en Amérique du Nord. Pour les cultiver dans le Missouri, il faudrait leur consacrer plus d'eau que raisonnable. Mais en voyant ce tapis magnifique entouré d'arbres, je trouvais que ça en valait la peine.

Dorrie s'était pétrifiée parmi les fleurs qui lui arrivaient jusqu'aux genoux. Bouche bée, son ravissant visage déformé par une expression horrifiée, elle regardait son frère.

Magnus Bouvier était agenouillé au sommet du tumulus, près de la croix. Sa bouche était rouge de sang frais. Quelque chose remuait autour et devant lui. Un truc que je sentais plus que je le voyais. Si c'était une illusion, l'onguent aurait dû m'immuniser.

Je tentai de l'observer de biais. Parfois, la vision périphérique marche mieux sur les phénomènes magiques. Du coin de l'œil, je distinguai l'air qui ondulait en formant une silhouette plus massive que celle d'un homme.

Magnus se tourna et nous aperçut. Alors qu'il se relevait brusquement, les ondulations se dissipèrent comme si elles n'avaient jamais existé. Il s'essuya la bouche d'un revers de la manche.

— Dorrie..., dit-il d'une voix douce.

Sa sœur courut au sommet du tumulus.

— Blasphème ! cria-t-elle avant de le gifler.

J'entendis le bruit que fit sa main en claquant sur la joue de Magnus.

— Ouille, souffla Larry. Pourquoi est-elle en colère ?

Dorrie frappa de nouveau Magnus, si fort qu'il en tomba sur le cul au milieu des fleurs.

— Comment as-tu pu ? fulmina-t-elle. Comment as-tu pu faire une chose aussi vile ?

— Qu'est-ce qu'il a fait ? demanda Larry.

— Il s'est nourri de Tête Écorchée, Squelette Sanglant. Comme son ancêtre, expliquai-je.

Dorrie se tourna vers nous. Elle semblait hagarde et horrifiée, comme si elle avait surpris son frère en train de molester des enfants.

— C'était interdit. (Elle se retourna vers Magnus.) Et tu le savais !

— Je voulais le pouvoir, Dorrie, se défendit son frère. Quel mal ai-je fait ?

— Quel mal ? Quel mal ?

Dorrie le saisit par les cheveux et le força à se redresser sur les genoux, exposant des traces de morsure dans son cou.

— Voilà pourquoi cette créature peut t'appeler. Et pourquoi un des *Daoine Sidhe*, fût-il un bâtard comme toi, est appelé par la mort.

Elle le lâcha si brusquement qu'il tomba à quatre pattes. Puis elle s'assit près de lui et se mit à pleurer.

J'avançai vers eux. Les campanules s'écartèrent sur mon passage comme les flots de la mer Rouge devant Moïse. Elles ne remuèrent pas : simplement, elles n'étaient jamais là où je posais les pieds.

— Doux Jésus, hoqueta Larry. J'hallucine, ou ces fleurs bougent ?

— Pas exactement, répondit Magnus.

Il descendit du monticule de terre et s'immobilisa à sa base. Il portait encore le smoking de la veille, enfin, ce qu'il en restait. La tache de sang, sur sa manche, brillait sur le tissu blanc.

Nous nous frayâmes un chemin parmi les campanules qui bougeaient… et ne bougeaient pas… pour le rejoindre au pied du tumulus.

Magnus avait coincé ses cheveux derrière ses oreilles de façon à dégager son visage. Et non, ses oreilles n'étaient pas pointues. Je me demande bien d'où vient cette rumeur idiote.

Il soutint mon regard sans broncher. S'il avait honte de ce qu'il avait fait, ça ne se voyait pas. Dorrie continuait à pleurer comme si son cœur allait se briser.

— Maintenant, vous savez, lâcha Magnus.

— On ne peut pas saigner un fairie, dans sa chair ou ailleurs, sans magie rituelle, lançai-je. J'ai lu le sort, Magnus.

Il me sourit, et son sourire était toujours aussi séduisant malgré le sang qui maculait les coins de sa bouche.

— J'ai dû me lier à la créature, avoua-t-il. Lui donner un peu de ma mortalité pour avoir son sang.

— Le sort n'est pas censé vous aider à tirer du sang, insistai-je. Il a été conçu pour permettre aux fairies de s'entre-tuer.

— Si la créature a reçu un peu de votre mortalité, avez-vous reçu un peu de son immortalité ? demanda Larry.

Une bonne question.

— En effet, dit Magnus, mais ce n'est pas pour ça que je l'ai fait.

— Tu l'as fait pour le pouvoir, espèce de fils de pute ! grogna Dorrie.

Elle descendit du tumulus, glissant parmi les étranges fleurs.

— Tu voulais lancer de vrais glamours, avoir de la vraie magie. Mon Dieu, Magnus, tu dois boire son sang depuis ton adolescence. À cette époque, tes pouvoirs se sont soudain développés. Nous avons tous cru que c'était à cause de la puberté.

— Je crains que non, chère sœur ! lança Magnus.

Dorrie lui cracha à la figure.

— Notre famille a été maudite et liée à cette terre pour racheter le péché de notre ancêtre. Ce péché que tu viens de commettre à ton tour. Squelette Sanglant s'est échappé la dernière fois que quelqu'un a tenté de boire son sang.

— Il n'a pas bougé d'ici, ces dix dernières années.

— Qu'en sais-tu ? Comment peux-tu être certain que la créature nébuleuse que tu as appelée n'est pas sortie de sa prison pour effrayer des enfants ?

— Tant qu'elle ne leur fait pas de mal, où est le problème ? répliqua Magnus.

— Attendez une minute, dit Larry. Pourquoi ferait-elle peur aux enfants ?

— Je te l'ai déjà dit : c'est une vieille comptine. Tête Écorchée, Squelette Sanglant était censé manger les enfants désobéissants.

Une idée horrible me traversa l'esprit. J'avais vu un vampire utiliser une épée, mais étais-je absolument sûre que c'était bien ça ?

Non…

— Quand la créature s'est échappée, autrefois, et qu'elle a massacré la tribu indienne, a-t-elle utilisé une arme, ou seulement ses mains ? demandai-je.

— Je l'ignore, répondit Dorrie.

— C'est important ?

— Oh, mon Dieu, souffla Larry.

— Ça pourrait l'être, dis-je.

— Vous pensez à ces meurtres, c'est ça ? lança Magnus. Vous vous trompez. Squelette Sanglant ne peut pas se manifester physiquement. J'y ai veillé.

— En es-tu certain, cher frère ? En es-tu absolument certain ?

La voix de Dorrie tranchait et découpait. Elle maniait le mépris comme une arme.

— Oui, j'en suis certain.

— Nous devons faire appel à une sorcière, déclarai-je. Je ne suis pas assez calée en la matière.

Dorrie hocha la tête.

— Je comprends. Le plus tôt sera le mieux.

— Tête Écorchée, Squelette Sanglant n'est pas responsable de ces meurtres, insista Magnus.

— Dans votre propre intérêt, je l'espère, dis-je.

— Pourquoi ?

— Parce que cinq personnes sont mortes. Des gamins qui n'avaient rien fait pour mériter ça.

— Il est emprisonné par une combinaison de pouvoir indien, chrétien et fey. Il ne peut pas se libérer.

Je contournai lentement le tumulus. Les campanules charnues s'écartaient toujours devant moi. Je tentai d'observer mes pieds, mais cela me fit tourner la tête, parce que les fleurs bougeaient… sans bouger. C'était comme essayer de les regarder éclore. On a beau savoir que le processus est en cours, on n'arrive jamais à le saisir.

Je me tournai vers le tumulus. Comme je n'essayais pas de percevoir les morts, la lumière du jour ne me gênait pas. Il abritait de la magie, une putain de quantité de magie. Je n'avais encore jamais senti de la magie fey. Pourtant, il y avait là quelque chose de familier, et ce n'était pas le pouvoir chrétien.

— De la nécromancie, compris-je. Elle a participé à l'élaboration du sort d'emprisonnement. (J'achevai mon tour du tumulus et me campai devant Magnus.) Un petit sacrifice humain, peut-être ?

— Pas exactement.

— Nous ne recourions jamais à un sacrifice humain, affirma Dorrie.

Elle, peut-être pas. Mais son frère, je n'en étais pas si sûre. Toutefois, je me gardai de le lui dire. Elle était déjà assez bouleversée.

— S'il ne s'agit pas d'un sacrifice, de quoi s'agit-il ?

— Nos ancêtres sont ensevelis dans trois de ces collines, répondit Magnus. Leurs corps sont des pieux qui immobilisent le vieux Squelette Sanglant.

— Comment pouvez-vous ignorer lesquelles de ces collines appartenaient à votre famille ?

— Tout ça remonte à plus de trois cents ans. Il n'y avait pas d'actes de propriété, à l'époque. Au début, je n'étais pas sûr à cent pour cent que celle qui intéresse Stirling en fasse partie. Mais quand ils ont commencé les travaux d'excavation, je l'ai senti.

Il frissonna et se recroquevilla sur lui-même, comme si la température avait brusquement baissé.

— Vous ne pouvez pas relever les morts pour lui. Si vous le faites, vous libérerez Squelette Sanglant. Et le sort nécessaire pour l'arrêter est très compliqué. Je ne suis pas certain de réussir à le lancer et je ne connais pas de chaman indien.

— Tu as piétiné tout ce que nous représentions, dit Dorrie.

— Seraphina vous a offert quoi ? demandai-je à Magnus.

— De quoi parlez-vous ?

— Elle offre à chacun d'exaucer le désir le plus secret de son cœur. Quel était le vôtre, Magnus ?

— La liberté et le pouvoir. Elle m'a promis de dégoter un autre gardien pour Tête Écorchée, Squelette Sanglant. Elle a dit qu'elle trouverait un moyen de me permettre de conserver le pouvoir que je lui avais emprunté, tout en m'épargnant la peine d'avoir à veiller sur lui.

— Et vous l'avez crue ?

— Je suis la seule personne de ma famille qui a ce pouvoir. Nous serons ses gardiens à jamais, pour nous punir d'avoir volé son pouvoir et de l'avoir laissé tuer.

Il tomba à genoux dans les campanules. Quand il baissa la tête, ses cheveux tombèrent devant son visage.

— Je ne serai jamais libre, murmura-t-il.

— Tu ne le mérites pas ! cracha Dorrie.

— Pourquoi Seraphina voulait-elle que vous la serviez ?

— Elle a peur de crever. Selon elle, boire le sang de quelqu'un qui a une aussi grande longévité que la mienne l'aide à maintenir la mort à distance.

— C'est absurde ! lança Larry. Seraphina est un vampire.

— Mais elle n'est pas immortelle pour autant, lui rappelai-je.

Magnus leva la tête. Ses étranges yeux turquoise scintillaient à travers ses cheveux brillants. Ainsi agenouillé parmi les fleurs, il n'avait pas l'air très humain.

— Elle a peur de la mort, répéta-t-il d'une voix sourde. Elle a peur de vous.

Il me sembla qu'un infime écho prolongeait sa phrase.

— Elle a failli m'avoir la nuit dernière. Pourquoi aurait-elle peur de moi ?

— Vous avez amené la mort parmi nous.

— Ce n'était sûrement pas la première fois.

— Elle m'a choisi pour ma longévité et pour mon sang immortel. Vous serez la prochaine sur sa liste. Peut-être embrassera-t-elle la mort au lieu de fuir devant elle.

Cette idée me donna la chair de poule. Mes poils se hérissèrent sur mes avant-bras.

— C'était le but de la démonstration d'hier soir ?

— Elle voulait prendre l'ascendant sur son vieil ennemi Jean-Claude. Mais surtout, elle se demandait si votre pouvoir saurait faire la différence. Si elle buvait votre sang, deviendrait-elle immortelle ? Pourriez-vous maintenir la mort à distance d'elle grâce à votre nécromancie ?

— Tu pourrais quitter la ville, proposa Larry.

Je secouai la tête.

— Les maîtres vampires n'abandonnent pas si facilement. Je vais dire à Stirling que je ne relèverai pas ses morts. Et comme je suis la seule à pouvoir le faire…

— Il ne nous rendra pas le terrain pour autant, coupa Magnus de sa voix étrange. S'il se contente de faire sauter le haut de la montagne, le résultat sera le même.

— C'est vrai, Dorrie ?

— Probablement…

— Alors, que voulez-vous que je fasse ?

Magnus rampa vers moi parmi les fleurs, m'observant à travers le rideau brillant de ses cheveux. Ses yeux étaient un tourbillon bleu vert qui me faisait tourner la tête.

Je détournai le regard.

— Relevez seulement une poignée de morts. En seriez-vous capable ?

— Sans problème. Mais croyez-vous que les avocats des deux parties accepteront de s'en contenter ?

— J'y veillerai.

— Dorrie ?

— Je m'en occuperai avec lui.

Je me retournai vers Magnus.

— Seraphina va-t-elle vraiment sauver ce garçon ?

— Oui.

— Dans ce cas, nous nous reverrons ce soir.

— Non. Je serai encore ivre mort. Ce n'est pas la panacée, mais ça m'aide à la supporter.

— Très bien. Je relèverai une poignée de cadavres et je préserverai le sort d'emprisonnement.

— Si vous réussissez, vous aurez toute notre gratitude, affirma Magnus.

À quatre pattes dans les campanules, il semblait dangereux, effrayant et magnifique comme un prédateur. Sa gratitude pourrait valoir quelque chose, si Seraphina ne le tuait pas d'abord.

Et si elle ne *me* tuait pas d'abord.

CHAPITRE 33

Plus tard dans la journée, j'appelai l'agent spécial Bradford. Ses hommes et lui n'avaient pas trouvé Xavier, ni Jeff Quinlan ni de vampires à me faire exécuter. Pourquoi diable lui téléphonais-je ? Je n'étais pas impliquée dans cette enquête, l'avais-je déjà oublié ? Je n'avais pas oublié. Eh oui, les deux plus jeunes victimes avaient été sexuellement molestées, mais pas le jour de leur mort.

J'aurais sans doute dû balancer Magnus, mais il était le seul à maîtriser le sort d'emprisonnement. Il ne nous servirait à rien derrière les barreaux. Dorrie connaissait une sorcière du coin en qui elle avait confiance.

J'avais pensé que Squelette Sanglant était peut-être notre psychopathe. N'ayant jamais vu un vampire se dissimuler aussi totalement à moi que celui qui avait tué Coltrain, je l'avais ajouté à ma liste de suspects, mais sans en parler aux flics.

À présent, je me réjouissais de ne pas l'avoir fait. Les viols étaient forcément l'œuvre de Xavier. Et l'idée qu'une comptine d'origine écossaise commette des meurtres dans le monde réel semblait un peu tirée par les cheveux, même pour moi.

Dans le ciel, d'épais nuages scintillants comme des joyaux moutonnaient d'un bout à l'autre de l'horizon, évoquant une couverture qu'une bête gigantesque aurait lacérée avec ses griffes. À travers les trouées, quelques étoiles semblables à des diamants piquetaient le velours de l'obscurité.

Debout au sommet de la montagne, je regardais le ciel en inspirant l'air printanier à pleins poumons. Larry se tenait à mes côtés, le nez levé et les yeux reflétant le clair de lune.

—Finissons-en, dit Stirling.

Je me tournai vers lui. Bayard et Mlle Harrison étaient là aussi. Beau les avait accompagnés, mais je lui avais demandé d'attendre au pied de la montagne. S'il pointait le bout de son nez au cimetière, avais-je dit, je lui collerais une balle entre les deux yeux. Stirling n'avait pas eu l'air de me croire, mais la menace avait fait son petit effet sur le contremaître.

—Vous n'êtes pas un grand amateur des beautés de la nature, n'est-ce pas, Raymond? lançai-je sur un ton moqueur.

Même dans la pénombre, je le vis se rembrunir.

—Je veux en terminer au plus vite avec cette histoire, mademoiselle Blake.

Curieusement, j'étais d'accord avec lui. Et ça me rendait nerveuse. Je n'aimais pas Raymond. Ça me donnait envie de le contredire, d'accord ou pas avec lui. Mais je ne discutai pas. Un bon point pour moi.

—Je vais faire mon boulot, Raymond. Ne vous inquiétez pas.

—Cessez de m'appeler par mon prénom, mademoiselle Blake, s'il vous plaît.

Il s'était exprimé les dents serrées, mais il avait dit « s'il vous plaît ».

—Très bien. Je vais faire mon boulot, monsieur Stirling. Ça vous va?

Il hocha la tête.

—Merci. Et maintenant, cessons de tergiverser. Mettez-vous au travail.

J'ouvris la bouche pour lui balancer une réplique cinglante, mais Larry murmura :

— Anita…

Comme d'habitude, il avait raison. Aussi amusant que ce soit, asticoter Stirling servirait seulement à repousser l'inévitable. J'en avais ras le bol de Stirling, de Magnus et de Branson en général. Je voulais finir ma mission et rentrer chez moi. Bon, peut-être pas tout de suite. D'une façon ou d'une autre, je ne repartirais pas sans avoir délivré Jeff Quinlan.

La chèvre poussa un bêlement aigu. Attachée au milieu du cimetière, elle avait un pelage tacheté brun et blanc, des oreilles toutes molles et des yeux jaunes. Visiblement, elle aimait qu'on lui gratte la tête. Larry l'avait caressée dans la Jeep, pendant le trajet. Une mauvaise idée. Il ne faut jamais faire ami-ami avec les sacrifices. Après, il est encore plus difficile de les égorger.

Moi, je n'avais pas caressé la chèvre. Mettons ça sur le compte de mes années d'expérience. C'était la première chèvre de Larry. Il apprendrait. Que ça lui plaise ou non. Deux autres chèvres nous attendaient au pied de la montagne. L'une d'elles était encore plus petite et plus mignonne que celle-là.

— Les avocats des Bouvier ne devraient-ils pas être là, mademoiselle Blake ? demanda Bayard.

— Les Bouvier ont estimé que leur présence n'était pas nécessaire, répondis-je.

— Pourquoi donc ? s'étonna Stirling.

— Parce qu'ils me font confiance. Ils savent que je ne leur mentirai pas.

Stirling me dévisagea longuement. Je ne voyais pas bien ses yeux, mais je sentais les rouages tourner dans sa tête.

— Vous allez mentir pour eux, n'est-ce pas ? demanda-t-il d'une voix froide.

— Je ne mens jamais au sujet des morts, monsieur Stirling. Sur les vivants, parfois, mais jamais au sujet des morts. Et les Bouvier ne m'ont pas proposé d'argent. Quelle autre raison de les aider pourrais-je avoir ?

Larry s'abstint d'intervenir. Lui aussi regardait Stirling, peut-être en se demandant ce qu'il dirait s'il l'interrogeait.

— Je vois. Pouvons-nous commencer, maintenant ?

Stirling semblait soudain très raisonnable. Toute sa colère et sa méfiance avaient bien dû aller quelque part. Mais elles n'étaient plus dans sa voix.

— Oui.

Je m'accroupis et ouvris le sac de gym posé à mes pieds. J'en avais apporté un autre avec mon nécessaire antivampires. Avant, je n'en avais qu'un, et je transférais mes affaires selon mes besoins.

J'en avais acheté un second après m'être pointée un soir dans un cimetière avec un assortiment de pieux très impressionnant, mais peu approprié pour relever des zombies.

Sans compter qu'il est illégal de se balader avec du matos antivampires sans mandat d'exécution. La loi de Brewster changera peut-être les choses. En attendant, je garde mes deux sacs. Un bordeaux et un blanc, faciles à distinguer dans le noir.

Le sac à zombies de Larry était d'un vert presque fluo, avec un logo des Tortues Ninja. Je n'osais pas lui demander comment était son sac à vampires.

— Voyons si j'ai bien tout compris, dit-il en tirant la fermeture Éclair de son sac.

Je sortis mon pot d'onguent. Certains réanimateurs utilisent des récipients spéciaux en terre cuite ou en verre soufflé à la main, avec des symboles ésotériques gravés sur les côtés. Moi, je me sers d'un vieux bocal qui a autrefois contenu les haricots verts en conserve de grand-maman Blake.

Larry saisit un pot de beurre de cacahouètes qui portait encore son étiquette. La variété extra-croquante. Miam-miam!

— Nous devons relever un minimum de trois zombies, c'est bien ça?

— Exact.

Il balaya du regard les ossements éparpillés.

— Il est toujours difficile de relever les morts d'une fosse commune…

— Il ne s'agit pas d'une fosse commune, mais d'un ancien cimetière qui a été retourné. Ça devrait être plus facile.

— Pourquoi?

Je posai ma machette sur le sol, à côté du pot d'onguent.

— Parce que des rituels ont été effectués sur chaque tombe, pour y lier l'individu qu'elle abritait, expliquai-je. Donc, en appelant, nous aurons une meilleure de chance d'avoir une réaction de l'individu en question.

— D'obtenir une réaction?

— De le réanimer, si tu préfères.

Larry hocha la tête et sortit de son sac une lame incurvée plutôt effrayante. On aurait dit un cimeterre.

— D'où tiens-tu ça? demandai-je.

Il pencha la tête. J'aurais juré qu'il rougissait, même si c'était dur à dire dans la pénombre.

— D'un type de la fac.

— Et lui, d'où le tenait-il?

Il me dévisagea d'un air surpris.

— Je ne sais pas. Il y a un problème?

— C'est juste que… Ce n'est pas un peu trop pour égorger une malheureuse chèvre?

— Je l'ai bien en main. Et je trouve que ça fait cool.

Je laissai tomber. Avais-je vraiment besoin d'une machette pour décapiter des poulets? Non plus. Pour égorger une vache, en revanche…

On me demandera pourquoi je n'avais pas de vache à sacrifier ce soir-là. Tout simplement parce qu'aucun fermier n'avait voulu en vendre une à Bayard. Ce crétin avait eu l'idée brillante d'expliquer pourquoi il en avait besoin. Les bons chrétiens de Branson voulaient bien vendre leurs vaches pour qu'on les mange, mais pas pour qu'on relève des zombies. J'appelle ça de la discrimination.

— Les morts les plus récents ont environ deux siècles, pas vrai ? reprit Larry.

— Oui.

— Et nous devons en relever au moins trois en assez bon état pour répondre à nos questions.

— C'est le plan.

— On peut faire ça ?

— C'est le plan.

Il écarquilla les yeux.

— Tu ne sais pas si nous pouvons le faire, hein ? chuchota-t-il, l'air abasourdi.

— Il nous arrive souvent de relever trois zombies en une nuit. Nous enchaînerons juste un peu plus vite que d'habitude.

— Il ne nous arrive pas souvent de relever trois zombies *vieux de deux siècles* en une nuit, dit Larry. En fait, ça ne nous est encore jamais arrivé.

— C'est vrai, mais la théorie reste la même.

— La théorie ? s'étrangla Larry. Je sais que les ennuis ne sont pas loin quand tu commences à parler de théorie. On est vraiment censés pouvoir faire ça ?

Honnêtement, non. Mais le facteur le plus déterminant, en matière de nécromancie, est la confiance en soi. Croire ou non qu'on peut réussir une chose. Donc… J'étais tentée de mentir. Pourtant, je m'abstins. J'avais établi une tradition de franchise entre Larry et moi, et je n'allais pas la rompre pour si peu.

— Je pense que nous pouvons, répondis-je.
— Mais tu n'en es pas certaine.
— Non.
— Putain, Anita…
— Pas d'affolement. Je te dis que c'est possible…
— Mais tu n'en es pas sûre…
— Je ne suis pas non plus certaine que nous survivrons au vol de retour vers Saint Louis. Ça ne m'empêchera pas de monter dans l'avion.
— C'était censé me réconforter ?
— Oui.
— Loupé !
— Désolée, mais je ne peux pas faire mieux. Si tu veux des certitudes, reconvertis-toi dans l'expertise comptable.
— Je suis nul en maths.
— Moi aussi.
Il prit une profonde inspiration et expira lentement.
— D'accord, patronne. Comment allons-nous combiner nos pouvoirs ?
Je le lui expliquai.
— Cool.
Il n'avait plus l'air nerveux : juste impatient. Larry aspirait peut-être à devenir exécuteur de vampires, mais c'était d'abord un réanimateur. Pas un choix de carrière, un don… ou une malédiction. Personne ne peut apprendre à quelqu'un à relever les morts s'il n'a pas le pouvoir dans le sang. La génétique est une chose merveilleuse. C'est elle qui décide qu'on aura les yeux marron, les cheveux frisés et la capacité d'animer des zombies.
— Quel onguent veux-tu utiliser ? demanda Larry.
— Le mien.
Je lui avais donné ma recette pour en préparer, en précisant que certains ingrédients – comme la moisissure de cimetière – étaient incontournables, mais qu'il restait

néanmoins une marge d'improvisation. Chaque réanimateur a sa propre recette. Je ne pouvais pas deviner ce que sentirait l'onguent de Larry, et comme nous devions utiliser le même pour partager nos pouvoirs, je préférais prendre le mien.

En réalité, je n'étais pas certaine qu'il soit indispensable d'utiliser le même onguent. Mais j'avais partagé mes pouvoirs trois fois seulement, dont deux avec l'homme qui m'avait formée. Chaque fois, nous avions utilisé le même onguent. Chaque fois, j'avais servi de focus. Ça signifiait que je dirigeais les opérations. Comme il seyait à mon caractère.

— Pourrais-je servir de focus ? demanda Larry. Pas ce soir, mais une autre fois ?

— Si la situation se représente, nous essaierons, promis-je.

J'ignorais si Larry avait le pouvoir nécessaire pour être un focus. Manny, l'homme qui m'avait formée, ne le possédait pas. Très peu de réanimateurs peuvent servir de focus. Ceux qui en sont capables éveillent la méfiance des autres.

Larry et moi allions partager nos pouvoirs au sens littéral du terme. Beaucoup de mes collègues s'y refuseraient. Selon une théorie en vigueur, il existe un risque que le focus vole les pouvoirs de son assistant de façon permanente. Mais je n'y crois pas. La réanimation n'est pas un charme matériel qu'on peut se mettre dans la poche. C'est un don inscrit dans les cellules de notre corps. Il fait partie de nous. On ne peut pas nous en priver.

J'ouvris le bocal, et une odeur de sapin de Noël embauma soudain l'air. J'utilise toujours beaucoup de romarin. L'onguent était épais et froid, avec une texture de cire. Les fragments de moisissure phosphorescente s'en détachaient comme des lucioles.

Je badigeonnai le front et les joues de Larry. Il souleva son tee-shirt pour que je puisse en étaler sur sa poitrine, au niveau du cœur. Ce n'était pas de la tarte avec les lanières de son holster, mais nous avions décidé d'emmener un flingue chacun. J'avais laissé mes couteaux et mon Firestar dans la Jeep. Quand j'effleurai la peau de Larry, je sentis son cœur battre sous ma main.

Je lui tendis le pot. Il plongea deux doigts dedans et traça des lignes d'onguent sur ma figure. Sa main ne tremblait pas. La concentration tétanisait son visage, et son regard était mortellement sérieux.

Je déboutonnai mon polo. Larry glissa sa main par le col ouvert. Quand il frotta le haut de mon sein gauche, ses doigts accrochèrent la chaîne de mon crucifix, qui s'échappa de mon polo. Je le fourrai de nouveau à l'intérieur, tout contre ma peau.

Lorsque Larry eut terminé, il me rendit le pot, et je revissai le couvercle. Il ne s'agissait pas de laisser sécher l'onguent.

Je n'avais jamais entendu parler d'un réanimateur qui ait fait ce que nous étions sur le point de tenter. L'âge des corps me préoccupait moins que l'éparpillement de leurs ossements. Même en les relevant l'un après l'autre, ce n'était pas gagné d'avance. Comment réanimer trois zombies et pas un de plus, alors qu'ils étaient mélangés les uns aux autres ? Je n'avais pas de noms à appeler. Pas de site bien défini à encercler avec mon pouvoir. Comment faire ?

Du diable si je le savais.

Pour l'instant, nous devions d'abord tracer le cercle. Un seul problème à la fois.

— Assure-toi d'avoir de l'onguent sur les deux mains, recommandai-je.

Larry se frotta les mains comme s'il se les savonnait.

— C'est fait, patronne. Et maintenant ?

Je sortis de mon sac une coupe en argent, un truc à mi-chemin entre un bol et un saladier, mais qui scintillait au clair de lune comme un morceau de ciel tombé à terre. Larry écarquilla les yeux.

— Tu n'es pas obligé d'utiliser un récipient en argent, le tranquillisai-je. Il n'y a pas de symboles sur celui-là. Un Tupperware ferait sans doute l'affaire, mais du fluide vital va couler là-dedans. Sers-toi de quelque chose de joli pour témoigner ton respect – peu importe la matière ou la forme. Ce n'est qu'un récipient, d'accord ?

Larry hocha la tête.

— Pourquoi ne pas avoir amené les autres chèvres tout à l'heure ? Redescendre les chercher nous fera perdre du temps.

Je haussai les épaules.

— D'abord, elles auraient paniqué. Ensuite, je trouve cruel d'égorger leur copine sous leurs yeux, et de les prévenir qu'elles sont les prochaines sur la liste.

— Mon prof de zoologie dirait que tu les humanises.

— Laisse-le dire ! Je sais qu'elles sentent la douleur et la peur. Ça me suffit.

— Tu n'aimes pas faire ça non plus…

— Non. Tu veux m'aider à la tenir, ou lui donner la carotte ?

— Quelle carotte ?

Je sortis de mon sac une carotte entière, encore coiffée de ses fanes.

— C'est ça que tu as acheté à l'épicerie pendant que je t'attendais dans la Jeep avec les chèvres ?

— Oui.

Je tendis la carotte à bout de bras. Biquette tira sur sa corde pour s'en emparer. Je la laissai croquer les fanes. Elle bêla et tira un peu plus fort. Je lui accordai une bouchée supplémentaire de verdure. Son moignon de queue remua. Une chèvre heureuse !

Je donnai la coupe en argent à Larry.

— Pose-la par terre, sous sa gorge. Quand le sang commencera à couler, recueilles-en le plus possible.

Je tenais la machette derrière mon dos, dans ma main droite, et la carotte dans la gauche, avec l'impression d'être un dentiste qui dissimule ses instruments de torture à un enfant.

Biquette arracha les fanes d'un coup de dents, et j'attendis pendant qu'elle mâchait. Larry s'agenouilla près d'elle et plaça la coupe à l'endroit voulu. J'agitai la partie orange de la carotte sous le museau de la chèvre, juste hors de sa portée. Elle tendit le cou et tira sur sa corde de plus belle pour l'atteindre.

Je posai ma machette contre sa gorge poilue, et sentis ses efforts faire vibrer la lame. Puis je tranchai d'un coup sec.

La machette était bien affûtée et j'avais de l'entraînement. Il n'y eut pas de bruit : seulement les yeux écarquillés de Biquette, puis son sang dégoulinant de la plaie béante.

Larry ramassa la coupe et l'approcha pour ne pas en perdre une goutte. Du sang éclaboussa ses mains et les manches de son tee-shirt bleu. La chèvre tomba à genoux. Un liquide sombre et scintillant, plus noir que rouge, emplit la coupe.

— Il y a des morceaux de carotte dedans, dit Larry.

— Ça ne fait rien, le rassurai-je. C'est de la matière inerte.

La tête de Biquette s'inclina lentement en avant jusqu'à ce qu'elle touche le sol. Un sacrifice presque parfait. Les chèvres sont des animaux capricieux, souvent peu coopératifs. Mais parfois, je tombe sur un spécimen comme Biquette, qui se laisse sagement faire.

Bien entendu, nous n'en avions pas terminé pour autant.

J'appuyai la lame de la machette sur mon avant-bras gauche et m'entaillai. La douleur fut aiguë et immédiate. Je tendis le bras au-dessus de la coupe, laissant les gouttes épaisses se mêler au sang de la chèvre.

— Relève ta manche et donne-moi ton bras droit, ordonnai-je.

Larry ne discuta pas. Je lui avais raconté ce qui se passerait, mais c'était quand même une belle preuve de confiance. Son visage levé vers moi ne portait pas trace d'appréhension. Mon Dieu !

Je lui entaillai le bras. Il frémit mais ne fit pas mine de se dégager.

— Laisse couler ton sang dans la coupe.

Alors qu'il obéissait, je sentis les prémices du pouvoir frissonner sur ma peau. Mon pouvoir, celui de Larry, celui du sacrifice rituel.

Larry me regardait, les yeux écarquillés. Je m'agenouillai face à lui et posai la machette en travers de la coupe. Je lui tendis la main gauche. Il me donna sa droite. Nous entrelaçâmes nos doigts et pressâmes l'une contre l'autre les blessures de nos avant-bras respectifs. De sa main libre, chacun de nous agrippait le bord de la coupe. Nos sangs se mêlaient et dégoulinaient jusqu'à nos coudes avant de goutter dans la coupe et sur la lame d'acier.

Lentement, je détachai ma main de celle de Larry, puis m'emparai de la coupe. Comme d'habitude, il suivit tous mes gestes. Il aurait pu les reproduire les yeux fermés.

J'avançai vers le bord du cercle que je me représentais en imagination et plongeai ma main dans la coupe. Le sang était encore étonnamment tiède, presque chaud. De ma main gauche, je saisis le manche de la machette et me servis de la lame pour faire couler du sang sur le sol, derrière moi.

Je sentais Larry debout au centre du cercle que je traçais comme si une corde nous reliait. À chacun de mes pas, cette corde se tendait un peu plus, tel un élastique qu'on tord. Et à chacun de mes pas, chacune des gouttes de sang qui se déversait à mes pieds, le pouvoir augmentait. La terre en était assoiffée.

Je n'avais jamais relevé les morts sur un terrain ayant déjà subi des rituels de nécromancie. Magnus aurait pu me prévenir. Il n'était peut-être pas au courant. En tout cas, il était charitable de ma part de l'envisager.

De toute façon, ça n'avait plus d'importance. Il y avait de la magie ici – pour le sang et pour la mort. Quelque chose avait hâte que je ferme le cercle et que je relève les défunts. Je percevais une soif dévorante.

Je revins à mon point de départ. Il ne manquait plus qu'un filet de sang pour fermer le cercle. La ligne de pouvoir, entre Larry et moi, était si tendue qu'elle me faisait mal. Tout ça était à la fois effrayant et excitant. Nous avions réveillé quelque chose de très ancien, qui dormait depuis longtemps.

Cette pensée me fit hésiter, m'incitant à ne pas achever le tracé du cercle. De l'entêtement, de la peur… Je ne comprenais pas ce que je ressentais. C'était la magie de quelqu'un d'autre, le sort de quelqu'un d'autre. Nous l'avions déclenché, mais j'ignorais ce qu'il allait faire. Nous pourrions relever nos morts, mais ça équivaudrait à marcher sur une corde raide entre l'autre sort et… je ne savais pas quoi.

Je sentais le vieux Squelette Sanglant sous son tumulus, à des kilomètres de là, avec l'impression qu'il m'observait et me pressait de faire le dernier pas. Je secouai la tête comme s'il pouvait me voir. Je ne comprenais pas assez bien le sort pour prendre ce risque.

— Qu'est-ce qui ne va pas ? demanda Larry d'une voix étranglée.

Le pouvoir que nous n'utilisions pas était en train de nous étouffer, et que je sois damnée si je savais qu'en faire.

Du coin de l'œil, je perçus un mouvement. Ivy était là. Elle portait des chaussures de randonnée montantes, avec d'épaisses chaussettes blanches repliées par-dessus, un bas de survêtement coupé au-dessus du genou et une brassière rose fluo moulante sous une chemise de flanelle à carreaux. La chaînette de sa boucle d'oreille scintillait dans le clair de lune.

Il suffisait de laisser tomber une dernière goutte de sang et le cercle se fermerait. Je pourrais m'en servir pour me protéger d'elle… et d'eux tous. Personne ne pourrait le franchir, à moins que je l'y autorise.

Enfin, des démons ou des anges y arriveraient peut-être, mais des vampires, sûrement pas.

Je sentis le triomphe de la créature emprisonnée sous le tumulus. Elle voulait que je ferme le cercle. Alors, je lançai la coupe et la machette derrière moi, vers Larry, afin qu'aucune goutte de sang ne puisse couler sur le tracé pour l'achever.

Ivy se rua vers moi avec la rapidité d'un éclair, si vite que les contours de sa silhouette se brouillèrent sous mes yeux. Je portai la main à mon flingue et le sentis glisser hors de son holster avant qu'elle me percute.

L'impact me fit lâcher le Browning. Quand je heurtai le sol, je n'avais plus rien dans les mains.

CHAPITRE 34

Ivy se redressa en découvrant ses crocs.

— Anita ! cria Larry.

J'entendis une détonation et le bruit sourd de l'impact. La balle l'atteignit à l'épaule et la fit légèrement vaciller.

Mais aussitôt, la vampire se retourna vers moi en souriant.

Elle me saisit par les épaules et nous fit rouler sur le sol. Je me retrouvai au-dessus d'elle, une de ses mains plaquée sur ma nuque. Elle serra jusqu'à ce que je lâche un hoquet de douleur.

— Si tu ne jettes pas ton joujou, je lui brise la colonne vertébrale, menaça-t-elle.

— Elle me tuera de toute façon, Larry, haletai-je. Ne l'écoute pas.

— Anita…

— Tout de suite, ou je la tue sous tes yeux.

— Tire-lui dessus !

Mais Larry n'était pas bien placé pour ça. Il devrait d'abord me contourner, et Ivy aurait le temps de me buter dix fois avant qu'il y parvienne.

Alors qu'elle tirait sur mon cou, je pris appui sur mon bras droit tendu. Elle devrait me briser quelque chose pour m'attirer à elle. Si c'était la nuque, c'en serait fini de moi, mais un bras cassé me ferait seulement mal.

J'entendis quelque chose heurter le sol avec un bruit lourd et mat. Le flingue de Larry. Et merde!

Ivy tirait de plus en plus fort. La paume de ma main s'enfonça dans la terre – assez pour y laisser une empreinte.

— Je peux te casser le bras et t'amener à moi, ricana-t-elle. À toi de choisir : la manière douce, ou la manière forte ?

— La manière forte, crachai-je, les dents serrées.

Alors qu'elle tendait une main vers mon bras, une idée me traversa l'esprit. Je me laissai tomber sur elle de tout mon poids. Cela la prit au dépourvu, et me gagna quelques secondes pour tirer sur la chaîne de mon crucifix.

Ivy me caressa les cheveux comme une amante, pressant mon visage contre sa joue avec ce qui ressemblait presque à de la douceur.

— Dans trois nuits, tu m'aimeras, Anita, chuchota-t-elle à mon oreille. Tu me vénéreras.

— Même pas pour rire.

La chaîne glissa par l'ouverture de mon polo, et le crucifix tomba sur sa gorge.

Il y eut un éclair de lumière blanche aveuglante, puis une vague de chaleur qui me roussit la pointe des cheveux. Ivy hurla et griffa la croix, luttant pour se dégager.

Je restai à quatre pattes, le crucifix se balançant sous moi. Les flammes bleu-blanc moururent, parce que le bijou ne touchait plus de chair vampirique, mais il continua à luire comme une étoile captive, et Ivy recula précipitamment.

Je ne savais pas où était mon flingue, mais la lame polie de la machette se détachait sur la terre sombre. J'empoignai son manche à deux mains et me relevai. Larry était derrière moi : il brandissait son propre crucifix au bout de sa chaîne tendue à craquer. La lumière blanche qui brillait au centre me blessait presque les yeux.

Ivy hurla de nouveau, se couvrant le visage avec les mains. Elle aurait pu s'enfuir, mais elle restait figée, comme paralysée par la vue de deux croix et des deux croyants qui les tendaient vers elle.

— Ton flingue, dis-je à Larry.

— Je ne sais pas où il est.

Chacun de nous avait choisi une arme d'un noir mat, afin qu'elles ne reflètent pas la lumière et ne nous transforment pas en cibles. Du coup, elles étaient virtuellement invisibles pour nous aussi.

Nous marchâmes sur le vampire, qui leva les deux bras devant son visage et hurla :

— Nooon !

Elle avait reculé quasiment jusqu'au bord du cercle. Si elle avait pris ses jambes à son cou, nous ne l'aurions pas poursuivie, mais elle ne le fit pas. Elle ne pouvait peut-être pas.

D'un coup porté vers le haut, je lui enfonçai la machette dans les côtes. Du sang se déversa sur la lame et dégoulina sur mes mains. Je remontai jusqu'à son cœur et donnai une dernière impulsion pour le couper en deux.

Les bras d'Ivy retombèrent lentement, révélant ses yeux écarquillés de surprise et de douleur. Elle regarda la lame qui l'avait éventrée, comme si elle ne comprenait pas ce qu'elle faisait là. La chair de son cou était noircie à l'endroit où ma croix l'avait brûlée.

Ivy tomba à genoux, et je m'écroulai avec elle sans lâcher ma machette. Elle ne mourut pas. Je ne m'attendais pas à ce qu'elle le fasse. Je retirai la lame violemment, lui infligeant encore plus de dégâts. Elle émit un gargouillis mais ne s'effondra pas. Touchant sa poitrine et son ventre, elle examina le liquide sombre et brillant qui couvrait ses mains, comme si elle n'avait jamais vu de sang. Déjà, le flot ralentissait. Si je ne la tuais pas très vite, sa plaie se refermerait.

Je me relevai, brandis la machette à deux mains et l'abattis de toutes mes forces sur sa nuque. La lame s'enfonça et se coinça dans ses vertèbres.

Ivy leva les yeux vers moi. Je dégageai la machette et m'apprêtai à lui porter le coup de grâce. Elle me regarda faire, trop mal en point pour s'enfuir. Je lui avais à demi sectionné la moelle épinière, et elle me dévisageait encore. Si je ne l'achevais pas, elle réussirait à régénérer même après un coup aussi terrible.

J'abattis ma machette une dernière fois et sentis ses os céder. La lame ressortit de l'autre côté. La tête de la vampire glissa de ses épaules. Son sang coula sur le tracé du cercle et le ferma.

Une vague de pouvoir nous submergea. Larry tituba et tomba à genoux. La lumière de nos croix s'estompa comme celle des étoiles au lever du jour. De toute façon, Ivy était morte. Les crucifix ne pouvaient plus rien pour nous.

— Que se passe-t-il ? haleta Larry.

Je sentais le pouvoir m'envelopper comme de l'eau, menaçant de m'étouffer. Je le respirais, l'absorbant par chacun de mes pores.

Je poussai un cri muet et plongeai à travers les couches de ce pouvoir. À l'instant où je heurtai le sol, je le sentis au-dessous de moi, s'étirant sous la terre et se tendant vers l'extérieur du cercle.

Je gisais sur des ossements. Ils s'agitaient comme une créature remuant dans son sommeil. Je me redressai sur les genoux en prenant appui sur mes mains. Mes doigts s'enfoncèrent dans la terre, effleurant un cubitus qui remuait déjà. Je me relevai avec difficulté, accablée par la pression du pouvoir.

Les ossements fendaient la terre pour se rassembler. Le sol se soulevait et vibrait comme si des taupes géantes creusaient leurs tunnels sous mes pieds.

Larry aussi s'était relevé.

— Que se passe-t-il ? répéta-t-il, paniqué.

— Quelque chose de mauvais pour nous.

Je n'avais jamais vu de cadavres se reconstituer. D'habitude, les zombies que je relève sortent de leur tombe en un seul morceau. Je n'avais pas compris que c'était comme assembler un puzzle macabre…

Un squelette se forma à mes pieds ; de la chair apparut sur ses os et, comme de l'argile modelée par la main d'un sculpteur, dessina une silhouette humaine.

— Anita ?

Je me tournai vers Larry. Il désignait un squelette à cheval sur le tracé du cercle. Pour l'instant, seule la moitié de son corps allongée était couverte de chair, mais elle se pressait contre la barrière de pouvoir intangible.

Puis la terre sursauta une dernière fois et la magie se répandit à l'extérieur.

J'entendis un « pop » dans ma tête, comme si quelqu'un venait de faire sauter le bouchon d'une bouteille de champagne. Dans le cercle, la pression diminua de manière perceptible, l'air chargé de pouvoir dévalant le flanc de la montagne telles les flammes d'un incendie. Et partout où il passait, les corps des morts se reconstituaient.

— Arrête-le, Anita ! Arrête-le !

— Je ne peux pas.

La magie meurtrière tapie dans le sol m'avait arraché le contrôle des événements. Je pouvais seulement regarder et sentir le pouvoir se répandre.

Assez de pouvoir pour le chevaucher à l'infini. Assez de pouvoir pour relever un millier de morts.

Quand Tête Écorchée, Squelette Sanglant jaillit de sa prison, je le sus et sentis le pouvoir s'affaisser sur lui-même au moment où il recouvrait sa liberté.

Puis le pouvoir se replia dans le cercle, nous faisant tomber à genoux. Les morts luttaient pour émerger de la terre comme des nageurs prenant pied sur le rivage.

Quand une vingtaine se furent relevés et immobilisés, leur regard vide rivé devant eux, le pouvoir se répandit de nouveau vers l'extérieur, en quête de quelque chose d'autre à réanimer. Cette fois, je pouvais l'arrêter. Le fairie s'était retiré de la partie. Il avait eu ce qu'il voulait.

Je rappelai le pouvoir, le ramenant vers moi comme un serpent qu'on sort de son trou en le tirant par la queue. Puis je le projetai sur les zombies en ordonnant :

— Vivez.

Leur chair ridée et desséchée se gonfla. Leurs yeux morts brillèrent. Les lambeaux de leurs vêtements se recollèrent.

De la terre tomba en pluie d'une robe de guingan. Une femme aux cheveux aile de corbeau, à la peau mate et aux yeux comme ceux de Magnus me regardait.

Ils me fixaient tous. Vingt morts, tous âgés de plus de deux siècles – et qui auraient pu passer sans problème pour des vivants.

— Doux Jésus, souffla Larry.

Moi-même, j'avais du mal à y croire.

— Très impressionnant, mademoiselle Blake.

La voix de Stirling résonna douloureusement à mes oreilles, comme s'il n'aurait pas dû être là, appartenant à une réalité sans rapport avec celle de ces zombies quasiment parfaits. Le fairie était libre, mais j'avais accompli ma mission. Pour tout le bien que ça allait nous faire...

— Lesquels d'entre vous sont des Bouvier ?

Il y eut un brouhaha de voix, la plupart s'exprimant en français. Ils étaient presque tous de la famille de Magnus. La femme se présenta sous le nom d'Anias Bouvier. Elle semblait très vivante.

— On dirait que vous allez devoir déplacer votre hôtel, commentai-je.

— Ça m'étonnerait beaucoup, répliqua Stirling.

Je me tournai vers lui.

Il avait sorti un gros flingue argenté et luisant. Un .45 chromé. Il le tenait comme dans un film, à hauteur de taille. Avec une arme de ce calibre, il ne toucherait pas grand-chose en tirant dans cette position. Au moins, en théorie. Mais comme le canon était braqué sur nous, je n'avais pas hâte de le vérifier.

Bayard pointait un .22 automatique sur nous. On eût dit que c'était la première fois de sa vie qu'il avait un flingue dans les mains. Avec un peu de chance, il avait oublié d'enlever le cran de sûreté.

Mlle Harrison brandissait un .38 chromé. Elle avait les jambes écartées, les pieds fermement plantés dans le sol malgré ses talons ridicules, et ses bras ne tremblaient pas. Elle tenait son flingue à deux mains comme si elle savait ce qu'elle faisait.

Je la dévisageai. Sous son épais maquillage, ses yeux étaient un peu écarquillés, mais elle ne cillait pas. Elle était plus expérimentée que Bayard, et elle avait une meilleure technique que Stirling. J'espérai qu'elle était bien payée.

— Que se passe-t-il, Stirling ?

Ma voix était calme, mais pleine de pouvoir contenu. J'en détenais encore assez pour faire retourner les zombies à la terre. Assez pour déclencher un tas de choses déplaisantes.

Stirling sourit.

— Vous avez libéré la créature. Maintenant, nous pouvons vous tuer.

— Que vous importe que Squelette Sanglant soit sorti de sa prison ?

J'avais beau voir leurs flingues, je ne comprenais toujours pas.

— Il m'est apparu en rêve, mademoiselle Blake. Il m'a promis les terres des Bouvier. Toutes leurs terres.

— Ce n'est pas lui qui vous signera un acte de vente…

— Il n'en aura pas besoin. Quand les Bouvier seront morts et que plus personne ne pourra contester l'acte de vente de ce terrain, on découvrira qu'il inclut la totalité de leurs terres.

— La disparition de Magnus ne suffira pas ! lançai-je.

Mais je n'en étais plus si certaine…

— Vous faites allusion à sa sœur ? Elle périra aussi facilement que lui.

Mon estomac se noua.

— Et ses enfants ?

— Tête Écorchée, Squelette Sanglant aime les enfants par-dessus tout, dit Stirling.

— Espèce de fils de pute, grogna Larry.

Il fit un pas en avant et Mlle Harrison braqua son flingue sur lui. Je lui saisis le bras de ma main libre. Dans l'autre, je tenais toujours la machette. Larry s'immobilisa, mais le .38 resta pointé sur lui. Je n'étais pas sûre que ça soit une amélioration.

La tension faisait vibrer les muscles du bras de Larry. Je l'avais déjà vu en rogne, mais jamais à ce point. Le pouvoir répondit à sa colère. Tous les zombies se tournèrent vers nous dans un bruissement de tissu. Leurs yeux brillants, si vivants, semblaient attendre quelque chose.

— Placez-vous devant nous, chuchotai-je.

Les zombies obéirent. Le plus proche se campa immédiatement devant nous, et je perdis de vue le trio armé. En espérant que la réciproque soit vraie.

— Tuez-les ! cria Stirling.

Je me jetai à terre en tentant d'entraîner Larry. Il résista. Puis des détonations éclatèrent autour de nous, et il plongea tête la première.

— Et maintenant ? demanda-t-il, la joue pressée contre la terre rouge.

Les balles frappaient les zombies, qui tressautaient sous l'impact. Ils baissèrent leurs yeux si vivants, et de l'inquiétude s'afficha sur leur visage tandis que des trous apparaissaient dans leur corps. Mais ils ne souffraient pas. Leur panique était un réflexe.

Quelqu'un criait, et ce n'était pas nous.

—Arrêtez! Nous ne pouvons pas faire ça! Nous ne pouvons pas les abattre froidement!

C'était Bayard.

—Il est un peu tard pour une crise de conscience, répliqua Mlle Harrison.

La première fois que j'entendais le son de sa voix. Elle avait l'air assez efficace, dans son genre.

—Lionel, ou vous êtes avec moi, ou vous êtes contre moi.

—Et merde, marmonnai-je.

Je rampai en avant, tentant de voir ce qui se passait. J'écartai une jupe froufroutante juste à temps pour voir Stirling tirer dans le ventre de Bayard.

Le .45 cracha et faillit s'échapper de la main de Stirling, mais il tint bon. À moins de trente centimètres, on peut buter n'importe qui avec un flingue de ce calibre.

Bayard tomba à genoux, les yeux levés vers son patron. Il essaya de dire quelque chose, mais aucun son ne sortit de sa gorge.

Stirling lui arracha son .22 et le glissa dans la poche de sa veste. Puis il lui tourna le dos et marcha vers nous. Mlle Harrison hésita un instant et emboîta le pas à son patron.

Bayard s'écroula sur le flanc, un flot de sang sombre coulant de son ventre. Les verres de ses lunettes reflétaient le clair de lune, le faisant paraître aveugle.

Stirling et Mlle Harrison approchaient. Stirling se frayait un chemin parmi les morts comme s'ils étaient de vulgaires arbres et lui un farouche explorateur. Les zombies ne s'écartaient pas. Ils restaient plantés là telles des barrières de chair obstinée. Je ne leur avais pas dit de bouger, et ils ne bougeraient pour personne.

Mlle Harrison avait renoncé à essayer de passer. Le clair de lune fit étinceler le canon de son .38 alors qu'elle le calait sur l'épaule d'un zombie pour nous mettre en joue.

— Tuez-la, chuchotai-je.

Le zombie dont elle se servait comme appui se tourna vers elle. Elle grogna, et les morts se pressèrent autour d'elle.

Larry me regarda.

— Que leur as-tu dit ?

Mlle Harrison hurlait à présent. Des cris aigus terrifiés. Elle tira jusqu'à ce que la gâchette de son flingue cliquette dans le vide.

Des mains avides se refermèrent sur elle.

— Arrête-les. (Larry me saisit le bras.) Arrête-les !

Je sentais les mains des zombies déchirer la chair de Mlle Harrison. Leurs dents se planter dans ses épaules, lacérer son cou. Le sang de leur victime envahit leur bouche. Et Larry le sentait aussi.

— Mon Dieu, arrête-les !

À genoux, il me tirait sur le bras en suppliant.

Stirling ne s'était pas manifesté depuis un moment. Où était-il ?

— Arrêtez, chuchotai-je.

Les zombies se figèrent comme des automates. Mlle Harrison s'écroula sur le sol en gémissant.

Stirling apparut sur un côté, pointant son gros flingue sur nous – avec les deux mains, comme il se doit. Il nous avait contournés pendant que les zombies s'occupaient de Mlle Harrison et, à présent, il était pratiquement sur nous. Il avait dû lui falloir beaucoup de courage pour s'approcher autant des morts-vivants.

Les doigts de Larry se crispèrent sur mon bras.

— Ne fais pas ça, Anita. S'il te plaît.

Même face au mauvais côté d'un canon, il s'accrochait à sa morale. C'était admirable. Idiot, mais admirable.

— Si vous dites un seul mot, mademoiselle Blake, je vous tue, menaça Stirling.

Je me contentai de le défier du regard, si près de lui que j'aurais pu toucher sa jambe en tendant la main. Le .45 était pointé sur ma tête. S'il appuyait sur la détente, j'étais foutue.

— Il était très imprudent de votre part de ne pas nous avoir fait attaquer tous les deux par vos zombies.

J'étais d'accord avec lui, pour une fois, et je ne pouvais même pas le lui dire.

J'avais toujours ma machette à la main et tentai de ne pas modifier ma prise, pour ne pas attirer l'attention de Stirling. Mais je dus faire un mouvement qui me trahit, car il lança :

— Éloignez votre main de ce couteau, mademoiselle Blake. Doucement.

Je continuai à le regarder sans réagir.

— Maintenant, mademoiselle Blake, sinon…

Il arma le chien de son flingue. Ça n'a rien d'indispensable, mais ça produit toujours son petit effet.

Je lâchai la machette.

— Éloignez votre main, répéta-t-il.

J'obéis.

J'avais une furieuse envie de m'écarter de lui, mais je me retins. Quelques centimètres de plus ou de moins ne feraient pas une grande différence s'il tirait. Mais si j'essayais de lui sauter dessus… Je n'avais pas l'intention d'en arriver là. Pourtant, à défaut d'autre option, je ne mourrais pas sans me battre.

— Pouvez-vous rendre ces zombies à la terre, monsieur Kirkland ? demanda Stirling.

Larry hésita.

— Je ne sais pas.

Brave garçon. S'il avait dit non, Stirling l'aurait probablement tué. Et s'il avait dit oui, Stirling m'aurait certainement abattue.

Larry me lâcha le bras et s'écarta un peu. Le regard de Stirling se posa brièvement sur lui avant de revenir vers moi, mais le canon de son .45 ne bougea pas. Et merde !

Larry était toujours à genoux. Il continuait à s'éloigner, forçant Stirling à nous surveiller tous les deux à la fois. Le .45 se déplaça de deux centimètres vers la droite, dans sa direction. Je retins mon souffle. Pas encore, pas encore… Si j'agissais trop tôt, je mourrais.

Larry plongea vers quelque chose. Le .45 se tourna vers lui.

Je passai ma main gauche derrière la jambe de Stirling et tirai. De la droite, je lui empoignai l'entrejambe et poussai de toutes mes forces. L'inverse aurait été plus indiqué pour lui faire mal, mais je parvins à le renverser, ce qui était le but recherché.

Stirling tomba en arrière. Son dos n'avait pas encore touché le sol quand le canon du .45 se baissa vers moi. J'avais espéré qu'il lâcherait son arme ou qu'il serait plus lent à réagir. Visiblement, ce n'était pas mon jour de chance.

J'eus une demi-seconde pour décider si je voulais le délester de ses bijoux de famille ou prendre son flingue. J'optai pour la deuxième solution. Mais au lieu de tenter de saisir le .45, je balançai mes bras sur le côté pour balayer ceux de Stirling. Si j'arrivais à contrôler ses mains, je contrôlerais son arme.

Le coup partit. Je ne regardai pas où. Je n'avais pas le temps. Ou Larry était touché, ou il ne l'était pas. Dans la première hypothèse, je ne pouvais rien faire pour lui. Dans la seconde, il pourrait peut-être faire quelque chose pour moi.

J'avais réussi à plaquer les bras de Stirling à terre, mais je manquais d'un appui. Quand il força pour les relever, je ne pus pas l'en empêcher. Je me contentai de planter mes pieds dans le sol et de pousser ses bras au-dessus de sa tête. Ça tournait à la lutte, et mon adversaire devait peser trente kilos de plus que moi. Nous ne jouions pas dans la même catégorie.

— Lâchez ce flingue !

La voix de Larry, derrière moi... Je ne pouvais pas détacher mon regard de l'arme. Stirling et moi l'ignorâmes tous les deux.

— Je vais tirer, menaça Larry.

Cette fois, il parvint à attirer l'attention de Stirling, qui lui jeta un bref coup d'œil. Un instant, je le sentis hésiter. Sans lui lâcher les poignets, je me plaquai sur lui de tout mon poids et lui enfonçai mon genou dans l'entrejambe. Il poussa un cri étranglé et ses bras tremblèrent.

Je fis remonter mes mains et les refermai sur le .45.

Il resserra sa prise.

Je levai une jambe et la passai par-dessus son corps pour venir m'agenouiller sur sa droite. Je calai ses bras contre ma hanche et, profitant de l'effet de levier, tirai d'un coup sec. Son coude droit se brisa avec un craquement sec. Ses doigts s'ouvrirent mollement, et le .45 me tomba dans les mains.

Je m'éloignai en rampant.

Larry nous toisait, son flingue braqué sur la tête de Stirling, qui ne semblait pas s'en soucier. Recroquevillé sur lui-même, il se balançait d'avant en arrière en serrant son bras blessé contre lui.

— Je le tenais en joue. Tu aurais pu te contenter de te dégager, me dit Larry.

Je secouai la tête. Je lui faisais confiance pour tirer sur Stirling en cas de besoin. Mais je savais que l'homme d'affaires n'aurait pas hésité à le buter.

— Je tenais son flingue. Il aurait été dommage de ne pas en profiter.

Larry pointa son arme vers le sol mais continua à la tenir à deux mains.

— C'est ton Browning. Tu le veux ?

— Garde-le jusqu'à ce que nous soyons en sécurité dans la voiture.

Je levai les yeux vers les zombies. Ils m'observaient, impassibles. Du sang maculait la bouche de la femme aux cheveux noirs. C'était elle qui avait mordu Mlle Harrison au cou.

En parlant de Mlle Harrison… Je tournai la tête vers elle. Elle gisait, toujours immobile, sur le sol. Évanouie, à tout le moins.

Le pouvoir commençait à s'effriter. Si je voulais rendre les morts à la terre, c'était maintenant ou jamais.

— Retournez à la terre, ordonnai-je. Regagnez vos tombes, tous autant que vous êtes.

Les zombies rejoignirent leurs tombes respectives, se croisant les uns les autres comme des enfants pendant une partie de chaises musicales. Un par un, ils s'allongèrent sur le sol, qui les engloutit comme de l'eau. La terre remua et se souleva en formant des vagues, jusqu'à ce qu'ils aient tous disparu.

Plus aucun os ne dépassait sous nos pieds. Le sol était lisse et doux, comme si on venait de retourner et de ratisser le sommet de la montagne.

Le pouvoir se fragmenta et fut de nouveau absorbé par la terre. Malgré les apparences, ce n'était pas fini. Loin de là ! Il y avait un fairie en maraude dans le coin. Nous devions prévenir les flics et les envoyer chez les Bouvier.

Larry s'accroupit près de Mlle Harrison et lui posa deux doigts dans le cou pour prendre son pouls.

— Elle est vivante, annonça-t-il.

Quand il retira sa main, elle était couverte de sang.

Je me tournai vers Stirling. Il avait cessé de s'agiter, son bras cassé formant un angle bizarre avec le reste de son corps. Dans le regard qu'il me lança, la haine le disputait à la douleur. Si je lui laissais une seconde chance, j'étais fichue.

— Descends-le s'il bouge.

Larry se releva et pointa docilement le Browning sur Stirling.

Je m'approchai de Bayard. Il était allongé sur le flanc. Je distinguai un grand cercle sombre à l'endroit où son sang avait imbibé le sol.

Je compris immédiatement qu'il était mort – j'ai vu assez de cadavres pour en reconnaître un –, mais je m'agenouillai quand même, le contournant d'abord histoire de garder un œil sur Stirling. Non que je n'aie pas eu confiance en Larry. Mais ce fils de pute avait peut-être d'autres surprises en réserve.

Je touchai le cou de Bayard. Pas de pouls. Sa peau refroidissait déjà dans la fraîcheur nocturne de ce début de printemps. Le décès n'avait pas été instantané. Il était mort pendant que nous nous battions. Seul, parfaitement conscient de ce qui lui arrivait et d'avoir été trahi par son patron. Une sale façon de tirer sa révérence.

Je me relevai et baissai les yeux vers Stirling. Je voulais le tuer pour Bayard, Magnus, Dorrie et ses enfants. Pour le punir d'être un salaud sans cœur.

Il m'avait vue utiliser les zombies comme une arme. Se servir ainsi de la magie était passible de la peine capitale, et la légitime défense ne serait pas une excuse recevable.

Je regardai très calmement, jetai un coup d'œil à Mlle Harrison, et m'aperçus que j'aurais très bien pu leur coller une balle entre les deux yeux sans que ça me donne de cauchemars.

Doux Jésus !

Larry tourna la tête vers moi. Son flingue ne dévia pas de sa cible, mais il avait quitté Stirling des yeux un instant. Pour ce soir, il s'en tirerait à bon compte. C'était pourtant un mauvais réflexe dont je devrais le guérir.

— Bayard est mort ?

— Oui.

Je rebroussai chemin en me demandant ce que j'allais faire. Je ne pensais pas que Larry me laisserait buter Stirling et Mlle Harrison de sang-froid. Une partie de moi s'en réjouissait.

Une partie seulement...

Une rafale me souffla au visage, charriant un bruissement pareil à celui de branches d'arbres ou de vêtements agités par le vent. Or, il n'y avait pas d'arbres au sommet de la montagne.

Je me retournai en brandissant le .45 à deux mains. Janos était campé devant moi.

En voyant son visage squelettique, je retins mon souffle. Il était entièrement vêtu de noir, jusqu'à ses mains cachées par des gants. Un instant, il m'apparut comme un crâne flottant dans les airs.

— Nous avons le garçon ! lança-t-il.

Chapitre 35

Nos croix étaient toujours bien en vue et brillaient d'une douce lueur blanche. Rien d'aveuglant pour le moment : Larry et moi ne courions pas de danger mortel. Mais je sentis la mienne tiédir à travers mon polo.

Janos mit une main en visière devant ses yeux, comme on fait en conduisant, quand on a le soleil de face.

— Ayez l'amabilité de cacher ces croix pour que nous puissions parler.

Il ne nous avait pas demandé de les enlever. Me contenter de glisser la mienne sous mon polo m'apparut comme un moindre mal. Je pourrais toujours la ressortir plus tard.

D'une main, je passai la chaîne dans l'ouverture de mon col, sans pour autant lâcher le .45. Alors, je m'aperçus que j'ignorais s'il était chargé avec des balles en argent. Et le moment était mal choisi pour demander. De toute façon, Stirling m'aurait probablement menti.

Larry m'imita. La pénombre s'épaissit autour de nous.

— Et maintenant ?

Kissa apparut derrière Janos, tenant Jeff Quinlan devant elle comme un bouclier. Le garçon avait perdu ses lunettes ; sans elles, il semblait encore plus jeune. Kissa lui tordait un bras dans le dos – un angle pas tout à fait douloureux, mais qui ne nécessitait qu'une pichenette pour le devenir.

Jeff portait un smoking crème avec une pochette deux tons plus foncée assortie à son nœud papillon. Kissa était tout en cuir noir, la silhouette du gamin composant sur ce fond un contraste très esthétique.

Le cœur battant la chamade, je déglutis. Que se passait-il ?

— Tu vas bien, Jeff?

— Je suppose.

Kissa donna la fameuse pichenette. Il frémit.

— Oui, je vais bien.

Sa voix était un peu plus aiguë qu'elle ne l'aurait dû. Il avait peur.

Je tendis la main vers lui.

— Viens là.

— Pas encore, dit Janos.

Bon, ça ne coûtait rien d'essayer…

— Que voulez-vous ?

— D'abord, lâchez vos armes.

— Sinon ?

Je connaissais déjà la réponse, mais je voulais l'entendre de sa bouche.

— Sinon, Kissa tuera le garçon, et vous aurez fait tout ça pour rien.

— Aidez-moi, dit Stirling. Cette femme est complètement folle. Elle a fait attaquer Mlle Harrison par des zombies. Et quand nous avons tenté de nous défendre, elle a failli nous tuer.

C'était probablement ce qu'il raconterait au procès. Et les jurés le croiraient. Ils voudraient le croire. Je serais la méchante reine des zombies, et lui la victime innocente.

Janos éclata de rire, sa peau fine comme du papier à cigarette menaçant de se fendre sur ses os.

— Oh, non, monsieur Stirling. Je vous ai observés depuis le début. Je vous ai vu assassiner l'autre homme.

— Je ne sais pas de quoi vous parlez. Nous l'avions engagé, et il s'est retourné contre nous.

— Ma maîtresse a ouvert votre esprit à Squelette Sanglant. Elle lui a donné la possibilité de chuchoter dans vos rêves, de vous faire miroiter des terres, de l'argent et du pouvoir. Tout ce que vous désiriez.

— Seraphina a envoyé Ivy me tuer. Ou plutôt, elle l'a envoyée pour que je la tue, libérant ainsi Squelette Sanglant, compris-je.

— En effet, dit Janos. Elle lui a dit qu'elle devait effacer la honte de sa défaite.

— En m'éliminant.

— Oui.

— Et si Ivy avait réussi ?

— Ma maîtresse avait foi en vous, Anita. Vous êtes la mort descendue parmi nous. Un souffle de mortalité.

— Pourquoi voulait-elle libérer le fairie ?

Décidément, je posais beaucoup de questions ce soir.

— Elle souhaite goûter du sang d'immortel.

— Un plan bien complexe, simplement pour améliorer son ordinaire, dis-je.

— Nous sommes ce que nous mangeons, Anita. Réfléchissez-y.

Je le fis, et mes yeux s'écarquillèrent.

— Seraphina pense qu'en buvant le sang de Squelette Sanglant, elle deviendra vraiment immortelle ?

— Je savais que vous étiez une fille intelligente.

— Ça ne marchera pas.

— Nous verrons bien.

— Et vous, qu'avez-vous à y gagner ?

Janos inclina la tête, tel un monstrueux oiseau momifié.

— Seraphina est ma maîtresse, et elle partage toujours son butin.

— Vous aussi, vous aspirez à l'immortalité ?

— J'aspire au pouvoir, corrigea-t-il.

Génial !

— Et penser que cette créature va tuer des enfants ne vous dérange pas ?

— Nous nous nourrissons, Squelette Sanglant se nourrit… Quelle importance ?

— Et Squelette Sanglant vous laissera vous nourrir de lui ?

— Seraphina a trouvé le sort qu'utilisait l'ancêtre de Magnus Bouvier. Elle contrôle le fairie.

— Comment ?

Janos secoua la tête et sourit.

— Assez bavardé, Anita. Lâchez votre arme ou Kissa se repaîtra du garçon sous vos yeux.

Kissa passa une main dans les cheveux de Jeff. Une simple caresse, mais qui lui fit incliner la tête sur le côté, découvrant la ligne de son cou.

— Non !

Jeff tenta de se dégager. Kissa lui tordit le bras assez fort pour lui arracher un cri.

— Cesse de te débattre, ou je te casse le bras, grogna-t-elle.

La douleur paralysa Jeff. Il riva sur moi ses yeux immenses et terrifiés. Sa bouche ne supplierait pas, mais ses yeux le faisaient pour lui.

Les lèvres de Kissa se retroussèrent, dévoilant ses canines pointues.

— Ne faites pas ça, dis-je à contrecœur.

Je lançai le .45 sur le sol. Larry m'imita. Désarmée deux fois dans la même nuit. Un record !

Chapitre 36

— Et maintenant ? demandais-je.

— Seraphina vous attend à la fête, répondit Janos. Elle vous a envoyé des vêtements de soirée. Vous pourrez vous changer dans la limousine.

— Quelle fête ?

— Celle à laquelle nous sommes venus vous convier. Seraphina apportera son invitation à Jean-Claude…

Ça ne me plaisait pas du tout.

— Je préférerais rentrer me coucher.

— Désolé. Personne ne vous demande votre avis.

Un autre vampire apparut au sommet de la montagne. La brune qui avait tourmenté Jason.

Elle s'approcha de nous, vêtue d'une longue robe noire qui la moulait du cou jusqu'aux chevilles. Puis elle enlaça Janos et fourra son nez dans le creux de son épaule, nous offrant un aperçu de son dos nu. Seul un entrelacs de bretelles noires le recouvrait. Sa robe ondulait comme si elle risquait de tomber à ses pieds au moindre mouvement, et pourtant, elle restait bien en place. De la magie vestimentaire.

Ses cheveux noirs tressés à l'indienne, elle semblait vraiment en forme pour quelqu'un que j'avais vu semer partout des morceaux de chair pourrissante vingt-quatre heures auparavant.

Je ne parvins pas à cacher ma surprise.

— Je croyais qu'elle était morte, dit Larry.

—Moi aussi.

—Je n'aurais jamais envoyé Pallas si j'avais cru que votre loup-garou était capable de la tuer, répliqua Janos.

Une autre silhouette émergea des bois obscurs. De longs cheveux blancs encadraient son visage fin à l'ossature délicate. Ses yeux brillaient d'une lueur rouge. J'avais déjà vu des vampires aux yeux brillants, mais toujours de la couleur de leurs iris. Aucune créature ayant jadis été humaine n'avait des yeux écarlates…

Le nouveau venu portait la tenue traditionnelle des vampires élégants : un smoking noir à queue-de-pie et une cape qui lui tombait jusqu'aux chevilles.

—Xavier, soufflai-je.

Larry me dévisagea.

—C'est le tueur en série ?

Je hochai la tête.

—Alors, qu'est-ce qu'il fout là ?

—C'est comme ça que vous avez trouvé Jeff si vite, n'est-ce pas ? lançai-je à Janos. Vous êtes de mèche avec Xavier. Seraphina est au courant ?

Janos sourit.

—Elle est la maîtresse de tous les vampires de Branson, Anita. Lui compris.

Il avait prononcé cette dernière phrase comme si ça l'impressionnait beaucoup.

—Vous ne pourrez pas boire des cocktails de sang de fairie pendant longtemps, car si les flics remontent la piste de Xavier jusqu'à vous…

—Xavier s'est contenté de suivre les ordres. Il se chargeait du recrutement, dit Janos, comme si c'était une plaisanterie qu'il était seul à comprendre.

—Pourquoi vouliez-vous Ellie Quinlan ?

—Xavier aime les jeunes garçons. C'est sa seule faiblesse. Il a transformé l'amant de la fille, qui a demandé à la garder près de lui pour toujours. Ce soir, elle se relèvera et se nourrira avec nous.

Pas si je pouvais l'en empêcher.

—Que voulez-vous, Janos ?

—J'ai été envoyé pour vous faciliter la vie.

—Ouais, c'est ça…

Pallas s'écarta de Janos et avança jusqu'à Stirling, qui leva les yeux vers elle en serrant son bras blessé. Ça devait faire un mal de chien, mais ce n'était pas de la douleur qui se lisait sur son visage : simplement de la peur. Sa belle arrogance s'était envolée comme une hirondelle à l'approche de l'hiver. Il avait l'air d'un gamin qui vient de s'apercevoir que les monstres, sous son lit, sont bien réels.

Un troisième vampire apparut au sommet de la montagne. La copine blonde de Pallas. Elle aussi pétait la santé, comme si elle ne s'était jamais décomposée sous nos yeux. Je n'avais jamais connu de vampire qui puisse avoir l'air si mort sans l'être vraiment.

—Vous vous souvenez sûrement de Bettina, dit Janos.

Elle portait une robe noire qui dénudait ses épaules pâles. Un pan de tissu s'enroulait autour de son cou et pendait sur le devant. L'ensemble était maintenu en place par une ceinture dorée qui soulignait sa taille mince. Sa tresse blonde était attachée en couronne autour de sa tête.

Elle avança vers nous. Son visage était d'une beauté parfaite. La peau sèche tombant en lambeaux n'avait donc été qu'un cauchemar. Enfin, j'aurais bien aimé… Le feu, avait dit Jean-Claude. Le feu était le seul moyen sûr d'en venir à bout.

Janos tendit un bras pour arracher Jeff à l'étreinte de Kissa. Il agrippa les épaules du garçon de ses mains gantées de noir. Ses doigts étaient plus longs qu'ils ne l'auraient dû, comme s'ils avaient une phalange supplémentaire. Alors qu'ils se détachaient sur le tissu crème du smoking de Jeff, je vis que ses index faisaient la même taille que les majeurs. Encore un mythe qui n'en était pas un, au moins dans le cas de Janos.

Jeff avait les yeux tellement écarquillés que ça semblait douloureux.

— Que se passe-t-il ? demandai-je.

Kissa portait une combinaison identique à celle que nous lui avions vue dans la salle de torture. Mais ça ne pouvait pas être la même, parce que la première avait été trouée par la balle de Larry. Elle se tenait près de lui, les poings serrés. Immobile comme seuls les morts peuvent l'être. Pourtant, je sentais une certaine tension en elle. De la méfiance. Elle n'aimait pas la tournure que prenaient les événements.

Sa peau mate paraissait étrangement pâle. Elle ne s'était pas encore nourrie ce soir. Je suis capable de deviner ce genre de choses chez la plupart des buveurs de sang. Même s'il y a toujours des exceptions.

Xavier se déplaça à la vitesse impossible qui transforme les vampires en simples ombres brouillées, et s'arrêta près de Mlle Harrison toujours inconsciente. Larry secoua la tête.

— Il s'est téléporté, ou quoi ?

— Non. Il a bougé trop vite pour que tes yeux puissent le suivre…

Je pensais que Janos enverrait Kissa rejoindre les autres, mais ce ne fut pas le cas.

Une silhouette rampa par-dessus le bord du plateau, se traînant comme si chaque mouvement lui faisait mal. Ses mains pâles griffaient la terre rouge, et ses bras étaient nus malgré la fraîcheur nocturne. Elle courbait l'échine, ses courts cheveux bruns lui masquant le visage.

Soudain, elle leva la tête vers le ciel. Ses lèvres minces et exsangues s'étirèrent sur ses crocs. Son visage était ravagé par la faim.

Je savais que ses yeux étaient bruns parce que je les avais vus fixer le plafond de sa chambre d'un regard aveugle.

Ils ne possédaient pas encore de pouvoir, mais une étincelle brûlait dans leurs profondeurs obscures.

Une étincelle animale.

Quand ils l'auraient laissé se nourrir pour la première fois, elle retrouverait peut-être sa raison, de nouveau capable d'éprouver des émotions. Pour le moment, elle ne pensait qu'à satisfaire son besoin le plus primaire.

— C'est la personne à qui je pense ? demanda Larry.

— Oui…

Jeff voulut courir vers elle.

— Ellie !

Janos le plaqua contre lui, un bras passé autour de ses épaules, comme dans une étreinte amoureuse. Jeff tenta de se dégager pour courir vers sa sœur morte.

Sur ce coup-là, j'approuvais Janos. Les vampires qui viennent de subir leur transformation ont tendance à manger d'abord et à poser des questions ensuite. La créature qui avait été Ellie Quinlan aurait joyeusement égorgé son petit frère. Elle se serait baignée dans son sang, et quelques minutes, quelques jours ou quelques semaines plus tard, elle aurait compris ce qu'elle avait fait. Elle l'aurait peut-être même regretté.

— Va, Angela, ordonna Janos. Va retrouver Xavier.

— La rebaptiser ne changera pas son identité, déclarai-je.

— Elle est morte depuis deux ans, et elle s'appelle Angela, dit Janos.

— Elle s'appelle Ellie ! lança Jeff.

Il avait cessé de lutter, mais observait sa sœur morte, l'air horrifié comme s'il commençait à comprendre.

— Les gens la reconnaîtront, Janos, insistai-je.

— Nous serons prudents, Anita. Notre nouvel ange verra seulement ceux que nous voudrons qu'elle voie.

— Comme c'est mignon.

— Ça le sera, quand elle aura bu tout son saoul.

— Je suis surprise que vous ayez réussi à la traîner jusqu'ici sans la nourrir d'abord.

— C'est moi qui l'ai fait.

La voix de Xavier était étonnamment agréable. L'entendre sortir de ce visage pâle et fantomatique me perturbait. Surtout en pensant qu'elle appartenait à un monstre pédophile.

Je l'étudiai en prenant garde d'éviter son regard.

— Très impressionnant.

— Andy l'a transformée et j'ai transformé Andy. Je suis son maître.

Andy ne s'étant pas encore manifesté, je déduisis que je l'avais tué dans les bois, pendant la battue avec le shérif St. John. Le moment était sans doute mal choisi pour évoquer ce sujet.

— Et qui est votre maître ?

— Seraphina. Pour le moment, répondit Xavier.

Je regardai Janos.

— Vous n'avez pas encore déterminé lequel de vous deux est le dominant, pas vrai ?

— Vous perdez votre temps, Anita. Notre maîtresse vous attend avec impatience. Finissons-en. Xavier, appelle notre ange.

Xavier tendit une main spectrale. Ellie grogna et s'approcha de lui à quatre pattes. Sa longue robe noire était entortillée autour de ses jambes. Elle tira dessus d'un geste agacé. Le tissu se déchira comme du papier entre ses mains, et une longue fente révéla ses jambes nues.

Ellie saisit la main de Xavier comme si c'était une bouée de sauvetage, et se pencha vers son poignet. Seule la main du maître vampire, agrippant ses cheveux, l'empêcha de mordre dedans.

— Les morts ne pourront pas te sustenter, Angela, dit Janos. Nourris-toi plutôt des vivants.

Pallas et Bettina s'agenouillèrent de chaque côté de Stirling.

Xavier se laissa gracieusement tomber près de Mlle Harrison, sa cape noire étalée autour de lui comme une mare de sang. Il n'avait pas lâché les cheveux d'Ellie, qui se retrouva le visage plaqué contre le sol. Elle lui griffa les mains en poussant des sons étranglés qui ressemblaient à des miaulements. Aucun humain n'aurait pu produire des bruits pareils.

— Mademoiselle Blake, vous représentez la loi, s'exclama Stirling. Vous devez me protéger.

— Je croyais que vous vouliez me traîner devant un tribunal, Raymond, répliquai-je. Sous prétexte que j'aurais demandé à mes zombies de vous attaquer, vous et Mlle Harrison.

— Je ne le pensais pas. (Il regarda les vampires qui l'encadraient, puis se tourna vers moi.) Je ne dirai rien. Oui, je n'en parlerai à personne... Je vous en prie.

— Vous implorez ma miséricorde, Raymond ?

— Oui, oui, je vous implore.

— La miséricorde dont vous avez fait preuve envers Bayard ?

— Je vous en supplie...

Bettina caressa la joue de Stirling. Il sursauta comme si elle l'avait brûlé.

— Je vous en supplie !

Et merde !

— Nous ne pouvons pas les regarder faire, dit Larry.

— Tu as une meilleure idée ?

— On n'abandonne jamais un être humain aux monstres, pour quelque raison que ce soit. C'est la règle.

Ma règle. Au moins, ça l'avait été, à l'époque où je croyais savoir qui étaient les monstres.

Larry sortit la chaîne de son tee-shirt.

— Ne fais pas ça ! lançai-je. Ne nous fais pas tuer pour Raymond Stirling.

Sa croix jaillit à l'air libre. Elle brillait comme les yeux de Seraphina.

Il me regarda sans rien dire.

Je soupirai et sortis mon propre crucifix.

— Une mauvaise initiative…

— Je sais. Mais je ne peux pas rester inactif.

Je sondai son regard, et compris que c'était vrai. Il ne pouvait pas rester sans rien faire. Moi, j'aurais pu. Ça ne m'aurait pas nécessairement plu, mais j'aurais laissé agir Bettina et Pallas. Il était encore plus dommage qu'il soit là pour m'en empêcher.

— Que croyez-vous faire avec vos ridicules babioles ? demanda Janos.

— Nous allons arrêter ça.

— Vous voulez que cet homme meure, Anita.

— Pas comme ça.

— Préféreriez-vous que je vous laisse utiliser votre arme, et gaspiller tout ce bon sang ?

Il m'offrait de me laisser descendre Stirling.

Je secouai la tête.

— Ce n'est plus une option, à présent.

— Ça n'a jamais été une option, rectifia Larry.

Je ne relevai pas. Inutile de lui enlever ses illusions.

J'avançai vers Pallas et Bettina. Larry marcha vers Ellie et Xavier, sa croix tendue au bout de sa chaîne, comme si ça devait la rendre plus efficace. Il n'y a rien de mal à vouloir faire dans le théâtral, mais je devrais l'avertir que ça ne servait à rien. Plus tard.

L'éclat de mon propre crucifix augmenta, jusqu'à ce que j'aie l'impression de porter une ampoule de cent watts en pendentif. Au-delà de la sphère de lumière blanche qu'il projetait, le monde se réduisait pour moi à un disque noir.

Xavier s'était relevé et faisait face à Larry, mais les autres avaient battu en retraite, abandonnant momentanément leur proie.

— Merci, mademoiselle Blake, balbutia Stirling. Merci.

Il me saisit la jambe de sa main valide et se frotta contre moi comme un chien. Je réprimai une forte envie de lui balancer un coup de pied.

— Remerciez Larry. Moi, je vous aurais laissé crever.

Il parut ne pas m'entendre. Il sanglotait de soulagement, inondant mes Nike de larmes et de bave.

— Reculez, je vous prie, ordonna une voix féminine épaisse comme du miel.

Je clignai des yeux. Kissa brandissait un flingue. Un revolver qui ressemblait à un Magnum. Difficile à dire avec cette lumière aveuglante... Mais ça faisait sûrement de très gros trous.

— J'ai dit : reculez. Tout de suite.

— Je croyais que Seraphina voulait me voir, lui rappelai-je. Elle n'appréciera pas que vous me tuiez.

— Oh, pas vous, intervint Janos. Kissa se contentera de tirer sur votre jeune ami.

Je pris une profonde inspiration.

— Si vous le tuez, je refuserai de coopérer...

— Vous vous méprenez, Anita. Ma maîtresse n'a pas besoin de votre coopération. Tout ce qu'elle espère de vous, elle peut le prendre par la force.

Je regardai Janos par-delà la lumière brillante. Il serrait Jeff contre lui presque affectueusement.

— Enlevez vos croix et jetez-les vers les bois, ordonna-t-il.

Il saisit le visage de Jeff entre ses mains gantées et lui planta un baiser sur la joue.

— Maintenant que nous vous savons prête à compromettre votre sécurité pour chacun de ces deux jeunes hommes, nous avons un otage de plus qu'il est absolument nécessaire.

Il prit Jeff par le cou mais ne serra pas et ne lui fit pas de mal. Pas encore.

— Enlevez vos croix et jetez-les vers les bois. Je ne vous le dirai pas une troisième fois.

Mais je ne voulais pas renoncer à ma croix. Je regardai Larry. Il faisait toujours courageusement face à Xavier, son crucifix scintillant de mille feux. Et merde !

— Kissa… Tire.

— Non, me récriai-je. (Je défis le fermoir de ma chaîne.) C'est bon, vous avez gagné.

— Ne cède pas, Anita ! lança Larry.

— Je ne les regarderai pas te descendre. Pas si je peux l'éviter.

Je laissai la chaîne s'enrouler dans ma paume. La croix brillait d'une lueur blanc-bleu comme celle du magnésium. M'en défaire était une mauvaise idée. Une très mauvaise idée.

Je la jetai vers les bois. Elle laissa derrière elle une traînée qui évoquait une comète et disparut dans le noir.

— À votre tour, maintenant, dit Janos à Larry.

— Vous serez forcé de me descendre.

— Oh, non ! Nous abattrons plutôt le garçon, fit Janos. À moins que je me nourrisse de lui sous vos yeux. Qu'en dites-vous ?

D'un bras, il plaqua Jeff contre lui. De sa main libre, il écarta ses cheveux pour exposer son cou.

Larry me regarda.

— Qu'est-ce que je fais, Anita ?

— Ça, c'est à toi d'en décider.

— Ils ne bluffent pas ? Ils vont vraiment le tuer ?

— Oui.

Il jura entre ses dents et laissa la croix retomber sur sa poitrine. Puis il défit sa chaîne et la jeta à son tour dans les bois. Avec un peu plus de force que nécessaire, comme s'il essayait de se débarrasser de sa colère en même temps.

Quand la lumière de sa croix se fut évanouie, nous nous retrouvâmes plongés dans l'obscurité. Le clair de lune qui m'avait paru si brillant une demi-heure plus tôt n'était qu'un pâle substitut.

Ma vision nocturne revint graduellement. Kissa fit un pas en avant, le flingue toujours braqué sur nous. Lors de notre première rencontre, elle exsudait la sexualité et la puissance. À présent, elle semblait docile, pâle et lasse comme si une partie de son pouvoir l'avait désertée. Elle devait se nourrir.

— Pourquoi ne vous ont-ils pas laissé boire du sang ce soir ? lui demandai-je.

Ce fut Janos qui répondit.

— Notre maîtresse n'est pas certaine à cent pour cent de la loyauté de Kissa. Elle souhaite la mettre à l'épreuve, n'est-ce pas, ma ténébreuse beauté ?

Kissa riva sur moi ses grands yeux sombres. Au bout de son bras, le flingue ne tremblait pas.

— Allez-y, mes enfants. Nourrissez-vous.

Pallas et Bettina se rapprochèrent de Stirling. Elles me dévisagèrent par-dessus leur victime et je soutins leur regard.

Stirling m'agrippa la jambe.

— Vous ne pouvez pas les laisser faire. Pitié. Pitié !

Pallas s'agenouilla près de lui. Bettina le contourna pour se placer du même côté que moi. Quand elle détacha la main de Stirling de ma jambe, son postérieur m'effleura. Je fis un pas en arrière et l'avocat hurla.

Xavier et Ellie avaient déjà commencé à boire le sang de Mlle Harrison. Larry me dévisagea, les mains vides. Impuissant.

Je baissai la tête.

— Ne me touchez pas ! Ne me touchez pas ! s'égosilla Stirling.

De sa main valide, il tenta de repousser Pallas, qui le saisit par le poignet sans difficulté.

— Ayez au moins la décence de l'hypnotiser, criai-je.

Pallas leva les yeux vers moi.

— Après qu'il eut essayé de vous tuer ? Pourquoi vous préoccupez-vous de son sort ?

— Je n'ai pas envie de l'entendre brailler…

Pallas sourit, et des flammes sombres embrasèrent son regard.

— Tout ce que vous voudrez, Anita.

Elle saisit le menton de Stirling et le força à tourner la tête vers elle.

— Mademoiselle Blake, aidez-moi, implora-t-il. Aidez…

Les mots moururent sur ses lèvres.

Je regardai toute lucidité s'évaporer de ses yeux…

— Viens à moi, Raymond, susurra Pallas. Viens à moi.

Stirling se redressa et passa son bras valide autour de la vampire. Il tenta d'en faire autant avec l'autre, mais son coude brisé refusait de se plier. Bettina le saisit et le tordit dans tous les sens en riant. Stirling ne réagit pas à la douleur. Il se contenta de se pelotonner avidement contre Pallas.

Elle lui enfonça ses crocs dans le cou. Stirling eut un spasme, puis il se détendit et poussa un gémissement extatique. Pallas pencha la tête, suçant la plaie mais laissant assez de place à quelqu'un d'autre pour partager son repas. Bettina ne se fit pas prier.

Les deux vampires se nourrirent, leurs têtes si rapprochées que leurs cheveux blonds et bruns se mêlaient.

Raymond Stirling poussa des petits cris de satisfaction pendant qu'elles le tuaient.

Larry alla se camper à la lisière des bois, les bras croisés sur les épaules comme s'il tentait de s'étreindre lui-même. De se réconforter…

Je restai où j'étais et regardai. J'avais voulu la mort de Stirling. Détourner les yeux eût été lâche de ma part. Et puis, me rappeler qui étaient les véritables monstres ne pouvait pas me faire de mal. Si je me forçais à tout regarder jusqu'au bout, peut-être que je ne l'oublierais plus.

Je regardai le visage béat de Stirling jusqu'à ce que son bras retombe mollement dans le dos de Pallas, et que ses yeux se ferment. La perte de sang et le choc lui firent perdre conscience. Les vampires le serrèrent un peu plus fort et continuèrent à boire.

Soudain, il rouvrit grands les yeux, et un gargouillis s'échappa de sa gorge, la peur déformant ses traits. Sans redresser la tête, Pallas leva une main et lui caressa les cheveux, comme elle l'aurait fait pour apaiser un enfant effrayé.

La peur disparut des prunelles de Stirling… et la lumière avec. Je le regardai mourir, et sus que sa dernière expression hanterait mes rêves pendant des semaines.

Chapitre 37

Une bourrasque souleva un léger nuage de poussière. Puis Jean-Claude apparut comme s'il venait de se téléporter.

Je n'avais jamais été aussi heureuse de le voir. Bon, je ne me précipitai pas dans ses bras, mais je me rapprochai de lui. Larry m'imita. Si Jean-Claude n'était pas toujours l'option la plus sûre, ce soir, il me paraissait infiniment préférable à toutes les autres.

Il portait une de ses sempiternelles chemises blanches, avec tellement de dentelle au jabot qu'on aurait dit qu'elle moussait. Sa courte veste blanche lui arrivait à peine au niveau de la taille. Un bouillonnement de dentelle s'échappait des manches et lui couvrait en partie les mains. Son pantalon blanc moulant était fermé par une ceinture noire, assortie à ses bottes de velours.

— Je ne m'attendais pas à te voir ici, Jean-Claude ! lança Janos.

Je n'en aurais pas mis ma main à couper, mais il semblait étonné. Tant mieux.

— Seraphina est venue m'apporter son invitation, Janos, mais ça n'a pas suffi…

— Tu me surprends, mon garçon.

— J'ai aussi surpris Seraphina.

Jean-Claude paraissait étonnamment calme. S'il trouvait dangereux d'être en infériorité numérique au sommet de cette montagne, il n'en laissait rien paraître. J'aurais adoré savoir comment il avait surpris Seraphina.

Jason apparut en haut du chemin, venant de l'endroit où Larry et moi avions laissé la Jeep. Il portait un pantalon de cuir noir si moulant qu'on avait dû le peindre sur ses jambes, des bottines de la même couleur et pas de chemise. Un collier de chien clouté lui ceignait le cou, et il avait enfilé une paire de gants noirs. Cela mis à part, il était nu jusqu'à la taille. J'espérais qu'il avait choisi lui-même sa tenue.

Le côté droit de son visage était tuméfié du front jusqu'au menton, comme si quelque chose de très gros et de très lourd l'avait percuté.

—Je vois que ton familier est entré dans la bagarre, commenta Janos.

—Il m'appartient dans tous les sens du terme, Janos. Ils m'appartiennent tous.

Pour cette fois, je ne relevai pas. Si j'avais le choix entre appartenir à Jean-Claude ou à Seraphina, je savais à qui allait ma préférence.

Larry était si près de moi que j'aurais pu lui prendre la main. Être inclus dans la ménagerie de Jean-Claude lui déplaisait sans doute...

—Tu as perdu l'humilité que je trouvais si attirante chez toi, Jean-Claude. Aurais-tu tout bonnement refusé l'invitation de Seraphina ? demanda Janos.

—Je viendrai à sa fête, mais de moi-même, et avec mon escorte.

Je le regardai. Il avait pété les plombs, ou quoi ?

Janos fronça les sourcils.

—Seraphina vous voulait enchaînés.

—Mais si nous procédons à ma façon, nous survivrons tous à cette nuit, lâcha Jean-Claude.

—Insinues-tu que tu serais prêt à nous défier, ici et maintenant ? demanda Janos.

— Je ne mourrai pas seul. Vous finiriez peut-être par m'avoir, mais à quel prix ?

— Si tu acceptes vraiment de venir de ton plein gré, ne perdons pas de temps. Notre maîtresse nous appelle. Il serait malséant de la faire attendre.

Sans crier gare, Janos, Bettina et Pallas se propulsèrent dans les airs. Ils ne volaient pas exactement, et ils ne lévitaient pas non plus. Je n'avais pas de mot pour décrire ce qu'ils faisaient.

— Grand Dieu, souffla Larry.

C'était la première fois qu'il voyait ça : une occasion à marquer d'une pierre rouge dans son calendrier.

Les autres s'éparpillèrent dans les bois à une vitesse hallucinante. Ellie Quinlan partit avec eux. Janos avait emmené son frère. Jusque-là, j'ignorais qu'un vampire pouvait porter plus que son propre poids en « volant ».

Décidément, j'en apprends toutes les nuits.

Nous récupérâmes nos flingues et reprîmes le chemin qui descendait vers le site de construction. Nos croix étaient bel et bien perdues. Jean-Claude nous emboîta le pas. Pourtant, je savais qu'il avait un autre moyen de déplacement. L'étiquette vampirique jugeait-elle impoli de « voler » quand on était accompagné de gens qui ne le pouvaient pas ?

La voiture était toujours là où je l'avais garée. Il restait plusieurs heures avant l'aube, et j'aspirais à rentrer chez moi.

— J'ai pris la liberté de choisir les vêtements que vous porterez pour la fête de Seraphina, annonça Jean-Claude. Ils sont dans la Jeep.

— Je l'ai fermée à clé, lançai-je.

Il se contenta de sourire.

Je soupirai.

— D'accord, d'accord…

Je saisis la poignée de la portière du passager. Elle était déverrouillée. Dans la voiture, une pile de vêtements reposait sur le siège. Ils étaient tous en cuir noir. Je secouai la tête.

— Pas question.

— Tes vêtements sont sur le siège du conducteur, dit Jean-Claude. Ceux-là sont pour Lawrence.

Larry regarda par-dessus mon épaule.

— Vous plaisantez ? s'étrangla-t-il.

Je contournai la Jeep et découvris un jean noir propre – le plus moulant que j'avais – et une brassière rouge que je ne me souvenais pas d'avoir achetée. On eût dit de la soie. Il y avait aussi un cache-poussière noir que je voyais pour la première fois.

Je l'essayai. Il m'arrivait à mi-mollets, et ondulait comme une cape derrière moi à chaque mouvement. Pas mal du tout. En revanche, je me serais bien passée de la brassière.

— J'aime assez, commentai-je.

— Je ne peux pas en dire autant, grommela Larry. Je ne sais même pas comment enfiler ce truc.

— Jason, aide-le à s'habiller, ordonna Jean-Claude.

Jason saisit le baluchon de cuir et l'emporta à l'arrière de la Jeep. Larry le suivit, l'air mécontent.

— Pas de bottes ? demandai-je.

Jean-Claude sourit.

— Je ne pensais pas que tu accepterais de renoncer à tes baskets.

— Et vous avez eu raison.

— Change-toi vite, ma petite. Nous devons arriver chez Seraphina avant qu'elle décide de tuer le garçon par dépit.

— Vous croyez que Xavier la laisserait casser son nouveau joujou ?

— Si elle est vraiment sa maîtresse, il n'aura pas le choix. Allez, dépêche-toi !

Je passai de l'autre côté de la Jeep, ce qui m'amena à portée d'ouïe – et de vue – de Larry. Je m'arrêtai et soupirai. Et puis merde !

Tournant le dos à Jean-Claude, je défis mon holster d'épaule.

— Comment avez-vous réussi à échapper à Seraphina ? demandai-je en faisant passer mon polo par-dessus ma tête.

Je luttai contre l'envie de regarder derrière moi. De toute façon, je savais que Jean-Claude m'observait.

— Jason lui a sauté dessus au moment crucial. Sa diversion nous a permis de fuir, mais rien d'autre. Je crains que ta chambre d'hôtel soit un peu en désordre.

Il s'était exprimé sur un ton si détaché que ma curiosité l'emporta. J'enfilai la brassière rouge et me retournai. Il se tenait plus près de moi que je ne l'aurais cru – en tendant le bras, il aurait pu me toucher –, immobile dans ses vêtements blancs, immaculé et parfait.

— Reculez de quelques pas, s'il vous plaît. Je voudrais un peu d'intimité.

Il sourit mais obéit sans discuter. Une première.

— Vous a-t-elle sous-estimé à ce point ?

Je changeai de jean aussi vite que possible, en m'efforçant de ne pas penser qu'il me regardait. C'était trop embarrassant.

— J'ai été forcé de fuir, ma petite. Janos la considère comme sa maîtresse, et il m'a vaincu. Je n'ai aucune chance de lui résister…

Je remis mon holster d'épaule. Faute de manches, les lanières de cuir m'irriteraient la peau, mais c'était mieux que de ne pas pouvoir porter de flingue. Je récupérai le Firestar que j'avais planqué sous mon siège et l'enfilai dans la ceinture de mon jean, sur le devant. Pas génial. Ça allait se voir, même avec le cache-poussière. Je le fis passer derrière et le calai dans le creux de mes reins – pas l'endroit idéal pour dégainer rapidement.

Puis je sortis mes couteaux de la boîte à gants et fixai les fourreaux sur mes avant-bras. Dans un petit coffret, j'avais emporté deux croix supplémentaires. Pour une raison qui m'échappe, les vampires passent leur temps à me piquer les miennes.

Jean-Claude observait mes préparatifs avec intérêt. Ses yeux sombres suivaient mes mouvements comme s'il les gravait dans sa mémoire.

Je passai le cache-poussière et fis quelques pas histoire de vérifier que j'étais à mon aise. Je dégainai mes deux couteaux pour m'assurer que les manches en cuir n'étaient pas trop serrées, puis j'en fis autant avec mes flingues. Décidément, la position du Firestar ne me convenait pas. Je le fis glisser sur le côté gauche. Il s'enfonça dans mon flanc de manière très désagréable. Mais je pouvais y accéder en un laps de temps raisonnable. Ce soir, c'était plus important que mon confort.

Je fourrai un chargeur supplémentaire pour chaque flingue dans les poches du cache-poussière. Ils contenaient des balles ordinaires. Le Browning et le Firestar étaient chargés de munitions en argent. Je n'aimais pas trop ça, mais je me doutais que Tête Écorchée, Squelette Sanglant ferait son apparition pendant la soirée. La fête n'aurait pas été la même sans lui. Qui sait, peut-être Magnus nous honorerait-il aussi de sa présence. Et je voulais être armée contre tout ce que je pourrais avoir à combattre.

Larry sortit de derrière la Jeep. Je me mordis les lèvres pour ne pas éclater de rire. Non que ses vêtements ne lui aillent pas, mais il semblait tellement mal à l'aise ! On aurait dit qu'il avait du mal à bouger avec son pantalon en cuir.

—Marche normalement, lui conseilla Jason.

—Je ne peux pas.

Il portait un débardeur – la version masculine de ma brassière, mais bleu au lieu de rouge. Des bottines noires et le blouson qu'il avait emprunté à Jason la nuit précédente complétaient sa tenue. Je regardai ses bottines.

—Des baskets noires, passe encore, ma petite. Mais des baskets blanches avec du cuir noir ? Ça n'irait pas du tout, affirma Jean-Claude.

—Je me sens ridicule, gémit Larry. Comment pouvez-vous vous balader vêtus de la sorte ?

—J'aime le cuir, se défendit Jason.

—Nous devons y aller, dit Jean-Claude. Anita, tu conduis ?

—Je pensais que vous voudriez voler…

—Il est très important que nous arrivions ensemble.

Larry et moi versâmes du sel dans nos poches. Entre ça et les chargeurs supplémentaires, mon cache-poussière était à moitié déformé et ne tombait pas bien du tout. Mais nous n'allions pas à un défilé de mode.

Nous entrâmes dans la Jeep. Aussitôt, des protestations montèrent de la banquette arrière.

—C'est encore plus inconfortable quand je suis assis !

—À l'avenir, je me souviendrai que tu détestes le cuir, Lawrence.

—Je m'appelle Larry.

Je mis le contact et m'engageai sur le chemin de terre qui reliait le site de construction à la route.

—Seraphina veut devenir immortelle ! lançai-je.

Arrivée sur la route, je pris la direction de Branson. Évidemment, nous nous arrêterions avant d'avoir regagné la ville.

Jean-Claude se retourna sur son siège pour me dévisager.

—Que dis-tu, ma petite ?

Je lui parlai de Tête Écorchée, Squelette Sanglant et lui exposai le plan de Seraphina.

— Elle est folle, conclus-je.

— Pas entièrement, ma petite. Ça ne lui conférera peut-être pas l'immortalité, mais ça lui donnera des pouvoirs sans précédent. Néanmoins, ça n'explique pas comment elle est devenue assez puissante pour asservir Janos avant de se nourrir de Magnus Bouvier et de sa créature.

— Que voulez-vous dire ?

— Janos vivait dans le vieux pays. Il n'en serait pas parti volontairement. Pourtant, il l'a suivie jusqu'ici. Où a-t-elle pris le pouvoir nécessaire pour le subjuguer ?

— Magnus n'est peut-être pas le premier fairie dont elle boit le sang, dis-je.

— À moins qu'elle ait trouvé un autre genre de nourriture.

— Quel genre ?

— Ça, ma petite, j'aimerais vraiment le savoir.

— Vous pensez à modifier votre alimentation ?

— Le pouvoir est toujours tentant, mais pour ce soir, mes préoccupations sont uniquement d'ordre pratique. Si nous parvenons à découvrir la source de son pouvoir, nous aurons une chance de la vaincre.

— Comment ?

Jean-Claude secoua la tête.

— Je l'ignore. Mais à moins de trouver un lapin à sortir de notre chapeau, nous sommes perdus.

Il semblait remarquablement calme. Contrairement à moi. Mon cœur battait si fort que je sentais mon pouls dans ma gorge et dans mes poignets.

Perdus. Les choses se présentaient vraiment mal. Et si ça ne dépendait que de Seraphina, j'étais certaine qu'elles ne tarderaient pas à empirer.

Chapitre 38

Nous montâmes les marches de pierre qui conduisaient au porche. Cette fois, il était baigné par l'éclat du clair de lune. Il n'y avait pas d'ombres épaisses et surnaturelles, aucun indice sur ce qui nous attendait. La maison ressemblait à toutes les vieilles baraques abandonnées. Mais mes crampes d'estomac ne s'y laissèrent pas prendre.

Kissa vint nous ouvrir. Derrière elle, une chaude lumière de bougies filtrait de la porte de la pièce du fond, conférant des reflets dorés aux gouttes de sueur qui perlaient sur son visage. Seraphina continuait à la punir. Je me demandais pourquoi, mais en fin de compte, ce n'était pas mon problème.

Sans un mot, elle nous invita à la suivre. Nous traversâmes le salon vide et entrâmes dans la grande pièce. Seraphina était assise sur son trône, vêtue d'une robe de bal blanche qui me fit penser à Cendrillon. Ses cheveux étaient ramassés sur le sommet de son crâne, et les diamants piqués dedans scintillèrent comme des flammes lorsqu'elle nous salua de la tête.

Magnus était pelotonné à ses pieds. Il portait un smoking à queue-de-pie blanc. Des gants blancs, un haut-de-forme blanc et une canne reposaient près de ses genoux. Ses longs cheveux auburn formaient la seule tache colorée de cette image.

Tous les vampires que j'ai rencontrés font dans le théâtral.

Janos et ses deux compagnes, toujours en noir, se tenaient derrière le trône tel un rideau de ténèbres vivantes. Ellie était allongée sur le flanc au milieu des coussins, l'air presque humain. Malgré sa robe déchirée et tachée, elle semblait au comble du ravissement, comme un chat qui vient de laper tout un bol de crème. Ses yeux étincelaient, et un sourire enchanté retroussait le coin de ses lèvres. Ellie Quinlan, alias Angela, adorait son nouvel état de morte-vivante. Pour le moment.

Kissa s'approcha du trône et s'agenouilla du côté opposé à celui de Magnus, sa combinaison de cuir noir se fondant aux fringues de Janos. Seraphina caressa son visage en sueur d'une main gantée de blanc.

Elle souriait, et son expression pouvait paraître bienveillante tant qu'on ne regardait pas ses yeux pâles et luisants. On distinguait encore un soupçon de pupille au centre, mais elle disparaissait rapidement. Ses prunelles avaient la même couleur que sa robe. Ça, c'est de l'accessoirisation !

Jeff et Xavier manquaient au tableau. Ça ne me plut pas. J'ouvris la bouche pour demander où ils étaient, et Jean-Claude me jeta un regard en biais. Pour une fois, cela suffit à me faire taire. Ce soir, il était le maître et moi la servante. Ça ne me dérangeait pas trop, du moment qu'il posait les bonnes questions.

— Nous sommes venus, Seraphina ! lança-t-il. Remets-nous le garçon, et nous te laisserons en paix.

La vampire éclata de rire.

— Mais moi, je ne vous laisserai pas en paix, Jean-Claude.

Elle tourna vers moi ses yeux phosphorescents.

— Niña, je suis si contente de te voir.

J'en eus le souffle coupé. « Niña » : le surnom que me donnait ma mère.

Quelque chose flamboya dans les yeux de Seraphina, comme un feu aperçu de loin. Puis cette lumière se liquéfia et refroidit. Elle n'essayait pas de m'hypnotiser. Pourquoi ? Parce qu'elle était certaine de ne pas en avoir besoin.

Ma peau se glaça. Venant de quelqu'un d'autre, j'aurais pensé que c'était pure arrogance. Mais Seraphina avait raison, et je le savais. Elle m'offrait quelque chose de plus irrésistible que le sexe ou le pouvoir. Un retour aux sources. Mensonge ou pas, c'était une offre tentante.

Larry me toucha la main.

— Tu trembles.

Je déglutis avec difficulté.

— N'admets jamais à quel point tu as peur. Ça gâche un peu l'effet.

— Désolé.

Je m'écartai de lui. Inutile de faire masse. Puis je regardai Jean-Claude, comme pour lui demander en silence si j'étais sur le point de contrevenir à l'étiquette vampirique.

— Elle t'a saluée comme elle aurait salué un autre maître, déclara-t-il calmement. Réponds en tant que tel.

Cette idée ne semblait pas le perturber. J'aurais aimé pouvoir en dire autant.

— Que voulez-vous, Seraphina ? demandai-je.

Elle se leva et avança vers moi de son pas aérien. Je ne voyais pas ce qu'il y avait sous sa jupe, mais ça ne pouvait pas être des jambes. Des jambes ne remuent pas comme ça. Peut-être qu'elle lévitait... D'une façon ou d'une autre, elle se rapprochait dangereusement. Je brûlais d'envie de reculer. Pas question qu'elle soit près de moi !

Larry se tenait un peu en retrait. Jason s'était campé sur l'autre flanc de Jean-Claude. Je ne bougeai pas. C'était le mieux que je pouvais faire.

Quelque chose clignota dans les yeux de Seraphina, comme un mouvement capté entre des arbres distants. Des yeux normaux n'auraient pas dû pouvoir faire ça. Je baissai la tête et m'aperçus que je ne me souvenais pas de l'avoir regardée en face. Alors, comment avais-je pu voir ses yeux ?

Je la sentis s'immobiliser devant moi. Sa main gantée entra dans mon champ de vision. Je sursautai et relevai la tête en même temps.

Je regardai à peine son visage, mais ça suffit. Dans ses yeux, des flammes brûlaient au bout d'un très long tunnel, comme si l'intérieur de son crâne était un gouffre de ténèbres où une créature minuscule avait allumé un feu auquel j'aurais pu me réchauffer à jamais.

Je hurlai et me couvris les yeux.

Une main se posa sur mon épaule. Je me dégageai violemment et criai de nouveau.

— Ma petite, je suis là.

— Alors, faites quelque chose !

— Je suis en train.

— Elle sera mienne avant le lever du soleil, dit Seraphina.

Elle me désigna d'un geste languissant, puis glissa vers Jason et caressa sa poitrine nue.

Le loup-garou ne broncha pas. Je n'aurais jamais laissé Seraphina me toucher. Même pour prouver que j'étais une dure à cuire.

— Toi, je te donnerai à Bettina et à Pallas. Elles t'apprendront à apprécier la chair putréfiée.

Jason garda le regard rivé devant lui, mais ses yeux s'écarquillèrent. Bettina et Pallas s'étaient écartées de Janos pour venir se placer derrière leur maîtresse. Dans le genre dramatique…

— Ou je te forcerai peut-être à te métamorphoser, jusqu'à ce que ta forme de loup devienne plus naturelle pour toi que cette coquille humaine, continua Seraphina. (Elle glissa un doigt sous son collier de chien.) Je t'enchaînerai au mur, et tu seras mon chien de garde.

— Assez, Seraphina, intervint Jean-Claude. La nuit avance. Ces tourments mesquins sont indignes de quelqu'un qui a autant de pouvoir que toi.

— Ah, mais je me sens d'humeur assez mesquine ce soir, Jean-Claude. Et bientôt, j'aurai le pouvoir nécessaire pour manifester mon humeur comme il me plaira.

Elle se retourna vers Larry.

— Lui, il rejoindra mon troupeau.

Puis elle leva les yeux vers Jean-Claude. Je n'avais pas vu qu'il était plus grand qu'elle.

— Quant à toi, mon délicieux giton, tu nous serviras jusqu'à la fin des temps.

— Je suis le maître de Saint Louis à présent, Seraphina. Nous ne pouvons pas nous infliger de tortures l'un à l'autre. Ni nous voler nos possessions, aussi séduisantes soient-elles.

Il me fallut une seconde pour comprendre que les « possessions » auxquelles il faisait allusion... c'était nous.

Seraphina sourit.

— Tes affaires, ton argent, tes terres et tes gens m'appartiendront avant le lever du soleil. Le Conseil pensait-il vraiment que je me contenterais des miettes tombées de ta table ?

Si elle le défiait officiellement, nous étions tous morts. Jean-Claude ne pouvait pas la vaincre, et moi encore moins. Une diversion. Nous avions besoin d'une diversion.

— Vous portez assez de diamants pour vous lancer vous-même dans les affaires, et pour acheter votre propre maison, lançai-je.

Seraphina tourna vers moi ses yeux phosphorescents, et je regrettai de ne pas avoir fermé ma grande gueule.

— Crois-tu que je vis ici parce que je n'ai pas les moyens de faire autrement ?

— Je ne sais pas.

Elle revint en glissant vers son trône et s'y assit en lissant sa jupe.

—Je n'ai pas confiance en vos lois humaines. Alors, je laisse à d'autres le soin de vivre sous les projecteurs. Et je serai encore ici quand les adeptes de la modernité auront disparu.

Soudain, elle griffa l'air devant elle. Jean-Claude tituba. Du sang dégoulina de sa figure, éclaboussant sa chemise et sa veste blanche. Quelques gouttes se prirent dans mes cheveux.

Seraphina griffa de nouveau, et une seconde entaille apparut sur son autre joue, arrosant Jason du sang de son maître.

Jean-Claude resta debout et n'émit pas un son.

Il ne porta pas la main à ses plaies, restant parfaitement immobile. La seule chose qui bougeait, c'était le sang qui coulait sur sa figure. Ses yeux étaient pareils à deux saphirs flottant à la surface d'un masque ensanglanté.

Un muscle à vif frémit sur sa joue. L'os de sa mâchoire dénudée brillait. Une blessure atrocement profonde, mais je savais qu'il pouvait la guérir… Aussi horrible qu'elle semblât, elle était destinée à nous faire peur. C'est ce que je me tuais à répéter à mon cœur qui battait la chamade.

J'avais envie de dégainer mon flingue et d'abattre cette salope. Mais je ne pourrais pas les tuer tous. Et dans le cas de Janos et de ses deux compagnes, mes balles en argent ne suffiraient pas.

—Je n'ai pas besoin de te tuer, Jean-Claude. Il suffirait de verser du métal en fusion dans tes plaies pour qu'elles deviennent permanentes. Ton beau visage serait ravagé à jamais. Tu pourras toujours faire semblant d'être le maître de Saint Louis, mais c'est moi qui régnerai. Tu seras ma marionnette.

—Prononce le mot, Seraphina. Prononce-le, et finissons-en avec ces jeux puérils.

Jean-Claude s'était exprimé d'une voix parfaitement normale, qui ne trahissait ni douleur ni peur.

—Défi. Est-ce le mot que tu souhaites entendre? demanda Seraphina.

—Ça fera l'affaire.

Le pouvoir de Jean-Claude rampa sur ma peau. Soudain, il jaillit vers l'avant. Je le sentis me dépasser tel un poing géant. Il percuta Seraphina de plein fouet, éparpillant les courants d'air dans toute la pièce. Le contrecoup déséquilibra Kissa, qui s'écroula sur les coussins, à moitié assommée.

Seraphina éclata de rire. Mais son hilarité s'interrompit brusquement, comme si elle n'avait jamais existé. Son visage était un masque aux yeux de flamme blanche. Sa peau pâlit jusqu'à ressembler à du marbre translucide sous lequel ses veines couraient comme des lignes de feu bleu. Son pouvoir envahit la pièce; je le sentis monter comme le niveau de l'eau pendant une inondation, et je sus que si elle le relâchait, nous nous noierions tous dedans.

—Où sont vos fantômes, Seraphina? demandai-je.

Un instant, je crus qu'elle allait m'ignorer. Puis son visage figé se tourna lentement vers moi.

—Où sont vos fantômes? répétai-je avec un peu plus de force.

Même si elle me regardait en face, je n'aurais pas juré qu'elle m'avait entendue. C'était comme essayer de déchiffrer l'expression d'un animal. Non d'une statue. Il n'y avait personne derrière le masque.

—Vous ne pouvez pas contrôler Squelette Sanglant en même temps qu'eux, c'est ça? Alors, vous avez dû y renoncer.

Seraphina se leva, et je vis qu'elle se laissait porter par les courants de son pouvoir pour s'élever au-dessus des coussins. Lentement, elle monta vers le plafond. C'était très impressionnant.

Je racontais n'importe quoi pour gagner du temps – mais du temps pour quoi ? Que pouvions-nous faire ?

Une voix résonna dans ma tête.

Vos croix, ma petite. Ne sois pas timide à cause de moi.

Je ne discutai pas.

Mon crucifix émergea de ma brassière, boule de lumière si brillante qu'elle en devenait presque douloureuse. Je plissai les yeux et détournai le regard, mais réussis seulement à le poser sur la croix de Larry qui s'embrasait à son tour.

Jean-Claude se recroquevilla sur lui-même, les bras levés devant le visage pour se protéger. Seraphina glapit et retomba à moitié sur le sol. Elle pouvait rester debout face à une croix, mais pas utiliser sa magie. Elle atterrit dans les froufrous soyeux de sa jupe. Les autres vampires tournèrent la tête et levèrent les bras en sifflant.

Magnus se releva et s'approcha de nous. Jason vint se planter devant Jean-Claude et moi. Il me regarda de ses yeux ambrés. La bête, en lui, me fixait par-delà l'éclat de ma croix, et elle n'avait pas peur. Je me réjouis brièvement d'avoir emporté des balles en argent, juste au cas où.

—Non, Magnus, pas toi ! cria Seraphina.

Magnus hésita, sans quitter Jason du regard. Un grognement s'échappa de la gorge du métamorphe.

—Je peux me le faire, affirma Magnus.

Un bruit retentit de l'autre côté de la porte ouverte qui menait à la cave. Quelqu'un montait l'escalier. Et les marches de bois émettaient des craquements de protestation sous son poids.

Une main émergea des ténèbres, assez large pour envelopper ma tête. Ses ongles longs et crasseux ressemblaient à des griffes. Des vêtements en lambeaux pendaient le long d'un bras monstrueux.

La créature mesurait au moins trois mètres. Elle dut se plier en deux pour franchir la porte, et quand elle se redressa, le sommet de son crâne effleura le plafond. Il n'y avait pas de peau sur sa tête énorme. La chair était à vif, ouverte comme une plaie. Ses veines pulsaient sous la pression du sang qu'elles charriaient, et pourtant, elles ne le laissaient pas s'échapper.

La créature ouvrit une bouche garnie de crocs jaunes brisés.

— Je suis là, dit-elle.

Il était terrifiant d'entendre des mots s'échapper de ce visage écorché. La voix grondante, basse et lointaine, semblait venir du fond d'un puits.

Soudain, la pièce parut beaucoup plus petite. Tête Écorchée, Squelette Sanglant n'aurait eu qu'à tendre un bras pour me toucher. Ce n'était pas bon du tout.

Jason avait reculé d'un pas pour se rapprocher de nous. Magnus était retourné à côté de Seraphina. Il regardait la créature, l'air aussi hébété que nous. Ne l'avait-il jamais vue sous sa forme matérielle ?

— Viens à moi, ordonna Seraphina.

Elle tendit les mains au fairie, qui s'approcha d'elle avec une grâce surprenante. Un peu comme s'il était liquide plutôt que solide. Aucune créature aussi massive et aussi hideuse n'aurait dû pouvoir bouger comme du mercure, mais c'était pourtant le cas. Dans ses mouvements, je retrouvais la grâce de Magnus et Dorrie…

Seraphina prit la grosse patte sale du monstre dans ses mains gantées de blanc. Puis elle releva sa manche déchirée, exposant son poignet musclé.

— Arrête-la, ma petite.

Je baissai les yeux vers Jean-Claude, qui se recroquevillait toujours face au feu des crucifix.

— Hein ?

— Si elle boit son sang, les croix risquent de ne plus marcher sur elle.

Je ne posai pas de question. Je n'avais pas le temps. Je dégainai mon Browning et sentis Larry faire de même avec son flingue.

Seraphina se pencha sur le poignet du fairie, la bouche grande ouverte et les crocs découverts.

Je pressai la détente. Le coup l'atteignit à la tempe. L'impact fit reculer son buste, et du sang coula le long de sa joue. Elle n'était pas immunisée contre les balles.

Ça, c'était une bonne nouvelle!

Malheureusement, Janos se jeta aussitôt devant elle.

Je tirai deux fois, son visage aux yeux morts à moins d'un mètre de distance de moi. Il me sourit. Mes balles en argent n'allaient pas suffire.

Larry avait contourné Jean-Claude pour tirer sur Pallas et Bettina. Les deux vampires avancèrent vers lui, sans s'inquiéter des projectiles que crachait son flingue. Kissa resta prostrée sur les coussins. Ellie semblait paralysée par la vue des croix.

Squelette Sanglant resta immobile face à Seraphina, comme s'il attendait ses ordres – ou qu'il se moquait de ce qui se passait autour de lui. Il regardait Magnus d'un air très peu amical. Visiblement, il l'avait reconnu.

La voix de Seraphina retentit derrière le corps de Janos.

— Donne-moi ton poignet.

Le fairie eut un sourire mauvais.

— Bientôt, je serai libre de te tuer, lança-t-il à Magnus.

Je n'avais pas envie de mettre ce géant en rogne contre moi, mais je ne pouvais pas non plus laisser Seraphina s'emparer de son pouvoir. Je visai la tête écorchée et tirai.

J'aurais pu lui cracher dessus, pour tout l'effet que ça lui fit. Mon initiative ne me valut qu'un bref coup d'œil.

— Je n'ai pas de raison de t'en vouloir. Essaie de ne pas m'en donner une.

En observant son visage monstrueux, je fus forcée d'être d'accord. Mais quel choix me restait-il ?

— On fait quoi ? demanda Larry.

Il avait reculé pour se placer dos à dos avec moi. Bettina et Pallas s'immobilisèrent hors de sa portée. C'était sa croix qui les faisait hésiter, pas son flingue. Jean-Claude était tombé à genoux, les bras toujours croisés devant le visage, mais il ne s'était pas éloigné, ne sortant pas du rayon protecteur des crucifix.

Puisque les balles en argent ne pouvaient rien contre les feys… J'appuyai sur le bouton du Browning pour éjecter mon chargeur, pris celui de rechange dans ma poche et l'enclenchai. Puis je visai la poitrine de la créature, à l'endroit où j'espérais qu'était son cœur, et tirai.

Squelette Sanglant rugit tandis qu'une fleur de sang s'épanouissait sur ses vêtements. Quand il sentit Seraphina planter les crocs dans son poignet, je le sentis aussi. Un tourbillon de pouvoir balaya la pièce, soulevant mes cheveux et hérissant tous les poils de mon corps. Un instant, je ne pus pas respirer. L'air était chargé de trop de magie…

Derrière la silhouette noire de Janos, Seraphina se leva lentement. Elle lévita jusqu'au plafond, baignée par la lumière des croix et souriante. Le trou que je lui avais fait dans la tête s'était déjà refermé. Des flammes blanches jaillissaient de ses yeux et léchaient son visage. Alors, je sus que nous allions mourir.

Xavier apparut au sommet de l'escalier. Il tenait une épée, mais elle était plus lourde et plus affûtée que toutes les lames que j'avais jamais vues. Il regarda Seraphina en souriant.

— Je t'ai nourrie, grogna Squelette Sanglant. Libère-moi.

Seraphina leva les bras comme pour caresser le plafond.

— Non, répondit-elle. Jamais. Je te viderai de ton sang et je me baignerai dans ton pouvoir.

— Tu as promis, insista Squelette Sanglant.

Elle le défia du regard. À cette hauteur, ses yeux arrivaient au niveau de ceux du fairie.

— J'ai menti, répliqua-t-elle.

— Non ! cria Xavier.

Il tenta de s'approcher, mais nos croix le maintinrent à distance.

Je jetai une poignée de sel sur Seraphina et Squelette Sanglant. Elle me rit au nez.

— Que fais-tu, Niña ?

— Il ne faut jamais rompre la promesse faite à un fey, lançai-je. Ça annule le marché qu'on a conclu avec lui.

Une épée recourbée apparut dans les mains de Squelette Sanglant, comme si elle venait de jaillir de nulle part. Celle que j'avais vu Xavier manier chez les Quinlan… Combien de cimeterres moitié aussi hauts que moi pouvait-il exister ? Le fairie la planta dans la poitrine de Seraphina jusqu'à la garde, l'épinglant en plein vol comme un papillon. De l'acier normal n'aurait pas pu la blesser, mais du moment qu'il était enchanté…

Squelette Sanglant cloua Seraphina au mur et retira son arme en lui imprimant un mouvement de rotation, pour faire le plus de dégâts possible. Seraphina cria et glissa à terre, laissant une trace ensanglantée sur le mur.

Squelette Sanglant se tourna vers moi et porta une main à sa poitrine.

— Je te pardonne cette blessure, parce que tu m'as libéré. Lorsqu'il sera mort, nous n'aurons plus aucune raison de nous battre.

Avant que je puisse réagir, il embrocha Magnus. Il était aussi rapide que Xavier.

Et merde !

Magnus tomba à genoux, la bouche ouverte sur un cri qu'il n'avait plus le souffle nécessaire pour pousser. Squelette Sanglant tira sa lame vers le haut d'un coup puissant, et cela me rappela les blessures des garçons morts. S'il voulait nous aider à échapper à Seraphina et à ses séides, ça ne me posait pas de problème. Mais que se passerait-il ensuite ?

Le fairie retira sa lame de la poitrine de Magnus.

Toujours vivant, Bouvier leva les yeux vers moi et me tendit une main suppliante. J'aurais pu le laisser mourir. Mais quand Squelette Sanglant brandit son arme pour lui porter le coup de grâce, je pointai mon Browning sur lui.

— Ne bougez plus. Jusqu'à ce que vous l'ayez éliminé, vous êtes mortel, et les balles peuvent vous tuer.

Il se pétrifia.

— Que veux-tu, humaine ?

— C'est vous qui avez tué ces garçons dans la forêt, n'est-ce pas ?

— De sales petits polissons...

— Si je vous laisse partir, tuerez-vous d'autres... polissons ?

Il me regarda quelques instants avant de répondre :

— C'est ce que je fais. Ce que je suis.

Je tirai avant de réfléchir. S'il bougeait le premier, j'étais morte.

La balle l'atteignit entre les deux yeux. Il tituba en arrière, mais ne s'écroula pas.

— Ma petite... Les croix, ou je ne pourrai pas t'aider.

La voix de Jean-Claude n'était plus qu'un murmure rauque.

Je glissai mon crucifix dans ma brassière. Une seconde plus tard, Larry m'imita.

Avec la seule lumière des bougies pour l'éclairer, la pièce parut soudain plus inquiétante encore. Squelette Sanglant se jeta sur moi. Je tirai, mais il était si rapide que je ne sus pas si je l'avais touché ou non.

Le cimeterre descendit vers moi. Jean-Claude se pendit au bras qui le tenait pour déséquilibrer son porteur. Larry se rapprocha de moi, et nous tirâmes tous deux dans la poitrine du fairie.

Squelette Sanglant secoua son bras, faisant voler Jean-Claude à travers la pièce et l'envoyant s'écraser contre un mur. Larry et moi restâmes là où nous étions, épaule contre épaule. Je vis le cimeterre s'abattre sur nous et compris que je ne pourrais pas m'écarter de sa trajectoire à temps.

Soudain, Xavier se matérialisa devant moi. Avec son étrange lame, il dévia celle du fairie, qui s'arrêta à deux centimètres de mon visage.

L'épée de Xavier était entaillée à l'endroit où l'acier du cimeterre l'avait mordue. Il poussa de toutes ses forces pour l'enfoncer dans la poitrine de Squelette Sanglant, qui hurla et tenta de le frapper, mais Xavier était trop près pour qu'il puisse le repousser avec sa lame géante.

Squelette Sanglant tomba à genoux. Xavier remua l'épée dans sa poitrine comme s'il cherchait son cœur. Puis il la retira dans une pluie de sang et de fluides corporels.

Le fairie s'écroula sur le ventre en hurlant. Il prit appui sur ses mains et tenta de se relever. Je plaquai le canon de mon Browning contre son crâne et tirai aussi vite que possible. Pas besoin de viser, à bout portant.

Larry m'imita. Nous vidâmes nos chargeurs dans la tête de la créature. Quand nous eûmes fini, elle respirait encore. Xavier lui planta son épée dans le dos jusqu'à la garde, la clouant au sol. Sa poitrine continua à se soulever et à s'abaisser, comme si elle luttait pour respirer.

J'échangeai le Browning contre le Firestar – avec un chargeur de balles ordinaires. Trois coups de plus. Comme si une masse critique venait d'être atteinte, la tête de Squelette Sanglant explosa dans une nuée de fragments d'os, de gouttes de sang et de matière cérébrale.

Xavier était à cheval sur le dos du fairie, couvert comme moi de ses restes répugnants. Il dégagea sa lame, tout émoussée à l'endroit où elle avait frotté sur les os de Squelette Sanglant. Nous restâmes plantés face à face, de part et d'autre du géant mort, isolés par une bulle de parfaite compréhension.

— Votre épée est en fer ? demandai-je.

Xavier hocha la tête. Ses pupilles étaient aussi rouges que des cerises – pas couleur de sang comme celles des albinos, mais vraiment rouges. Aucun humain n'a des yeux pareils.

— Vous êtes un fey.

— Ne dites pas de bêtises. Les fairies ne peuvent pas devenir des vampires. Tout le monde le sait !

Je secouai la tête.

— Vous avez trafiqué le sort de Magnus. C'est vous qui lui avez fait ça.

— Il s'est fait ça tout seul.

— Avez-vous aidé Squelette Sanglant à tuer ces gamins, ou vous êtes-vous contenté de lui donner une lame ?

— Je lui abandonnais mes victimes quand je me lassai d'elles.

Il me restait huit balles dans le Firestar. Xavier lut peut-être mes intentions dans mon regard.

— Les balles en plomb et en argent ne peuvent pas me blesser, dit-il. Je suis immunisé contre ces deux métaux.

— Où est Jeff Quinlan ?

— Dans la cave.

— Allez le chercher.

— Certainement pas.

Ce fut comme si la bulle qui nous enveloppait venait d'éclater. Soudain, je repris conscience du bruit et de l'agitation qui régnaient autour de nous. Xavier m'avait hypnotisée, et de sales trucs s'étaient produits pendant que j'étais sous son emprise.

Allongé sur le sol, Jason crachait du sang. S'il avait été humain, j'aurais juré qu'il agonisait. Étant un lycanthrope, il s'en remettrait peut-être. Un des vampires l'avait blessé. J'ignorais lequel.

Jean-Claude gisait sous une masse de corps féminins : Ellie, Kissa, Pallas et Bettina. Sa voix résonna comme un grondement de tonnerre à travers la pièce. Elle était très impressionnante, mais pas encore assez.

— Ne fais pas ça, ma petite !

Janos se tenait près du trône avec Larry. Il l'avait bâillonné et lui avait attaché les mains dans le dos avec un des cordons qui retenaient les tentures.

Seraphina était écroulée sur son trône, un flot noir se déversant de sa poitrine ouverte. Je n'avais jamais vu personne perdre autant de sang si vite. Sa plaie était tellement large que je vis son cœur battre dans sa cage thoracique.

— Que voulez-vous ? demandai-je.

— Non, ma petite. (Jean-Claude lutta pour se redresser, mais en vain.) C'est un piège.

— Sans déconner ? répliquai-je sur un ton sec. Je n'aurais jamais deviné.

— C'est toi qu'elle veut, nécromancienne ! lança Janos.

Il me fallut quelques secondes pour digérer la nouvelle.

— Pourquoi ? demandai-je enfin.

— Tu lui as volé le sang d'un immortel. Donc, tu vas prendre sa place.

— Squelette Sanglant n'était pas immortel. Je crois que nous venons de le prouver.

— Mais il était puissant, nécromancienne. Tout comme toi. Seraphina se nourrira de toi, et elle vivra.

— Et moi ?

— Toi aussi, tu vivras. À jamais, Anita. À jamais.

Je ne relevai pas le « à jamais ». Je savais que c'était faux.

— Elle va te prendre, et elle le tuera quand même ! lança Jean-Claude.

Il avait sûrement raison, mais que pouvais-je faire ?

— Elle a laissé partir les deux filles, hier soir.

— Tu n'en sais rien, ma petite. Tu les as revues ?

Là, il marquait un point.

— Nécromancienne !

La voix de Janos ramena mon attention vers lui. Seraphina se ratatinait de plus en plus sur son trône. Sa robe blanche imbibée de sang était plaquée à son corps éventré.

— Viens, nécromancienne, ordonna Janos. Viens, ou l'humain périra.

Je fis un pas en avant.

— Non ! cria Jean-Claude.

Janos griffa l'air juste au-dessus de la tête de Larry. Son débardeur bleu se déchira, et du sang coula de sa poitrine. Il ne pouvait pas hurler avec son bâillon, mais si Janos ne l'avait pas tenu, il se serait écroulé.

— Lâche tes armes et viens à nous, nécromancienne.

— Ma petite, ne fais pas ça. Je t'en supplie.

— Je n'ai pas le choix, Jean-Claude. Vous le savez.

— Seraphina le sait aussi, objecta-t-il.

Je le regardai se débattre contre trois fois son poids de vampires. Il aurait dû être ridicule, mais il ne l'était pas.

— Elle ne te désire pas seulement pour elle. Elle veut m'empêcher de t'avoir. Elle te prendra pour me damer le pion.

— C'est moi qui vous ai invité à jouer cette fois, vous vous souvenez ? C'est *ma* fête.

Ça, pour être ma fête, je sentais que ça allait l'être à plus d'un titre… J'avançai vers Janos en m'efforçant de ne pas regarder derrière lui, histoire de ne pas voir l'autre créature dont je me rapprochais.

—Ma petite, ne fais pas ça. Tu es une maîtresse reconnue. Elle ne peut pas te prendre par la force. Il faut que tu consentes. Refuse !

Je fis un signe de dénégation et continuai à avancer.

—Tes armes d'abord, nécromancienne, dit Janos.

Je posai mes deux flingues sur le sol.

Larry secouait la tête et émettait des petits bruits de protestation. Il se débattit et tomba à genoux. Janos dut lui lâcher le cou pour ne pas l'étrangler.

—Maintenant, tes couteaux, ordonna-t-il.

—Je ne…

—N'essaie pas de nous mentir.

Les couteaux suivirent le même chemin que le Browning et le Firestar.

Mon cœur cognait si fort dans ma poitrine que j'avais du mal à respirer. Je m'immobilisai devant Larry et plongeai mon regard dans le sien. Puis je lui enlevai son bâillon – un foulard de soie.

—Ne fais pas ça, Anita, me supplia-t-il. Pas pour moi. Je t'en prie !

De nouvelles griffures lacérèrent son débardeur. Un peu plus de sang coula. Il hoqueta de douleur mais ne cria pas.

Je levai les yeux vers Seraphina.

—Vous avez dit que ça marchait seulement sur les gens qui ont une aura de pouvoir.

—Ton jeune ami a sa propre aura, révéla Janos.

—Laissez-le partir. Laissez-les tous partir, et je consentirai.

—Ne fais pas ça pour moi, ma petite.

—Je le fais pour Larry, mais ça ne coûte rien de vous ajouter dans la balance, Jason et vous.

Janos regarda Seraphina. Elle s'était écroulée sur le côté, les paupières mi-closes.

— Viens à moi, Anita. Laisse-moi te toucher le bras, et ils les relâcheront tous. Je t'en donne ma parole, d'un maître à un autre.

— Anita, non !

Larry lutta, pas pour s'échapper, mais pour me rejoindre. Janos griffa l'air devant lui, et la manche de son blouson se couvrit de sang. Larry hurla.

— Arrêtez, grognai-je. Arrêtez. Ne le touchez plus. Ne le touchez jamais plus.

Je lui crachai ces mots à la figure, sondant ses yeux morts sans rien ressentir.

Une main me toucha le bras. Je sursautai et poussai un cri étranglé. J'avais laissé la colère me porter jusque-là. Ce que je m'apprêtai à faire me terrifiait beaucoup trop pour que j'y pense consciemment.

Seraphina avait enlevé un de ses gants. C'étaient ses doigts nus qui m'encerclaient le poignet. Elle ne serrait pas, ne me faisant pas du tout mal. Pourtant, en regardant sa main, posée sur mon bras, je sentis les battements de mon cœur s'affoler, et je ne pus prononcer un mot.

— Lâche-le, dit-elle.

Quand Janos le libéra, Larry courut vers moi. Le vampire lui flanqua un revers nonchalant qui le fit s'écrouler sur le sol et l'envoya glisser deux mètres plus loin.

Je restai pétrifiée, la main de Seraphina sur mon bras. Un moment, je crus que Janos avait tué Larry. Mais il gémit et tenta de se relever.

Par-dessus sa tête, mon regard croisa celui de Jean-Claude. Voilà des années qu'il me poursuivait de ses assiduités, et j'étais sur le point de laisser un autre maître vampire boire mon sang.

Seraphina me força à m'agenouiller, me serrant le poignet si fort que je crus qu'elle l'avait brisé. La douleur me fit lever la tête. Ses yeux étaient d'un brun chaud si foncé qu'on les aurait presque crus noirs. Et ils me souriaient avec une infinie douceur.

Je sentis le parfum de ma mère, l'odeur de sa laque et celle de sa peau. Je secouai la tête. C'était un mensonge. Un mensonge. Seraphina se pencha vers moi, et ce furent les épais cheveux noirs de ma mère qui se balancèrent autour de son visage pour venir caresser ma joue.

— Non. Ce n'est pas réel, croassai-je.

— Ça peut être aussi réel que tu le désires, Niña…

Je sondai ses yeux et me sentis tomber dans leur long tunnel obscur, vers la minuscule flamme qui brillait au bout. Je me tendis vers elle de tout mon être. Elle pouvait réchauffer ma chair, apaiser mon cœur. Elle serait tout et tous pour moi.

Au loin, comme dans un rêve, j'entendis Jean-Claude crier mon nom.

— Anita !

Mais c'était trop tard. Le feu de Seraphina me donnait la sensation d'être de nouveau complète et intacte. La douleur était un faible prix à payer pour ça.

Le tunnel noir s'écroula derrière moi et il ne resta plus rien que les ténèbres et l'éclat des yeux de Seraphina.

Chapitre 39

Je rêvais.

J'étais toute petite. Si petite que je tenais sur les genoux de ma mère, seuls mes pieds dépassant. Quand elle m'enveloppait de ses bras, je me sentais tellement en sécurité, persuadée que rien ne pourrait jamais me faire mal tant que maman serait là !

Je posai ma tête contre sa poitrine. J'entendais les battements de son cœur sous mon oreille. Ils vibraient avec régularité, de plus en plus fort contre ma joue.

Ce fut le bruit qui me réveilla. Autour de moi régnaient des ténèbres si impénétrables que je craignis d'être devenue aveugle. J'étais allongée dans les bras de ma mère.

Je m'étais endormie dans son lit, avec papa et elle…

Son cœur battait contre mon oreille, mais le rythme n'était pas le bon. Maman avait un « murmure cardiaque ». Son pouls hésitait une fraction de seconde, avant de donner deux impulsions rapides comme pour rattraper le retard. Mais le cœur qui battait contre ma peau était aussi régulier qu'une horloge.

Je tentai de me redresser et me cognai la tête contre quelque chose de dur. Mes mains glissèrent le long du corps auquel j'étais couchée, caressant une robe de satin sertie de joyaux.

Allongée dans l'obscurité absolue, je voulus rouler sur le côté et glissai au creux d'un bras. La chair nue pressée contre la mienne était aussi molle que celle des morts, mais son cœur résonnait encore dans les ténèbres alors que je luttais pour me détacher d'elle.

Nous étions serrées l'une contre l'autre. Ce n'était pas un cercueil pour deux. De la sueur ruisselait sur tout mon corps. Soudain, l'obscurité me semblait insupportablement chaude et étouffante. Je ne pouvais pas respirer. Je tentai de rouler sur le dos, mais c'était impossible. Il n'y avait pas la place.

Chacun de mes mouvements faisait remuer son corps inerte et trembler sa chair douce et comme dépourvue d'os. Je ne sentais plus le parfum de ma mère. Seulement l'odeur d'un sang très ancien, mêlée à une puanteur qui me hérissait les poils et que je connaissais bien.

La puanteur des vampires.

Je hurlai et me redressai sur mes bras tendus – une tentative désespérée pour mettre un peu de distance entre nous. Le couvercle du cercueil remua contre mon dos. Je pris appui sur mes mains et m'arc-boutai. Le couvercle bascula brusquement en arrière, et je me retrouvai à cheval sur Seraphina, le torse relevé comme si j'étais en train de faire des pompes.

Une lumière tamisée dessina les contours de son visage. Son maquillage soigneux avait quelque chose de dérangeant, comme celui d'un cadavre apprêté par un croque-mort. Dans ma hâte de sortir de cette foutue boîte, je faillis m'étaler de tout mon long.

Le cercueil de Seraphina était posé sur l'estrade du *Squelette sanglant*. Ellie se pelotonnait à son pied. Je la contournai, m'attendant à ce qu'elle me saisisse la cheville au passage. Mais elle ne bougea pas. Elle ne respirait même pas. Elle était morte depuis peu – donc morte tout court pendant la journée.

Seraphina ne respirait pas non plus, mais son cœur battait. Pourquoi ? Pour me réconforter ? Parce qu'elle m'avait touchée ? Franchement, je n'en avais pas la moindre idée. Si je sortais de là, je poserais la question à Jean-Claude. À supposer qu'il soit toujours vivant…

Janos était allongé au centre de la salle, sur le dos, les mains croisées sur la poitrine. Bettina et Pallas se pelotonnaient contre lui, une de chaque côté. Un deuxième cercueil reposait sur le plancher de bois. Je n'avais aucun moyen de savoir quelle heure il était. J'aurais parié que Seraphina n'avait pas besoin de dormir toute la journée.

Bien sûr que je savais l'heure qu'il était.

Celle de filer d'ici !

— Je lui avais dit que vous ne dormiriez pas si longtemps.

Je sursautai et fis volte-face. Magnus était derrière le comptoir. Les coudes appuyés sur le bois, il coupait un citron vert avec un couteau à l'air méchamment affûté. Il posa sur moi ses yeux turquoise, ses longs cheveux auburn encadrant son visage.

Soudain, il se redressa et s'étira. Il portait une de ces chemises à jabot qu'on loue généralement pour aller avec un smoking. La couleur vert pâle du tissu faisait ressortir celle de ses prunelles.

— Vous m'avez fait peur.

Il bondit par-dessus le comptoir et atterrit sur ses pieds aussi souplement qu'un chat. Quand il me sourit, cela n'avait rien d'amical.

— Je n'aurais pas cru que vous prendriez peur aussi facilement.

Je reculai d'un pas.

— Vous avez récupéré sacrément vite.

— J'ai bu du sang d'immortel. Ça aide.

Il me regarda avec une chaleur qui ne me plut pas du tout.

— C'est quoi votre problème ? criai-je.

Il rabattit ses cheveux sur son épaule droite, puis tira sur le col de sa chemise jusqu'à ce que les deux premiers boutons sautent et tombent par terre. Une trace de morsure fraîche se détachait sur la peau lisse de son cou.

Je reculai encore d'un pas.

— Et alors ? (Je passai une main dans mon cou et effleurai deux petits points de chair légèrement boursouflée.) Nous avons des marques assorties. Qu'est-ce que ça peut faire ?

— Seraphina m'a interdit de boire. Elle a dit que vous dormiriez toute la journée. Qu'elle saurait vous y forcer. Mais j'ai pensé qu'elle vous sous-estimait.

Un pas de plus vers la porte.

— Ne faites pas ça, Anita.

— Pourquoi ?

Mais je craignais de connaître la réponse.

— Seraphina m'a demandé de vous garder ici jusqu'à son réveil. (Magnus me sourit presque tristement.) Asseyez-vous. Je vais vous préparer quelque chose à manger.

— Non, merci.

— Ne vous enfuyez pas, Anita. Ne m'obligez pas à vous faire du mal.

— Qui occupe l'autre cercueil ? demandai-je.

La question sembla le surprendre.

Il laissa ses cheveux retomber dans son cou, sa chemise bâillant sur sa poitrine. Je ne me souvenais pas d'avoir prêté une telle attention à son torse musclé les fois précédentes, ni à la façon dont ses cheveux brillants se balançaient sur ses épaules. Les effets de l'onguent avaient dû se dissiper.

— Arrêtez, Magnus.

— Arrêter quoi ?

— Vos glamours ne marchent pas sur moi.

— Un glamour serait une alternative plus plaisante.

— Qui est dans le cercueil ? insistai-je.

— Xavier et le garçon.

Je me lançai vers la sortie. Soudain, Magnus se matérialisa derrière moi. Il était incroyablement rapide. J'avais déjà vu mieux, mais pas chez un vivant.

Je ne tentai pas d'ouvrir la porte. Mais je me laissai aller contre lui et le jetai par-dessus mon épaule de toutes mes forces, comme si j'essayais de lui faire traverser le plancher. Mon prof de judo aurait été fier de moi.

Alors que Magnus secouait la tête, sonné, et s'efforçait de reprendre ses esprits, j'ouvris la porte à la volée. La lumière du soleil se déversa dans le bar, tombant sur Janos et ses compagnes.

Janos tourna la tête de l'autre côté. Je n'attendis pas d'en voir plus et pris mes jambes à mon cou.

La porte claqua derrière moi, mais je ne me retournai pas pour savoir ce qui se passait et traversai le parking à toute allure.

J'entendis Magnus se lancer à ma poursuite, ses pieds martelant les graviers. Je n'arriverais pas à le semer et je le savais.

À la dernière seconde, je m'immobilisai et me retournai, lui lançant un coup de pied tournant. Il le vit venir et plongea dessous en balayant ma jambe d'appui. Nous nous écroulâmes tous deux sur le sol.

Je lui lançai une poignée de graviers à la figure ; il me flanqua son poing dans la mâchoire.

Quand on reçoit un direct en pleine poire, le temps semble suspendre son cours. Un instant, on reste paralysé, incapable de faire autre chose que cligner des yeux.

Le visage de Magnus apparut au-dessus de moi. Il ne me demanda pas si ça allait, puisqu'il avait tout fait pour que ce ne soit pas le cas. Comme dans un brouillard, je le sentis me soulever et me jeter sur ses épaules. Le temps que je retrouve l'usage de mon corps, je jouissais d'une vue imprenable sur le sol.

Je me tortillai, tentant de me mettre en position pour le frapper à la nuque avec mes mains entrelacées. Je le laissai caler mes jambes contre son torse, mais avant que je puisse réagir, il ouvrit la porte du bar d'un coup de pied et me jeta sur le plancher. Puis il s'adossa au battant et le verrouilla derrière lui.

— Il fallait absolument que vous choisissiez la manière forte, pas vrai ?

Je me relevai et m'écartai de lui, une manœuvre qui me rapprocha des vampires. Ce n'était pas une amélioration. Je reculai vers le comptoir. Il devait bien y avoir une issue de secours.

— Je n'en connais pas d'autre, répliquai-je crânement.

Magnus prit une profonde inspiration.

— Dans ce cas, la journée va être longue.

Je posai une main sur le bois lisse du comptoir.

— Il y a des chances…

Le citron vert et le couteau étaient à quelques centimètres de mes doigts. Je fixai Magnus en faisant attention à ne pas les regarder. Pour ne pas attirer son attention. Un truc pas aussi facile qu'il en a l'air.

Il sourit et secoua la tête.

— Ne faites pas ça, Anita.

Je me tournai vers le comptoir, pris appui de mes deux mains et me propulsai dessus d'un coup de reins. J'entendis Magnus approcher dans mon dos, mais je ne regardai pas par-dessus son épaule.

Il ne faut jamais regarder par-dessus son épaule : il y a toujours quelqu'un qui gagne du terrain sur vous.

Je saisis le couteau et roulai simultanément de l'autre côté du comptoir. Beaucoup trop vite, le visage de Magnus apparut au-dessus de moi. Je n'étais pas prête. Je pus seulement le regarder, les doigts serrés sur le manche du couteau. S'il avait été un poil moins rapide, j'aurais pu lui trancher la gorge.

Au moins, c'était mon plan…

Magnus s'accroupit sur le comptoir sans me quitter des yeux. Des lumières et des points colorés y tourbillonnaient, reflétant des choses qui n'étaient pourtant pas là. Il resta perché au-dessus de moi, une main posée sur le comptoir pour garder son équilibre tandis qu'il se balançait sur la pointe des pieds. Ses cheveux étant tombés en avant, d'épaisses mèches auburn dansaient devant son visage.

Il me faisait le coup du prédateur, comme au tumulus. Mais cette fois, il n'était plus du côté des gentils. Il n'essayait même pas de s'en donner l'air. Je m'attendais à ce qu'il me saute dessus. Ce ne fut pas le cas. Évidemment, il n'avait pas envie de se battre avec moi : il cherchait seulement à m'empêcher de partir.

Je regardai ce qu'il y avait sous le comptoir. Des bouteilles d'alcool, des verres propres, un seau à glace, une pile de torchons, des paquets de serviettes en papier. Rien de bien utile pour quelqu'un dans ma situation. Et merde !

Je me relevai lentement, le dos collé au mur pour mettre le plus de distance possible entre Magnus et moi. Centimètre par centimètre, je me déplaçai vers l'extrémité du comptoir la plus proche de la porte. Magnus m'imita en glissant sur la surface de bois polie. Un mouvement peu naturel, mais qu'il réussissait quand même à rendre gracieux.

Il était plus fort et plus rapide que moi, mais j'étais armée. Son couteau semblait de bonne qualité. Conçu pour découper des aliments, pas des gens, mais un bon couteau reste un bon couteau.

Je me forçai à ne pas serrer le manche trop fort et à me détendre pour ne pas choper une crampe à la main.

J'allais m'en sortir. Je réussirai.

Mon regard se posa sur le cercueil de Seraphina. Je crus la voir respirer.

Magnus me sauta dessus. Il me percuta de plein fouet, et je lui plongeai le couteau dans le ventre. Il grogna alors que le poids de son corps me plaquait sur le sol. J'enfonçais le couteau jusqu'au manche. Le poing de Magnus se referma sur ma main, et il roula sur le côté, m'arrachant ma seule arme.

À quatre pattes, je contournai précipitamment le comptoir. Magnus était déjà de l'autre côté. Il me saisit par le bras et me força à me relever. Du sang souillait le devant de sa chemise. Il brandit le couteau ensanglanté sous mon nez.

— Vous m'avez fait mal.

Puis il appuya la lame contre ma gorge, me plaqua contre lui et commença à reculer.

— Où allons-nous ? demandai-je.

— Vous verrez bien.

Mauvaise réponse.

Le pied de Magnus heurta le corps d'Ellie. En roulant des yeux, je vis le cercueil de Seraphina derrière lui. Il est sacrément difficile de bouger la tête quand on a un couteau sous la gorge, au sens littéral.

Magnus me tira sur le bras, mais je résistai.

J'avais parfaitement conscience de la pression, sur mon cou, mais Seraphina me faisait plus peur que n'importe quelle lame.

— Venez, Anita.

— Pas tant que vous ne me direz pas ce que vous comptez faire…

Ellie gisait à nos pieds, immobile, flasque et morte. Le sang de Magnus coulait sur son visage dépourvu d'expression. Un des autres vampires présents dans la pièce l'aurait peut-être léché machinalement dans son sommeil, mais Ellie était bel et bien morte. Encore « vide », elle devrait attendre que sa personnalité se reconstruise. Si cela arrivait un jour. J'ai connu des vampires qui ne se sont jamais remis de leur transformation et n'ont plus rien de commun avec l'humain qu'ils étaient autrefois.

— Je vais vous mettre dans le cercueil et le verrouiller jusqu'au réveil de Seraphina.

— Non.

Magnus me serra le bras comme si ses doigts cherchaient mes os. S'il ne me le cassait pas, j'aurais un putain de bleu. Je ne criai pas, mais cela me demanda un gros effort.

— Je peux vous torturer de toutes sortes de façons, Anita. Entrez là-dedans.

— Rien de ce que vous me ferez ne m'effraie autant que la perspective d'être enfermée avec Seraphina, dis-je.

Et j'étais sincère. Autrement dit, à moins qu'il soit prêt à me tuer, son couteau ne pouvait plus lui servir à rien. Je me laissai aller contre la lame et il fut forcé de l'écarter avant qu'elle s'enfonce dans mon cou.

Je vis dans ses yeux quelque chose qui n'y était pas avant. De la peur.

— Squelette Sanglant n'est plus parce qu'il partageait votre mortalité. Étiez-vous plus difficile à tuer avant, Magnus ? Vous n'avez plus de source d'immortalité où vous régénérer, c'est bien ça ?

— Vous êtes un peu trop maligne pour votre propre bien…

Je souris.

— Mortel comme tout le monde ! Pauvre bébé.

— J'encaisserai toujours plus de dommages que vous ne pouvez m'en infliger…

— Si vous le pensiez vraiment, vous ne chercheriez pas à me remettre dans le cercueil.

Sa main remua à une vitesse presque vampirique. Il me frappa et il me fallut une poignée de secondes pour m'apercevoir qu'il m'avait coupée. Du sang s'accumula dans la plaie et coula le long de mon bras. Magnus lâcha mon épaule pour me saisir le poignet, si vite que je ne pus même pas en profiter.

Je regardai le sang dégouliner. La blessure n'était pas très profonde et ne laisserait probablement pas de cicatrice. De toute façon, je n'en étais plus à une près sur ce bras-là.

— Vous n'auriez pas pu choisir le droit ? Je n'ai presque pas de marques dessus.

D'un geste vif, Magnus m'entailla le bras droit de l'épaule jusqu'au coude.

— Je ne peux rien refuser à une dame.

Cette coupure-là était beaucoup plus profonde que l'autre, et elle me faisait mal. Moi et ma grande gueule ! Une longue ligne écarlate se forma le long de mon biceps droit.

Sur mon bras gauche, quelques gouttes de sang restèrent suspendues au niveau de mon coude plié avant de tomber sur la joue d'Ellie. Elles glissèrent sur sa peau pâle et s'infiltrèrent dans sa bouche.

Un picotement dans ma nuque me fit frissonner. Je retins mon souffle. Je sentais le corps pelotonné à nos pieds.

Nous étions en pleine journée. Je n'aurais pas dû pouvoir relever un zombie, et encore moins un vampire. C'était impossible ! Pourtant, je sentais le corps d'Ellie réagir à ma magie. Je savais qu'elle serait à moi si je le voulais.

— Qu'est-ce qui se passe ?

Magnus me secoua le bras. Je me retournai vers lui. Sans m'en apercevoir, je dévisageai Ellie. Je n'avais pas réfléchi : c'était tellement inattendu...

Je percevais la magie, juste hors de ma portée. Il aurait suffi d'un rien pour que je puisse m'en saisir. Je souris à Magnus.

— Vous avez l'intention de me taillader jusqu'à ce que je grimpe dans le cercueil ?

— Pourquoi pas ?

— Le seul moyen de me remettre là-dedans serait de me tuer d'abord. Et Seraphina ne veut pas que je meure. Au moins, pas tout de suite.

Je marchai sur lui. Il fit mine de reculer, puis se força à tenir sa position. Nos deux corps étaient pratiquement pressés l'un contre l'autre. Parfait. Je glissai ma main libre sous sa chemise et caressai sa peau nue. Magnus écarquilla les yeux.

— Que faites-vous ?

Je souris et suivis le bord de sa plaie du bout de mon index. Il émit un petit bruit, comme si ça faisait mal. Trempant mes doigts dans son sang à demi coagulé, je lui en barbouillai l'estomac.

— Vous avez vu les cadavres des trois garçons quand vous m'avez touchée, l'autre soir, et après ça, vous vouliez quand même coucher avec moi. Vous vous souvenez ?

Il prit une inspiration tremblante.

Je retirai ma main couverte de sang de sa chemise et la levai jusqu'à son visage pour la lui faire voir. Son souffle accéléra. Lentement, je m'agenouillai devant lui. Il ne me lâcha pas le bras et ne posa pas son couteau, mais il ne tenta pas non plus de m'arrêter.

Je passai ma main sur la bouche d'Ellie. Le pouvoir s'embrasa, courant sur ma peau telles des flammes froides. Il remonta le long de mon bras et se communiqua à Magnus.

— Putain !

Magnus abattit le couteau sur moi. Je bloquai son poignet avec mon avant-bras, calai une épaule contre son ventre et poussai sur mes jambes pour me relever sous lui. Il se retrouva en équilibre sur mes épaules, mais il tenait toujours son couteau. Je le projetai sur Ellie et le défiai du regard, haletante.

— Ellie, relève-toi.

Les yeux de la vampire s'ouvrirent brusquement. Magnus fit mine de s'écarter d'elle.

— Attrape-le ! ordonnai-je.

Ellie lui passa les bras autour de la taille et s'agrippa à lui. Magnus la frappa avec son couteau, et elle cria. Que Dieu me vienne en aide, elle hurla.

Les zombies ne hurlaient pas !

Je courus vers la porte.

Magnus se lança à ma poursuite en traînant Ellie derrière lui. Il bougeait plus vite que je ne l'aurais cru, mais pas assez. Je déverrouillai la porte à la volée ; un rectangle de lumière pénétra dans le bar.

J'avais fait deux foulées dehors quand les premiers cris retentirent. Je regardai par-dessus mon épaule. Cette fois, je ne pus pas m'en empêcher. Ellie était en feu. Magnus tentait de se dégager de son étreinte, mais personne n'a une poigne aussi solide que les morts.

Je fonçai vers le parking.

— *Niña, ne t'en va pas.*

La voix m'arrêta net. Je fis volte-face. Magnus avait réussi à atteindre le seuil. Des flammes blanches enveloppaient Ellie. La chemise et les cheveux du fairie brûlaient.

— Retourne à l'intérieur, fils de pute ! criai-je.

Mais j'aurais parié qu'il entendait les mêmes choses que moi. Et la voix qui tentait de me retenir le poussait à courir vers moi sous la lumière du jour. Il fit un pas en avant sur le gravier.

— *Retourne te coucher, Niña. Tu es fatiguée. Tu dois te reposer.*

Soudain, je me sentis lasse, si lasse… J'avais conscience de chacune de mes entailles et de mes ecchymoses. Seraphina pouvait me guérir. Elle me toucherait de ses mains fraîches et chasserait la douleur.

Magnus s'écroula au milieu de l'allée en hurlant. Ellie fondait sur lui, le brûlant vif.

Doux Jésus !

Il tendit une main suppliante vers moi.

— Aidez-moi ! cria-t-il.

Les flammes rongeaient sa chair.

Je fis demi-tour et m'enfuis malgré la voix de Seraphina qui chuchotait à mon oreille.

— *Niña, tu as tellement manqué à ta maman…*

Chapitre 40

J'arrêtai une voiture sur la route.

J'étais couverte de sang séché et d'énormes bleus, griffée et entaillée de partout, et pourtant, un couple âgé me prit en stop. Qui a dit que les bons Samaritains n'existent plus ? Ils voulaient me conduire au commissariat, et je les laissai faire.

Les gentils policiers me regardèrent à peine avant de demander si j'avais besoin d'une ambulance. Je répondis que non, et leur ordonnai de contacter l'agent spécial Bradford de la part d'Anita Blake.

Ils tentèrent de me convaincre de faire un détour par l'hôpital de Branson, mais je n'avais pas le temps. Nous étions déjà au milieu de l'après-midi. Il fallait agir avant le coucher du soleil. Je leur demandai d'envoyer une voiture de patrouille au *Squelette sanglant*, afin que personne ne déplace les cercueils. Je leur dis qu'ils trouveraient peut-être un homme blessé dans le parking. Si c'était le cas, ils pouvaient le faire transporter aux urgences. Mais ils ne devaient entrer dans le bar sous aucun prétexte.

Tout le monde hocha la tête et convint avec moi que c'était la chose la plus sage à faire. Les flics de la ville avaient fouillé la maison de Seraphina pendant la journée. Ils m'apprirent qu'un certain Kirkland les avait amenés là-bas après mon enlèvement. Je mis une seconde à comprendre qu'ils parlaient de Larry. Seraphina avait donc tenu parole et laissé partir mes amis. Le soulagement me coupa les jambes et j'avais déjà bien assez de mal à tenir debout.

Les flics avaient découvert une douzaine de corps dans la cave de Seraphina. Elle aurait dû les enterrer dans les bois. Pour ce que j'en savais, c'étaient leurs fantômes qu'elle appelait. Non que ça eût la moindre importance à présent. L'essentiel était que nous avions un mandat d'exécution, et que la police m'écoutait, pour une fois.

On me fit asseoir dans une salle d'interrogatoire, avec une tasse de café assez musclé pour participer à des championnats d'haltérophilie, et une couverture sur les épaules. Je frissonnais méchamment et je n'arrivais pas à m'arrêter.

Bradford arriva. Il s'assit en face de moi et lâcha :

— Il paraît que vous avez trouvé l'antre de la maîtresse vampire.

J'éclatai d'un rire qui résonna sinistrement à mes oreilles.

— Trouvé ? Disons plutôt que je me suis réveillée dedans.

Je portai la tasse de café à ma bouche et dus m'interrompre abruptement. Mes mains tremblaient tant que j'allais en foutre partout.

Je pris une profonde inspiration et me concentrai sur ma tasse et sur le mouvement élémentaire qui consistait à la lever jusqu'à ma bouche. C'était déjà mieux. Le taux de caféine remonta dans mon sang, et ma fébrilité baissa en même temps.

— Vous devez aller à l'hôpital, dit Bradford.

— Je dois d'abord buter Seraphina.

— Nous avons des mandats d'exécution pour elle et tous ses serviteurs impliqués dans cette affaire. Comment voulez-vous procéder ?

— En foutant le feu au *Squelette sanglant*. Il suffira de bloquer toutes les issues, à part la porte de devant. Si Magnus est dedans, il sortira.

— Magnus Bouvier ? demanda Bradford sur un ton qui ne me plut guère.

— Oui.

— Les flics ont trouvé ce qui restait de lui dans le parking. On aurait dit que la moitié supérieure de son corps avait fondu. Sauriez-vous comment c'est arrivé ?

Je bus une autre gorgée de café et soutins son regard sans ciller. Que pouvais-je répondre ?

— Les vampires le contrôlaient. Il était censé me garder dans le bar jusqu'à la tombée de la nuit. Il a peut-être été puni pour avoir échoué.

Ce que j'avais fait à Magnus et à Ellie aurait pu me valoir la peine capitale. Pas question que j'avoue.

— Les vampires l'ont puni ?

— Oui.

Bradford me dévisagea un long moment. Puis il hocha la tête et changea de sujet.

— Ne vont-ils pas tenter de fuir quand nous mettrons le feu ?

Je haussai les épaules.

— Le soleil ou les flammes… Ça fera juste une différence dans le degré de cuisson…

Je finis mon café.

— Votre protégé, M. Kirkland, a dit que vous aviez été enlevée au cimetière. Est-ce aussi votre version des faits ?

— C'est la vérité, agent Bradford.

Ou au moins, une partie. L'omission est un truc merveilleux.

Il sourit et secoua la tête.

— Je suis sûr que vous me cachez des choses.

Je foudroyai le Fédéral du regard jusqu'à ce que son sourire se flétrisse.

— La vérité est une arme à double tranchant, agent Bradford. Vous ne trouvez pas ?

Il se mordilla la lèvre avant de hocher la tête.

— Parfois, mademoiselle Blake. Parfois…

J'appelai l'hôtel. Il n'y avait personne dans la chambre de Larry. Je demandai qu'on me passe la mienne et il décrocha.

Il y eut un instant de silence abasourdi quand il comprit que c'était moi.

— Anita, oh, mon Dieu ! Tu vas bien ? Où es-tu ? Je viens te chercher.

— Au commissariat. Ça va… Plus ou moins… Je voudrais que tu m'apportes des fringues de rechange. Celles que je porte puent le vampire. Nous allons exécuter Seraphina.

— Quand ?

— Aujourd'hui. Maintenant.

— J'arrive tout de suite.

— Larry ?

— J'amène les flingues, les couteaux et une croix supplémentaire.

— Merci.

— Je n'ai jamais été aussi content d'entendre quelqu'un !

— Et moi donc !

— Il te faut autre chose ?

— J'aimerais savoir si Jason et Jean-Claude s'en sont tirés.

— Oui. Jason est à l'hôpital, mais il vivra. Jean-Claude dort dans ton lit. Après t'avoir mordue, Seraphina l'a frappé avec un étrange pouvoir. Je l'ai senti, c'était… incroyable. Elle l'a assommé et elle est partie. Les autres l'ont accompagnée.

Tout le monde était vivant, ou en tout cas, pas plus mort qu'au début de cette lamentable histoire. C'était plus que je n'avais osé espérer.

— Génial. À tout de suite.

Je raccrochai et fus saisie d'une horrible envie de pleurer. Mais je luttai. Si je commençais, j'avais peur de ne plus pouvoir m'arrêter. Et je ne devais pas céder à l'hystérie. Pas encore. Avant, j'avais un boulot à terminer.

Bradford commandait notre petite expédition. L'agent spécial Bradley Bradford – oui, Bradley Bradford ; qu'on ne me demande pas ce que ses parents avaient dans la tête quand ils l'ont baptisé – semblait croire que je savais ce que je faisais. Rien de tel que manquer de se faire tuer pour acquérir de la crédibilité. Pour une fois, badge ou pas, personne ne me contredisait. Ça me changeait un peu.

Je n'étreignis pas Larry quand il m'apporta mes vêtements, car ce fut lui qui me prit dans ses bras. Je me dégageai plus tôt que je ne l'aurais voulu, parce que j'avais envie de m'effondrer contre lui en sanglotant comme une perdue. De me laisser aller contre un ami.

Plus tard, plus tard…

Une monstrueuse ecchymose barrait tout un côté de son visage. On aurait dit qu'il avait reçu un coup de batte de base-ball. Il avait de la chance que Janos ne lui ait pas fracassé la mâchoire.

Il m'avait apporté un jean bleu foncé, un polo rouge, des chaussettes de jogging, mes Nike blanches, une croix supplémentaire qu'il avait trouvée dans ma valise, mes couteaux en argent, le Firestar avec son holster de cuisse et le Browning avec son holster d'épaule. Il avait oublié de prendre un soutif, mais bon… Tout le reste était parfait.

Les lanières des fourreaux irritèrent mes avant-bras, mais il était si bon d'être de nouveau armée que je n'y fis même pas attention. Je ne tentai pas de cacher mes deux flingues. Les flics savaient qui j'étais, et les méchants aussi.

Deux heures à peine après que j'eus rampé hors du cercueil de Seraphina, nous nous garâmes devant le

Squelette sanglant. Il y avait trois ambulances, un camion de pompiers, un camion-citerne et tout un assortiment de flics : ceux de Branson et de l'État du Missouri, plus les Fédéraux. Un véritable menu dégustation. Sans compter Larry et moi, bien sûr.

Puisque Magnus était mort, il ne restait personne pour protéger Seraphina et ses sbires. Ça ne signifiait pas pour autant qu'ils soient impuissants. Oh que non ! De ce côté-ci de l'Enfer, il n'existait pas de force assez grande pour me persuader de retourner dans ce bâtiment. Par bonheur, nous disposions d'une alternative très satisfaisante.

Le camion-citerne contourna le *Squelette sanglant* et s'immobilisa à l'arrière. Un homme brisa un carreau. Puis ses collègues et lui déroulèrent leur tuyau, le glissèrent dedans et ouvrirent le robinet.

Debout dans la lumière tiède du soleil, une douce brise me caressant la peau, je murmurai :

— Puisses-tu rôtir en Enfer.

— Tu as dit quelque chose ? demanda Larry.

Je secouai la tête.

— Rien d'important.

Le tuyau frémit et se gonfla. L'odeur entêtante du gas-oil emplit l'air.

Je la sentis se réveiller.

Sentis ses yeux s'ouvrir dans le noir…

L'odeur du gas-oil *nous* chatouiller les narines…

Mes doigts agripper le bord de son cercueil.

Je me couvris le visage avec les mains.

— Oh, mon Dieu.

Larry me toucha l'épaule.

— Ça ne va pas ?

— Prends-moi mes flingues. Maintenant.

— Que… ?

— Maintenant !

Je laissai retomber mes bras et levai la tête pour le foudroyer du regard. Et tandis que j'observai son visage familier, je sus que Seraphina le voyait aussi.

— Tue-le, chuchota-t-elle.

J'arrachai les fourreaux de mes couteaux et les laissai tomber sur le sol. Puis je reculai vers les flics. Je devais être entourée de gens armés.

— *Anita, que fais-tu à ta pauvre maman?* demanda la voix dans ma tête. *Tu n'as pas vraiment envie de me faire du mal. Niña, aide-moi.*

— Oh, mon Dieu!

Je pris mes jambes à mon cou et faillis renverser Bradford.

— *Aide-moi, Niña. Aide-moi!*

Presque malgré moi, je portai la main à mon Browning. Je serrai les poings si fort que mes ongles s'enfoncèrent dans mes paumes.

— Bradford, désarmez-moi, le pressai-je. Tout de suite.

Le Fédéral me regarda sans comprendre, mais il obéit.

— Que se passe-t-il, Blake?

— Des menottes. Vous avez des menottes?

— Oui.

Je lui tendis mes poignets.

— Passez-les-moi!

Ma voix n'était plus qu'un couinement, ma gorge si serrée que j'avais du mal à respirer.

Je sentis l'odeur du talc Hypnotique et le goût du rouge à lèvres de ma mère sur mes lèvres. Bradford boucla les menottes. Je reculai d'un bond en regardant mes mains entravées.

J'ouvris la bouche pour lui dire « Enlevez-moi ça » et la refermai aussitôt.

Je sentais les cheveux de ma mère me chatouiller le visage.

— C'est quoi, ce parfum? demanda Larry, qui venait de nous rejoindre et fronçait les sourcils.

Je le regardai, les yeux écarquillés, incapable de parler et encore moins de bouger.

— Oh, mon Dieu ! comprit-il. Tu vas la sentir brûler.

Je ne répondis pas.

— Qu'est-ce que je peux faire ?

— Aide-moi, gargouillai-je.

— Quelqu'un voudrait m'expliquer ce qui se passe ? grogna Bradford.

— Seraphina essaie de manipuler Anita pour qu'elle la sauve, expliqua Larry.

— La vampire ? Elle est réveillée ?

— Oui, dis-je.

Seraphina était sortie de son cercueil. La jupe de sa robe de bal effleura le chambranle de la porte qui conduisait à la cuisine. Elle ne put aller plus loin, car un peu de lumière entrait dans la pièce par l'unique fenêtre. Sur le sol, une énorme flaque de gas-oil rampait vers elle.

— *Anita, aide maman !*

— C'est un mensonge, croassai-je.

— Qu'est-ce qui est un mensonge ? demanda Bradford.

Je secouai la tête.

— *Anita, aide-moi ! Tu ne veux pas que je meure. Pas alors que tu peux me sauver.*

Je tombai à genoux, griffant les graviers du parking avec mes mains liées.

— Dites aux hommes de couper l'arrivée de gasoil.

Larry s'accroupit près de moi.

— Pourquoi ?

C'était une bonne question. Et Seraphina avait une excellente réponse.

— Jeff Quinlan est là-dedans.

— Et merde ! (Larry leva les yeux vers Bradford.) Nous ne pouvons pas mettre le feu. Il y a un gamin dedans.

Bradford fonça vers le camion-citerne en faisant de grands gestes.

Alors, je captai la jubilation de Seraphina. Elle m'avait menti. Xavier avait transformé Jeff la veille. Il ne restait rien de vivant dans ce bâtiment.

J'agrippai le bras de Larry.

—Larry, c'est un mensonge! Elle a tenté de vous manipuler à travers moi. Enferme-moi dans une voiture, tout de suite, et dis-leur de brûler cet endroit.

—Mais si Jeff…

—Ne discute pas. Fais-le! criai-je en m'efforçant d'ignorer la voix dans ma tête.

Le parfum du talc Hypnotique était si fort que je le sentais sur ma langue. Trop fort. Seraphina avait peur.

Larry rappela Bradford et ils durent me porter jusqu'à une voiture. Je voulus me débattre quand ils ouvrirent la portière, mais fis de mon mieux pour me retenir. Ils me posèrent à l'arrière et m'enfermèrent.

Prisonnière d'une cage de métal et de verre, je passai mes doigts dans le filet qui séparait la banquette arrière du siège conducteur et enfonçai les mailles dans ma peau jusqu'à me faire saigner les mains. Mais même la douleur ne m'aida pas.

Le gas-oil était partout. Il imbibait le plancher et les meubles, étouffant Seraphina.

—*Niña, ne fais pas ça! Ne fais pas de mal à maman. Évite de me perdre une seconde fois…*

Je me balançai d'avant en arrière, les doigts toujours passés dans le filet métallique. Bientôt. Ce serait bientôt fini.

Je sentis une caresse sur mon visage, un souvenir si réel que je ne pus m'empêcher de tourner la tête pour voir s'il y avait quelqu'un à côté de moi.

—*Ma mort sera tout aussi réelle que cette caresse, Anita.*

Un des hommes jeta une allumette dans le bar. Les flammes bondirent en rugissant, et je criai avant qu'elles l'atteignent.

Je frappai la vitre et hurlai :

— Nooon !

Une vague de chaleur submergea Seraphina, flétrissant le tissu de sa robe comme les pétales d'une fleur fanée et dévorant sa chair.

Je martelai la vitre jusqu'à ce que je ne sente plus mes mains. Je devais l'aider. Il fallait la sortir de là ! Je me laissai tomber sur le dos et flanquai une ruade dans la vitre. Et une autre, et encore une autre… Chaque fois, l'onde de choc remontait le long de ma colonne vertébrale jusque dans ma tête, mais je continuai à flanquer des coups de pied jusqu'à ce que le verre se fendille et tombe en morceaux.

À présent, elle criait mon nom.

— *Anita ! Anita !*

Je réussis à passer la moitié de mon corps hors de la voiture avant qu'un flic tente de m'arrêter. Je le laissai me saisir le bras, mais en profitai pour dégager mes jambes. Je devais la sortir de là. Plus rien d'autre ne comptait. Rien.

Je m'écroulai sur le sol. Le flic n'avait pas lâché mon bras. Je me redressai à demi et le projetai par-dessus mon épaule. Puis je courus vers l'incendie. Déjà, je sentais sa chaleur ramper sur ma peau. Nous dévorer vivantes.

Quelqu'un me plaqua à terre. Je lui abattis mes deux poings liés sur la tête. Mon agresseur me lâcha, et je me relevai précipitamment.

Des cris. Des bras qui me ceinturaient, immobilisaient les miens contre mes flancs, et me soulevaient de terre. Je donnai un coup de talon vicieux dans le genou de leur propriétaire, qui n'insista pas. Mais il y avait d'autres bras. D'autres ennemis.

Quelqu'un s'assit à califourchon sur moi. Une main aussi grosse que ma tête pressa mon visage contre les graviers. Un autre salaud me cloua les poignets au sol en s'appuyant dessus de tout son poids. Un troisième adversaire s'assit sur mes jambes.

— *Niña ! Niña !*

Je criai avec elle alors que l'odeur des cheveux brûlés et du talc Hypnotique me faisait suffoquer. Du coin de l'œil, je vis une seringue approcher et sanglotai :

— Non, non ! Maman, maman !

L'aiguille s'enfonça dans ma chair et les ténèbres engloutirent le monde. Elles empestaient la chair calcinée et avaient le goût du rouge à lèvres et du sang.

Chapitre 41

Je passai quelques jours à l'hôpital. À cause de mes hématomes, et de mes plaies, qu'il fallut recoudre, mais surtout des brûlures au second degré sur mon dos et mes bras. Rien de trop terrible : je ne devrais pas garder de cicatrices, m'affirmèrent les médecins. Mais ils ne comprenaient pas d'où elles venaient. Je n'avais pas envie de leur expliquer, essentiellement parce que je n'étais pas certaine de pouvoir le faire.

Jason avait des côtes cassées, un poumon perforé et d'autres lésions internes. Mais il se rétablit parfaitement, et en un temps record. Être un lycanthrope a aussi des avantages.

Jean-Claude guérit. Son visage redevint le masque de perfection qui avait jadis attiré Seraphina.

Les clients de Stirling rachetèrent le terrain à Dorcas Bouvier, et firent d'elle une femme riche. Depuis la mort de Squelette Sanglant, plus rien ne la retenait à Branson. Elle était libre.

Les Quinlan portèrent plainte contre moi. Les avocats de Bert promirent qu'ils réussiraient à nous éviter un procès, mais je ne voyais pas trop comment. Si j'avais protégé chaque issue de la maison, peut-être... Mais je n'aurais sans doute pas pensé à la porte du chien. Je méritais sûrement d'être poursuivie en justice.

Je dus annoncer aux Quinlan qu'Ellie était morte pour de bon. Ils furent obligés de me croire sur parole : il ne restait rien de leur fille pour appuyer mes dires. Quand un vampire brûle, il brûle. On ne peut plus l'identifier d'après ses empreintes digitales ou son dossier dentaire. Jeff aussi était mort pour de bon. Ils avaient perdu leurs deux enfants. Ça devait forcément être la faute de quelqu'un : pourquoi pas la mienne ?

J'avais relevé un vampire comme si c'était un zombie, un exploit théoriquement impossible. Je sais que les nécromanciens sont censés pouvoir contrôler tous les types de morts-vivants. Mais c'est une légende, pas la réalité.

Pas vrai ?

Seraphina est morte, mais mes cauchemars ont survécu. Ils se mêlent aux véritables souvenirs du décès de ma mère. Et ils me pourrissent l'existence.

La première fois que j'ai un problème d'insomnie…

Que faire des deux hommes de ma vie ? Comment le saurais-je ? Les bras de Richard, la chaleur de son corps qui m'enveloppe – voilà ce qui se rapproche le plus de l'étreinte de ma mère. Mais ce n'est pas pareil, parce que même si je sais que Richard donnerait sa vie pour moi, cela ne suffirait peut-être pas à me protéger. Enfant, je croyais que c'était possible. Mais il n'y a pas de véritable sécurité, ni de refuge ultime. L'innocence perdue ne peut jamais être retrouvée.

Parfois, quand je suis avec Richard, j'ai quand même envie d'y croire de nouveau.

Les bras de Jean-Claude n'ont rien de réconfortant et ne me donnent pas l'impression d'être en sécurité. Être avec lui est un plaisir interdit et je sais que je finirai par le regretter. J'ai décidé de brûler les étapes : je le regrette déjà, mais je continue à sortir avec lui.

D'une façon ou d'une autre, Jean-Claude a franchi la ligne que très peu de vampires avaient dépassée avant lui. Je ne le considère plus comme un monstre.

Que Dieu ait pitié de mon âme !

BRAGELONNE – MILADY, C'EST AUSSI LE CLUB :

Pour recevoir la lettre de Bragelonne – Milady annonçant nos parutions et participer à des rencontres exclusives avec les auteurs et les illustrateurs, rien de plus facile !

Faites-nous parvenir vos noms et coordonnées complètes, ainsi que votre date de naissance, à l'adresse suivante :

Bragelonne
35, rue de la Bienfaisance
75008 Paris

club@bragelonne.fr

Venez aussi visiter nos sites Internet :
http://www.milady.fr
http://www.bragelonne.fr

Vous y trouverez toutes les nouveautés, les couvertures, les biographies des auteurs et des illustrateurs, et même des textes inédits, des interviews, des liens vers d'autres sites de Fantasy et de SF, un forum et bien d'autres surprises !

Achevé d'imprimer en avril 2009
Par CPI Brodard & Taupin - La Flèche (France)
N° d'impression : 52294
Dépôt légal : mai 2009
Imprimé en France
81120119-1